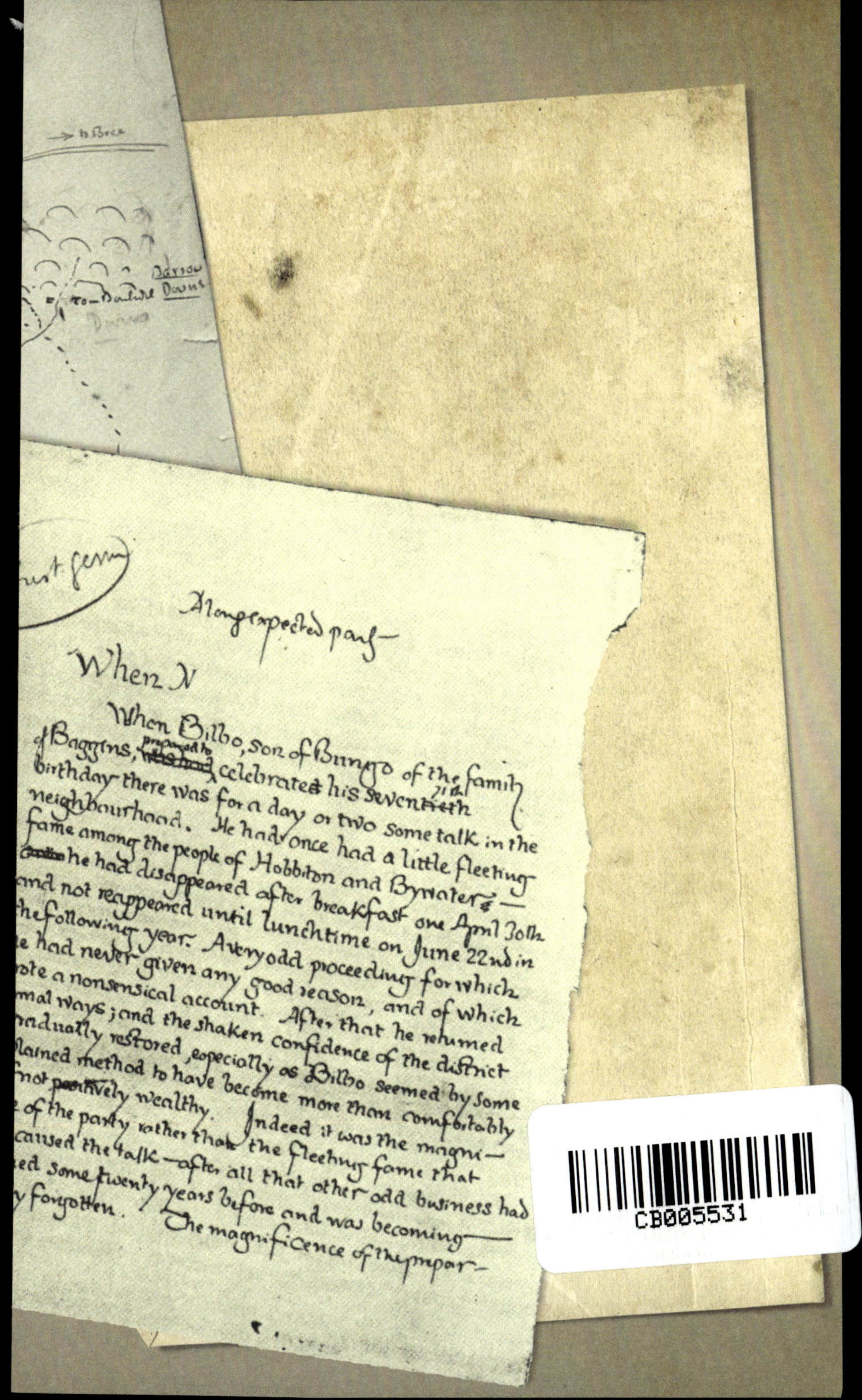

A long expected party

When N

When Bilbo, son of Bungo of the family
of Baggins, celebrated his seventieth
birthday there was for a day or two some talk in the
neighbourhood. He had once had a little fleeting
fame among the people of Hobbiton and Bywater —
he had disappeared after breakfast one April 30th
and not reappeared until lunchtime on June 22nd in
the following year. A very odd proceeding for which
he had never given any good reason, and of which
ote a nonsensical account. After that he resumed
mal ways; and the shaken confidence of the district
radually restored, especially as Bilbo seemed by some
plained method to have become more than comfortably
not positively wealthy. Indeed it was the magni-
e of the party rather than the fleeting fame that
caused the talk — after all that other odd business had
ed some twenty years before and was becoming
y forgotten. The magnificence of the prepar-

CB005531

ORTHANC (1)

A HISTÓRIA
DA TERRA-MÉDIA
— VIII —
A GUERRA DO ANEL

J.R.R. TOLKIEN

A HISTÓRIA DA TERRA-MÉDIA

VIII

A GUERRA DO ANEL

Editado por CHRISTOPHER TOLKIEN

Tradução de
EDUARDO BOHEME

Rio de Janeiro, 2024

Copyright © The Tolkien Trust e C.R. Tolkien, 1987
Edição original por George Allen & Unwin, 1986
Todos os direitos reservados à HarperCollins Publishers.
Copyright da tradução © 2024 por Casa dos Livros Editora LTDA. Todos os direitos reservados.

Título original: *The War of the Ring*

Todos os direitos desta publicação são reservados à Casa dos Livros Editora LTDA. Nenhuma parte desta obra pode ser apropriada e estocada em sistema de banco de dados ou processo similar, em qualquer forma ou meio, seja eletrônico, de fotocópia, gravação etc., sem a permissão dos detentores do copyright.

® e TOLKIEN® são marcas registradas da The Tolkien Estate Limited.

Copidesque	Jaqueline Lopes
Revisão	Gabriel Oliva Brum, Letícia Oliveira e Camila Reis
Design de capa	Alexandre Azevedo
Projeto gráfico e diagramação	Sonia Peticov

Dados Internacionais de Catalogação na Publicação (CIP)
(Câmara Brasileira do Livro, SP, Brasil)

Tolkien, J.R.R. (John Ronald Reuel)
A Guerra do Anel /J.R.R. Tolkien; tradução: Eduardo Boheme Kumamoto. – 1. ed. – Rio de Janeiro, RJ: HarperCollins Brasil, 2024.

Título original: *The War of the Ring*
ISBN 978-65-55115-61-1

1. Ficção de fantasia. 2. Terra-média (lugar imaginário). 3. Tolkien, J.R.R. (Joh Ronald Reuel), 1892-1973. Senhor dos Anéis – Crítica, textual. I. Kumamoto, Eduardo. II. Título.

05-2024/87 CDD-823.912

Índice para catálogo sistemático: 823.912
Bibliotecária responsável: Aline Graziele Benitez CRB-1/3129

HarperCollins Brasil é uma marca licenciada à Casa dos Livros Editora Ltda.
Todos os direitos reservados à Casa dos Livros Editora LTDA.

Rua da Quitanda, 86, sala 601A - Centro,
Rio de Janeiro/RJ - CEP 20091-005
Tel.: (21) 3175-1030
www.harpercollins.com.br

Sumário

Prefácio

O título deste livro vem da mesma fonte que *A Traição de Isengard*, um grupo de seis títulos, um para cada "Livro" de *O Senhor dos Anéis*, sugeridos por meu pai em uma carta a Rayner Unwin em março de 1953 (*As Cartas de J.R.R. Tolkien*, n. 136). *A Guerra do Anel* foi o título proposto para o Livro V, e eu o adotei para este livro pois a história da composição do Livro V constitui quase a metade dele, ao passo que a primeira parte diz respeito à vitória no Abismo de Helm e à destruição de Isengard. A segunda parte descreve a escrita da jornada de Frodo a Kirith Ungol, e esta eu chamei de "O Anel vai para o Leste", que foi o título proposto por meu pai para o Livro IV.

No prefácio a *O Retorno da Sombra*, expliquei que um conjunto substancial de manuscritos ficou para trás, na Inglaterra, quando a maior parte dos papéis foi para a Universidade Marquette em 1958, manuscritos estes que consistem majoritariamente em esboços e nos rascunhos narrativos mais antigos; e sugeri que isso foi uma consequência da dispersão dos papéis, pois àquela época alguns estavam em determinado lugar e, alguns, em outro. Mas os materiais manuscritos de *O Retorno do Rei* evidentemente ficaram com o conjunto principal de papéis, pois nada dos Livros V e VI ficou para trás além de alguns esboços narrativos e do primeiro rascunho do capítulo "Minas Tirith". Portanto, para o relato do Livro V, dependi quase que inteiramente de Marquette para o fornecimento de grandes quantidades de reproduções dos manuscritos, sem as quais teria sido impossível escrever a última parte de *A Guerra do Anel*. Por esse auxílio generosíssimo, expresso minha gratidão a todos os que tiveram papel nisso, em especial ao Sr. Taum Santoski, que foi primariamente responsável pelo trabalho. Além disso, aconselhou-me em muitos pontos particulares que poderiam ser mais bem decididos pelo exame atento dos papéis originais, e passou muito tempo tentando decifrar os manuscritos em que meu pai escreveu um texto à tinta por cima de outro a lápis. Agradeço também à Srta. Tracy J. Muench e à Srta. Elizabeth A. Budde por seu papel na reprodução desses materiais, e ao Sr. Charles B. Elson por me possibilitar incluir neste livro muitas ilustrações do material em Marquette: as páginas com croquis do Fano-da-Colina, das montanhas no alto do Vale Harg, e de Kirith Ungol, a planta de Minas Tirith e o desenho de página inteira de Orthanc (5).

Este livro segue o planejamento e a apresentação de seus predecessores: as referências a volumes anteriores em *A História da Terra-média* são fornecidas, de modo geral, com numerais romanos (assim, "VII" se refere a *A Traição de Isengard*), SA, DT e RR são abreviações de *A Sociedade do Anel*, *As Duas Torres* e *O Retorno do Rei* e referências de páginas são feitas sempre à edição em três volumes, capa dura, de *O Senhor dos Anéis* (SdA). Em várias partes do livro, a história textual é extremamente complexa. Visto que a história da evolução de *O Senhor dos Anéis* só pode, é claro, ser desvelada com a organização e interpretação corretas dos manuscritos, e deve ser contada nesses termos, não é possível simplificar muito a história textual; e usei bastante o método de identificar os manuscritos com letras para esclarecer meu relato e tentar evitar ambiguidades. Nos Livros IV e V, problemas de sincronização cronológica tornaram-se agudos: por vezes, é perceptível uma tensão severa entre as certezas narrativas e as exigências de uma estrutura cronológica inteiramente coerente (e a tentativa de fazer um deslocamento correto no tempo poderia muito bem levar a um deslocamento no espaço). Nessa parte de *O Senhor dos Anéis*, a cronologia é tão importante que não pude negligenciá-la, mas coloquei praticamente todas as minhas discussões complicadas e, com frequência, inconclusivas nas "Notas sobre a Cronologia" no fim dos capítulos.

Neste livro, usei acentos em todos os nomes dos Rohirrim (*Théoden*, Éomer etc.)

Novamente, o Sr. Charles Noad leu as provas do livro de maneira independente e checou um número imenso de citações, incluindo as referências a trechos dentro deste livro, com tal rigor e cuidado que sou absolutamente incapaz de atingir, ao que parece. Além disso, adotei muitas de suas sugestões para melhorar a clareza e a consistência do meu relato. Devo-lhe muito por esse trabalho generoso e substancial.

Sou muito grato às mensagens do Sr. Alan Stokes e do Sr. Neil Gaiman, que explicaram a referência feita por meu pai nas suas observações sobre as origens do poema *Vida Errante* (*A Traição de Isengard*, p. 107): "Começou muitos anos atrás, numa tentativa de seguir o modelo que chegou sem aviso à minha mente: os primeiros seis versos dos quais, eu acho, *D'ye ken the rhyme to porringer* fazia parte". A referência é à canção jacobita que ataca, e ameaça enforcar, Guilherme III de Orange como sendo usurpador da coroa inglesa, tendo-a tomado de seu sogro, Jaime II. A primeira estrofe da canção diz o seguinte na versão incluída por Iona e Peter Opie em *The Oxford Dictionary of Nursery Rhymes* [O Dicionário Oxford de Cantigas Infantis] (n. 422):

What is the rhyme for porringer?
What is the rhyme for porringer?
The king he had a daughter fair
And gave the Prince of Orange her.[*]

A cantiga existe em várias versões (em uma delas, o verso de abertura é *Ken ye the rhyme to porringer?* e o último, *And he gave her to an Oranger*).[†] Portanto, é essa a improvável origem das provisões do Alegre Passageiro:

Havia um alegre passageiro,
um mensageiro, era um arauto;
levou consigo uma tigela
e nela pôs laranjas, cauto.[‡,A]

[*] Qual é a rima pra tigela? / Qual é a rima pra tigela? / O rei tinha uma filha bela / e ao Príncipe de Orange deu ela. [N.T.]

[†] 'Cê sabe a rima pra tigela? / e a um Orange entregou ela. [N.T.]

[‡] Em inglês, Tolkien faz um trocadilho entre a palavra *orange*, laranja, e o título de Guilherme III, Príncipe de Orange. [N.T.]

PARTE UM

A QUEDA DE SARUMAN

1

A Destruição de Isengard

(*Cronologia*)

A escrita da história a partir de "O Rei do Paço Dourado" até o fim do primeiro livro de *As Duas Torres* foi um processo extremamente complexo. A "história de Isengard" não foi concebida e escrita como uma série de "capítulos" demarcados com clareza, cada um atingindo um estado desenvolvido antes de se passar para o seguinte, mas evoluiu como um todo, e as perturbações da estrutura que entraram conforme evoluía levaram a deslocamentos por toda a narrativa. Com o método de composição de meu pai nessa época — trechos de rascunhos muito rudimentares e breves eram incorporados a manuscritos completos que, por sua vez, eram severamente revisados, e o complexo inteiro avançava e mudava ao mesmo tempo — a confusão textual nessa parte de *O Senhor dos Anéis* só pode ser compreendida com grande dificuldade, e dispô-la numa sequência clara é impossível.

A razão essencial para essa situação foi a questão da cronologia; e acho que a melhor maneira de se abordar a composição dessa parte da narrativa é tentar expor primeiro os problemas com que meu pai estava batalhando, e fazer menções a esta discussão quando citar os textos em si.

A história tinha certos "momentos" narrativos e relações fixos. Pippin e Merry haviam encontrado Barbárvore na floresta de Fangorn e sido levados à sua "casa-de-ent" na Gruta-da-Nascente para passarem a noite. Naquele mesmo dia, Aragorn, Gimli e Legolas encontraram Éomer e sua companhia voltando da batalha com os Orques, e eles próprios haviam passado a noite ao lado do campo de batalha. Para estes propósitos, podemos chamar esse de "Dia 1", pois os eventos anteriores aqui não têm relevância; a data em si, de acordo com a cronologia deste período na escrita de *O Senhor dos Anéis*, era domingo, 29 de janeiro (ver VII. 431, 475–76).

No Dia 2, 30 de janeiro, aconteceu o Entencontro; e naquele dia Aragorn e seus companheiros presenciaram o retorno de Gandalf, e juntos partiram na grande cavalgada até Eodoras. Ao anoitecer, conforme cavalgavam para o sul, Legolas viu uma grande fumaça se erguendo ao longe, na direção do Desfiladeiro de Rohan, e perguntou a Gandalf o que poderia ser, ao que Gandalf respondeu "Batalha e Guerra!" (no fim do capítulo "O Cavaleiro Branco").

Cavalgaram a noite toda e chegaram a Eodoras no início da manhã do Dia 3, 31 de janeiro. Enquanto falavam com Théoden e Língua-de-Cobra no Paço Dourado de Eodoras, o Entencontro ainda ribombava lá longe, em Fangorn. Na tarde do Dia 3, Théoden, junto com Gandalf, seus companheiros e uma hoste dos Rohirrim, partiu de Eodoras para o oeste, atravessando as planícies de Rohan rumo aos Vaus do Isen; naquela mesma tarde o Entencontro terminou[1] e os Ents começaram a marchar para Isengard, chegando lá depois do cair da noite.

É aqui que os problemas cronológicos aparecem. Havia — ou haveria, conforme a história evoluía — os seguintes elementos que seriam organizados em um padrão cronológico coerente (alguns deles antecipados em alguma forma no esboço que chamei de "A História Prevista a partir de Fangorn", VII. 512–14). Os Ents atacariam Isengard e a inundariam desviando o curso do rio Isen. Uma grande força sairia de Isengard; os Cavaleiros nos Vaus do Isen seriam rechaçados de volta pelo rio. Os Rohirrim, chegando de Eodoras, veriam uma grande escuridão na direção do Vale do Mago, e encontrariam um cavaleiro solitário retornando da batalha nos Vaus; Gandalf dispararia para o oeste em Scadufax. Théoden e sua hoste, com Aragorn, Gimli e Legolas, buscariam refúgio em uma profunda ravina nas montanhas meridionais, e uma grande batalha ali acabaria em vitória, depois de uma derrota certa, com a chegada das "árvores que se movem" e com o retorno de Gandalf e do senhor dos Rohirrim, a quem pertencia a fortaleza. Por fim, Gandalf, com Théoden, Aragorn, Gimli, Legolas e a companhia dos Cavaleiros, sairiam do refúgio e cavalgariam para Isengard, agora inundada e em ruínas, e encontrariam Merry e Pippin sentados em uma pilha de destroços junto aos portões.

I

Na abertura original de "O Abismo de Helm", como se verá no início do capítulo seguinte, a cavalaria de Eodoras viu "um grande fumo e vapor" erguendo-se sobre Nan Gurunír, o Vale do Mago,[2] e encontraram o cavaleiro solitário voltando dos Vaus do Isen *no mesmo dia* (Dia 3, 31 de janeiro) conforme deixavam o Paço Dourado. O homem (Ceorl) contou que os Cavaleiros tinham sido rechaçados por cima do Isen com grande perda no dia anterior (Dia 2, 30 de janeiro); e deve ter sido essa a "fumaça de batalha" que Legolas viu ao anoitecer, subindo do Desfiladeiro de Rohan conforme eles cavalgavam de Fangorn para o Sul — evidentemente não pode ser o vapor subindo da inundação de Isengard causada pelos Ents (veja acima). Na história original, Théoden e seus homens, junto com Aragorn, Gimli e Legolas, buscaram refúgio no Abismo de Helm (que ainda não tinha esse nome) naquela mesma noite (Dia 3).

Ao que parece, um deslocamento cronológico já estava presente aí: pois os eventos dos Dias 1 a 3, conforme dispostos acima, eram fixos um em relação ao outro, e os Ents deveriam chegar em Isengard depois do cair da noite do Dia 3 (31 de janeiro); contudo, de acordo com a abertura original de "O Abismo de Helm", a hoste de Eodoras vê o "grande fumo e vapor" subindo de Nan Gurunír (inquestionavelmente causado pela inundação de Isengard) no anoitecer do mesmo dia.

II

O esquema temporal foi devidamente alterado: Théoden e sua hoste acamparam na planície na primeira noite saindo de Eodoras (Dia 3, 31 de janeiro), e foi na manhã do segundo dia da cavalgada (Dia 4, 1 de fevereiro) que eles viram a grande nuvem sobre Nan Gurunír:

À medida que cavalgavam, viram uma grande cúspide de fumaça e vapor erguendo-se da profunda sombra de Nan Gurunír; ao subir, captava a luz do sol e espalhava-se em ribanceiras brilhantes que flutuavam no vento por cima das planícies na direção deles.

"O que pensas disso, Gandalf?", perguntou Théoden. "Dir-se-ia que todo o Vale do Mago está em chamas."

"Sempre há fumo acima desse vale nestes dias", disse Háma; "mas nunca antes vi algo parecido."

Agora, é no anoitecer do segundo dia de cavalgada que eles encontraram o cavaleiro Ceorl vindo dos Vaus, e foi na noite desse dia que a batalha do Forte-da-Trombeta aconteceu. A cronologia, portanto, era a seguinte agora:

(*Dia 3*) *31 de janeiro*: Gandalf, Théoden e os Rohirrim partem de Eodoras e acampam à noite nas planícies. Os Ents chegam em Isengard depois do cair da noite e, após a partida da hoste-órquica, começam a inundar o Círculo de Isengard.

(*Dia 4*) *1 de fevereiro*: a hoste de Eodoras vê, pela manhã, os vapores resultantes da inundação de Isengard; ao anoitecer, encontram Ceorl e ficam sabendo da derrota nos Vaus do Isen no dia anterior; e chegam ao Abismo de Helm depois do cair da noite. Batalha do Forte-da-Trombeta.

Parece impossível não concluir que o fim do capítulo "O Cavaleiro Branco" (em que Legolas vê a fumaça no Desfiladeiro de Rohan no Dia 2, 30 de janeiro) acabou escapando à revisão quando a data da (Segunda) Batalha dos Vaus do Isen foi alterada para 31 de janeiro.

III

Na versão original daquilo que se tornou a abertura de "A Estrada para Isengard", Gandalf e Théoden, junto com Aragorn, Gimli, Legolas e um grupo de Cavaleiros, partiram do Abismo de Helm pouco depois do fim da batalha do Forte-da-Trombeta, sem descanso; isso foi no Dia 5, 2 de fevereiro, e *eles chegaram em Isengard não muito depois do meio-dia, naquele mesmo dia*. Conforme se aproximavam de Nan Gurunír,

viram, erguendo-se de profundas sombras, uma vasta cúspide de fumaça e vapor; ao subir, captava a luz do sol e espalhava-se em vagalhões cintilantes pelo céu, e o vento os carregava por sobre a planície.

"O que pensas disso, Gandalf?", perguntou Théoden. "Dir-se-ia que todo o Vale do Mago está em chamas."

"Sempre há fumo acima desse vale nestes dias", disse Éomer; "mas nunca antes vi algo semelhante. Estes são vapores, não fumaças. Alguma crueldade Saruman está fermentando para nos receber."

Esse diálogo foi retirado diretamente da sua posição anterior, no começo da história de "O Abismo de Helm" (ver II acima), com Éomer substituindo Háma (morto no Forte-da-Trombeta) e, em "O Abismo de Helm", um trecho diferente foi inserido, conforme DT p. 772, segundo o qual no Noroeste avistava-se "uma sombra que se arrastava devagar, vinda do Vale do Mago", e não há menção a fumo ou vapor.

A razão para essas alterações foi, novamente, cronológica: não era para a hoste que saía de Eodoras ver grandes vapores subindo de Isengard no Dia 4, e sim a "sombra como um véu" dos Huorns que desciam para o Vale do Mago. Portanto:

(*Dia 4*) *1 de fevereiro*: A hoste de Eodoras vê, pela manhã, a sombra das árvores se movendo ao longe, no Noroeste; a inundação de Isengard não começa até a noite. À noite, a Batalha do Forte-da-Trombeta.

(*Dia 5*) *2 de fevereiro*: Pela manhã, Théoden e Gandalf cavalgam com sua comitiva para Isengard e a encontram inundada.

IV

A cronologia foi então alterada para aquela em DT, "A Estrada para Isengard", segundo a qual Théoden, Gandalf e sua comitiva não saem do Abismo de Helm até bem mais tarde no Dia 5, passam a noite acampados sob Nan Gurunír e não chegam a Isengard até o meio-dia no Dia 6 (3 de fevereiro). Essa cronologia foi disposta em um esquema (meus acréscimos estão entre colchetes):

[Dia 3] 31 de janeiro: Os Ents chegam em Isengard à noite. Invadem.

[Dia 4] 1 de fevereiro: Madrugada, vão para o norte para fazer diques. Merry e Pippin ficam sozinhos o dia inteiro, até o pôr do sol. Gandalf chega em Isengard no cair da noite e encontra Barbárvore. Inundação de Isengard começa tarde da noite. [Batalha do Forte-da-Trombeta.]

[Dia 5] 2 de fevereiro: Há vapor saindo de Isengard o dia todo, e uma coluna de fumaça se ergue ao anoitecer. [Gandalf, Théoden etc. a veem do acampamento sob Nan Gurunír.] Huorns retornam à noite para Isengard.

[Dia 6] 3 de fevereiro: Manhã, Barbárvore retorna aos Portões. Deixa Merry e Pippin vigiando. Língua-de-Cobra chega. [Gandalf, Théoden etc. chegam pouco depois do meio-dia.]

Essa é a cronologia do SdA, conforme exposta em *O Conto dos Anos*, embora as datas em si sejam diferentes, é claro (no SdA, 2 de março = 31 de janeiro neste esquema).

Creio que foi assim que a cronologia evoluiu; mas, como se verá nos capítulos seguintes, esquemas temporais mais antigos aparecem nos rascunhos de trechos bem mais avançados da narrativa em si, pois, como afirmei, toda essa parte do SdA foi escrita como um bloco. Assim, por exemplo, no primeiro rascunho da história contada por Merry sobre a destruição e inundação de Isengard (em DT, no capítulo "Destroços e Arrojos"), a cronologia é aquela descrita acima em II e, ao lado disso, meu pai observou: "A inundação não deve começar até a noite da batalha do Forte-da-Trombeta".

Apesar do modo com que essa parte da história foi escrita, creio que, na verdade, ficará mais claro se eu dividir meu relato em capítulos que correspondam aos de *As Duas Torres*; isso inevitavelmente acarretará certa quantidade de avanços e recuos quanto à sequência real da composição, mas espero que este relato preliminar esclareça a base cronológica cambiante nos diferentes textos.

NOTAS

[1] O dia extra no Entencontro (DT, pp. 716–7) não foi acrescentado até muito tempo depois: VII. 477, 492.

[2] *Nan Gurunír*, o Vale de Saruman, foi acrescentado em um espaço em branco deixado para o nome no manuscrito de "Barbárvore" (VII. 493, nota 9).

2

O Abismo de Helm

O primeiro rascunho dessa história, abandonado depois de ter avançado um tanto, difere da versão em *As Duas Torres* de maneira tão essencial que o incluirei aqui na íntegra. O capítulo está numerado 28 e não tem título. Para a cronologia, ver p. 415, § I.

Havia um caminho bastante batido, rumando para o noroeste ao longo dos sopés das Montanhas Negras. Subindo e descendo pela região verde ele corria, atravessando pequenos regatos velozes em muitos vaus. Muito à frente e à direita, a sombra das Montanhas Nevoentas se aproximava. Sob o pico distante de Methedras, em escura sombra, jazia o vale profundo de Nan Gurunír; um grande fumo e vapor erguia-se ali e flutuava na direção deles pela planície.[1] Quase sem parar, seguiram cavalgando pelo anoitecer. O sol se pôs diante deles. A escuridão crescia atrás.

Suas lanças tinham pontas de vermelho flamejante quando os últimos raios de luz mancharam as nuvens acima de Tindtorras;[2] os três picos erguiam-se negros contra o poente no braço mais setentrional das Montanhas Negras. Naquela última luz vermelha, os homens da vanguarda viram um cavaleiro que voltava na direção deles. Conforme se aproximava, a hoste se deteve, aguardando-o.

Ele chegou, um homem exausto com elmo amassado e escudo partido. Lentamente apeou do cavalo e ficou um instante ali parado, arfando. Finalmente falou. "Éomer está aqui?", perguntou ele. "Vós vindes afinal, mas tarde demais, e pouquíssimos. As coisas têm andado mal desde que Théodred tombou.[3] Fomos rechaçados por cima da curva do Isen ontem com grande perda; muitos pereceram na travessia. Depois, à noite, vieram novas tropas sobre o rio contra nosso acampamento. Todo Isengard deve estar vazio; e o Mago armou os selvagens homens-das-colinas e a gente dispersa de Westfolde,[4] e também incitou estes contra nós.

Fomos arrasados. A muralha de escudos foi rompida. Trumbold [> Herulf > Heorulf],[5] o Guardião do Marco-ocidental, conduziu os que conseguiu reunir à sua fortaleza sob Tindtorras. Outros estão dispersos. Onde está Éomer? Dizei-lhe que não há esperança à frente: ele precisa voltar a Eodoras antes que os lobos de Saruman cheguem até lá!"

Théoden galopou até ele. "Vamos, posta-te diante de mim, Ceorl!", disse ele. "Estou aqui. A última hoste dos Eorlingas partiu a cavalo. Ela não retornará sem luta."

O rosto do homem iluminou-se de pasmo e alegria. Ergueu-se com esforço. Depois ajoelhou-se, oferecendo ao Rei a espada denteada. "Comandai-me, senhor", exclamou, "e perdoai-me! Não sabia, pensei..."

"Pensaste que fiquei em Eodoras, curvado como uma árvore velha sob a neve do inverno. Era assim quando partiste. Mas um vento sacudiu um tanto o gélido fardo", disse Théoden. "Dai um cavalo descansado a este homem. Cavalguemos em auxílio de Trumbold [> Heorulf]!"

Avante cavalgaram outra vez, urgindo os cavalos. De súbito, Gandalf falou a Scadufax, e como uma flecha disparada do arco, o grande cavalo partiu de um salto. Mesmo enquanto olhavam ele se foi: um lampejo de prata ao pôr do sol, um vento sobre a relva, uma sombra que fugia e desaparecia de vista. Por um momento, Snawmana e os cavalos da guarda do Rei esforçaram-se para segui-lo, mas, se estivessem andando, teriam as mesmas chances de alcançá-lo.

"O que significa isso?" perguntou Háma a um camarada. "Ele sempre vai e vem sem ser esperado."

"Língua-de-Cobra, se estivesse aqui, não acharia difícil explicar", disse o outro.

"Verdade", disse Háma, "mas quanto a mim esperarei até vê-lo de novo."

"Se é que o veremos de novo", disse o outro.

Era noite e a hoste ainda cavalgava veloz quando se ouviram gritos e toques de trompa dos batedores que iam à frente. Flechas assobiaram por cima das cabeças. Estavam cruzando um amplo vale, uma enseada nas montanhas. Do lado oposto, as Tindtorras estavam ocultas na escuridão. Algumas milhas adiante estava a abertura da grande fenda nas colinas que os homens daquela terra chamavam de *Ravina de Heorulf*.[6] íngreme e estreita ela serpenteava sob as Tindtorras e, no lugar em que ela saía para o vale, sobre um contraforte proeminente de rocha, foi construído o Forte de Heorulf.[7]

Os batedores retornaram e relataram que cavalga-lobos estavam à larga no vale e que uma hoste de orques e homens selvagens, deveras grande, apressava-se rumo ao sul pela planície para chegar aos portões do Nerwet.[8]

"Achamos alguns de nossos homens mortos enquanto fugiam", disse um dos batedores; "e companhias dispersas encontramos, indo para cá e para lá, sem líder; mas muitos estão indo para o Forte de Herulf, e dizem que Herulf já está lá."

"É melhor não darmos batalha no escuro, nem esperar pelo dia nesta região descoberta, sem saber o tamanho da hoste que se aproxima", disse Éomer, que cavalgara até emparelhar com o Rei. "Qual é teu conselho, Aragorn?"

"Forçar a passagem pelos inimigos que já possam estar diante de nós, e acampar diante do Portão do Nerwet para defendê-lo, se possível, enquanto os homens que lutaram descansam detrás de nossos escudos."

"Que assim seja!", exclamou Théoden. "Iremos até lá em muitas [comp]anhias [separadas]: que um homem que enxergue bem à noite e conheça [bem a terra] vá na frente de cada uma."[9]

> Nesse ponto, meu pai parou e retornou para "Era noite e a hoste ainda cavalgava veloz [...]". No trecho acima, temos a primeira aparição do Abismo de Helm ("Ravina de Heorulf"), e do Forte-da-Trombeta ("Forte de Heorulf") sobre o "contraforte proeminente de rocha"; e Heorulf é o precursor de Erkenbrand de Westfolde.

A noite caíra, e a hoste ainda cavalgava veloz. Tinham virado para o norte e rumavam na direção dos vaus do Isen, quando se ouviram gritos e toques de trompa dos batedores que iam à frente. Flechas assobiaram acima deles. Nesse momento, estavam na extremidade de fora de um vale amplo, uma enseada nas montanhas do sul. Do lado ocidental oposto, as Tindtorras estavam ocultas na escuridão; sob seus pés [> os picos], algumas milhas adiante, estendia-se a abertura de uma grande fenda nas colinas que os homens daquela terra chamavam de Ravina de Heorulf [> estendia-se a grota verde de onde saía uma grande fenda nas colinas. Os homens daquela terra a chamavam de Abismo de Helm],[10] lembrando o nome de um certo herói das antigas guerras que ali fizera seu refúgio. Ela se insinuava para dentro cada vez mais íngreme e estreita sob as Tindtorras, até os penhascos assombrados por corvos de cada lado se erguerem como torres muito acima e eclipsarem a luz. No lugar em que saía para o vale, sobre [*acrescentado:* a Rochalta,] um contraforte proeminente de terra, foi construída a fortaleza do Promontório de Heorulf[11] (Forte?). Rochalta. [> foi construída a fortaleza do Portão-de-Helm. Lá, Heorulf, o Guardião-do-Marco, tinha seu forte.]

Um batedor agora retornou e relatou que cavalga-lobos estavam à larga no vale e que uma hoste de orques e homens selvagens, deveras grande, se apressava rumo ao sul pela planície, na direção do Forte de Heorulf.

"Achamos muitos do nosso próprio povo jazendo mortos ao fugirem para lá", disse o batedor. "E encontramos companhias dispersas, indo para cá e para lá, sem líder. Alguns estão indo para a Ravina [> o Portão-de-Helm], mas parece que Nothelm [> Heorulf] não está lá. Seu plano mudou e os homens não sabem aonde foi. Alguns dizem que Língua-de-Cobra foi visto hoje [> Alguns dizem que Língua-de-Cobra foi visto ao anoitecer rumando ao norte e, no crepúsculo, um ancião montado em um grande cavalo foi na mesma direção]."

"Bem, quer Nothelm esteja no Forte, quer não, [> "Língua-de--Cobra dar-se-á mal se Gandalf alcançá-lo", comentou Théoden. "Ainda assim, agora sinto falta de meus dois conselheiros, o velho e o novo. Mas me parece que quer Heorulf esteja no Forte, quer não,] não temos escolha melhor senão ir até lá nós mesmos", disse Théoden. "Qual é teu conselho?", perguntou, virando-se para Éomer, que agora cavalgara até emparelhar com o Rei.

"Seria mau conselho dar batalha no escuro", disse Éomer, "ou esperar pelo dia nesta região descoberta, sem saber o tamanho da hoste que se aproxima. Vamos forçar a passagem pelos inimigos que já possam estar entre nós e a Ravina de Herulf [> a fortaleza], e acampar diante do Forte [> seu portão]. Então, se não conseguirmos escapar, podemos recuar para o Forte. Existem cavernas na garganta [> no Abismo de Helm] atrás onde centenas podem se ocultar, e dali caminhos secretos levam, dizem, para as colinas."

"Não confies neles!", disse Aragorn. "Por muito tempo Saruman tem espionado esta terra. Ainda assim, em tal lugar nossa defesa pode durar bastante."

"Vamos embora, então", disse Théoden. "Cavalgaremos até lá em muitas companhias separadas. Algum homem que enxergue bem à noite e conheça bem a terra irá na dianteira."

Interrompo o texto aqui para discutir alguns aspectos dessa história. Os nomes apresentam uma confusão aparentemente impenetrável, mas creio que o desenvolvimento deles se deu mais ou menos da seguinte forma. Meu pai não tinha certeza se "Heorulf" ("Herulf") era senhor do "Forte" naquele momento ou se foi o herói em homenagem a quem a "Ravina" recebeu seu nome. Quando ele escreveu, no trecho recém-incluído, "que os homens daquela terra chamavam de Ravina de Heorulf lembrando o nome de um certo herói das antigas guerras que ali fizera seu refúgio", ele havia se decidido pela segunda opção e, portanto, o nome do então "Guardião do Marco-ocidental" (precursor de Erkenbrand) foi alterado para *Nothelm*. Depois, alterando outra vez, *Nothelm* foi revertido para *Heorulf*, ao passo que a garganta passou a receber seu nome em homenagem a *Helm*: *Desvão-de-Helm* (nota 10) e, depois, *Abismo de Helm*. A fortaleza (*Promontório* ou *Forte de Heorulf*) sobre a *Rochalta* chama-se agora *Portão-de-Helm*, que no SdA se refere à entrada para o Abismo de Helm através da qual a Muralha do Abismo foi construída.

Creio que a imagem da grande garganta e da fortaleza construída sobre o contraforte proeminente, ou "promontório", surgiu conforme meu pai escrevia esse primeiro rascunho do novo capítulo. No esboço "A História Prevista a partir de Fangorn" (VII. 512), a súbita partida de Gandalf com Scadufax está presente e, "com sua ajuda e de Aragorn, os Isengardenses são rechaçados"; não há indício de qualquer garganta ou forte nos morros mais ao sul. Assim, na presente narrativa ele novamente não fala nada antes de sair galopando, ao passo que, em DT, ele diz a Théoden para não ir aos Vaus do Isen, mas sim para o Abismo de Helm. Portanto, na história original, foi só depois que "se ouviram gritos e toques de trompa dos batedores que iam à frente" e que "flechas assobiaram acima deles" que os líderes da hoste decidiram ir para o Forte; em DT (onde as palavras em si mal foram alteradas) a hoste estava "no vale baixo diante da boca da Garganta" quando essas coisas aconteceram.

O presente texto está em bastante harmonia com o Primeiro Mapa (seção redesenhada IVE, VII. 376). Nesse momento, a hoste estava "na extremidade de fora de um vale amplo, uma enseada nas montanhas do sul"; e a "Ravina de Heorulf" ficava em algum lugar perto da extremidade ocidental dessa "enseada". De fato, o Primeiro Mapa é menos claro neste ponto do que minha reelaboração faz parecer, mas o mapa que fiz em 1943, muito baseado no Primeiro Mapa (ver VII. 352), mostra o Abismo de Helm muito claramente correndo na direção de Tindtorras (Thrihyrne) de um ponto bem ao norte e ao oeste da "enseada nas montanhas" — o Vale de Westfolde, ainda sem nome no presente texto (ver nota 4).[12]

Na página do manuscrito finalizado, em que a forma final desse trecho (DT, p. 774) foi alcançada, o texto diz o seguinte: "Ainda a algumas milhas de distância, do lado oposto do Vale de Westfolde, uma grande enseada nas montanhas, estendia-se uma grota verde de onde saía uma garganta nas colinas". Não há dúvidas de que isso está correto, e que essa era a intenção de meu pai: a grande enseada nas montanhas era, é claro, o Vale de Westfolde. No texto datilografado feito com base nisso, contudo, por algum motivo obscuro (pois não há ambiguidade no manuscrito), a frase ficou: "Ainda a algumas milhas de distância, do lado oposto do Vale de Westfolde, estendia-se uma grota verde, uma grande enseada nas montanhas, de onde saía uma garganta nas colinas". Esse erro permaneceu em *As Duas Torres.*[*]

Nessa narrativa original, foi na noite do dia da partida de Eodoras que a hoste chegou ao forte nas colinas; subsequentemente,[13] passou a ser na noite do segundo dia (para a cronologia, ver pp. 14–5, §§ I–II). Na história posterior (DT, p. 771), conta-se que "Eram quarenta léguas e mais, a voo de pássaro, de Edoras até os vaus do Isen", e isso está bastante de acordo com o Primeiro Mapa, no qual a distância é de quase 2,5 centímetros, ou 125 milhas (= pouco mais de 40 léguas [*c.* 200 quilômetros]). Talvez tenha sido um exame mais atento ao mapa que levou ao acréscimo de um dia na

[*] Essa inversão foi corrigida na edição de 2004 de *O Senhor dos Anéis* e, portanto, aparece correta na tradução brasileira. [N.T.]

cavalgada pela planície. Por outro lado, também havia uma clara dificuldade com a cronologia então vigente: ver p. 14, § I.

O rascunho original continua:

Aragorn e Legolas cavalgavam com o éored de Éomer. Aquela companhia não precisava de guia com olhar mais aguçado que o de Legolas, e nem de um homem que conhecesse mais a terra, por uma grande extensão no entorno, do que o próprio Éomer. Lentamente, e tão silenciosamente quanto podiam, percorreram a noite, dando as costas para a planície e subindo para oeste, adentrando as dobras sombrias ao redor dos pés das montanhas. Encontraram poucos inimigos, exceto aqui e ali um bando vagante de orques que fugia antes que os cavaleiros conseguissem matar muitos; mas o rumor da guerra crescia sempre atrás deles. Já podiam ouvir cantos estridentes e, se olhassem para trás, podiam ver, insinuando-se da baixada, tochas vermelhas, incontáveis pontos de luz fogosa. Uma verdadeira floresta deveria ter sido derrubada para provê-las. De vez em quando irrompia uma labareda maior.

"É uma grande hoste", disse Aragorn, "e nos segue de perto."

"Trazem fogo", disse Éomer, "e estão incendiando à medida que chegam tudo o que conseguem: feixes, e choupanas, e árvores. Teremos uma grande conta a acertar com eles."

"O cômputo não está muito longe", disse Aragorn. "Havemos de encontrar logo um espaço onde podemos virar e nos defender?"

"Sim", disse Éomer. "Através da boca larga da garganta, a alguma distância do Portão-de-Helm, há uma descida no solo, tão abrupta e escarpada que, para os que se aproximam, parece que chegaram a um paredão. Chamamo-lo de [Fragalta Stanscylf >][14] dique de Helm. Em alguns pontos, tem vinte pés de altura e, no cimo, foi coroado com um baluarte de grandes pedras, empilhadas em dias antigos. Ali nos defenderemos. Para lá as outras companhias também irão. Há três caminhos que sobem por brechas no penhasco:[15] estes devemos defender com força."

Estava escuro, sem estrela nem lua, quando eles chegaram [à Fragalta >] ao dique de Helm. Éomer os conduziu por uma larga trilha em aclive que subia atravessando um profundo sulco no penhasco e saía no outro nível um tanto atrás do baluarte. Ninguém os contestou. Não havia ninguém à frente, amigo ou inimigo.[16] De pronto, Éomer postou guardas [nas brechas >] nos Áditos. Pouco depois, outras companhias chegaram, subindo o vale de várias direções. Havia encostas gramadas amplas entre o baluarte e a Rochalta. Lá deixaram os cavalos sob os cuidados de tais guardas que puderam ser dispensados da defesa da muralha.

Gimli estava encostado numa grande pedra em um ponto elevado [da Fragalta >] do dique, não muito longe do ádito pelo qual haviam entrado. Legolas estava na pedra acima, manipulando o arco e espiando o negrume.

"Isto é mais do meu agrado", disse o Anão, batendo os pés no chão. "Meu coração sempre se alivia quando nos aproximamos das montanhas. Há boa rocha aqui. Esta região tem ossos duros. Sinto-os sob meus pés. Dá-me um ano e uma centena de minha gente e poderíamos transformar isto em um lugar no qual os exércitos se quebrariam como água."

"Não duvido disso", disse Legolas. "Mas és um anão, e os anãos são um povo estranho. Não gosto deste lugar, e à luz do dia não hei de gostar mais dele. Mas tu me consolas, Gimli, e estou contente de ter-te por perto com tuas pernas robustas e teu machado duro."

Vultos assomaram ao lado deles. Eram Éomer e Aragorn caminhando juntos ao longo da beirada do baluarte. "Estou ansioso", disse Éomer. "A maioria já chegou, mas ainda falta uma companhia, e também o Rei e sua guarda."

"Se me deres alguns homens intrépidos, levarei Gimli e Legolas aqui e descerei um pouco o vale em busca de notícias", disse Aragorn.

"E encontrarias mais do que procuras", disse Gimli.

"É provável", disse Éomer. "Esperaremos um pouco."

Passou-se um tempo lento, quando, de súbito, não muito longe no fundo do vale um clamor irrompeu. Trompas soaram. "Alguns de nossa gente caíram numa emboscada, ou foram atacados pela retaguarda", gritou Éomer. "Théoden está lá. Esperai aqui, levarei os homens de volta à muralha e escolherei alguns para avançar. Voltarei logo."

Trompas soaram novamente e, na escuridão parada, podiam ouvir o choque de armas. Em pouco tempo, Éomer retornou com vinte homens.

"Assumirei essa missão", disse Aragorn. "Precisam de ti na muralha. Vem, Legolas! Teus olhos nos servirão". Ele disparou encosta abaixo.

"Aonde Legolas for, eu irei", disse Gimli e correu atrás deles.

Os vigias na muralha nada viram por um tempo e então, de súbito, irromperam gritos mais altos e berros mais ferozes. Uma voz nítida soou, ecoando nas colinas. *Elendil!* Parecia que, bem lá embaixo, nas sombras, uma chama branca reluzia.

"Branding vai para a guerra, afinal", disse Éomer.

Um cavaleiro apareceu diante da brecha principal e foi admitido. "Onde está o Rei Théoden?", perguntou Éomer.

"No meio da guarda", disse o homem. "Mas muitos estão sem cavalo. Caímos numa emboscada, e orques irromperam do chão entre nós, jarretando muitos dos nossos corcéis. Snawmana e o Rei escaparam; pois aquele cavalo tem visão noturna, e saltou por cima das cabeças dos orques. Mas Théoden desmontou e lutou em meio à sua guarda. Herugrim cantou uma canção que há muito estava silenciosa. Aragorn está com eles, e manda notícia de que uma grande hoste de orques está nos seus calcanhares. Guarnecei a muralha! Ele entrará pela brecha principal se puder."

O ruído da batalha se aproximava. Os que estavam no baluarte nada podiam fazer para ajudar. Não havia muitos arqueiros entre eles, e estes não poderiam atirar no escuro enquanto seus amigos ainda estivessem à frente. Um a um os homens da companhia faltante entraram, até que todos, menos cinco, estavam reunidos. Por último veio a guarda do Rei a pé, com o Rei no meio, conduzindo Snawmana.

"Apressai-vos, Senhor!" gritou Éomer.

Naquele momento houve um grito feroz. Orques estavam atacando [as brechas >] os áditos de cada lado e, antes que o Rei estivesse em segurança, saindo da escuridão, uma hoste de vultos escuros saltou, indo na direção da grande brecha. Um fogo branco lampejou. Ali na trilha deles se pôde ver, por um momento, Aragorn, filho de Arathorn: de um lado estava Gimli, do outro, Legolas.

"De volta agora, meus camaradas!", gritou Aragorn. "Eu seguirei". Conforme Gimli e Legolas corriam de volta para o baluarte, ele deu um salto à frente. Os orques fugiam diante da chama de Branding. Então, lentamente Aragorn retrocedeu, andando de costas. À medida que prosseguia, passo a passo, um grande orque se adiantou, enquanto outros vinham furtivamente atrás. Ao se virar, por fim, para correr até o ádito, o orque saltou atrás dele: mas uma flecha zuniu e ele caiu estatelado e jazeu imóvel. Por um tempo, nenhum dos demais ousou se aproximar. "Certeira é a flecha do arco élfico, e agudos são os olhos de Legolas!", exclamou Aragorn juntando-se ao elfo, e eles correram juntos até o baluarte.

Assim, por fim, a hoste do Rei foi levada para dentro da fortaleza e eles se voltaram na direção dos opositores diante da boca do Abismo de Helm. A noite ainda não estava avançada, e havia ainda muitas horas de escuridão e perigo. Théoden estava ileso; mas lamentava-se pela perda de tantos cavalos de sua guarda, e olhou para Snawmana sangrando na espádua: uma flecha oblíqua o havia atingido. "Bela é a cavalgada, amigo", disse ele; "mas a estrada é amiúde amarga."

"Não vos aflijais por Snawmana, senhor", disse Aragorn. "O ferimento é superficial. Cuidarei dele com a habilidade que tenho, enquanto o inimigo ainda está longe. Eles sofreram perdas mais gravosas que nós, e sofrerão mais se ousarem atacar este lugar."

Aqui termina o rascunho original como narrativa formada, mas ele continua como esboço, aproximando-se de uma narrativa. Foi escrito por cima de um texto a lápis esmaecido que parece ter sido basicamente igual.

Há um ataque. Incontáveis quantidades. Garateias, escadas, mortos empilhados. Cavaleiros bloqueiam as brechas com pedras de lugares altos e com corpos. Os orques continuam entrando. Os Cavaleiros perdem poucos homens, principalmente nas brechas. Os orques uma hora aproximaram-se dos cavalos. Tarde da noite, a lua (minguante?) brilhava vacilante, e os defensores veem uma multidão feroz embaixo da muralha. Lentamente, os mortos empilhavam-se.

Homens selvagens em malha de aço forçaram a brecha norte e, virando-se para o sul, começaram a empurrar os homens do baluarte. Os orques escalam. A alvorada encontra os Homens de Rohan cedendo por toda a extensão. Os cavalos são levados embora para o Abismo de Helm, com o Rei. Fazem uma parede de escudos e recuam lentamente na direção da Rochalta.

O sol surge, e todos então ficam a encarar: defensores e atacantes. A cerca de uma milha abaixo do Dique, de Norte a Sul em um grande crescente, contemplaram uma maravilha. Os homens esfregavam os olhos, achando que estavam sonhando ou aturdidos pelos ferimentos e exaustão. Onde tudo era planalto e encostas gramadas, erguia-se agora uma floresta de grandes árvores. Eram como faias trajadas de folhas secas, e como antigos carvalhos com ramos enredados, e pinheiros retorcidos erguiam-se sombrios no meio deles. Os orques recuaram. Os Homens Selvagens vacilaram, gritando com vozes aterrorizadas, pois vieram das matas sob as encostas ocidentais das Montanhas Nevoentas.

Naquele momento uma trombeta soou da Rochalta. Théoden cavalgou adiante com sua guarda e uma companhia (dos homens de Heorulf?). Desceram na investida, chocando-se contra os Homens Selvagens e rechaçando-os, arruinados, por cima do penhasco.

"Há feitos de mago à solta!", exclamaram [? os homens]. "O que isso pode significar?"

"Feito de mago, talvez", disse Éomer. "Mas parece que não é artifício dos nossos inimigos. Vê como estão assustados."

Seguem-se algumas linhas de notas muito apressadas e parcialmente ilegíveis:

Seus cavalos com frequência tinham visão noturna; mas a visão noturna dos Homens não era tão boa quanto a dos orques. Rohan em desvantagem no escuro. Assim que fica claro, conseguem lutar. Os orques não podem competir com os cavaleiros nos aclives diante da Rochalta. Surtidas do Abismo de Helm e da Rochalta. Orques recuam pela muralha. É nesse momento que a Floresta é vista.

Orques encurralados. As árvores os agarram. E a floresta está repleta da gente de Herulf. Gandalf reuniu os erradios. [? Cerca de] 500. Quase nenhum dos agressores escapa. Assim, a desesperança se torna vitória. Entrementes, Gandalf diz a Herulf para defender a . . . . outra tropa enviada . . . . Eodoras. Ela agora foi pega entre Herulf e as tropas vitoriosas do Rei. Em uma batalha na planície . . . . aterrorizados por Aragorn e Gandalf. A hoste, sem querer descansar, rechaça a galope os remanescentes que fogem [? de volta para] Isengard.

A frase que começa com "Entrementes, Gandalf diz a Herulf para defender a" talvez pudesse (mas de forma realmente duvidosa) ser completada com "estrada leste resistiu a outra tropa enviada na direção de Eodoras".

Essa era, portanto, a história original do Abismo de Helm, que se desenvolveu de modo muito mais complexo com a emergência de um sistema bem mais elaborado de fortificação diante da boca do Abismo (a propósito, a descrição e a narrativa em *As Duas Torres* podem ser acompanhadas de maneira muito precisa no desenho de meu pai "O Abismo de Helm e o Forte-da-Trombeta", em *Pictures by J.R.R. Tolkien*, n. 26). Nesse relato mais antigo, a "fortaleza" consistia apenas em uma descida abrupta natural no terreno diante da entrada da garganta, fortificada com um parapeito de grandes pedras; nele havia três "brechas", uma palavra que meu pai alterou para "áditos", talvez sugerindo que foram feitos deliberadamente. A natureza do "forte" de Heorulf na Rochalta não é indicada, e toda a batalha do Abismo de Helm se deu ao longo da beirada do Dique de Helm.

Um retalho de rascunho isolado que acabou não sendo usado evidentemente faz par com a história original, e pode ser incluído aqui:

Aragorn estava longe atrás das defesas, tratando da ferida na espádua de Snawmana, e falando palavras gentis ao cavalo. Conforme a fragrância da *athelas* se erguia no ar, sua mente voltou para a defesa no Topo-do-Vento e para a fuga de Moria. "É uma jornada longa", disse a si mesmo. "Escapamos de um canto sem esperança só para encontrar outro mais desesperado. Mas, ai de mim, Frodo, meu coração estaria mais alegre se estivesse aqui conosco neste lugar sinistro. Por onde você está vagando agora?"

Nessa mesma página há um esboço em que a alteração radical na história do ataque entra pela primeira vez.

Quando Éomer e Aragorn chegam ao Dique, são contestados. Heorulf deixou vigias no Dique. Relatam que o forte do Portão de Helm está guarnecido — principalmente por homens mais velhos, e a maior parte do povo do Marco-ocidental se refugiou no Abismo. Há grande estoque de alimento e forragem nas cavernas.

Segue-se então a história contada acima até o resgate do Rei.[17]

Éomer e Aragorn decidem que não conseguem defender o Dique no escuro (sem arqueiros). O Dique tem mais de uma milha — 2 milhas? — de comprimento. A hoste principal e o Rei vão à Rochalta. Os cavalos são conduzidos ao Abismo. Aragorn e Éomer, com alguns homens (seus cavalos prontos na retaguarda) defendem os áditos pelo tempo que se atrevem. Bloqueiam-nos com pedras retiradas do baluarte.

O ataque aos áditos. Logo são invadidos à medida que os Orques escalam o baluarte no meio. Escadas? Homens selvagens invadem pelo Ádito Norte. Os defensores fogem. Um tremendo ataque na boca do Abismo onde uma muralha alta de pedra foi construída. [*Acrescentado aqui, mas ao mesmo tempo:* peitoril coroado de pedras. Aqui, G[imli] diz suas palavras. *Reduzir a descrição do Dique de Helm* — ele *não é* fortificado.] Os Orques apinham-se ao redor da Rochalta. Depois, descrever o ataque como acima.[18] Orques empilhados sobre a muralha. Homens selvagens escalam os cadáveres dos gobelins. Lua ... homens lutando no cimo da muralha.[19] Desvantagem dos Cavaleiros. A muralha é tomada e Rohan, rechaçada para a garganta. Alvorada. Éomer e Aragorn vão à Rochalta resistir ao lado do Rei na Torre.

À luz do sol, veem a maravilha da Floresta.

Investida de Théoden (Éomer à esquerda, Aragorn à direita). [? Com o dia, a sorte muda.] Os Homens atacam a cavalo. Mas a hoste é vasta, está apenas desconcertada com a Floresta. Quase [? os observadores poderiam] acreditar que ela subira o vale durante o furor da batalha.

As árvores devem chegar bem rente ao Dique. No meio, Gandalf cavalga para fora da floresta. Abre caminho pelos orques como se fossem ratos e corvos.

Meu pai começou um novo texto do capítulo antes que elementos importantes da história e do cenário físico fossem esclarecidos e, como resultado, esse documento (o primeiro manuscrito completo) é extremamente complicado. Foi somente após começá-lo que ele estendeu a cavalgada de Eodoras em um dia, e descreveu a grande tempestade vinda do Leste (DT, pp. 771–2); e, quando começou, ele ainda não percebera que o Dique de Helm não tinha sido a cena do grande ataque: "o que realmente aconteceu" foi que os homens que guarneciam o Dique foram empurrados para dentro, e a defesa do bastião se deu na linha da grande muralha mais acima, na entrada da garganta — a "Muralha do Abismo" — e no Forte-da-Trombeta. Neste ponto do manuscrito, é possível ver a história se alterando conforme meu pai a escrevia: na resposta de Éomer para a pergunta "Havemos de encontrar logo um espaço onde podemos virar e nos defender?", feita por Aragorn (p. 25), ele começa, como antes, com uma descrição da fortificação do Dique ("foi coroado com um baluarte de grandes pedras, empilhadas em dias antigos"), mas, perto do fim da resposta, ele diz que não é possível resistir:

"[...] Mas não podemos defendê-lo por longo tempo, pois não temos força o bastante. Tem quase duas milhas de ponta a ponta, e é varado por duas brechas largas. Não seremos capazes de encarar o inimigo até que alcancemos a Rochalta e cheguemos por trás da muralha que guarda a entrada para o Abismo. Ela é alta e forte, pois Heorulf mandou repará-la e erguê-la não faz muito tempo."

Imediatamente após isso, o Riacho do Abismo entrou, e as duas brechas no Dique foram reduzidas para uma: ali "um riacho desce para fora do Abismo e, ao lado dele, a estrada corre do Portão de Helm até o vale".[20] Nesse estágio, contudo, a história final ainda não tinha sido alcançada, mas segue o esboço recém-incluído (p. 31):

O Rei e a maior parte de sua hoste cavalgaram então para guarnecer a Rochalta e a muralha de Heorulf. Mas os Guardiões do Marco-ocidental não se dispunham a abandonar o dique enquanto restasse qualquer esperança de que Heorulf retornasse. Éomer e Aragorn e alguns homens selecionados ficaram com eles protegendo a brecha; pois parecia a Éomer que eles seriam capazes de causar grandes danos à guarda avançada do inimigo e, depois, escapar rapidamente antes que a força principal dos orques e homens selvagens forçasse a passagem.

A partir deste ponto, a história foi construída em uma série textual extremamente complexa de rascunhos curtos que levam a versões mais finalizadas, ao passo que porções mais antigas do capítulo foram alteradas para acomodar a concepção que evoluía, segundo a qual o cenário da batalha foi o baluarte. Acompanhar todos os detalhes dessa evolução exigiria muito espaço, e registro apenas certas ideias narrativas rejeitadas e outros pontos particulares de interesse.

Antes de surgir a história (DT, pp. 780–3) da surtida de Éomer e Aragorn do portão traseiro, a resistência ao ataque diante dos grandes portões do Forte-da-Trombeta foi concebida de modo diferente:

Então, com um grande grito a companhia dos homens selvagens avançou; em seu meio traziam o tronco de uma grande árvore. Os orques se apinhavam ao redor deles. Muitas mãos fortes vibraram a árvore e bateram contra o madeirame com um ribombo. Naquele momento, ouviu-se um súbito chamado. Em meio aos pedregulhos na faixa plana e estreita sob a fortaleza e a beirada, alguns homens valentes haviam se escondido. Aragorn era seu líder. "Avante, agora, avante!", gritou. "Para fora, Branding!". Uma lâmina lampejou como fogo branco. "Elendil, Elendil!", gritava, e sua voz ecoou nos penhascos.

"Vede, vede!", disse Éomer. "Branding foi para a guerra, afinal. Por que não estou lá? Era para termos sacado juntos as espadas."

Ninguém conseguia resistir à investida de Aragorn ou ao terror de sua espada. Os orques fugiram, os homens-das-colinas foram abatidos ou fugiram, deixando o aríete no chão. A rocha foi desobstruída. Então, Aragorn e seus homens se viraram para correr de volta para dentro dos portões enquanto ainda havia tempo. Os homens haviam passado para dentro quando, outra vez, o raio brilhou. O trovão ribombou. Dentre os caídos no topo do pavimento, três orques imensos se ergueram de um salto — era possível ver a mão branca nos seus escudos. Aos gritos os homens deram alerta desde os portões, e Aragorn se virou por um instante. Naquele momento, o orque mais à frente arremessou uma pedra: atingiu-o no elmo e ele tropeçou, caindo de joelhos. O trovão ecoou. Antes de conseguir se levantar e recuar, os três orques já estavam em cima dele.

Aqui, essa história foi suplantada por aquela em que acontece a surtida pela porta traseira. Na versão final manuscrita, depois das palavras (DT, p. 782) "Suas grandes dobradiças e barras de ferro estavam arrancadas e retorcidas; muitas madeiras estavam rachadas", Aragorn, olhando para os portões, acrescentou: "As portas não resistirão a outra saraivada de golpes igual". Essas palavras foram omitidas no texto datilografado que se seguiu, mas não há nada no manuscrito indicando que deveriam ter sido, e parece claro que sua omissão foi um erro (especialmente porque dão sentido à resposta de Éomer: "Porém não podemos ficar aqui, além das muralhas, para defendê-las").*

O grito de Gimli ao saltar sobre os Orques que haviam se atirado em Éomer — *Baruk Khazâd! Khazâd ai-mênu!* — aparece dessa forma desde que a cena foi escrita pela primeira vez. Anos depois da publicação do SdA, meu pai começou uma análise de todos os fragmentos de outras línguas encontradas no livro (quenya, sindarin, khuzdul, a língua negra), mas, infelizmente, antes de ele chegar ao fim de SA, as notas, que eram completas e elaboradas no começo, haviam se reduzido a rabiscos em grande parte ininterpretáveis. *Baruk* foi ali traduzido como "machados", sem comentário adicional; *ai-mênu* foi analisado como *aya*, *mēnu*, mas os significados não estão claramente legíveis: com a maior probabilidade, *aya* "sobre", *mēnu* "ac[usativo] pl[ural] *vós*".

Um ponto curioso surge na observação de Gimli depois de resgatar Éomer durante a surtida da porta traseira (DT, p. 783): "Até agora nada abati senão madeira desde que deixei Moria". Isso é claramente inconsistente com as palavras de Legolas em "A Partida de Boromir", quando ele e Gimli se deparam com Aragorn ao lado do corpo de Boromir perto de Parth Galen: "Caçamos e matamos muitos Orques nas matas"; compare também com o rascunho de um trecho mais adiante (VII. 452–3) em que, quando Aragorn, Legolas e Gimli partem na caçada aos Orques, Gimli diz: "[...] os que atacaram Boromir não eram os únicos. Legolas e eu encontramos alguns mais ao sul, nas encostas ocidentais de Amon Hen. *Matamos muitos*, atacando-os furtivamente entre as árvores [...]". Não creio que qualquer "explicação" para isso serviria: é simplesmente uma inconsistência que nunca foi notada.[21]

Os selvagens homens-das-colinas no ataque ao Abismo de Helm vieram do "Westfolde", vales do lado ocidental das Montanhas

*Essa frase foi restaurada na edição de 2004 e, portanto, aparece na tradução brasileira. [N.T.]

Nevoentas (ver p. 19 e nota 4), e essa aplicação de "Westfolde" sobreviveu até um estágio avançado da revisão do manuscrito: ainda está presente no rascunho daquilo que se tornou "A Estrada para Isengard".[22] Até que a mudança na aplicação fosse feita, o Vale de Westfolde era chamado de "o Vale do Marco-ocidental".

A esse respeito, há duas passagens notáveis. O diálogo entre Aragorn e Éomer e Gamling, o Guardião do Marco-ocidental, na Muralha do Abismo, ouvindo os gritos dos homens selvagens lá embaixo (DT, p. 786), assume esta forma em um rascunho rejeitado:

"Ouço-as", afirmou Éomer; "mas aos meus ouvidos são tão somente como os guinchos das aves e os bramidos das bestas."

"Porém entre eles há muitos que gritam na língua de Westfolde [*posteriormente* > na língua da Terra Parda]", disse Aragorn; "e essa é uma fala dos homens, certa vez tida como boa de se ouvir."

"É verdade o que dizes", falou Gamling, que subira então na muralha. "Conheço essa língua. É antiga, e foi outrora falada em muitos vales da Marca. Mas agora é usada em ódio mortal. Eles berram regozijando-se com nossa perdição. 'O rei, o rei!', gritam eles. 'Tomaremos o seu rei! Morte aos Forgoil! Morte aos Cabeças-de-Palha! Morte aos ladrões do Norte.' Tais os nomes que têm para nós. Nem em meio milhar de anos esqueceram seu ressentimento de que os senhores de Gondor deram a Marca a Eorl, o Jovem, como paga por seu serviço a Elendil e Isildur, enquanto eles ficaram para trás. Esse é o antigo ódio que Saruman inflamou. [...]"

Compare isso com o trecho rascunhado em "O Rei do Paço Dourado" (VII. 522–3) em que Aragorn, vendo a figura de um jovem num cavalo branco em um dos panos suspensos no Paço Dourado, diz: "Contemplai Eorl, o Jovem! Assim ele cavalgou vindo do Norte para a Batalha do Campo de Gorgoroth" — a batalha na qual Sauron foi derrotado por Gil-galad e Elendil.[23] Sobre o lapso de tempo muitíssimo menor que meu pai tinha em mente nessa época, ver VII. 529–30, nota 11.

Um esboço extremamente apressado da negociação entre Aragorn, postado acima dos portões do Forte-da-Trombeta, e o inimigo abaixo, mostra uma concepção completamente distinta daquela em DT (pp. 789–90):

Aragorn e o Capitão de Westfolde.

Um homem de Westfolde diz que, se entregarem o Rei, todos podem sair vivos. Para onde? Para Isengard. Então o Marco-ocidental nos será devolvido, e toda a . . . . terra.

Quem disse? Saruman. É deveras uma boa garantia.

Aragorn repreende o homem de Westfolde por [?? ajudar] os Orques. O homem de Westfolde se rebaixa.

O capitão Orque escarnece. Deve aceitar os termos quando não há outros que sirvam. Nós somos os Uruk-hai, nós matamos!

Os Orques atiram uma flecha em Aragorn conforme recuam. Mas o Capitão de Westfolde abate o arqueiro.

No verso da página em que entrou a nova história do ataque (p. 30), meu pai escreveu os seguintes nomes: *Rohirwaith Rochirchoth Rochann Rohann Rohirrim*; e também Éomeark Éomearc. Não sei se *Rochann*, *Rohann* devem ser associados ao uso de *Rohan* em pp. 29, 31, aparentemente como um termo para os Cavaleiros.[24]

Em um rascunho do trecho que descreve a investida a partir do Forte-da-Trombeta, o Rei cavalgava com Aragorn à direita e Háma, à esquerda. Para a morte de Háma diante dos portões do Forte-da-Trombeta, ver p. 58, nota 8.

No fim do capítulo, quando Legolas viu a estranha Floresta além do Dique de Helm, ele dizia: "Isto é feito de mago deveras! 'Verdefolha, Verdefolha, flechada a última flecha, hás de ir a estranha floresta'. Vamos! Quero ver esta floresta antes que mude o encantamento". As palavras que ele cita são dos versos enigmáticos que Galadriel lhe dirigiu, portados por Gandalf ("O Cavaleiro Branco", VII. 508):

Verdefolha, Verdefolha, que o arco-élfico apresta,
Pra lá de Trevamata a terra árvores gesta.
Flechada a última flecha, hás de ir a estranha floresta![A]

Suas palavras não foram corrigidas no manuscrito e sobreviveram no texto datilografado que se seguiu (ver p. 493).

NOTAS

[1] Para a história subsequente desse trecho, ver pp. 15–7.

[2] *Tindtorras*: nome antigo para o *Thrihyrne*. Ver VII. 375.

[3] Na primeira versão de "O Rei do Paço Dourado", o Segundo Mestre da Marca era Eofored e, quando Théodred aparece, ele não é filho de Théoden (ver VII. 526 e nota 17). A "Primeira Batalha dos Vaus do Isen", na qual Théodred tombou, estava agora presente (VII. 523 e nota 12) e, em um esquema cronológico contemporâneo, está com a data de 25 de janeiro, o dia anterior à morte de Boromir e ao Rompimento da Sociedade (no SdA, 25 e 26 de fevereiro).

[4] No Primeiro Mapa (seção redesenhada IV^D, VII. 376), *Westfolde* foi escrito ao lado de um vale no lado ocidental das Montanhas Nevoentas, ao sul da *Terra Parda* (muito embora tenha sido posteriormente riscado dessa posição e reinserido ao longo dos sopés setentrionais das Montanhas Negras a oeste de Eodoras). Não é possível dizer se, originalmente, *Terra Parda* e *Westfolde* ficavam juntos no mapa como nomes de regiões distintas, ou se *Terra Parda* só foi inserido quando *Westfolde* foi removido.

[5] A alteração de *Trumbold* para *Herulf*, *Heorulf* (posteriormente Erkenbrand) foi feita no decorrer desse rascunho inicial.

[6] Meu pai escreveu, inicialmente, *Dimgræf*, mas alterou, conforme escrevia, para *Fenda de Heorulf*; acima disso, escreveu *o Dimhale* ([*dim* com o sentido de "secreto", "obscuro" e] *hale* representando o inglês antigo *halh*, *healh*, "canto, ponta de terra") e, depois disso, *Ravina de Herelaf*, o que foi riscado. Na margem, ele escreveu *Nerwet* (inglês antigo, "lugar estreito"); e, no alto da página, *Neolnearu* e *Neolnerwet* (inglês antigo *neowol*, *nēol* "profundeza"), também *a Ravina*, *a Ravina Longa*, e *Theostercloh* (inglês antigo *þēostor* "escuro"). *Clough* [em *Heorulf's Clough*] vem do inglês antigo *clōh* "vale escarpado ou ravina".

[7] Depois disso, meu pai escreveu (mas riscou), "*Porta de Dimhale*, chamada por alguns de *Forte de Herulf*"; e, na margem, escreveu *portão de Dimgraf* e *Dimmhealh* (ver nota 6).

[8] *Nerwet*: ver nota 6.

[9] As palavras entre colchetes estão perdidas (mas podem ser depreendidas do rascunho seguinte) devido a um quadrado que foi recortado da página: é possível que houvesse aí um pequeno mapa da "Ravina de Heorulf" e do "Forte".

[10] Antes de *Abismo de Helm*, meu pai escreveu primeiro *Desvão-de-Helm* [*Helmshaugh*], sendo *haugh* a forma desenvolvida no inglês do Norte e no da Escócia da palavra em inglês antigo *halh* (nota 6).

[11] *Heorulf's Hoe* [*Promontório de Heorulf*]: *hoe* vem do inglês antigo *hōh*, "promontório" (usado em topônimos com sentidos variados, tais como "o fim de um espinhaço onde o solo começa a descer abruptamente").

[12] O mapa redesenhado na p. 322 é anômalo neste e em muitos outros aspectos.

[13] O acréscimo de um dia à cavalgada pela planície e a alteração da data da (segunda) batalha dos Vaus do Isen para 31 de janeiro entraram na revisão feita ao manuscrito completo de "O Abismo de Helm': ver p. 31.

[14] *Stanscylf* ao lado de *Stanshelf* [*Fragalta*] tem a forma em inglês antigo *scylf* (*sc* = *sh*).

[15] *o penhasco*: isto é, a Fragalta, a grande descida natural no solo que constituía um baluarte.

[16] Compare as duas versões do relato do batedor: "muitos estão indo para o Forte de Herulf, e dizem que Herulf já está lá" (p. 21); "Alguns estão indo para a Ravina, mas parece que Nothelm [> Heorulf] não está lá" (p. 22).

[17] No primeiro rascunho, a fortaleza estava deserta quando a hoste de Eodoras chegou (p. 25-6). "Segue-se então a história contada acima até o resgate do Rei" se refere à história no primeiro rascunho incluído em pp. 13–16.

[18] Presumo que isso se refira ao esboço da p. 29, em que o ataque se deu na linha do Dique de Helm, a menos que algum outro relato anterior do ataque tenha se perdido.

[19] Um retalho rascunhado tem a frase "A lua, vacilante e tardia, viu os homens lutando no cimo da muralha"; mas a palavra ilegível aqui não é *viu*, embora talvez tenha sido essa a intenção.

[20] Sobre o Riacho do Abismo, foi dito em seguida (mas rejeitado) que "muito ao norte ele se juntava ao Rio Isen e formava a fronteira ocidental da Marca".

[21] Esse segundo trecho (VII. 452) se perdeu em DT (pp. 630–1). Na cópia manuscrita limpa de "A Partida de Boromir", conforme escrita originalmente, no primeiro trecho Legolas dizia apenas (DT, p. 625) "Ai de nós! Viemos quando ouvimos a trompa — mas tarde demais. Estás muito ferido?". A versão mais completa de suas palavras ao encontrar Aragorn, na qual ele menciona que caçou e matou Orques com Gimli na mata, foi acrescentada depois (tanto no manuscrito como no texto datilografado que se seguiu). Portanto, é possível que meu pai nesse momento tivesse rejeitado a ideia que aparece no segundo trecho ("Matamos muitos"), e não a reintegrou até depois de escrever "O Abismo de Helm". Mas isso parece improvável e, de toda forma, não altera a inconsistência na obra publicada. Essa inconsistência talvez tenha sido observada anteriormente, mas me foi indicada pelo Sr. Ralph L. McKnight Jr.

[22] Outro exemplo notável da sobreposição nessa parte da história se encontra no nome *Erkenbrand*. Ele aparece em estágios avançados da revisão do manuscrito completo de "O Abismo de Helm", mas foi uma substituição do nome *Erkenwald* (o qual, por sua vez, substituiu *Heorulf*); e *Erkenwald* ainda é o nome do Senhor de Westfolde no rascunho que se tornou o capítulo "Destroços e Arrojos". Ver p. 57, nota 2.

[23] Em DT (p. 786), Gamling diz: "Nem em meio milhar de anos esqueceram seu ressentimento de que os senhores de Gondor deram a Marca a Eorl, o Jovem, *e fizeram aliança com ele*".

[24] Além disso, encontra-se nesse capítulo a forma *Rohir*. Ela ocorreu no manuscrito de "O Cavaleiro Branco" (VII. 510, nota 8). *Rohirrim* se encontra no manuscrito completo de "O Abismo de Helm", mas ainda não tinha se estabelecido, pois *Rohir* aparece na cópia manuscrita final de "A Estrada para Isengard" (p. 57) e, muito depois, em "Faramir" ("A Janela para o Oeste"), tanto *Rohir* quanto *Rohiroth* são usados (pp. 189–91).

3

A Estrada para Isengard

De início, esse capítulo continuava sem interrupção depois de "O Abismo de Helm" e, quando a divisão foi feita, seu título era "Para Isengard" (Capítulo 29). O rascunho preparatório aqui foi muito mais volumoso do que em "O Abismo de Helm", pois a primeira versão da história tinha chegado a uma forma desenvolvida em um manuscrito claro antes de ser rejeitada. A interpretação dos papéis muito confusos desse capítulo é particularmente difícil, visto que é necessário fazer uma distinção entre rascunhos (com frequência bem semelhantes) de trechos da primeira versão e rascunhos de trechos da segunda.

As diferenças essenciais entre a versão original e a que se encontra em *As Duas Torres* são estas: Gandalf, Théoden e seus companheiros deixaram o Abismo de Helm pouco depois do fim da batalha (ver p. 16, § III); eles não viram os Ents ao deixarem a misteriosa floresta, e não desceram para os Vaus do Isen; mas encontraram e conversaram com Bregalad, o Ent, que portava uma mensagem de Barbárvore, durante sua cavalgada para Isengard, e lá chegaram no mesmo dia. Neste capítulo, colocarei as porções da versão original que são significativamente diferentes da posterior, citando-as a partir do manuscrito completo daquela versão, mas certos trechos de rascunhos iniciais foram incluídos nas notas.[1]

Primeiro, contudo, há um esboço que meu pai evidentemente escreveu antes de começar a trabalhar no capítulo. Está escrito com lápis macio na letra rápida e frequentemente quase ilegível que era costumeira nesses esboços preliminares, mas, neste caso, uma boa parte do texto foi sobrescrita à tinta.

Encontro dos chefes. Éomer e Gimli retornam do Abismo. (Ambos feridos e são tratados por Aragorn?) Gandalf explica que cavalgara e percorrera reunindo homens dispersos. A chegada do

Rei desviara Isengard de Eodoras. Mas ele [Gandalf] enviara alguns homens de volta para defendê-la de saqueadores. Erkenbrand[2] fora [? emboscado] e alguns cavalos que restaram após o desastre no Vau-do-Isen se perderam. Ele tinha [? talvez recuado] para as colinas.

Perguntam a Gandalf sobre as Árvores. A resposta está em Isengard, diz ele. Vamos até lá com rapidez — todos os que desejarem.

Aragorn, Éomer, Gimli, Legolas, o Rei Théoden e sua companhia e [? uma tropa] . . . . para Isengard. Erkenbrand. Gamling. Reparação do Forte-da-Trombeta.

Descem por um grande . . . . corredor entre as árvores que [? parece agora ter se aberto]. Não se veem orques. Estranhos murmúrios e ruídos e meias-vozes entre as árvores. [*Acrescentado:* Gandalf discute sua tática. Gimli descreve as cavernas. *Aqui começa o texto escrito por cima, à tinta:*]

O sol brilha na planície. Veem um vulto alto, gigantesco, indo até eles a passos largos. Os Cavaleiros sacam as espadas, e ficam espantados. A figura saúda Gandalf.

Sou Bregalad, o Tronquesperto, falou. Venho a pedido de Barbárvore.

O que ele deseja? perguntou Gandalf.

Deseja que vos apresseis. Quer saber o que deve fazer com Saruman!

Hm! disse Gandalf. Isso é um problema. Diz-lhe que estou chegando.

O que era aquilo, perguntou Théoden. E quem é Barbárvore?

Era um Ent, disse Gandalf. E Barbárvore também.

Apressam-se e adentram Nan Gurunír. Lá encontram uma pilha de ruínas. Os grandes muros de Isengard foram destroçados e arremessados em confusão. Somente a torre de Orthanc permaneceu sozinha no meio da desolação, da qual subia uma grande fumaça. O grande arco ainda está de pé, mas uma pilha de pedregulho está diante dele. No topo da pilha estavam sentados... Merry e Pippin, almoçando.[3] Eles pulam e, como Pippin estava com a boca cheia, é Merry quem fala.

"Bem-vindos, senhores, a Isengard!", disse ele. "Nós somos os guardiões-da-porta: Meriadoc, filho de Caradoc, da Terra-dos-Buques, é meu nome; e meu companheiro é Peregrin, filho de Paladin, de Tuqueburgo.[4] Longe no Norte fica nosso lar. O senhor

Saruman está lá dentro, mas [ai dele!, está indisposto e incapaz de receber visitas. >] está no momento trancado com um certo Língua-de-Cobra discutindo negócios urgentes."

"Talvez possamos ajudar no debate", riu-se Gandalf. "Mas onde está Barbárvore? Não tenho tempo de troçar com jovens hobbits."

"Então os encontramos, afinal", disse Aragorn. "Deram-nos uma longa jornada."

"Há quanto tempo estão em Isengard?", perguntou Gimli.

"Menos de um dia", disse Pippin.[5]

Volto-me agora para a primeira versão da história, que é o primeiro manuscrito completo e coerente. Nele, a conversa de Théoden com Gandalf sobre ir para Isengard (DT, pp. 794–95) tem um desfecho diferente:

"Mesmo assim é a Isengard que vou", afirmou Gandalf. "Que descansem os exaustos. Pois logo haverá trabalho diferente a fazer. Não hei de ficar muito tempo. Meu caminho ruma para o leste. Buscai-me em Eodoras antes da lua cheia!"

"Não", disse Théoden. "Na hora escura antes da aurora eu duvidei. Mas agora não nos separaremos. Cavalgarei contigo se é esse teu conselho. E agora hei de enviar mensageiros com novas de vitória por todos os vales da Marca; e eles hão de convocar todos os homens, velho e jovens, para me encontrar em Eodoras, antes de a lua minguar."

"Está bem!", disse Gandalf. "Então em uma hora cavalgamos outra vez. [...]"[6]

Após uma breve hora de descanso e de desjejuarem, aqueles que iriam cavalgar aprestaram-se para partir.[7]

O relato do tratamento que os homens da Terra Parda receberam e dos enterros (DT, p. 796) chega à forma final,[8] mas a descrição da partida das árvores à noite e do vale depois de terem ido embora, contada quase exatamente nas palavras de DT,[9] entrou inicialmente neste ponto, ao passo que, em DT, a descrição é adiada até um ponto bem posterior no capítulo (p. 806). A passagem pela floresta e a descrição das Cavernas do Abismo de Helm que Gimli faz para Legolas chegam, no primeiro manuscrito completo da primeira versão, quase exatamente à forma de DT (pp. 796–800), mas com uma pequena diferença estrutural, pois aqui a companhia já tinha deixado as árvores e chegado à bifurcação quando a conversa se deu:

Eles atravessaram as árvores e viram que tinham chegado ao fundo da garganta, onde a estrada do Abismo de Helm se bifurcava, indo, de um lado, a Eodoras e, do outro, para os vaus do Isen. Legolas olhou para trás pesaroso.

"Estas são as árvores mais estranhas que já vi", disse ele [...]"

Assim, no final da conversa deles a versão antiga difere novamente:

"Tens minha promessa", afirmou Legolas. "Mas agora temos de deixar tudo isso para trás. Qual a distância a Isengard, Gandalf?"

"Cerca de doze [*posteriormente* > quatorze > onze] léguas do fundo da Garganta do Abismo até a muralha externa de Isengard",[10] disse o mago, virando-se.

"E o que havemos de ver lá?", perguntou Gimli. "Tu podes saber, mas eu não posso adivinhar."

"Eu mesmo não sei com certeza", respondeu Gandalf. "As coisas podem ter mudado outra vez desde que estive lá na noite passada. Mas todos saberemos em breve. Se estivermos ávidos por respostas de enigmas, apressemos o passo!"

[*Acrescentado:* "Lidera-nos!", disse Théoden. "Mas não deixa Scadufax ditar um ritmo que não conseguimos acompanhar!"

A companhia agora avançou com toda a velocidade que podia, por cima dos amplos gramados de Westemnet.]

Portanto, as Cavernas do Abismo de Helm não recebem de Gandalf aqui o nome de "Cavernas Cintilantes de Aglarond", que só foi acrescentado ao texto datilografado em um estágio posterior (ver p. 97).

A primeira versão da história se torna agora decisivamente diferente daquela em *As Duas Torres* (p. 801 e seguintes).

O sol brilhava no vale ao redor deles. Depois da tempestade, a manhã estava fresca, e uma brisa agora soprava do oeste entre as montanhas. Os prados ondulantes subiam e desciam em cristas longas e vales rasos como um amplo mar verde. À esquerda, longas encostas desciam rapidamente para o Rio Isen, uma fita cinzenta que se curvava para o oeste, serpenteando a perder de vista através do grande Desfiladeiro de Rohan até as praias distantes de Belfalas.[11] Abaixo deles agora estavam os vaus do Isen, onde o rio se espalhava em baixios pedregosos entre terraços compridos de relva. Não foram por ali. Gandalf os conduziu no rumo norte, e eles passaram cavalgando ao longo do terreno elevado a leste do rio; mas, conforme cavalgavam, outros olhos se viraram na direção dos vaus pedregosos e do campo de batalha onde muitos homens bons da Marca haviam tombado.[12] Viam corvos rodeando e crocitando no ar e ouviam o uivo dos lobos trazido pelo vento. As aves de carniça se ajuntavam nos vaus e nem mesmo a claridade do dia as desviara dos seus afazeres.

"Ai de nós!", exclamou Théoden. "Havemos de deixar os corcéis e cavaleiros da Marca serem bicados e descarnados por ave e lobo? Vamos mudar de rota!"

"Não há necessidade, senhor", disse Gandalf. "A tarefa nos tomaria muito tempo, se ainda precisasse ser feita, mas não precisa. Nenhum cavalo ou cavaleiro do teu povo está insepulto. Seus túmulos são fundos e seus morros são altos; e que longamente vigiem os vaus! Meus amigos labutaram ali.[13] É com os orques, seus mestres, que os lobos e as aves de carniça se banqueteiam: assim é a amizade de sua espécie."

"Muito realizaste em uma tarde e uma noite, Gandalf, meu amigo", disse Théoden.

"Com a ajuda de Scadufax — e outros", respondeu Gandalf. "E isto posso relatar para teu conforto: as perdas nas batalhas do vau foram menos gravosas do que pensamos de início. Muitos homens foram dispersos, mas não mortos. Alguns guiei para que se unissem a Erkenwald, e alguns reuni e mandei de volta a Eodoras. Descobri que todo o poderio de Saruman se apressava para o Abismo de Helm; pois a grande tropa que recebeu ordens de ir diretamente a Eodoras foi desviada e juntou-se àqueles que haviam perseguido Erkenwald. Quando se tornou conhecido que tu, Théoden Rei, estavas em campo, com Éomer ao lado, uma avidez insana os acometeu. Capturar-te e matar Éomer era o que Saruman mais desejava. Porém eu temia que cavalga-lobos e saqueadores cruéis poderiam ser enviados rapidamente a Eodoras e causar grande dano ali, pois estava indefesa. Mas agora penso que não precisas temer; encontrarás o Paço Dourado dando boas-vindas a teu retorno."

Haviam cavalgado por cerca de uma hora desde que deixaram a Garganta, e os braços montanhosos escuros de Nan Gurunír já se estendiam diante deles. Parecia repleto de fumaça. O rio corria de lá, agora próximo à esquerda. De súbito notaram uma estranha figura indo a passos largos para o sul, ao longo do rio, na direção deles.

Esse último parágrafo foi substituído pelo seguinte:

Haviam cavalgado por quase uma hora [> Era cerca de meio-dia. Haviam cavalgado por duas horas][14] desde que deixaram a Garganta, e agora os braços montanhosos de Nan Gurunír começavam a se estender na direção deles. Parecia haver uma névoa em torno das colinas, e viram, erguendo-se de profundas sombras, uma vasta cúspide de fumaça e vapor; ao subir, captava a luz do sol e espalhava-se em vagalhões cintilantes pelo céu, e o vento os carregava por sobre a planície.

"O que pensas disso, Gandalf?", perguntou Théoden. "Dir-se-ia que todo o Vale do Mago está em chamas."

"Sempre há fumo acima desse vale nestes dias", disse Éomer; "mas nunca antes vi algo semelhante. Estes são vapores, não fumaças. Alguma crueldade Saruman está fermentando para nos receber."

"Quem sabe", disse Gandalf. "Se for, logo descobriremos o que é."[15]

O rio Isen corria do vale vaporoso, agora próximo à esquerda deles. Conforme olhavam para o norte, de súbito notaram uma estranha figura indo a passos largos para o sul, ao longo da margem leste da torrente. Ia a grande velocidade, caminhando rígido como uma garça que vadeia e, ainda assim, as longas passadas eram ágeis, mais como um bater de asas e, ao se aproximar, viram que era muito alto, da altura de um trol ou de uma jovem árvore.

Muitos dos cavaleiros clamaram alto de espanto, e alguns sacaram as espadas. Mas Gandalf ergueu a mão.

"Aguardemos", falou. "Eis aqui um mensageiro para mim."

"Um mensageiro estranho aos meus olhos", disse Théoden. "Que tipo de criatura poderia ser?"

"Faz tempo que escutaste histórias ao pé da lareira", respondeu Gandalf, "e nisso, mais do que nos cabelos brancos, mostras tua idade, sem que tenhas aumentado em sabedoria.[16] Há crianças em tua terra que, a partir dos filamentos torcidos de muitas histórias, poderiam ter encontrado a resposta à tua pergunta num piscar de olhos. Aí vem um Ent, um Ent vindo de Fangorn, que tua língua chama de Floresta Ent — pensavas que o nome fora dado só por capricho ocioso?[17] Não, Théoden, é diferente: para eles tu és tão somente o conto passageiro: todos os anos desde Eorl, o Jovem, até Théoden, o Velho, pouco contam para eles."

Théoden estava em silêncio, e toda a companhia se deteve, observando com olhos de espanto a estranha figura que chegava rapidamente ao encontro deles. Homem ou trol, tinha dez ou doze pés de altura, forte, mas esbelto, vestido em trajes brilhantes e justos de cinza e marrom rajado, ou então sua pele lisa era como a casca de uma bela sorveira. Não portava armas e, ao se aproximar, seus longos braços formosos e suas mãos de muitos dedos se ergueram em sinal de paz. Agora estava diante deles, a algumas passadas de distância, e seus olhos claros, de cinza profundo com lampejos de verde, olharam solenemente, rosto a rosto, os homens que se ajuntavam ao redor dele.[18] Então falou lentamente, e sua voz era ressoante e musical.

"Esta é a companhia de Théoden, mestre dos campos verdes dos Homens?", perguntou. "Gandalf está aqui? Estou procurando Gandalf, o cavaleiro branco."

"Estou aqui", disse Gandalf. "O que desejas?"

"Sou Bregalad Tronquesperto", respondeu o Ent. "Venho a pedido de Barbárvore. Ele está ávido por novas da batalha, e ansioso por causa dos Huorns.[19] Também está com a mente aflita por causa de Saruman, e espera que Gandalf chegue logo para lidar com ele. [*Acrescentado:* Da torre não vem som nem sinal.]"

Gandalf ficou em silêncio por um momento, afagando a barba pensativo. "Lidar com ele", falou. "Isso pode ter muitos significados [> Isso pode ter mais do que um significado].[20] Mas como isso vai terminar, não sei dizer até que chegue lá. Diz a Barbárvore que estou a caminho e que me apressarei. E entrementes, Bregalad, diga-lhe que não se aflija com os Huorns. Eles fizeram sua parte e não se feriram. Hão de retornar."

"É uma boa notícia", disse o Ent. "Que nos encontremos em breve!". Ergueu a mão, e virou-se, e voltou subindo o rio a passos largos, tão rápido que, antes de a companhia do rei ter se recuperado do espanto, ele já estava muito longe.

Os cavaleiros seguiam agora mais rápido. Por fim, adentraram o comprido vale de Nan Gurunír. A terra se erguia íngreme e os longos braços das Montanhas Nevoentas, que se estendiam na direção das planícies, erguiam-se de cada um dos lados: cristas íngremes e pedregosas, desprovidas de árvores. O vale era abrigado, aberto apenas para o Sul ensolarado, e irrigado pelo rio ainda jovem que serpenteava no meio. Alimentado por muitas nascentes e riachos menores entre as colinas lavadas pela chuva, corria e borbulhava no leito, e já era um corpo d'água rápido e forte antes de chegar à planície; e em todo o seu redor houve certa vez uma terra agradável e fértil.[21]

A descrição de Nan Gurunír da forma que estava agora estava quase idêntica a DT (pp. 807–8), mas, depois das palavras "Muitos tinham dúvidas no coração, perguntando-se a que fim sinistro conduziria sua jornada", segue-se aqui:

Logo se depararam com uma ponte larga de pedra que varava o rio em um único arco e, ao cruzá-la, encontraram uma estrada que, fazendo uma curva ampla para o norte, levou-os à grande via para os vaus: era calçada com pedras, bem-feita e bem cuidada, e não se via folha de relva em nenhuma junta ou fissura. Souberam que não deviam estar muito distantes, à sua frente, os portões de Isengard; e seus corações ficaram pesarosos, mas os olhos não conseguiam penetrar as névoas.

Portanto, a coluna negra encimada pela Mão Branca está ausente. Estando a leste do Isen, eles cruzam o rio por uma ponte, e chegam "à grande via para os vaus". Em DT, eles seguiram aquela estrada pela margem oeste do Isen subindo a partir dos vaus, e foi nesse ponto que a estrada "se transformou em uma rua larga, calçada com grandes pedras chatas".[22]

Já em rascunhos preliminares, a descrição do Círculo de Isengard chega praticamente à forma de DT (pp. 808–09),[23] mas a descrição da torre de Orthanc passou por muitas alterações que podem ser associadas a uma série de ilustrações da mesma época. Para que meu relato fique claro, rotularei essas descrições como A, B, C, D.

A descrição no rascunho preliminar é a seguinte:

(A) E no centro, de onde corriam todos os caminhos ladeados por correntes, havia uma torre, um pináculo de pedra. A base dela, que tinha duzentos pés de altura, era um grande cone de rocha deixado pelos antigos construtores e lixadores da planície, mas agora erguia-se sobre ele uma torre de alvenaria, camada sobre camada, fileira sobre fileira, cada tambor menor que o de baixo. Terminava baixa e plana, de modo que, no topo, havia um amplo espaço de cinquenta pés de diâmetro, aonde se chegava por uma escada que subia no meio.

Essa descrição está em harmonia com a ilustração intitulada "Orthanc (1)", reproduzida como guarda,[24] exceto por um aspecto: no texto, havia um "amplo espaço de cinquenta pés de diâmetro" no topo, mas no desenho a torre é encimada por três pináculos ou chifres (ver "C" adiante).

No manuscrito completo da primeira versão, a descrição começa do mesmo modo,[25] mas, depois de "deixado por antigos construtores e lixadores da planície", ela continua:

(B) [...] uma torre de alvenaria maravilhosamente alta e esguia, como um chifre de pedra que, na ponta, ramificava-se em três pontas; e, entre as pontas, havia um espaço estreito onde um homem podia postar-se mil pés acima do vale.

Essa descrição acompanha o desenho rotulado "Orthanc (2)", reproduzido na p. 49, no qual o cone da base é negro e mais íngreme do que em "Orthanc (1)", e a torre, muito mais esguia. Ao lado dessa segunda descrição da torre, meu pai escreveu subsequentemente:

(C) Ou — se a primeira ilustração [ou seja, "Orthanc (1)"] for adotada (mas com a rocha cônica da segunda ilustração) [ou seja, "Orthanc (2)"]:

> [uma torre de alvenaria] maravilhosamente alta e forte. Tinha sete camadas redondas, diminuindo em circunferência e altura e, no topo, havia três chifres negros de pedra sobre um espaço estreito onde um homem podia postar-se mil pés acima da planície.

Isso está precisamente de acordo com "Orthanc (1)". Parece provável, portanto, que o desenho foi feito depois de a descrição "A" ter sido escrita, pois difere de "A" no fato de que a torre tem três chifres no topo.

As descrições "B" e "C" foram rejeitadas ao mesmo tempo e substituídas no manuscrito pelo seguinte (todo esse trabalho obviamente pertence ao mesmo período):

(D) E no centro, de onde corriam todos os caminhos ladeados por correntes, havia uma ilha em uma lagoa, um grande cone de rocha de duzentos pés de altura deixado pelos antigos construtores e lixadores [> aplanadores] da planície, negro e liso e muitíssimo duro. Uma fenda cavernosa o separava do alto até o meio em duas grandes presas e, sobre a fenda, havia um magno arco de alvenaria e no arco assentava-se uma torre, maravilhosamente alta e forte. Tinha sete camadas redondas, diminuindo em circunferência e altura e, no topo, havia três chifres negros de pedra sobre um espaço estreito onde um homem podia postar-se mil pés acima da planície.

Essa concepção está ilustrada nos desenhos "Orthanc (3)" e "(4)", na mesma página de "Orthanc (2)" e reproduzidos adiante (a distinção entre os dois aparece em descrições sucessivas da torre em "A Voz de Saruman", pp. 79–80). No verso da página que traz "Orthanc (1)", meu pai escreveu: "Isso está errado. A rocha deve ser mais íngreme e *fendida*, e a torre deve estar sobre um *arco* (com grandes "chifres" no topo), como mostra o pequeno croqui (3)". Ele também escreveu aqui: "Omitir o curso d'água", mas riscou isso. É possível ver um curso d'água ou "fosso" circundando a base cônica em "Orthanc (1)". Na descrição "D", a torre fica sobre "uma ilha em uma lagoa" ("no lago", ver nota 25).

Por fim, um adendo foi inserido no primeiro manuscrito com a descrição definitiva encontrada em DT (p. 809): "Era um pico e ilha de rocha, negro, duro e reluzente: quatro imensos pilares de pedra multifacetada eram fundidos em um só, mas perto do cume abriam-se em chifres afastados, com pináculos afiados como pontas de lança, de gume cortante como punhais". A única diferença aqui em relação ao texto final é que meu pai escreveu primeiro que o topo de Orthanc erguia-se trezentos pés acima da planície; mas isso foi alterado, talvez imediatamente, para quinhentos, como em DT. Nesse adendo, ele escreveu: "para se adequar ao Desenho (5)", o qual foi reproduzido na p. 50. Aqui a concepção foi radicalmente alterada, e os "chifres", que agora são quatro, não são

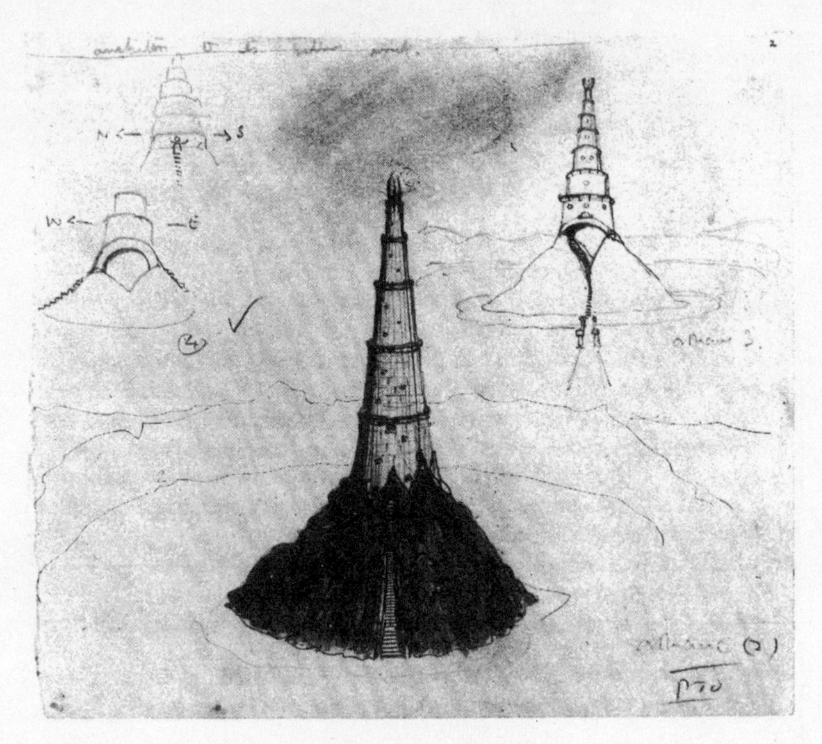

Orthanc (2), (3) e (4).

Orthanc (5).

mais elementos em cima da torre de camadas cilíndricas que vão diminuindo, mas uma parte integrante da própria estrutura maravilhosa de Orthanc.[26]

As versões sucessivas da descrição da torre diferem nas afirmações feitas sobre o nome *Orthanc* (a afirmação mais antiga sobre isso aparece em uma nota rejeitada ao manuscrito de "Barbárvore", VII. 492: "Talvez não seja mero acaso que *Orthanc*, cujo significado em élfico é 'um espigão de rocha', seja, na língua de Rohan, 'uma máquina'"). O rascunho preliminar, seguindo a descrição "A", diz:

Essa era Orthanc, a cidadela de Saruman, cujo nome tinha duplo significado (de propósito ou por acaso); pois na língua da Marca *Orthanc* significava artifício sagaz, invenção, (uma máquina como as daqueles que fabricam máquinas), mas na fala élfica significa coração pétreo, colina [? atormentada].

O texto original do primeiro manuscrito completo, seguindo a descrição "B", diz:

[...] pois na língua da Marca *orthanc* significava "artifício sagaz", mas na fala élfica significa "Presa de Pedra".

Acrescentou-se a isso, subsequentemente, "Colina-fendida", quando surgiu a concepção da grande fenda na base cônica. Seguindo a descrição ("D") dessa ideia, a afirmação sobre o significado do nome chega à forma final: "pois na fala élfica *orthanc* significa Monte Presa, mas na língua da antiga Marca é Mente Sagaz". Portanto, pode ser que a tradução "Monte Presa" na verdade tenha surgido associada à descrição do cone dividido "em duas grandes presas".

Daqui em diante, chegou-se ao texto de DT em quase todos os pontos no manuscrito desta versão até o fim do capítulo,[27] mas há alguns pontos interessantes no rascunho preliminar.

A resposta de Gandalf diante da saudação de Merry (que se declara "Meriadoc, filho de Caradoc, da Terra-dos-Buques"), e termina com "do contrário sem dúvida apressar-se-ia até aqui para receber tão honrados visitantes", originalmente assumia a seguinte forma:

"Sem dúvida estaria", riu-se Gandalf. "Mas não sei o que diria ao encontrar dois jovens hobbits troçando dele diante dos seus portões. Sem dúvida foi ele quem mandou que vigiassem suas portas e observassem a chegada deles."

A primeira observação de Pippin e seu efeito nos Cavaleiros eram assim:

"[...] Estamos aqui sentados no campo de vitória em meio às ruínas pilhadas de um arsenal, e vos perguntais onde foi que encontramos isto e aquilo."

Todos os Cavaleiros ali perto riram, e ninguém mais alto do que Théoden.

A gargalhada alta de Théoden permaneceu no manuscrito finalizado, mas foi removida depois que sua gravidade (pelo menos no porte) foi restaurada.

O diálogo a respeito dos hobbits dizia o seguinte no rascunho:

"[...] Este dia está fadado a ser repleto de maravilhas: pois aqui vejo em vida mais outros do povo das lendas: os meios-altos."

"Hobbits, se fazeis favor, senhor", disse Pippin.

"Hobbits", disse Théoden. "*Hoppettan*?[28] Tentarei lembrar. Nenhum conto que eu tenha ouvido faz jus a eles."

No manuscrito finalizado, Théoden dizia: "Hobbits? É um nome estranho, mas não me esquecerei dele". No rascunho preliminar, ele dizia em seguida: "tudo o que dizem entre nós é que bem longe, no Norte, além de muitas colinas e rios (além do mar, segundo alguns) vive o povo meio-alto, [*holbylta*(*n*) >] *holbytlan*, que mora em tocas em dunas de areia [...]". Foi aqui que surgiu a palavra *Holbytla*.[29] O manuscrito acompanha isso, e Théoden não diz, como em DT, "Vossa língua é estranhamente mudada".

No primeiro de muitos rascunhos desse trecho, Merry faz uma preleção completamente diferente e muito mais longa sobre o tabaco:

"Por exemplo", continuou Théoden, "eu não ouvi que lançavam fumaça da boca."

"Talvez não. Só descobrimos o prazer disso há algumas gerações. Conta-se que Elias Tobiasson de Artemísia[30] voltou com a erva para a Mansão-da-quinta na Quarta Sul. Era um hobbit muito viajado. Plantou-a em seu jardim e secou as folhas da maneira que havia aprendido em algum país distante. Nunca soubemos onde, pois ele não era bom de geografia e nunca conseguia lembrar nomes; mas, pela contagem de léguas que ele fez nos dedos, as pessoas calculavam que era muito ao Sul, 1.200 milhas ou mais da Mansão da Quinta. [*Aqui está escrito* Vale Comprido]".

"No Sul distante, conta-se que os homens bebem fumaça, e ouvi dizer que os magos fazem isso. Mas sempre pensei que fosse parte de seus encantamentos, ou um processo que auxiliasse no tecer de seus pensamentos profundos."[31]

"Meu senhor", disse Merry, "é descanso e prazer, e a coroação do banquete. E fico contente que os magos conheçam. Em meio aos destroços flutuando na água que inundou Isengard, encontramos dois barriletes e, ao abri-los, o que havíamos de descobrir senão um tanto da mais excelente folha em que jamais pus os dedos ou o nariz. A folha da Mansão-da-quinta é boa o bastante, mas isto é ... [32] Tem o cheiro daquilo que Gandalf fumava às vezes quando voltava das jornadas. Ainda que com frequência ficasse bem feliz em descer até a Mansão-da-quinta."

Nessa época, e ainda no mesmo contexto (a conversa no Portão de Isengard), meu pai desenvolveu a disquisição de Merry em três outros rascunhos, até uma versão que se aproximava de §2 *A Respeito da Erva-de-fumo* no Prólogo do SdA. No estágio seguinte, o relato que faz a Théoden sobre a história do tabaco no Condado[33] continua assim:

"Conta-se que aprenderam a arte de anãos viajantes, e que durante um tempo as pessoas costumavam fumar várias ervas, algumas mais finas, outras mais fétidas. Mas foi Tobias Smicova[34] do Vale Comprido na Quarta Sul que cultivou primeiro a verdadeira erva-de-fumo em seu jardim no ano de 902, e a melhor erva caseira ainda vem daquela área. Não se sabe ao certo como o velho Tobias descobriu a planta, e os Smicovas detêm toda a [> a maior parte (da)] produção até hoje."

"No Leste distante, homens incultos bebem fumaça, ou assim ouvi dizer", disse Théoden. "E conta-se que os magos também o fazem. Mas eu supunha que isso fosse apenas uma parte do seu saber secreto, e um artifício para auxiliar o tecer de seus pensamentos."

"Talvez auxilie, senhor", disse Merry. "Mas mesmo os magos não a usam por um motivo melhor do que a gente comum. É descanso e prazer, e a coroação do banquete. [...]".

O restante desse rascunho está como o primeiro, mas aqui Merry diz "A folha do Vale Comprido é boa o bastante, mas esta aqui a supera muito" (ver nota 32), e ele diz que Gandalf "não desdenhava da do Vale Comprido se ficasse até seu próprio estoque estar baixo. Antes de Saruman se meter a fazer coisas piores com grande labor, certa vez deve ter tido alguma sabedoria."

Na versão seguinte, o contexto provavelmente mudou para a conversa dos hobbits com Aragorn, Gimli e Legolas depois de Gandalf e Théoden terem ido embora (ver p. 66 e nota 8). Aqui, Tobias (e não Tobold) Corneteiro aparece,[35] a data em que cultivou a planta pela primeira vez em seus jardins se torna 953 ("segundo nosso registro"), e Merry diz que "Uns acham que ele a conseguiu em Bri", ao que Aragorn responde:

"É bem verdade, acho. A gente de Bri fumava há muito mais tempo que a gente do Condado, e não é difícil encontrar o motivo. Os Caminheiros vão até lá, como talvez se lembrem, a menos que já tenham se esquecido de Troteiro, o caminheiro. E foram Caminheiros, como os chamam em Bri, e não mago ou anão, que trouxeram a arte para o Norte, e encontraram plantas que vicejavam em lugares abrigados. Pois a planta não é daqui. Conta-se que bem longe no Leste e no Sul ela cresce selvagem, e a folha é maior e mais rica; mas uns afirmam que foi trazida por sobre o mar. Creio que Saruman conseguiu a folha comerciando, pois ele pouco conhecia e pouco se importava com os seres que crescem. Ainda que, em dias antigos, teria sido possível cultivar uma boa lavoura no vale quente de Nan Gurunír."

Por fim, e ainda no mesmo contexto, o trecho se desenvolveu para uma forma que meu pai evidentemente achou estar grande demais para o lugar, pois assinalou: "Colocar na Introdução".[36] Aqui, a data do primeiro cultivo da erva-de-fumo no Vale Comprido pelo "Velho Toby" (que ainda significava Tobias), se torna "por volta do ano 1050", "nos dias de Isengrim Tûk Primeiro"[37] e, sobre o Velho Toby, Merry diz agora:

"[...] Ele sabia um bocado sobre ervas, mas não era viajante. Dizem que ia com frequência até Bri, mas é certo que jamais se afastou do Condado mais do que isso. Alguns acham que ele conseguiu a planta em Bri; e ouvi dizer que a gente de Bri afirma ter descoberto os usos dela muito antes da gente do Condado. Certamente ela cresce bem agora no lado sul da Colina-de-Bri. E foi provavelmente de Bri que a arte se espalhou nas últimas centenas de anos, entre os anãos e tais pessoas que vêm para o oeste hoje em dia."

"Ou seja, Caminheiros", disse Aragorn sorrindo. "Eles vão até Bri, caso se lembrem. E, se quiserem saber mesmo a verdade, vou lhes contar. Foram as pessoas que a gente de Bri chama de Caminheiros que trouxeram a planta do Sul. Pois ela não é nativa nem de Bri e nem do Condado, e só viceja até o ponto do norte onde há lugares quentes e abrigados. Verde [Fuilas > Marlas > Romloth >] Galenas nós chamávamos aquele tipo. Mas ela há muito tempo crescia selvagem e despercebida. Esse crédito é dos hobbits, certamente: foram os primeiros a colocá-la em cachimbos. Nem mesmo os magos pensaram nisso antes deles, mas pelo menos um que conheço adotou a ideia e agora é tão hábil nessa arte quanto em todas as outras coisas a que se dispôs."

"Mais de um", disse Merry. "É bem provável que Saruman tenha pegado a ideia de Gandalf: sua maior habilidade parece ter sido adivinhar as mentes das outras pessoas. Mas fico contente com isso, neste caso. Em meio aos destroços flutuando na água [...]"

Essa versão termina com Merry dizendo "A Folha do Vale Comprido é boa o bastante, mas esta aqui é melhor. Fico me perguntando de onde veio. Você acha que Saruman a cultivou?" e Aragorn responde: "Acho que sim. Antes de ele se meter a fazer coisas piores com maior labor, deve ter tido alguma sabedoria. E nesse vale quente daria para cultivar uma boa lavoura, se cuidada adequadamente".

A decisão de mover a maior parte disso para a Introdução já tinha sido tomada quando o primeiro manuscrito completo foi escrito, pois aqui Merry não diz nada além das poucas palavras que Gandalf permite em DT (p. 813), com Tobias no lugar de Tobold, e a data 1050.

Por fim, a conversa perto do fim do capítulo no manuscrito (não há rascunho inicial para ela) insere o encontro com Bregalad na jornada até Isengard, e diz o seguinte:

"Passa do meio-dia", comentou Gandalf, "e nós, pelo menos, ainda não comemos. Porém quero ver Barbárvore assim que seja possível. Se Bregalad levou minha mensagem, Barbárvore a esqueceu nos seus labores. A menos — o que não parece ser inacreditável — que ele tenha deixado com esses guardiões-das-portas algum recado que a refeição do meio-dia expulsou da sua lembrança."

"Valha, sim, é claro!", disse Pippin, dando um tapinha na testa. "'Uma coisa expulsa a outra', como diria Carrapicho. É claro. Ele disse: Saúda o Senhor de Rohan apropriadamente. Diz-lhe que Saruman está trancado em Orthanc e fala que estou ocupado perto do portão norte.[38] Se ele e Gandalf me desculparem e se dispuserem a cavalgar até lá para me encontrar, recebê-los-ei."

"E por que não disse antes?", perguntou Gandalf.

"Porque Gimli interrompeu minhas palavras apropriadas", respondeu Merry. "E depois disso pareceu que os hobbits tinham se tornado o espanto principal e assunto de debate."

O capítulo nesse momento não terminava com o comentário de Pippin, "Um velhinho simpático. Muito gentil", mas continuava com "Gandalf e a companhia do Rei partiram a cavalo, virando rumo ao leste para darem a volta no arruinado Anel de Isengard", que é a abertura de "Destroços e Arrojos" em DT.

Há rascunhos adicionais e abundantes, também descontínuos e intimamente relacionados ao texto final, para o segundo estágio no desenvolvimento do capítulo. Aqui se pode ver o surgimento dos elementos novos ou alterados da narrativa — a partida adiada do Abismo de Helm, os Ents na beira da floresta de Huorns[39] que substituíram o encontro com Bregalad, a travessia dos Vaus, o rio seco, o morro tumular, o Isen voltando a correr de súbito à noite. Inicialmente, apesar de o horário da partida ter sido alterado para o anoitecer, o encontro com Bregalad ainda estava presente, mas terminava diferente: pois, apesar da mensagem de Gandalf a Barbárvore, "para a surpresa de todos, ele [Bregalad] ergueu a mão e partiu a passos largos, mas não de volta para o norte, e sim na direção da Garganta, onde a floresta agora postava-se escura como uma grande dobra de noite". Da mesma forma, a cena nos Vaus evoluiu em estágios: primeiro, não havia menção ao morro tumular, então passou a haver dois, um em cada margem do Isen e, por fim, a ilha, ou ilhota, no meio do rio apareceu.[40] O trecho que descreve a partida dos Huorns da Garganta do Abismo e a Colina da Morte (ver p. 42) foi inicialmente deslocada para ficar (ao que parece) depois da resposta de Gandalf à pergunta de Legolas sobre os Orques: "Isso, creio, ninguém jamais saberá" (DT, p. 798), pois um rascunho isolado começa com: "E isso provou-se verdade. Pois, na calada da noite, após a partida do rei, os homens ouviram um grande ruído de vento no vale [...]".[41]

O segundo manuscrito principal do capítulo era uma cópia limpa, e assim permaneceu, com apenas algumas pequenas emendas feitas após ter sido escrito. Alguns detalhes ainda sobreviveram do primeiro estágio: o pai de Merry, Caradoc; Tobias Corneteiro e o ano de 1050; *Eodoras*; e a forma *Rohir*, e não *Rohirrim* (esses dois últimos foram alterados depois no manuscrito). A assembleia em Eodoras ainda seria, como na primeira versão (p. 41), "antes do minguar da lua" (alterado depois para "no último quarto da lua").

Por fim, no relato dos sepultamentos depois da Batalha do Forte-da-Trombeta, não havia apenas os dois montículos erguidos sobre os Cavaleiros caídos: depois das palavras "e os de Westfolde do outro" (DT, p. 796), no manuscrito há "Mas os homens da Terra Parda foram dispostos em um montículo abaixo do Dique" (uma frase que remonta ao primeiro manuscrito completo do rascunho original do trecho, ver nota 8). Essa frase foi omitida por inadvertência no texto datilografado seguinte (que não foi feito por meu pai), e o erro nunca foi observado.

NOTAS

1 Uma breve porção de rascunho inicial foi escrita no verso de uma carta ao meu pai, datada de 31 de julho de 1942.

2 Era de se esperar *Erkenwald*: ver p. 38, nota 22. Na primeira ocorrência aqui, meu pai de fato escreveu *Erkenw* antes de alterar para *Erkenbrand*. Pode ser que, em dado momento, ele estivesse indeciso entre os dois nomes, e que não tenha havido uma simples sequência de *Erkenwald* > *Erkenbrand*.

3 Ver o esboço em "A História Prevista a partir de Fangorn", VII. 513: "As forças vitoriosas sob comando de Éomer e Gandalf cavalgam para as portas de Isengard. Encontram-nas como uma pilha de pedregulho, bloqueadas por uma imensa parede de pedra. No topo da pilha estão sentados Merry e Pippin!"

4 *Caradoc Brandebuque*: ver VI. 313–4 e nota 4. Essa é a primeira aparição do pai de Pippin, Paladin Tûk: ver VI. 479.

5 *Menos de um dia*: o mais breve esquema temporal deve estar subentendido (ver Capítulo 1):

Dia 3 (*31 de janeiro*) Os Ents invadem Isengard à noite e desviam o Isen; Théoden vai ao Abismo de Helm, Batalha do Forte-da-Trombeta.

Dia 4 (*1 de fevereiro*) Théoden, Gandalf etc. vão para Isengard.

[6] Essa conversa se encontra em nada menos do que sete formas separadas da primeira versão apenas. Em uma delas, Théoden diz a Gandalf: "Mas atacarias a fortaleza de Saruman com um punhado de homens cansados?", e Gandalf responde: "Não. Não compreendes totalmente a vitória que obtivemos, Senhor da Marca. As hostes de Isengard não existem mais. O Oeste está a salvo. Não parto para um ataque. Tenho negócios a acertar antes de nos voltarmos para assuntos mais graves, e talvez para um destino mais duro." — Em diferentes versões, Gandalf aconselha Théoden a organizar uma assembleia em Eodoras "no segundo dia a contar de agora" e "na lua cheia, daqui a quatro dias".

[7] Em DT, a companhia não parte para Isengard até o fim da tarde e, no caminho, passaram a noite acampados sob Nan Gurunír. Ver pp. 16–7, §§ III–IV.

[8] Em rascunho preliminar dessa passagem, os corpos dos Orques foram incinerados; os homens da Terra Parda ainda eram homens de Westfolde; foi Gamling, e não Erkenbrand, quem se dirigiu a eles ("Ajudai agora a reparar o mal ao qual vos unistes [...]"); os mortos desse povo foram enterrados em um montículo separado, abaixo do Dique (uma frase que permaneceu em ambos os manuscritos do capítulo, mas que se perdeu em DT: ver p. 40);* os Cavaleiros mortos foram enterrados em um único montículo (em vez de dois); e Háma, cuja morte diante dos Portões do Forte-da-Trombeta aparece aqui pela primeira vez (ver p. 36), foi enterrado entre eles, mas deu seu nome ao monte: "[*Hamanlow* >] *Hamelow* foi chamado em anos posteriores] (inglês antigo *Hāman hlāw*, o Morro de Háma). Em DT (p. 796), Háma foi posto em um túmulo solitário à sombra do Forte-da-Trombeta.

[9] A Colina da Morte, onde foram sepultados os Orques, foi inicialmente chamada de Morro Árido ("pois nenhuma relva lá crescia").

[10] Ver nota 14.

[11] Ver o Primeiro Mapa (mapa redesenhado III, VII. 364), onde o Isen corre para o Grande Mar na região à época chamada de Belfalas.

[12] Em um rascunho desse trecho, o campo de batalha "ficava a apenas uma ou duas milhas de distância". Em DT, a companhia cruzou os Vaus do Isen (sob a luz da lua) para seguir a "antiga estrada que corria de Isengard para as travessias".

[13] Afirma-se subsequentemente que os Cavaleiros foram enterrados pelos Ents: ver pp. 64, 65, 71. Compare com DT (p. 804): "Mais [Cavaleiros] foram dispersos que mortos; reuni todos os que pude encontrar. [...] Alguns pus a fazer este sepultamento."

* A frase em questão — "Mas os homens da Terra Parda foram dispostos em um montículo abaixo do Dique" (DT, p. 796) — foi restaurada na edição de 2004 do SdA e, portanto, aparece na tradução brasileira. [N.T.]

[14] Nessa versão, a companhia estava cavalgando rápido, mas, mesmo assim, parece que meu pai estava trabalhando com base em uma distância bem mais curta entre o Abismo de Helm e Isengard. Compare com DT (p. 803): "Haviam cavalgado umas quatro horas desde a bifurcação das estradas quando se aproximaram dos Vaus". Em uma cronologia escrita nessa época, quando a história dizia que Gandalf, Théoden e a companhia saíram do Abismo de Helm logo após o fim da Batalha do Forte-da-Trombeta (ver p. 16, § III), afirmava-se que eles partiram por volta das 9 da manhã. Quando alterou isso para a história segundo a qual eles pararam à noite (p. 17, § IV), meu pai afirmou que eles partiram às 15h30, e observou: "São quarenta milhas, e eles chegam por volta de meio-dia e meia do *dia seguinte*, 3 de fev.". Seguem-se a isso notas acerca das distâncias que concordam bastante com o Primeiro Mapa (ver p. 99, nota 2), mas "Portões de Isengard até a boca da Garganta do Abismo" está marcado como 33 > 41 > 45 milhas [*c.*53 > 66 > 72 km] (ver p. 42, em que a estimativa de Gandalf foi alterada de 12 para 14 e depois para 11 léguas).

Da maneira que consegui interpretar o Primeiro Mapa aqui, entendo a distância como sendo de 1 cm, ou 50 milhas [*c.*80 km], e o mapa que fiz em 1943 concorda com isso. A seção IVE do Primeiro Mapa (VII. 376) foi colada em cima de uma porção de IV^{D} que está completamente oculta, e é possível que, nesse estágio, o Desfiladeiro de Rohan fosse mais estreito. De toda forma, foram considerações acerca da distância, assim como da cronologia, que evidentemente ditaram a alteração segundo a qual Gandalf e Théoden não chegaram a Isengard até o dia seguinte.

[15] Acerca da remoção desse diálogo da abertura (revisada) de "O Abismo de Helm", e das considerações cronológicas que levaram meu pai a fazer isso, ver pp. 15–7, §§ II–III.

[16] Essa observação extremamente vexatória (e reveladora) de Gandalf para o Rei de Rohan foi subsequentemente riscada bem forte no manuscrito.

[17] Ver as palavras de Aragorn (imediatamente rejeitadas) em um rascunho de "O Cavaleiro Branco", VII. 505: "Os Ents! Então há verdade nas antigas lendas, *e os nomes que usam em Rohan têm um sentido!*".

[18] No rascunho original desse trecho, "a estranha figura aproximou-se rapidamente ao encontro deles até que estivesse a umas cinquenta [*escrito acima:* cem] jardas de distância. Então se deteve e, levando os braços cinzentos e as mãos compridas à boca, chamou em uma voz alta, como uma trombeta [? ressoante]. 'Gandalf está com esta companhia?' As palavras soaram claras para todos ouvirem."

[19] A página do manuscrito que contém esse trecho foi substituída por outra, com pouca alteração significativa; mas, na página rejeitada, Bregalad e Gandalf falam "das árvores", e só na página substitutiva eles as chamam de "Huorns". Diversos outros termos, na verdade, precederam *Huorns*: ver pp. 63, 67, 68.

[20] Na página rejeitada mencionada na nota 19, Bregalad dizia que Barbárvore "quer saber o que deve fazer com Saruman", ao que Gandalf "riu com

suavidade, e então ficou em silêncio, afagando a barba pensativo. 'Hm...', ponderou, 'hm... sim, isso será um problema.'". Ver o esboço do capítulo (p. 40).

21 O rascunho original da descrição de Nan Gurunír diz o seguinte:

> De cada lado, os últimos longos braços das Montanhas Nevoentas se estendiam na direção da planície, cristas áridas e rompidas, agora semiocultas em fumaça. E então se depararam com algo estranho. Parecia-lhes que rochas ruinosas estavam à frente, e de lá o rio chegava em um canal recém-fendido, fluindo do lugar em que elas estavam no seu curso antigo; porém, mais acima no vale, seu leito anterior estava seco.
>
> "Sim, eu sabia", disse Gandalf. "Portanto, conduzi-vos por este caminho. Podemos atravessar sem dificuldade até os Portões de Isengard. Como alguns de vós que aqui viestes talvez saibais, antigamente o Isen descia, alimentado por muitas nascentes montesas e riachos, até se tornar um corpo d'água rápido e poderoso antes de sair de Nan Gurunír — passava as muralhas de Isengard pelo Leste. Tomáveis aquele rio como vossa fronteira, mas Saruman discordava. Mas as coisas mudaram. Vinde e vede!"

Isso não foi usado de forma nenhuma no texto da primeira versão da história. Não foi a primeira vez que o desvio do Isen apareceu: ver "A História Prevista a partir de Fangorn", VII. 513: "Na extremidade Norte [de Isengard], eles deixaram o Rio Isen entrar, mas bloquearam sua saída. Logo todo o chão do círculo estava inundado com muitos pés de profundidade".

O que a passagem recém-mencionada deve significar é que o Isen não foi colocado de volta no curso habitual depois da inundação do Círculo de Isengard, e continuou a correr pelo novo canal. As palavras de Gandalf "Sim, eu sabia. Portanto, conduzi-vos por este caminho. Podemos atravessar sem dificuldade até os Portões de Isengard" devem significar que foi por isso que ele levou a companhia ao longo da margem leste do Isen a partir dos Vaus (p. 43), pois assim eles só teriam de cruzar o antigo leito seco do rio, a leste do seu novo curso.

22 Posteriormente, em "Destroços e Arrojos" (DT, p. 823), Merry disse que, quando a grande hoste saiu de Isengard, "Alguns partiram estrada abaixo até os Vaus, e alguns se desviaram e foram para o leste. Ali foi construída uma ponte, a cerca de uma milha daqui, onde o rio corre em um canal muito fundo". Ver p. 73.

23 As diferenças em relação à forma final são que uma parte do Círculo de Isengard no lado ocidental era constituída pela própria encosta da montanha (isso foi colocado a partir do rascunho, mas rejeitado no manuscrito completo no momento da escrita); havia duas entradas: além do grande arco meridional havia "um pequeno portão ao norte, perto dos sopés das montanhas"; o círculo "media quase duas milhas de uma borda à outra" (em DT, "uma milha");

"através dele, corria água por muitos canais escavados, entrando como uma torrente das montanhas sob o portão setentrional e irrigando toda a terra oculta"; e as janelas e muralhas do círculo são descritas (somente no rascunho preliminar) como "incontáveis janelas escuras, profundas, quadradas, ameaçadoras".

[24] Esse desenho foi feito no verso de uma página de prova do poeta John Heath-Stubbs, que prestou seus exames finais de Inglês em Oxford em 1942.*

[25] A abertura da descrição é confusa. Aparentemente, meu pai de início seguiu o rascunho "A" bem de perto, escrevendo: "E no centro [...] havia uma torre, um pináculo de pedra. A base dela, que tinha duzentos pés de altura, era um grande cone de rocha [...]", mas alterou isso imediatamente para "era uma ilha de pedra, com duzentos pés de altura, um grande cone de rocha [...]". Subsequentemente, alterou "era uma ilha de pedra" para "erguia-se uma ilha no lago". Ver a descrição "D" no texto.

[26] No verso desse desenho, meu pai escreveu: "Essa ilustração deve ser combinada com a antiga": ou seja, para uma versão final — que nunca foi feita — elementos de "Orthanc (1)" deveriam ser incorporados. O "Desenho 5" foi enviado para Marquette com o segundo manuscrito completo do capítulo, ao passo que os outros permaneceram na Inglaterra. Um desenho de "Orthanc 5" também está presente em *Pictures by J.R.R. Tolkien*, n. 27, e nele a torre é vista pelo lado da escadaria e da porta.

[27] Em um rascunho do parágrafo que começa com "Isengard era um lugar fortificado e admirável" (DT, p. 809), dizia-se "ou *Ang(ren)ost* na fala élfica". *Angrenost* já apareceu anteriormente (VII. 493); a variante *Angost* ocorre subsequentemente (p. 92).

[28] É possível que *Hoppettan* tenha sido uma maneira de Théoden alterar a palavra *Hobbits* segundo a fonologia e as flexões gramaticais da língua da Marca, ou então ele estava simplesmente admirado pela semelhança com o verbo (inglês antigo) *hoppettan* "saltar, pular de alegria".

[29] *Holbytla* "Escavador-de-tocas" está com as consoantes *lt* invertidas (*Holbylta*), assim como nas palavras em inglês antigo intimamente relacionadas *botl*, *boðl* e *bold* "construção" (ver minha nota acerca de *Nobottle* [Tocanova] no Condado, VII. 499).

[30] Esse nome pode ser lido tanto como *Mugworth* quanto como *Mugwort* [Artemísia], mas o segundo (nome de uma planta e um dos sobrenomes em Bri) parece muito improvável como topônimo. *Mugworth* não é um nome atestado de vilarejos na Inglaterra.

[31] Esse trecho sobre o tabaco foi escrito de uma só vez, sem correções, e não há indicação de que essas palavras foram ditas por Théoden; mas isso fica explícito no rascunho seguinte.

*O desenho em questão também adorna a quarta capa da edição brasileira de *As Duas Torres*, com uma nota explicativa na p. 1070. [N.T.]

[32] A palavra ilegível talvez seja "grandioso".

[33] Uma nota a lápis sugere que isso deve ser "uma conversa [no] banquete". Ver pp. 92–3.

[34] *Smygrave* [Smicova]: compare o primeiro elemento com *Smial* (inglês antigo *smygel* [toca]). O segundo elemento é provavelmente o inglês antigo *græf*.

[35] Compare a alteração posterior de *Tobias* para *Tobold* com *Barliman* [Cevado] no lugar do antigo *Barnabas* Carrapicho.

[36] Ver a carta de meu pai endereçada a mim em 6 de maio de 1944 (*Cartas* n. 66), mencionando o então recém-chegado Faramir: "se ele continuar falando muito mais, boa parte dele terá de ser removida para os apêndices — para onde alguns fascinantes materiais sobre a indústria do Tabaco hobbit e os Idiomas do Oeste já foram".

[37] *Isengrim Tûk Primeiro* e a data 1050: no Prólogo do SdA, *nos dias de Isengrim Segundo*, e a data é 1070. Ver a tabela genealógica original dos Tûks em VI. 389–92, segundo a qual Isengrim Primeiro teria 400 anos na época da Festa de Despedida de Bilbo. Visto que a data 1418 no Registro do Condado (assim como no SdA) já apareceu como sendo o ano da partida de Frodo de Bolsão (VII. 16), Isengrim Primeiro (posteriormente Isengrim II) nasceu em R.C. 1001. Segundo a árvore genealógica dos Tûks no Apêndice C do SdA, as datas deste Isengrim eram R.C. 1020–1122. As variedades de erva-de-fumo aqui são: *Folha do Vale Comprido*, *Velho Toby* e *Petum da Corneta*.

[38] Sobre o portão norte de Isengard, ver nota 23.

[39] No rascunho dessa cena, os três Ents que saíram das árvores não ficaram completamente indiferentes à companhia: "Silenciosamente se postaram ali, a umas vinte passadas de distância, fitando os cavaleiros com olhos solenes". Mas isso foi imediatamente alterado.

Em um rascunho do trecho que se segue (DT, p. 802), no qual Théoden reflete sobre os Ents e os horizontes estreitos das pessoas de Rohan, é Gandalf quem exprime o pensamento de que a guerra trará a extinção de muitas coisas que eram belas na Terra-média:

> "Deverias estar contente, Théoden Rei", disse Gandalf. "Pois agora está em perigo não somente a vossa pequena vida de homens, mas também a vida daqueles seres que crias serem assunto de canções e lendas. Alguns podemos salvar com nossos esforços, mas não importa como resulte a fortuna da guerra, pode ser que em breve muita coisa que foi bela e maravilhosa abandone a Terra-média para sempre. O mal que Sauron opera e operou (e para o qual teve muita ajuda dos Homens) pode ser refreado ou interrompido, mas não pode ser curado por completo, nem tornado como se jamais tivesse sido."

[40] Os *Vaus do Isen*, no plural, apareceram anteriormente, contudo (pp. 21, 42–3, 46).

[41] Para outra alocação proposta para a descrição da passagem dos Huorns, ver p. 89.

4

Destroços e Arrojos

O primeiro manuscrito completo de "A Estrada para Isengard" era originalmente contínuo em relação ao Capítulo 28, "A Batalha do Abismo de Helm" (o título original), mas creio que a divisão foi introduzida em um estágio bem inicial, com o novo capítulo (numerado 29) começando no encontro de Gandalf e Théoden ao lado do Riacho do Abismo depois da Batalha do Forte-da-Trombeta. O primeiro manuscrito completo do 29, cujo título original era "Para Isengard", continuava sem interrupção no que se tornou posteriormente "Destroços e Arrojos" e "A Voz de Saruman", mas uma divisão entre 29 e 30 ("Destroços e Arrojos") foi feita antes de estar completo: o capítulo 30 incluía então o posterior "A Voz de Saruman" também. Um esboço muito mal-acabado e difícil para essa parte da história começa, na verdade, ao fim de "A Estrada para Isengard", e o capítulo expressamente deveria terminar com o retorno a Eodoras.

Gandalf pergunta onde está Barbárvore?

(Vigiando Orthanc, diz Merry. Alguns Ents ainda estão demolindo.)

Ele leva Théoden embora.

Aragorn puxa os hobbits de lado e eles se sentam, e comem e conversam nos montes de pedregulho. Aragorn fuma. Conversa sobre magos e tabaco.

Falam para Aragorn e Gimli sobre a invasão-órquica e Barbárvore. Merry desiste de tentar descrevê-los; diz vocês os verão em breve. Como vou descrevê-los para Bilbo? (Foi aí que ele tentou pela primeira vez reunir suas ideias.)

Descreve a destruição de Isengard. Saruman não é nem forte e nem corajoso. Merry diz tudo o que sabe sobre as batalhas no Vau. Como as árvores perseguiram os orques.

Barbárvore bate nos portões de Isengard. Flechas de nada valem.[1] Saruman foge para Orthanc e faz subir fogos do chão da planície. Ents chamuscados ficam enlouquecidos. Mas Barbárvore os detém. Deixam o Rio Isen entrar pelo Portão Norte[2] e inundam o recôncavo. Fumaça e vapor medonhos. Ruídos terríveis, lobos, escravos e ferreiros afogados. Os Ents destroçam as muralhas. Enviam Galbedirs (Árvores Falantes) para ajudar Gandalf. Enterram os mortos nos Vaus.

Conversa de Gandalf com Saruman. Vai a cavalo sobre o passadiço alagado. Saruman olha pela janela acima da porta. Pergunta como ele ousa chegar sem permissão. Gandalf diz que pensava ser, em relação Saruman, ainda um hóspede em Orthanc.[3]

"Hóspedes que saem pelo telhado nem sempre têm o direito de entrar pela porta". Saruman se recusa a se arrepender ou se submeter.

Gandalf dá a Barbárvore a tarefa de [? cuidar] dele. "Não duvido que haja caminhos escavados por baixo de Orthanc. Mas, toda vez que a água baixar, deixa que alague de novo, até que todos esses lugares subterrâneos estejam submersos. Faz então um dique baixo e planta árvores no entorno dele. Vigia Orthanc com os Ents."

Théoden acredita que um Nazgûl pode levá-lo embora. "Deixa!", fala Gandalf. "Se Saruman pensar nessa última traição . . . não se pode ter pena dele pelo terrível fado que o aguarda. Mordor não deve ter nenhum amor [por] ele. Deveras, o que ele fará

Diz que isso precisa estar claro para o próprio Saruman. Não seria mais dramático [? fazer] Saruman oferecer ajuda: Gandalf diz não — ele sabe que, se Mordor vencer, estará acabado por ora. Mesmo a evidência de que fez guerra contra nós não o ajudará. Sauron sabe que ele só fez isso para [seus] próprios fins. Mas, se nós vencermos, com sua ajuda atrasada ele espera se restabelecer e fugir da punição. Gandalf exige seu bastão de ofício. Ele recusa; então Gandalf ordena que ele seja trancado, como acima.[4]

Eles descansam à noite nas ruínas e cavalgam de volta a Eodoras.

Banquete no anoitecer do seu retorno e a chegada do mensageiro — aquele homem agourento, de semblante escuro,[5] deve terminar este capítulo.

Outro esboço, passado à tinta por cima do lápis (o texto embaixo não era muito diferente, embora mais curto), diz o seguinte:

Barbárvore (e Merry e Pippin) relatam os eventos — sua chegada até Isengard. Viram Saruman enviando todas as tropas para assediar os Cavaleiros no Vau-do-Isen. Assim que Isengard estava quase vazia, os Ents atacaram. Merry e Pippin falam da fúria aterrorizante e da força dos Ents. Saruman na verdade tinha pouco poder além da *astúcia*, palavras persuasivas — quando não tinha escravos à mão para fazer sua vontade, operar suas máquinas, ou acender suas fogueiras, ele mesmo podia fazer pouca coisa. Todos os seus estudos foram dedicados a tentar descobrir como eram feitos os anéis. Deixou os lobos à solta — mas foram inúteis. Alguns dos Ents ficaram chamuscados com o fogo — aí enlouqueceram. Afogaram Isengard deixando o Rio entrar e bloqueando a saída.

O dia todo passaram destruindo e destroçando as muralhas de fora e tudo o que havia dentro. Só Orthanc lhes resistiu. Então, logo antes do cair da noite, Gandalf veio cavalgando como o vento.[6] Falou a eles do perigo do Rei Théoden. Uma força considerável de árvores ambulantes já tinha perseguido os orques na noite anterior. Agora os Ents enviaram uma força muito maior e ordenaram que todos se juntassem na boca da Garganta e que não deixassem nenhum *orque* sair vivo. Alguns Ents tinham ido ao Vau-do-Isen e enterrado os mortos da Marca.

Na margem, ao lado das últimas frases desse esboço, está escrito: “Deve haver *mais* Ents de verdade?”. Notavelmente, uma frase no texto embaixo, a lápis, diz: “Os Ents enviaram uma força de árvores ambulantes (com troncos fendidos). Elas adentraram furtivamente na escuridão seguindo os orques vitoriosos.”

Não há muito a se observar nos escassos rascunhos iniciais ou no primeiro manuscrito completo até o começo da história de Merry sobre o ataque a Isengard (DT, p. 822). A refeição que os hobbits providenciaram não foi feita na casa de vigia junto aos portões: Merry e Pippin saíram para buscar comida e voltaram com ela, e Pippin explicou que “Há uma porta não muito para dentro do antigo túnel que desce para uns estoques bem aprovisionados” (ver o esboço, p. 63: eles se sentam e comem “nos montes de pedregulho”). Dos Ents, onde em DT (p. 818) Pippin diz: “Oh, bem, já vistes alguns ao longe”, aqui ele diz “Oh, bem, já vistes Tronquesperto” — o que é, evidentemente, uma referência à versão anterior de "A Estrada para Isengard" na qual Gandalf, Théoden e sua companhia encontraram Bregalad na cavalgada desde o Abismo de Helm.[7] E ele também diz, assim como no esboço da p. 63: "Mas queria que Bilbo tivesse visto Barbárvore: não posso imaginar como conseguiremos descrevê-lo para o velho hobbit, se algum dia voltarmos".

Em um rascunho da discussão sobre cachimbos (DT, pp. 818–9), Aragorn desceu do monte de pedregulhos com um salto e foi até os alforjes que estavam ali perto. "Deles tirou uma velha capa e uma bolsa surrada de couro macio. Ao voltar, enrolou-se na capa, abriu a bolsa e tirou de lá um cachimbo enegrecido de barro." Antes de Pippin tirar seu cachimbo sobressalente, Merry disse: "Não encontramos nenhum. Orques não fumam e Saruman não dava suas folhas aos escravos". E, quando Pippin disse "Vede! Troteiro, o Caminheiro, voltou!", Aragorn respondeu: "Ele nunca esteve longe. Eu sou Troteiro e Aragorn, e pertenço tanto a Gondor quanto ao Norte".[8]

Alguns outros detalhes na abertura do capítulo podem ser notados. Não há menção a Aragorn devolvendo os punhais dos hobbits[9] nem o broche de Pippin (DT, p. 820). Depois da história que Merry conta sobre Grishnákh,[10] Aragorn fala mais coisas sobre Sauron e Saruman:

"Tudo isso sobre os Orques de Lugburz (Mordor, suponho, do Olho Vermelho) me deixa apreensivo", disse Aragorn. "O Senhor Sombrio já sabia demais, e evidentemente Grishnákh enviou alguma mensagem para o outro lado do Rio depois da briga. [Mas ainda há alguns pontos esperançosos. Saruman está em uma arapuca que ele próprio armou. Gandalf não deve ter grande dificuldade em convencê-lo de que uma vitória de Mordor não seria agradável para ele, agora. De fato", (e aqui Aragorn abaixou a voz) "não vejo o que poderia salvá-lo, a não ser o próprio Anel. É bom que ele não tenha ideia de onde está. E é melhor que jamais o mencionemos em voz alta: não sei que poderes Saruman talvez tenha em sua torre, nem que meios de comunicação talvez haja com o Leste.] Pela sua história, fica claro que ele pensou que um de vocês possivelmente era o Portador-do-Anel; e Sauron deve, portanto, ter a mesma dúvida. Nesse caso, isso vai apressar seu ataque a oeste: Isengard caiu na hora certa. Mas há alguns pontos esperançosos. Toda essa dúvida pode ajudar os pobres Frodo e Sam. Mas, seja como for, Saruman está em uma arapuca que ele próprio armou."

Essa parte do texto entre colchetes (bem mais confusa no manuscrito do que eu a apresentei) foi rejeitada imediatamente e substituída pelo que a segue ("Pela sua história, fica claro [...]"); isso foi rejeitado depois, e apenas a última frase restou. Por fim, além de *Pode Isengard se bloquear* [*sic*], Pippin canta em entês *Ta-rūta, dūm-da, dūm-da dūm! ta-rāra dūmda dūmda-būm!* (ver VII. 494).

No rascunho original, a história de Merry (DT, p. 821 e seguintes) era de início bem diferente do que se tornou, e incluo parcialmente esse texto (escrito à tinta por cima de um lápis muito esmaecido). Sobre a abertura da sua história, meu pai observou no manuscrito que ele deveria saber menos: "O relato que ele faz da guerra é detalhado demais".

"[...] Descemos por cima da última crista para Nan Gurunír depois do cair da noite. Foi aí que tive a primeira suspeita de que a floresta estava se movendo lá atrás — ou pelo menos uma grande parte dela estava: todos os Galbedirs [> Lamorni > Ornómar] estavam vindo, como os Ents os chamam na sua linguagem curta (que parece ser um élfico antiquado): Árvores Falantes, ou seja, que eles treinaram e tornaram meio entescas.[11] Tudo isso devia estar acontecendo enquanto vocês cavalgavam para o sul.[12] Até onde pude entender por meio de Barbárvore e Gandalf, a guerra parece ter sido assim: Saruman deu a partida no jogo algumas semanas atrás, e mandou invasores para o oeste de Rohan. Os Homens-de-Rohan enviaram grandes tropas e eles recuaram por cima dos vaus do Isen, e os Cavaleiros, um tanto precipitadamente, perseguiram-nos até o fundo de Nan Gurunír. Ali foram emboscados por uma hoste da gente de Saruman, e um dos chefes de Rohan aparentemente foi morto. Isso deve ter sido muitos dias atrás.[13] Depois, mais Homens-de-Rohan chegaram, vindo de Westfolde[14] lá para o sul, e os Cavaleiros permaneceram de ambos os lados do Rio, impedindo os Isengardenses de saírem do vale. Até então, Saruman estava só se defendendo; depois, ele atacou. Da terra lá para oeste vieram homens, velhos inimigos de Rohan, e os Cavaleiros foram rechaçados por cima dos Vaus. Chegamos bem a tempo de ver o estágio seguinte.

"Conforme nos esgueirávamos para Nan-Gurunír — e não havia nem sinal, nem contestação. [*sic*] Aqueles Ents e seus rebanhos conseguem se esgueirar, se quiserem. Estás parado, olhando para o tempo e ouvindo o farfalhar das folhas, quem sabe, e de repente te vês no meio de uma floresta, com árvores em toda a volta. 'Arrepiante' é a palavra! Estava muito escuro, uma noite nublada. O lua demorou a surgir — e muito antes de ele ter subido, havia uma floresta funda e sombria ao redor de toda a metade de cima do Anel de Isengard, sem qualquer sinal de contestação. Havia uma luz brilhando numa das janelas da torre, só isso. Barbárvore e mais alguns dos Ents mais velhos continuaram se esgueirando, dando a volta até estarem à vista dos portões. Estávamos com ele. Eu estava sentado no ombro de Barbárvore e podia sentir uma tensão trêmula nele, mas, mesmo quando estão incitados, os Ents podem ser muito cautelosos e pacientes: mantinham-se imóveis como estátuas, escutando e respirando. Então, de uma vez só, houve uma grande comoção. Trompas soaram, e todo o Anel ecoou. Pensamos que tínhamos sido vistos e que a batalha estava prestes a começar. Mas não era nada disso. Parece que chegaram notícias de que os Cavaleiros tinham sido derrotados e rechaçados por cima dos Vaus, mas ainda tentavam resistir na margem leste. Saruman mandou suas tropas inteiras: praticamente esvaziou Isengard. Gandalf diz que ele estava provavelmente empreendendo uma grande tomada, achando que o Anel poderia ter ido para Eodoras, e queria aniquilar Théoden e toda a sua gente antes que tivessem tempo de fazer algo a respeito. Mas lhe faltava uma ou duas informações essenciais: o retorno de Gandalf e o levante dos Ents. Pensava que um estava acabado de vez, e que os outros não valiam nada, velharias estúpidas. Dois erros muito grandes. De toda forma, foi isso que ele fez. Eu os vi partindo: fileiras infindáveis de Orques, e esquadrões/tropas deles montando grandes lobos (uma ideia de Saruman?), e regimentos inteiros de homens também. Muitos deles levavam tochas, e pela luz da chama consegui ver-lhes os rostos. Alguns eram só Homens, um tanto altos e de cabelos escuros, mas não de aspecto especialmente malvados."

"Eram Terrapardenses", disse Aragorn. "Uma gente de terras altas, do oeste das Montanhas Nevoentas, remanescentes dos antigos povos que certa vez moraram em Rohan e por toda a volta das Montanhas Negras, ao sul e ao norte."

O diálogo a seguir, sobre os "homens-gobelim" que lembravam o sulista estrábico de Bri, e a estimativa de Merry quanto às tropas que deixaram Isengard naquela noite, é bem parecido com DT (p. 823), exceto que aqui Aragorn diz que eles tiveram de lidar com muitos dos homens-gobelim no Forte-da-Trombeta "na noite passada" (ver nota 7), e aqui não há menção à ponte sobre o Isen sobre a qual uma parte da hoste tinha passado. O texto então continua:

"[...] Pensei que estava tudo muito sombrio para a Marca-dos--Cavaleiros. Mas parece que, no fim, era o único jeito pelo qual Saruman poderia ter sido derrotado. É de se perguntar quanto Gandalf sabia, adivinhava ou planejava. Mas Barbárvore deixou todos passarem. Disse que seu afazer era com Isengard. "Pedra — contra isso podemos lutar", falou.

"Mas mandou uma floresta inteira dos Ornómi[15] vale abaixo atrás do exército, assim que os portões de Isengard se fecharam outra vez. Não sei, é claro, muito do que aconteceu lá para o sul, mas nos contareis depois."

"Posso contar agora, brevemente", disse Aragorn. "O exército de Saruman desceu o Isen pelos dois lados e dominou os homens de Rohan, e a maioria dos sobreviventes se dispersou. Uma grande tropa sob comando de Erkenwald de Westfolde[16] fugiu para o sul, na direção das Montanhas Negras. Ontem ao anoitecer encontramos um sobrevivente das batalhas nos vaus e nos refugiamos bem a tempo no Abismo de Helm, uma garganta nas colinas, antes de o bando todo chegar até nós."

"Não sei como sobrevivestes", disse Merry. "Mas nos ajudastes. Assim que todo o exército tinha ido embora, a diversão começou por aqui. Barbárvore subiu e começou a martelar os portões. [...]"

O relato de Merry sobre a destruição que os Ents causaram nos portões de Isengard já estava, nesse rascunho preliminar, bem parecido com o de DT (pp. 824–5), mas a avaliação que faz de Saruman é expressa de maneira mais ampla e com um grau de escárnio e confiança que mal se justifica pela sua experiência acerca do mestre de Orthanc; e Aragorn aqui não o interrompe com uma visão mais cautelosa sobre o poder inato de Saruman (de fato, a potência hipnótica da voz do mago só surgiu, ou pelo menos só se concretizou completamente, quando o encontro com ele foi escrito).

"Não sei o que Saruman pensou que estava acontecendo. Mas tudo o que vi desde então me leva a crer que ou ele nunca foi mesmo um mago de primeira categoria (não fazendo jus à reputação, devida em parte a Isengard, que nem foi criação dele, para começo de conversa), ou ele andou se deteriorando — confiando em rodas e tudo o mais, e não na sabedoria. E não parece ter muito ânimo, em todos os sentidos: certamente tem carecido de simples coragem. O velho tolo tinha de fato se tornado dependente de todos os seus escravos organizados. Tinha em si um jeito intimidador: o poder de dominar as mentes e confundi-las ou persuadi-las sempre foi sua principal habilidade, imagino. Mas, sem os exércitos para cumprir suas ordens, era só um ancião ardiloso, muito escorregadio, mas sem tutano. E o velho tolo enviou todos os exércitos! [...]"

O relato de Merry (que em DT é atribuído a Pippin) da fuga de Saruman para dentro de Orthanc, perseguido por Bregalad; dos fogos e fumos subindo dos respiradouros na planície de Isengard ("assim que Saruman voltou à sua sala de controle, pôs suas máquinas em ação"); e dos Ents chamuscados e Barbárvore acalmando sua fúria está presente no rascunho em todos os elementos essenciais, ainda que contados de forma mais breve (e o destino terrível do Ent Ossofaia não aparece ainda). O esquema temporal ainda estava no estágio descrito em p. 15–6 § II, com a inundação de Isengard ocorrendo mais tarde na mesma noite (31 de janeiro), quando os Ents chegaram ali,[17] e, portanto, a história é muito mais condensada no rascunho em comparação com DT. Gandalf chegou em Isengard "ontem, ao cair da noite" (ou seja, em 1 de fevereiro, a noite da Batalha do Forte-da-Trombeta); e, no lugar de DT (p. 828) em que Pippin diz que se surpreendeu com o encontro de Gandalf e Barbárvore "porque nenhum deles parecia nem um pouco surpreso", Merry diz aqui:

"[...] Não sei quem estava mais surpreso com o encontro, Gandalf ou Barbárvore. Acho que dessa vez foi Gandalf. Pois, a julgar por um olhar que nos deu quando nos encontramos da primeira vez, imagino que Barbárvore tivesse visto Gandalf em Fangorn, mas não nos disse nada nem para nos reconfortar. Ele leva muito a sério o dito élfico de Gildor: 'Não te intrometas nas questões dos Magos, pois são sutis e se encolerizam depressa'.[18]

"Mas Gandalf sabia que Barbárvore estava agindo", disse Gimli. "Sabia que haveria uma explosão."

"Mas nem mesmo Gandalf poderia saber como ela seria", disse [Merry >] Pippin. "Nunca aconteceu antes. E mesmo os magos sabem pouco dos Ents. Mas, por falar em surpresa — nós é que ficamos surpresos: depois da fúria assombrosa dos Ents, a chegada de Gandalf foi como um golpe de trovão. Tínhamos pouco a fazer, a não ser tentar correr atrás de Barbárvore (quando estava ocupado demais para nos carregar) e ver a diversão. Passamos por um momento tenso, quando fomos deixados a sós e nos deparamos com um grupo de lobos aterrorizados, e demos um encontrão em dois ou três orques desgarrados. [Mas, quando Gandalf chegou, só fiquei parado, olhando de boca aberta, e então me sentei e ri. >] Mas, quando o cavalo de Gandalf veio disparando pela estrada, como um lampejo de prata no ocaso, bem, eu só perdi o fôlego, e aí me sentei e ri, e então chorei. Se ele disse *prazer em vê-lo outra vez*? Não mesmo. Ele disse "Levante-se, seu Tûk bobo. Por tudo que é assombroso, onde está Barbárvore em toda esta bagunça? Depressa, depressa, meu rapaz! Não deixe crescer bigodes nos dedos dos pés". Mas depois ele ficou um pouco mais gentil, depois de ter visto o velho Ent: parecia muito contente e aliviado. Nos deu alguns minutos de notícias condensadas, um tapinha na cabeça, algo como uma bênção apressada e sumiu indo para o sul outra vez. Conseguimos tirar algumas outras notícias de Barbárvore depois que ele foi embora. Mas deve haver muito mais para contar. Devíamos estar bem mais preocupados e ansiosos convosco, imagino, mas, por causa de Barbárvore e Gandalf, era difícil acreditar mesmo que tivésseis tido um final ruim."

"Mas quase tivemos", disse Aragorn. "Os planos de Gandalf são arriscados, e frequentemente levam as coisas a ficarem por um fio. Há muita sabedoria, premeditação e coragem neles, mas nenhuma certeza. Tens de fazer tua parte conforme ela te chega, do contrário não funcionariam."

"Depois disso", falou Merry, "Os Ents prosseguiram e, cuidadosamente e com jeito, terminaram a inundação de Isengard. E não sei de mais nada. Tu sabes?"

"Sim", disse Aragorn, "alguns foram até os Vaus para sepultar os homens de Rohan que tombaram ali; e para reunir todos os — como disseram que se chamavam? — os Ornómi, os bosques moventes, na Garganta do Abismo. Sim, aquilo foi um assombro e uma vitória tão grande quanto esta aqui. Não restou nenhum orque. Foi uma noite longa, mas a aurora foi bela."

"Bem, esperemos que seja o começo de coisas melhores", disse Gimli. "Gandalf disse que a maré estava virando."

"Sim", disse Aragorn, "mas ele também disse que a grande tempestade estava chegando."

"Ah", disse Merry, "me esqueci. Não muito antes de Gandalf, perto do pôr do sol, um cavalo cansado subiu pelo vale com uma corja de cavalga-lobos ao redor.[19] Os Ents logo os aplacaram, mas um do povo de Tronquesperto, um ent-sorveira, levou uma machadada feia, e isso enfureceu muitíssimo os Ents. No cavalo havia um tipo esquisito e deturpado de homem: desgostei dele à primeira vista. Diz muita coisa sobre Barbárvore e os Ents no geral, se parardes para pensar — apesar de sua fúria, e da batalha, e do ferimento de Carandrian, amigo de Bregalad, não mataram o sujeito de uma vez. Estava desacorçoado de medo e espanto. Disse que era um homem chamado Frána, e foi enviado com mensagens urgentes de Théoden e Gandalf para Saruman, e que fora capturado por orques no caminho (notei-o olhando Barbárvore de soslaio para ver se tinha convencido, especialmente a menção a Gandalf). Barbárvore o olhou por vários minutos, do seu jeito longo e lento. Depois respondeu: "Hoom, ha, bem, podes ir para junto de Saruman! Por alguma razão desconfio que tu sabes muito bem como encontrá-lo, mas as coisas mudaram um pouco aqui. Porém, mentira ou verdade, agora hás de causar pouco dano."

"Falamos isso para Gandalf. Ele riu e disse: 'Bem, imagino que, dentre todas as pessoas espantadas, ele teve o pior choque. Pobre Língua-de-Cobra! Escolheu mal. Só por um momento me sinto empedernido o bastante para deixar esses dois ficarem e viverem juntos. Pouco consolarão um ao outro. E, se Língua-de-Cobra sair vivo de Orthanc, será mais do que merece.'".

> Ao lado desse trecho, meu pai escreveu: "Não, Língua-de-Cobra deve chegar depois de Gandalf"; e, no pé da página: "Será que Língua-de-Cobra deve realmente assassinar Saruman?"

"Bem", continuou. "Nosso trabalho era aprontar os aposentos e preparar as coisas para vosso entretenimento. Trabalhamos todo o dia de ontem e a maior parte da noite passada. De fato, seja lá o que dizeis, não paramos até quase meio-dia da manhã de hoje. E, mesmo então, nem sei se deveríamos, mas Pippin encontrou duas barricas flutuando na água".

Aqui esse rascunho acaba. O primeiro manuscrito completo, do ponto em que a história de Merry começa, baseou a narrativa bem de perto no rascunho (pp. 67–73), mas, na expressão, avança bastante rumo ao texto em DT. O trecho sobre as "Árvores Falantes" (p. 67) desenvolveu-se assim:

"[...] Os Ornómi estavam vindo. É assim que os Ents os chamam na sua 'linguagem curta', que parece ser um élfico antiquado: significa árvores com vozes, e há uma hoste grande delas nas profundezas de Fangorn, árvores que os Ents treinaram por tanto tempo que se tornaram meio entescas, mas muito mais selvagens, é claro, e mais cruéis.

Isso foi rejeitado, provavelmente na mesma hora, e substituído por um trecho que é na maior parte muito parecido com o de DT (p. 822). *Ornómi* foi substituído aqui por *Huorns* no ato da escrita, e marca o ponto em que o nome surgiu. Merry aqui não está seguro sobre a natureza deles: "Não entendo se são árvores que se tornaram entescas, ou Ents que se tornaram arvorescos, ou os dois".

Inicialmente, Merry ainda faria um resumo e um comentário sobre o curso da guerra:

"[...] Parece que chegaram notícias de que os [Rohir >] Cavaleiros tinham sido derrotados e rechaçados por cima do Isen, mas alguns ainda tentavam resistir na margem leste. Soubemos isso de alguns homens de Saruman que os Ents capturaram e interrogaram. Saruman achava que não restava mais nada das tropas do Rei, a não ser o que ele deixaria por perto para guardar sua cidade e seu salão. Decidiu dar cabo dos Rohir com um golpe final."

Mas deve ter sido neste ponto que meu pai observou no manuscrito (p. 67) que Merry não deveria estar tão bem-informado sobre esses assuntos, e o trecho recém-incluído foi rejeitado e substituído pelo texto de DT (p. 823): "Não sei muita coisa sobre esta guerra [...]".

Merry agora diz (o que não acontece no rascunho, p. 68) que, quando a grande hoste saiu de Isengard, "alguns desceram pela estrada principal até os vaus, mas muitos mais viraram na direção da ponte e da margem leste do rio". Isso foi alterado em uma emenda apressada, a lápis, para "viraram na direção de onde, creio eu, Saruman recentemente construiu uma ponte". Ver p. 46 e nota 22.

O breve relato de Aragorn no rascunho (p. 69) sobre o que tinha acontecido no sul permaneceu, e aqui ele acrescenta a suposição (que no rascunho é de Gandalf, relatada por Merry, p. 68) sobre os propósitos de Saruman: "[...] a matilha toda veio uivando atrás de nós. Tinham descoberto que o Rei estava em campo, então nenhum deles foi a Eodoras. Saruman queria o Rei e Éomer, seu herdeiro, vivos ou mortos. Temia que o Anel pudesse cair nas mãos deles depois da batalha da qual vocês escaparam". Ele também informa que a tropa que foi para o sul dos Vaus até as Montanhas Negras chegava a cerca de mil homens. Compare esse trecho com as observações de Gandalf a Théoden conforme cavalgavam até Isengard (p. 43).

A avaliação um tanto superconfiante de Merry acerca de Saruman foi reduzida, em estágios, praticamente até o alcance que tem em DT, e a intervenção de Aragorn aparece agora, bem próxima à de DT (p. 825), com a ênfase no perigo de se ter uma conversa a sós com o mestre de Orthanc.

Nessa versão, um novo esquema temporal passou a vigorar, como se vê pela história da inundação de Isengard:

"[...] Eles calmamente se puseram a executar um plano que Barbárvore fizera em sua velha cabeça o tempo todo: inundaram Isengard. Àquela altura o dia estava nascendo. Puseram uma guarda na torre e o restante simplesmente desvaneceu à luz cinzenta. Merry e eu ficamos sozinhos a maior parte do dia, perambulando e investigando. Os Ents subiram o vale para o norte. Cavaram grandes trincheiras sob a sombra dos Huorns, e fizeram grandes lagoas e represas e, quando tudo estava pronto, na noite passada, por volta da meia-noite, eles derramaram o Isen inteiro e todos os outros riachos que conseguiram despejar, por uma brecha no portão-norte, para dentro do anel. [...]"

"Sim, vimos o grande vapor do sul nesta manhã, quando cavalgávamos do Abismo de Helm", disse Aragorn. [...]

"Pela manhã, havia uma neblina com uma milha de altura", disse Merry. "[...] Barbárvore interrompeu a afluência de água algumas horas atrás, e mandou o rio de volta para o antigo leito. Vede, a água já está baixando outra vez. Deve haver algumas saídas nas cavernas lá embaixo. Mas Gandalf veio antes de a inundação começar. Talvez ele tenha adivinhado ou Barbárvore lhe contou o que estava se passando, mas não viu acontecer. Quando ele chegou, a escavação e o represamento não estavam finalizados, mas o velho Barbárvore tinha voltado e estava descansando. Estava só a umas cinquenta jardas de distância, apaziguando a dor das flechadas destruindo mais um pouco da muralha meridional de um jeito sossegado. [...]"

Esse ainda não é bem o esquema temporal final da história da destruição de Isengard (ver pp. 16–7, §§ III–IV), pois o grupo vindo do Abismo de Helm ainda chegava em Isengard em um único dia (2 de fevereiro); por isso, Pippin aqui diz que foi na "noite passada" (1 de fevereiro) que a inundação começou, e Aragorn diz que tinham visto a grande nuvem de vapor "nesta manhã", quando cavalgavam do Abismo de Helm.

Toda a última parte do que se tornaria o capítulo "Destroços e Arrojos" foi descartada desse manuscrito e substituída por novas páginas, nas quais o texto em DT (pp. 827–31, descrevendo o dia que Merry e Pippin passaram sozinhos enquanto os Ents preparavam o desvio do Isen, a chegada de Gandalf e a inundação do Anel de Isengard à luz da lua) foi atingido, exceto pela escolha de uma palavra diferente aqui e ali. Mas o esquema temporal das páginas rejeitadas ainda estava presente: o dia extra ainda não tinha sido inserido e o período em que as águas do Isen correram para dentro do Anel era, de modo correspondente, menor.[20] Neste relato, a última parte da história dos hobbits ainda é diferente de DT, e Merry termina assim:

"Pela manhã, havia uma neblina com uma milha de altura, mas estava começando a se erguer e flutuar para fora do vale. E o lago estava transbordando também, e vazando pelo portão arruinado, trazendo montes de destroços e amontoando tudo perto da saída do antigo túnel. Então os Ents interromperam a afluência da água e mandaram o Isen de volta para o antigo leito. Desde então a água vem baixando outra vez. Em algum lugar deve haver saídas das cavernas lá embaixo, ou então elas não estão completamente cheias ainda. Não há muito mais para contar. Nosso papel, meu e do Pippin, foi principalmente o de espectadores: às vezes aterrorizados. Estávamos sozinhos quando a inundação estava acontecendo, e passamos por um ou dois momentos ruins. Alguns lobos aterrorizados foram expulsos de seus covis pela enchente e saíram uivando. Nós fugimos, mas eles passaram por nós. E de vez em quando algum orque desgarrado disparava das sombras e saía correndo aos gritos, golpeando e rangendo ao passar. Os Huorns estavam aguardando. Ainda havia muitos deles no vale até o dia chegar. Não sei aonde todos foram. Agora parece muito quieto, depois de uma noite assim. Eu preciso dormir."

Mas a vinda de Língua-de-Cobra foi então colocada seguindo a instrução no rascunho ("Língua-de-Cobra deve chegar depois de Gandalf", p. 72): ele chegou "cedo, esta manhã" e a história de sua chegada está agora bem parecida com DT, mas mais curta. E aparece a curiosidade de Aragorn quanto ao tabaco da Quarta Sul surgindo em Isengard (ver nota 8), ao que Pippin diz a mesma data nos barris que ele fala em DT: "a safra de 1417".

Depois de "não é uma visão muito alegre", frase com a qual o capítulo "Destroços e Arrojos" termina, o texto prossegue com "Atravessaram o túnel arruinado", que começa "A Voz de Saruman".

NOTAS

[1] *Flechas de nada valem*: isto é, contra os Ents.

[2] Sobre o Portão Norte de Isengard, ver p. 60, nota 23.

[3] *Pensava ser ainda um hóspede em Orthanc*: ou seja, Gandalf nunca tinha ido embora "oficialmente" depois de sua residência forçada na torre.

[4] Esse parágrafo foi colocado entre colchetes e assinalado com uma interrogação.

[5] *Aquele homem agourento, de semblante escuro*: ver "A História Prevista a partir de Fangorn" (VII. 514): "Retorno a Eodoras. [...] Chegam notícias ao banquete ou na manhã seguinte do cerco de Minas Tirith pelos Haradwaith trazidas por um gondoriano moreno como Boromir".

[6] O esquema temporal aqui é aquele descrito na p. 15, § II.

[7] Naquela versão, Théoden, Gandalf e a companhia saíram do Abismo de Helm de manhã e chegaram em Isengard no mesmo dia e, portanto, quando Pippin pergunta (DT, pp. 819–20) "Que dia é hoje?", Aragorn responde: "Dois de fevereiro pelo Registro do Condado" (ver p. 16, § III). Pippin então faz as contas nos dedos e diz que foi "só uma semana atrás" que ele se viu "acordando no escuro [...] todo amarrado em um acampamento-órquico" (ou seja, da noite de quinta-feira, 26 de janeiro, até quinta-feira, 2 de fevereiro). E, outra vez, quando Pippin pergunta quando foi que Aragorn, Gimli e Legolas tiveram "um vislumbre do velho vilão, essa é a insinuação de Gandalf" (como disse Gimli) na beira de Fangorn (DT, p. 821), Aragorn responde: "Quatro noites atrás, dia vinte e nove".

Essas datas foram alteradas no manuscrito para "Três de fevereiro", "só oito dias atrás" e "Cinco noites atrás": ver p. 17, § IV.

[8] Em uma versão anterior disso, a resposta de Aragorn (composta aqui por variantes que mal diferem uma da outra) era outra:

> "Por um tempo", disse Aragorn, com um lampejo de sorriso. "É uma boa folha. Fico me perguntando se cresceu neste vale. Se for o caso, Saruman deve ter tido alguma sabedoria antes de se meter a fazer coisas piores com labor maior. Ele tinha pouco conhecimento de ervas, e nenhum amor por seres que crescem, mas tinha muitos serviçais hábeis. Nan Gurunír é quente e abrigado, e daria para cultivar uma boa produção, se cuidada adequadamente."

Compare com os trechos em pp. 53–5. A decisão, ou percepção, de que o tabaco não tinha sido cultivado em Nan Gurunír, e sim que Saruman o obtivera do Condado, aparece em um aditamento afixado ao primeiro manuscrito completo, no qual Merry diz a Gimli que essa era a Folha do Vale Comprido, com as marcas do Corneteiro nos barris (DT, p. 818).

[9] O achado dos punhais dos hobbits, com lâminas em forma de folha, e suas bainhas no local da batalha sob Amon Hen (DT, p. 626) está ausente no rascunho e na cópia manuscrita limpa de "A Partida de Boromir" (VII. 447).

[10] *Grishnákh* foi alterado em todas as ocorrências no manuscrito para *Grishnák*, uma reversão à forma original (VII. 479–80). No verso dessa página há uma referência que mostra que foi escrito em junho de 1942 ou, mais provavelmente, depois.

[11] Isso é o inverso do que Merry diz em DT (p. 822): "creio que são Ents que se tornaram quase como árvores, pelo menos no aspecto".

[12] Merry errou por um dia: a marcha dos Ents em Isengard foi no anoitecer de 31 de janeiro, e Aragorn, Gimli e Legolas chegaram a Edoras mais cedo naquela manhã (ver p. 14).

[13] A morte de Théodred na Primeira Batalha dos Vaus do Isen em 25 de janeiro (ver p. 37, nota 3).

[14] *Westfolde*: ver p. 35.

[15] *Ornómi*: no texto a lápis subjacente, é possível ler o nome *Galbedirs*. Em uma ocorrência anterior neste rascunho (p. 67), *Galbedirs* foi primeiro alterado para *Lamorni* e depois para *Ornómar*. Todos esses nomes têm o mesmo significado.

[16] *Erkenwald de Westfolde*: ver p. 38, nota 22.

[17] Portanto, Merry diz que "*pela manhã*, havia uma neblina com uma milha de altura", Aragorn diz "pudemos ver o grande vapor do sul, *quando cavalgávamos para os Vaus*" (ou seja, conforme a hoste veio de Eodoras em 1 de fevereiro), e meu pai escreveu na margem do texto: "A inundação não deve começar até a noite da batalha do Forte-da-Trombeta".

[18] No primeiro manuscrito completo, isso se transforma em "'Não seja apressado' é seu lema, e também aquele ditado que Sam diz que aprendeu com os

Elfos: ele gostava de sussurrá-lo para mim quando Gandalf estava irritado: 'Não te intrometas nas questões dos magos [...]'". Para a primeira aparição desse ditado, ver "Três não é Demais" (SA, p. 146). Em DT (p. 855), Merry o cita para Pippin por causa do interesse de Pippin na *palantír*.

[19] Compare com "O Abismo de Helm" em DT (p. 775) "Alguns dizem também que Língua-de-Cobra foi visto mais cedo, rumando ao norte com uma companhia de Orques". Mas, no trecho que corresponde a esse em DT (p. 832), ele chegou sozinho.

[20] No esquema temporal seguido aqui, foi da meia-noite de 1 de fevereiro até a manhã de 2 de fevereiro. Na história final, durou até a noite de 2 de fevereiro (DT, p. 831: "À noite os Ents interromperam a afluência de água"), = 4 de março.

5

A Voz de Saruman

O Livro III, Capítulo 10 "A Voz de Saruman" em *As Duas Torres* é, no primeiro manuscrito completo, uma simples extensão do Capítulo 30 (ver p. 63). Nele, a abertura dessa parte da narrativa está quase como na versão final (ver nota 8), mas a conversa com Gandalf é muito mais breve; depois do comentário de Merry "Ainda assim, sentimo-nos menos avessos a Saruman do que antes", o texto continua:

"Deveras!", exclamou Gandalf. "Bem, vou lhe fazer uma visita de despedida. Quereis vir, por acaso?"

"Eu gostaria", disse Gimli. "Gostaria de vê-lo e saber se ele realmente se parece contigo."

"Talvez não o vejas perto o bastante para isso", riu-se Gandalf. "[Há muito ele é uma ave esquiva, e os acontecimentos recentes talvez não tenham >] Ele poderá esquivar-se de aparecer. Mas fiz todos os Ents sumirem da vista, então quem sabe possamos persuadi-lo."

Já haviam chegado ao pé de Orthanc.

Em DT, as últimas observações de Gandalf evoluíram para: "E como saberás isso, Mestre Anão? Saruman poderia parecer-se comigo aos teus olhos, se isso servisse a seus propósitos para contigo. E já és sábio o bastante para detectar todas as suas falsificações? Bem, havemos de ver, quem sabe. Ele poderá esquivar-se de se mostrar diante de muitos olhos diferentes ao mesmo tempo. [...]"

A descrição de Orthanc nesse texto inicialmente dizia o seguinte:

[...] Alguns riscos e pequenos estilhaços afiados junto à base eram todas as marcas que exibia da fúria dos Ents. Entre dois dos lados, o norte e o sul, longos lances de degraus largos construídos com alguma outra pedra, de tonalidade vermelho-escura, subiam até uma grande fenda no cimo da rocha. Ali se encontravam e havia uma plataforma estreita sob o centro do grande arco que atravessava a brecha; dele ramificavam-se escadas novamente, subindo para oeste e leste até portas escuras de cada lado, abrindo na sombra ao pé do arco.

Essa é a ideia geral descrita na versão "D" do trecho em "A Estrada para Isengard" (p. 48), e precisamente ilustrada no desenho "Orthanc (3)" reproduzido na p. 49. Mas o texto acima foi substituído no momento da escrita pelo seguinte:

[...] fúria dos Ents. Em dois lados, oeste e leste, longos lances de degraus largos, talhados na pedra negra por alguma arte desconhecida, subiam até os pés do vasto arco que atravessava a fenda na colina. No alto de cada escadaria havia uma grande porta, e sobre ela, uma janela abria para um balcão com parapeito de pedra.

Essa é a concepção um tanto mais simples, ilustrada no desenho "Orthanc (4)", reproduzido na p. 49. Em um estágio posterior, isso foi rejeitado e substituído, em um retalho inserido no manuscrito, pela descrição de DT, na qual a concepção de Orthanc, é claro, tinha sido totalmente alterada (p. 48, e o desenho reproduzido na p. 50).

A descrição de Orthanc era seguida de imediato por "Gandalf subiu na frente pela escadaria ocidental. Com ele foram Théoden e Éomer e os cinco companheiros". Portanto, não há nenhuma discussão sobre quem subiria, ou a que distância haveriam de ficar.

A partir deste ponto há um rascunho inicial (passado à tinta por cima de um lápis bem desbotado, que é efetivamente ilegível) da conversa com Saruman, e ele foi copiado de modo bem parecido no primeiro manuscrito completo. A voz de Saruman era, nesse estágio, descrita de modo diferente, e isso foi, de início, repetido no manuscrito: "A janela fechou-se. Eles esperaram. De súbito outra voz falou, grave, melodiosa e, no entanto, parecia desagradável [> desagradável: seu tom era desdenhoso]".[1] Isso foi alterado, provavelmente de pronto, para: "grave, melodiosa e persuasiva; mas agora o tom era o de alguém que, apesar da natureza gentil, estava magoado". Tudo o mais que se diz de sua voz em DT (p. 839) está ausente aqui; e a descrição de Saruman é mais curta: "O rosto era comprido, de testa alta; tinha olhos fundos e obscuros; os cabelos e a barba eram brancos, manchados de fios mais escuros. 'Parecido e diferente', murmurou Gimli".

Compare a abertura da conversa nesse estágio (aqui citada a partir do manuscrito completo, e não do rascunho) com o esboço original em pp. 63–4.

"Bem?", disse Saruman. "Tens uma voz insolente, Gandalf. Perturbas meu repouso. Vieste até minha porta privativa sem permissão. Qual é tua desculpa?"

"Sem permissão?", disse Gandalf. "Obtive permissão dos guardiões que encontrei nos portões. Mas não sou um hóspede nessa estalagem? Até onde sei, meu anfitrião jamais me levou até a porta desde que me deixou entrar pela primeira vez!"

"Hóspedes que saem pelo telhado não têm o direito de entrar outra vez pela porta como bem entendem", disse Saruman.

"Hóspedes que são confinados no telhado contra sua vontade têm o direito de bater e exigir reparação", respondeu Gandalf.[2] "O que tens a dizer agora?"

"Nada. Certamente não na tua presente companhia. De toda forma, tenho pouco a acrescentar às palavras de nosso último encontro."

"E não tens nada para retratar?"

Saruman fez uma pausa. "Retratar?", disse lentamente. "Se, em minha avidez e decepção, falei a ti algo inamistoso, considere retratado. Provavelmente deveria ter acertado as coisas há muito tempo. Tu mesmo não foste amigável, e persististe em interpretar-me mal e minhas intenções, ou em fingir fazê-lo. Mas repito: não tinha má vontade contigo, pessoalmente; e mesmo agora, tendo os teus... teus associados causado tanta injúria a mim, estou disposto a perdoar-te se te dispuseres a dissociar-te dessa gente. No momento tenho menos poder de te ajudar do que tinha; mas ainda creio que descobririas que minha amizade te seria mais proveitosa, no fim, do que a deles. Afinal, somos ambos membros de uma antiga e nobre profissão: deveríamos compreender-nos. Se quiseres mesmo consultar-me, estou disposto a te receber. Queres subir?"

Esse trecho, cujo gérmen se encontra nos esboços incluídos em VII. 252–3, 513–4, evoluiu para o de DT, pp. 843–4. O texto rascunhado[3] prossegue imediatamente para "Gandalf riu. 'Compreender-nos? [...]'", e nada se diz sobre o efeito das palavras de Saruman nos que estavam em volta; mas, no manuscrito, seu discurso foi alterado, aparentemente de imediato, para uma forma um tanto mais parecida com a de DT (com "uma elevada e antiga ordem" no lugar de "uma antiga e nobre profissão"), e a isso seguia-se o trecho (DT, p. 844) em que a voz de Saruman "parecia a gentil admoestação de um rei bondoso a um ministro errôneo, mas amado". Aqui, contudo, as palavras "Era tão grande o poder que Saruman exercia *naquele último esforço* que ninguém ao alcance de sua voz ficou indiferente" estão ausentes; pois nem no rascunho e nem no texto finalizado há indício ou sugestão de tudo o que vem antes disso em DT: o longo teste que impõe no início à mente e à vontade de Théoden, com as intervenções de Gimli e Éomer. O diálogo se dá exclusivamente entre os dois magos.

Incluo aqui o rascunho original do restante do diálogo entre eles:[4]

Gandalf riu. "Compreender-nos? Não sei. Mas a ti, Saruman, compreendo, de toda forma. Bem demais. Não! Não creio que vá subir. Tens um conselheiro excelente contigo, adequado para te compreender. Língua-de-Cobra tem astúcia o bastante para dois. Mas me ocorreu que, como Isengard é um lugar bastante precário, bem antiquado e carente de reforma e alteração, talvez queiras sair — para tirar umas férias, digamos. Se assim for, não queres descer?"

Um olhar ardiloso perpassou o rosto de Saruman; antes que ele conseguisse ocultá-lo, tiveram um vislumbre de medo mesclado com alívio/esperança. ardiloso. Viram através da máscara o rosto de um homem encurralado, que temia ficar e deixar seu refúgio. Ele hesitou. "Para ser dilacerado pelos selvagens demônios da mata?", disse. "Não, não."

"Ora, não temas pela tua pele", disse Gandalf. "Não desejo te matar — como saberias se realmente me compreendesses. E ninguém te ferirá, se eu disser que não. Estou te dando uma última chance. Podes deixar Orthanc — livre, se decidires."

"Hm...", começou Saruman. "Isso soa bem. Mais à maneira do velho Gandalf. Mas por que eu desejaria deixar Orthanc? E o que é 'livre', exatamente?"

"As razões para partir estão por toda a volta", disse Gandalf. "E livre significa que não serás prisioneiro. Mas me entregarás a chave de Orthanc — e teu cajado: penhores de tua conduta. A serem devolvidos mais tarde, se eu achar apropriado."

O rosto de Saruman ficou por um momento nublado de fúria. Então riu. "Mais tarde!', exclamou. "Sim, quando tiveres também as chaves de Baraddur, suponho; e as coroas de sete reis, e os cajados dos cinco magos,[5] e tiveres comprado um par de botas muitos números além que as que usas agora. Um plano modesto. Mas imploro permissão para não ajudar. Encerremos esse palavrório. Se quiseres tratar comigo, trata comigo! Diz coisas sensatas — e não venhas aqui com uma horda de selvagens, e esses homens brutos, e crianças tolas penduradas na aba do casaco."

Ele deixou o balcão. Mal tinha se virado quando um objeto pesado caiu violentamente de cima. Resvalou no parapeito, quase atingiu Gandalf e estilhaçou [*riscado:* em fragmentos] na rocha ao lado da escadaria. Parecia ter sido uma grande bola de cristal escuro e brilhante.

"Patife traiçoeiro", exclamou Éomer, mas Gandalf estava impassível. "Não foi Saruman dessa vez", falou. "Veio de uma janela acima. Foi um golpe de despedida do Mestre Língua-de-Cobra, imagino. Vi uma mão de relance. E com má pontaria. Crês que era para acertar a mim ou Saruman?" "Creio que a pontaria talvez tenha sido ruim porque ele não conseguiu decidir quem odiava mais" (? disse Gimli). "Também acho", disse Gandalf. "Haverá palavras agradáveis na Torre quando formos embora."

"E é melhor sairmos logo do alcance das pedras, pelo menos", disse Éomer.

"Parece-me claro que Saruman ainda não desistiu de ter esperança [*acrescentado:* em seus próprios artefatos]", disse Gandalf. "Bem, ele que nutra sua esperança em Orthanc."

Aqui o rascunho termina, e o final é muito irregular. É notável que, nesse texto, não se menciona a ordem de Gandalf para que Saruman retornasse ao balcão quando se virou e, portanto, o rompimento do cajado não aparece (nos rascunhos originais da cena nos esboços mencionados acima, quando Saruman não estava na torre, Gandalf tomou-lhe o cajado e quebrou com as mãos).[6]

Como não há nenhuma evidência de que a concepção da *palantír* tenha surgido em qualquer outro estágio ou escrito anterior, deve-se presumir que essa foi sua primeira aparição, mas o rascunho não deixa claro se meu pai percebia a sua natureza no momento em que foi introduzida como projétil de Língua-de-Cobra — Gandalf não diz o que pensava sobre ela, nem indica que poderia ser um artefato importante para Saruman. Em sua carta para W.H. Auden datada de 7 de junho de 1955, meu pai disse (imediatamente depois do trecho da carta citado no início de *O Retorno da Sombra*): "Eu nada sabia sobre as *Palantíri*, apesar de que, no momento em que a pedra de Orthanc foi arremessada da janela, eu a reconheci e soube o significado da "rima de saber" que estivera perambulando na minha mente: *sete estrelas e sete pedras, uma árvore branca, já vês*".[7] Por outro lado, nessa versão inicial da cena ele vislumbrou a bola de cristal como se tivesse estilhaçado com o impacto e, no manuscrito finalizado que se seguiu imediatamente a esse rascunho, ele ainda escreveu que a bola "estilhaçou na rocha ao lado da escadaria. *Pelos fragmentos*, parecia que", até interromper nesse ponto e escrever que ela bateu na escadaria e que foi a própria escada que rachou e estilhaçou, ao passo que o globo ficou intacto. Que importância adicional para a história ele teria caso tivesse sido destruído imediatamente?

O texto completo desenvolve bastante o diálogo entre Gandalf e Saruman na direção de DT, ainda que muito ainda permaneça do rascunho original. Mas agora aparece, quase na forma final, a ordem de Gandalf para Saruman voltar, sua advertência final para ele e o rompimento do cajado. O globo de cristal agora rolou pelos degraus, e era "escuro, mas rebrilhando com um coração de fogo". Em resposta à sugestão de Aragorn de que Língua-de-Cobra não conseguiu decidir quem odiava mais, Gandalf diz: "Sim, pode ser. Haverá algum debate na Torre, quando formos embora! Levaremos a bola. Imagino que não seja um objeto que Saruman teria decidido jogar fora".

Posteriormente (ver p. 101, nota 12) acrescentou-se Pippin indo pelos degraus para pegar o globo, e Gandalf apressando-se para tomá-lo dele e envolvendo-o nas dobras da capa. Mas fica claro agora que o globo teria importância. A cena termina assim nesta versão:

"Mas ele pode ter outros objetos para jogar", disse Gimli. "Se esse é o fim do debate, vamos pelo menos sair do alcance das pedras."

"É o fim", afirmou Gandalf. "Preciso encontrar Barbárvore e lhe contar como tudo andou."

"Com certeza ele adivinhou?", comentou Merry. "Era provável que acabasse de outro modo?"

"Não era provável", respondeu Gandalf. "Mas tive motivos para tentar. Não desejo a dominação. Saruman teve uma última opção, uma opção justa. Ele escolheu reter Orthanc, pelo menos de nós, pois é seu último recurso. Ele sabe que não temos poder de destruí-la de fora, ou entrar contra sua vontade; mas ela poderia ter sido útil para nós. Mas as coisas não andaram mal. Um ladrão atrapalha outro ladrão! [*Riscado:* E a malícia cega o juízo.] Imagino que, se pudéssemos ter entrado, teríamos encontrado em Orthanc poucos tesouros mais preciosos que o objeto que o tolo Língua-de-Cobra atirou em nós!"

Um guincho estridente, interrompido de repente, veio de uma janela aberta muito acima. "É o que pensei", disse Gandalf. "Agora vamos embora!"

O fim do capítulo em DT, o encontro de Legolas e Gimli com Barbárvore, a despedida dele de Merry e Pippin, e os versos pelos quais os Hobbits são inseridos nas "Longas Listas" estão presentes nesse primeiro texto completo praticamente palavra por palavra, exceto no finzinho, em que as últimas palavras são breves:

"Deixa isso para os Ents", disse Barbárvore. "Até que passem sete vezes os anos em que nos atormentou, não havemos de nos cansar de vigiá-lo."[8]

NOTAS

1 O rascunho diz: "grave, bastante melodiosa e, no entanto, desagradável: falava com desprezo".

2 Embora essa conversa tenha se perdido posteriormente, a referência ao modo pelo qual Gandalf partiu de Orthanc aparece em um ponto mais adiante (DT, p. 844): "Da última vez em que te visitei tu eras o carcereiro de Mordor e para lá eu iria ser mandado. Não, o hóspede que fugiu pelo telhado pensa duas vezes antes de voltar porta adentro".

3 O rascunho da fala de Saruman é muito parecido com o que foi citado do manuscrito completo, mas, depois de "Deveríamos compreender-nos", Saruman diz "Construir, e não destruir, é *nosso* ofício".

[4] A rigor, não é o rascunho original, pois, como já se disse, esse foi escrito à tinta por cima de um texto a lápis desbotado e ilegível.

[5] A primeira referência aos Cinco Magos.

[6] Em rascunhos para o fim do capítulo, a resposta de Gandalf para a pergunta de Barbárvore "Então Saruman não queria partir? Eu não achava que iria" (DT, p. 850) diz o seguinte: "Não, ele ainda está nutrindo o que lhe resta de esperança. É claro que está fingindo que me ama e que me ajudaria (se eu fosse razoável — o que quer dizer 'se eu o servisse e o ajudasse a subir ao poder sem [? limites]'). Mas está decidido a esperar — sentado em meio às ruínas dos seus antigos planos para ver o que acontece. Nesse humor, e com a Chave de Orthanc *e o seu cajado*, não se pode permitir que escape."

[7] A carência que a *palantír* haveria de suprir já fora sentida, como se vê pelas observações (rejeitadas) de Aragorn (p. 66): "não sei que poderes Saruman talvez tenha em sua torre, nem que *meios de comunicação talvez haja com o Leste*".

[8] O encontro de Barbárvore com Legolas e Gimli, e sua despedida de Merry e Pippin, foram amplamente atingidos em rascunho preliminar, mas posicionados em um ponto diferente, pois o trecho começa com: "A tarde já estava na metade e o sol ia para trás do braço ocidental do vale quando Gandalf e o Rei retornaram. Com eles veio Barbárvore. Gimli e Legolas o fitaram admirados. "Eis meus companheiros de que te falei", disse Gandalf. O velho Ent olhou-os longamente e com atenção" etc. Era assim que a parte da narrativa que depois constituiu "A Voz de Saruman" começava originalmente.

6

A Palantír

Rascunhos e esboços para o início deste capítulo mostram meu pai muito incerto quanto ao curso imediato dos acontecimentos depois de a companhia sair de Isengard. Essas páginas são extremamente difíceis de interpretar e colocar em sequência, mas entendo que esta que incluo agora tenha sido a primeira a ser escrita, pois ela trata como fato consumado o evento que depois se tornaria apenas um plano abandonado ("Quando viemos, pretendíamos voltar direto de Isengard para a casa do rei em Edoras, por cima das planícies", DT, p. 852).

O sol se punha atrás do longo braço ocidental das montanhas quando Gandalf e seus companheiros, e o Rei com seus cavaleiros, partiram de Isengard.

No portão estavam Ents em solene fileira, como estátuas, com os longos braços erguidos; mas não faziam nenhum som. Merry e Pippin olharam para trás quando passaram descendo a colina e viraram na estrada que levava até a ponte.[1] A luz do sol brilhava no céu, mas longas sombras se estendiam sobre Isengard. Barbárvore ainda estava em pé ali, como uma árvore escura na penumbra; os outros Ents tinham ido embora, de volta para as nascentes do rio.

Por conselho de Gandalf, a companhia cruzou a ponte e depois se afastou do rio, indo para sul e leste, passando direto pelas planícies ondulantes de Rohan de volta para Eodoras: uma jornada de umas quarenta e oito léguas.[2] Cavalgariam com mais segredo do que pressa, durante o ocaso e a noite, com esperança de chegar à casa do rei ao cair da noite do segundo dia. A essa altura, muitos dos homens do rei que tinham lutado nos Vaus e no Abismo de Helm estariam se reunindo em Eodoras.

"Tivemos a primeira vitória", disse Gandalf, "mas isso tem algum perigo. Havia uma ligação entre Isengard e Mordor. De que tipo e como eles trocavam notícias, isso não descobri. Mas os olhos da Torre Sombria agora espiarão nessa direção, creio.

"Não há ninguém nesta companhia, creio, cujo nome (e feitos) não esteja marcado agora na mente sombria de Sauron. É melhor andarmos nas sombras, se for mesmo preciso andar por aí afora — até que estejamos prontos. Portanto, ainda que acrescente em milhas, aconselho-vos agora a seguir de noite, e ir para o sul para que o dia não nos encontre na planície aberta. Depois disso podemos cavalgar com muitos homens, ou, quem sabe, [? voltar] à Garganta do Abismo isso seria melhor por trilhas entre os sopés das colinas de tuas próprias montanhas, Théoden, e assim chegar a Eodoras ... longas ravinas ao redor do Fano-da-Colina.

As últimas linhas são um garrancho irregular, ao longo do qual meu pai escreveu (na mesma hora) "Encontram os Huorns voltando". Na margem, ao lado da frase "passaram descendo a colina e viraram na estrada que levava até a ponte", ele escreveu "Não, eles foram para o sul, rumo aos Vaus"; e, ao lado de "a companhia cruzou a ponte e depois se afastou do rio", ele escreveu "Não, eles vão para o sul"; portanto, parece claro que foi no decorrer deste primeiro rascunho da abertura que ele percebeu que a companhia não foi de fato direto para Eodoras, mas primeiro para o Abismo de Helm — e, portanto, abandonou este texto.[3]

Em uma fala rejeitada de Aragorn (p. 86, nota 7) havia uma indicação de que ele pensou um tanto sobre o assunto, mas aqui há a primeira expressão clara da ideia de que deveria haver algum meio pelo qual Orthanc e Barad-dûr trocavam notícias rapidamente. Não fica explícito por que Gandalf estava tão seguro disso,[4] e pode-se perguntar se a ideia não surgiu da *palantír*, em vez do contrário.

No verso desta página há um esboço que — seria natural supor — foi escrito continuamente em relação ao texto do outro lado. É óbvio que veio depois do rascunho narrativo abandonado porque aqui a companhia não foi diretamente para Eodoras, mas cavalgou de Isengard até os Vaus. A escrita aqui é excepcionalmente difícil, não apenas pela extrema rapidez, mas também porque as letras foram escritas de modo idiossincrático.

Essa era a Pedra de Orthan[c] [*escrito acima: Pedra-de-Orthanc Pedra-de-Orthank Orþancstán*] que vigiava os movimentos nas vizinhanças, mas seu alcance estava limitado a umas 100 léguas?[5] Ajudará a vigiar Orthanc de longe.

A noite chega rapidamente. Eles chegam aos Vaus e notam que o rio está minguando e ficando seco outra vez.[6] A noite estrelada. Eles atravessam e passam os morros.

Param sob as estrelas e veem a grande sombra negra passando entre [? eles] e as estrelas. Nazgûl.

Gandalf tira o globo escuro e olha dentro dele. Bom, disse ele. Mostra pouca coisa à noite. Isso é reconfortante. Tudo o que puderam ver [? foi] estrelas e [? ao longe] formas pequenas, como morcegos, rodopiando. Na borda havia um rio sob a lua. A lua já está visível em Osgiliath, disse Gandalf. Parece ser o limite da visão.[7]

Conforme se aproximam do Abismo de Helm, uma sombra assoma como uma névoa. De súbito, escutam um sussurro farfalhante, e de ambos os lados, de modo que se encontram numa vereda . . . . Sombras passam para o norte. Huorns. Inserir agora página 3 do Cap. 29.

No dia seguinte eles cavalgam com muitos homens até o Vale de Westfolde, e . . . . por [? trilhas serpenteando] no meio das montanhas. Eles chegam à ravina do Fano-da-Colina no segundo dia. E encontram pessoas voltando para Eodoras. Aragorn cavalga com Éowyn.[8]

Gandalf olha dentro do Cristal Escuro no terraço diante da Casa do Rei. Eles veem claramente Orthanc — Ents [? se movendo] . . . . . água tudo muito [? pequeno] e claro. Cavaleiros galopando pela planície do oeste e norte. Estranhas [? figuras de vários tipos]. E de Minas Tirith. Só mostra *luzes e homens* [? nenhum país].

A referência à "página 3 do Capítulo 29" é à primeira versão completa de "A Estrada para Isengard", em que a descrição da partida da floresta Huorn da Garganta do Abismo foi posta antes de Théoden, Gandalf e sua companhia partirem para Isengard e, portanto, antes de eles passarem pela floresta (pp. 41–2). Fica claro pelo trecho dos Huorns neste ponto da história que o esquema temporal final ainda não tinha sido alcançado (ver pp. 16–7, §§ III–IV): Théoden, Gandalf e sua companhia ainda chegavam em Isengard no dia após a Batalha do Forte-da-Trombeta (2 de fevereiro), e não passavam a noite de 2 de fevereiro acampados sob Nan Gurunír (onde, em DT, p. 806, eles ouviram os Huorns passando e, depois disso, o trecho que relata a partida da floresta da Garganta do Abismo e a Colina da Morte finalmente encontrou seu lugar).

Nada nesse esboço sugere que o "globo escuro" era o meio de comunicação entre Orthanc e Barad-dûr — na verdade é o inverso pois, quando Gandalf olha dentro dele em algum lugar perto dos Vaus do Isen, o alcance da visão não passa de Osgiliath (embora as palavras "Mostra pouca coisa à noite. Isso é reconfortante" sugiram que ele temia que o globo pudesse expô-los a um olho hostil). Por outro lado, no rascunho narrativo anterior, Gandalf se mostra muito preocupado com a questão da comunicação: "Havia uma ligação entre Isengard e Mordor. De que tipo [...] isso não descobri". É difícil acreditar que meu pai já não tivesse somado dois e dois, mesmo que Gandalf ainda não tivesse. Uma explicação possível é que, quando escreveu esse esboço, ele já soubesse da importância do Cristal Escuro, mas Gandalf ainda não tinha compreendido todo o seu alcance e os seus poderes, ou ainda não sabia como fazer uso deles. Ou talvez seja mais verdadeiro dizer simplesmente que, nessas notas, testemunhamos o momento formativo em que a importância da Pedra Vidente estava a ponto de vir à tona: o "artefato" decisivo — criado muito tempo antes — que na história final mostraria ter uma importância vasta, apesar de oculta, na Guerra do Anel.[9]

Uma notinha rabiscada e isolada pode ser citada aqui:

A esfera rubro-negra mostra movimentos. Eles veem as fileiras da guerra avançando. [? Navios são vistos] e os homens de Théoden no Abismo de Helm e se arregimentando em Rohan.

O contexto dela é completamente obscuro, pois quem estaria vendo essas coisas?

Outro texto — um conjunto breve e intrigante de notas rabiscadas muito rapidamente com lápis macio, vestígios de pensamentos fugidios — mostra outra discussão sobre o significado da Pedra-de--Orthanc. Não consigo ver nenhuma indicação clara de onde ele deve ser alocado na narrativa, ou mesmo onde ele está posicionado na sequência desses papéis preliminares;[10] mas, em muitos pontos, ele parece ter precedido o texto que o segue aqui.

Eu disse que Isengard estava derrotado, e a Pedra estava partindo em uma jornada, falou Gandalf. E que eu [olharia >] falaria com ela mais tarde, quando pudesse, mas [? no] momento estava com pressa.

auctor (Não, acho que o globo escuro estar em contato com Mordor é parecido demais com os anéis)

Gandalf descobre que a Pedra-de-Orthanc é uma longe-vidente. Mas não conseguia descobrir [como] usá-la. Parecia volúvel. Parece ainda estar olhando nas direções em que foi usada pela última vez, disse ele.

Daí a visão dos [*acrescentado:* 7] Nazgûl acima das ameias. Estava olhando na direção de Mordor.

É possível olhar de volta? Possivelmente, disse Gandalf. É perigosa, mas pretendo usá-la.

Ele recua. Foi visto [? inclinando-se sobre ela].?

Não, disse ele, é uma antiga pedra colocada em uma câmara superior da torre há muito, muito tempo, antes de a Torre Sombria se fortalecer. Foi usada pelos [? guardiões] de Gondor. Uma delas também deve ter estado no Forte-da-Trombeta, e em Minas Tirith, e em Minas Morghul e em Osgiliath. (Cinco).

Viram o Forte-da-Trombeta. Viram Minas Tirith. Viram Nazgûl acima das ameias de Osgiliath. Era assim que Saruman conseguia algumas notícias, disse ele.

Os parênteses em "Não, acho que o globo escuro estar em contato com Mordor é parecido demais com os anéis", e a palavra marginal *auctor* (o que quer dizer que era um pensamento de meu pai, e não de Gandalf) foram acrescentados à tinta. A implicação dessas palavras deve ser a de que Gandalf, nas frases iniciais desse texto, estava falando com alguém em Mordor: e, se tal pessoa fosse ninguém menos que o próprio Sauron, há aqui um delicioso vislumbre de Gandalf dizendo ao Senhor Sombrio que estava ocupado.

O fato de que somente cinco das Pedras Videntes são nomeadas (isto é, a elas são atribuídas uma habitação) não significa, é claro, que nesse estágio havia apenas cinco, mas que essas eram as cinco Pedras do reino do sul (Gondor). em enumerações subsequentes, havia cinco Pedras em Gondor, ao passo que no SdA havia quatro.

Por fim, há um breve esboço, terminando em um garrancho irregular, que parece ter precedido o primeiro rascunho contínuo do capítulo como narrativa formada.

A conversa com Saruman começa por volta das 3h15 e termina por volta das 4h30 (está perto do pôr do sol). Fica escuro por volta das 5h30. Gandalf os leva para o sul no escuro — porque agora eles precisam de mais segredo do que nunca. (Pergunta-se qual era a conexão entre Saruman e Sauron).

Eles saem de Nan Gurunír por volta das 9h da noite. Acampam sob a sombra da última colina ocidental. Dolbaran. Cavalgarão rápido pela manhã. Dois são enviados à frente para avisar os homens que o rei está voltando ao Abismo de Helm e que uma grande tropa deve se aprestar para cavalgar com ele. Nenhum grupo com mais de dois ou três homens deve cavalgar abertamente na planície. O rei irá por trilhas nas montanhas até o Fano-da-Colina.

Depois, o episódio de Pippin e a Pedra.

Gandalf diz que foi assim que Saruman caiu. Ele estudou tais assuntos. As antigas longe-videntes dos Homens de Númenor que fizeram Amon Hen e Amon Lhaw   Uma no Forte-da-Trombeta, Osgiliath, Minas Tirith, Minas Morghul, Isengard [Angrenost >] Angost.[11] Era assim que Saruman conseguia notícias — embora o Forte-da-Trombeta e Minas Tirith estivessem "escuros", suas esferas estavam perdidas ou destruídas. Mas ele tentou espirar em Barad-dur e foi apanhado.

Nazgúl.

4 de fev. Cavalgam até os Vaus no meio da manhã (11h), repousam uma hora e chegam à bifurcação na Garganta do Abismo às 3h da tarde. Ao Abismo de Helm por volta das 4h. Repousam, reúnem os homens, e cavalgam por trilhas ocultas da vista nas colinas. Dão pôneis para os hobbits — e para Gimli!

5, 6 de fev. Jornada.

7 de fev. Fano-da-Colina. Júbilo do povo. Éowyn se apresenta. O Rei desce o vale montanhês a cavalo com Éowyn e Éomund [*leia-se* Éomer] de cada lado, Gandalf, Legolas, Aragorn ao lado deles. Os hobbits e Gimli …

[? Regência.] Banquete. Tabaco. Mensageiro.

No texto anterior (p. 91), não se afirma realmente que as Pedras Videntes de Gondor "respondiam" ou correspondiam umas às outras, mas esse era o momento em que a ideia estava surgindo, como se vê pela dúvida passageira de meu pai "o globo escuro estar em contato com Mordor é parecido demais com os anéis", ao passo que "É possível olhar de volta?" parece se referir claramente à visão recíproca entre as Pedras, e não a uma visão do tempo passado. No presente esboço, essa concepção está totalmente presente e aceita e, com ela, a ideia central de que foi por meio de seu conhecimento acerca desses assuntos que Saruman foi corrompido, ludibriado por usar a Pedra de Orthanc para olhar na direção de Barad-dûr.

O "episódio de Pippin e a Pedra" surgiu (ainda que, até onde a evidência alcança, ainda não tinha sido colocado no papel de forma nenhuma); e os vários elementos agora estão se entrelaçando em uma concepção belamente articulada. A ideia original (p. 89) de que, ao olhar no globo escuro, Gandalf viu "formas pequenas, como morcegos, rodopiando" seria mantida, mas se tornaria a visão de Pippin, e a explicação do porquê a visão seria aquela e não outra (ver p. 91, "Parece ainda estar olhando nas direções em que foi usada pela última vez") encontra-se na constante troca entre Saruman e Sauron por meio das Pedras Videntes (o que em si já responde à pergunta sobre o método de comunicação entre Isengard e a Torre Sombria). Portanto, a "Pedra-de-Orthanc [ficou] tão dirigida para Barad-dûr que, se alguém desprovido de vontade inflexível agora a contemplar, ela levará sua mente e visão rapidamente para ali" (DT, p. 865).

O esquema temporal final agora havia entrado (ver p. 17, §IV): Théoden, Gandalf e sua companhia chegaram em Isengard em 3 de fevereiro, e partiram ao anoitecer, duas noites depois da Batalha do Forte-da-Trombeta. É notável que, mesmo quando o enredo já estava assim avançado, com o "episódio de Pippin e a Pedra" e a primeira aparição de um Nazgûl a oeste do Anduin, toldando as estrelas (o que já estava presente no rascunho da p. 88), Gandalf não se sentiu compelido a cavalgar às pressas para Minas Tirith, estando presente no banquete em Eodoras — o tal banquete, muitas vezes antevisto, que acabou nunca acontecendo. Para a importância da referência ao tabaco aqui, ver p. 53 e nota 33. Mas notas a lápis acrescentadas a esse rascunho posteriormente mostram a história da súbita partida de Gandalf: "4 de fev. Gandalf e Pippin chegam à Garganta do Abismo antes da aurora", e "4–5 de fev. Gandalf cavalga a noite toda e o dia todo, 5 de fev., chegando em Minas Tirith ao pôr do sol em 5 de fev.".

Não resta nenhum outro escrito até chegarmos ao primeiro rascunho do capítulo — que, contudo, vai apenas até a conclusão das palavras de Gandalf com Pippin depois de sua visão na Pedra Vidente (DT, p. 859).[12] Foi escrito muito rapidamente e, ao que parece, sem nenhum trabalho preliminar, mas o texto final do capítulo até esse ponto foi atingido de uma vez só em todos os elementos essenciais — há, é claro, incontáveis diferenças na expressão e algumas, em pontos pequenos, no detalhe da narrativa, e muitas dessas diferenças sobreviveram no primeiro manuscrito completo do capítulo.[13] A principal diferença em relação ao texto final aparece quando Gandalf se ajoelhou junto ao corpo de Pippin (DT, p. 857): "Ele retirou a esfera e a envolveu outra vez num pano. 'Pega isto e guarda, Aragorn', disse ele. 'E não a descobre nem a manipula, imploro'. Então, pegou a mão de Pippin e se curvou sobre seu rosto [...]". Portanto, Gandalf entrega o globo a Aragorn simplesmente por ele ser alguém de confiança, contrastando com a história em DT (p. 860), em que Aragorn recebe a Pedra-de-Orthanc em um momento diferente e há uma importância muito maior, pois Aragorn a reivindica por direito. Mas o relato de Pippin sobre o que lhe aconteceu quando olhou dentro do globo e "então veio *ele*" foi atingido de imediato neste rascunho.

A partir deste ponto, há muito pouco rascunho preliminar, e em quase todo o restante do capítulo, o texto mais antigo restante é o do primeiro manuscrito completo, muito do qual foi escrito por cima de lápis apagado. Esse manuscrito posteriormente recebeu o número 31, e o título "A Pedra-de-Orthanc   A Palantir", o que foi escrito por cima de um título apagado do qual só o artigo "A" pode ser lido.

Conforme inicialmente escrito, Gandalf diz bem mais coisas a Pippin nas suas palavras conclusivas do que em DT (p. 859). Algumas coisas foram deslocadas para sua conversa com Théoden e Aragorn depois de carregar Pippin de volta para cama: que Pippin o salvara do perigoso erro de olhar ele mesmo dentro da Pedra, e a ilusão de Sauron de que a Pedra e o hobbit estavam em Orthanc. Mas aqui Gandalf prossegue:

"Muito estranho, muito estranho como as coisas se desenrolam! Mas começo agora a me perguntar um pouco". Ele afagou a barba. "Será que essa bola foi mesmo atirada para me matar, afinal? Ou para me matar, se possível, e para fazer algo além disso, caso errasse o alvo? Foi atirada sem o conhecimento de Saruman? Hm! Quem sabe era para as coisas terem acontecido bem como aconteceram — exceto que foi você quem olhou, e não eu! Hm! Bem. Aconteceu como aconteceu, e não doutra forma; e é com isso que temos de nos haver.

"Mas vamos lá! Isso deve mudar nossos planos. Estamos sendo descuidados e vagarosos.

Ao lado do parágrafo que começa com "Muito estranho, muito estranho como as coisas se desenrolam!", meu pai escreveu, na margem: "Não! Porque, se Saruman quisesse avisar Mordor da ruína de Isengard e da presença de Gandalf e dos hobbits, bastaria ele usar o Vidro normalmente e informar Sauron diretamente. ? Mas talvez ele desejasse (a) matar Gandalf, (b) *livrar-se* dessa ligação. Sauron talvez o estivesse *pressionando* a ir até a pedra?" Ele evidentemente decidiu que essas especulações eram inúteis e, abandonando o caminho que as palavras de Gandalf tinham tomado, voltou a um ponto anterior em sua fala final a Pippin.

O texto neste primeiro manuscrito, portanto (com a reescrita de alguns trechos que obviamente são da mesma época) praticamente chega ao de DT (pp. 859–64) até as observações iniciais de Gandalf a Pippin sobre as Pedras Videntes conforme eles cavalgavam rumo à Garganta do Abismo. Apenas duas questões precisam ser notadas. Quando Gandalf dá a Pedra para Aragorn (ver p. 94), ele diz aqui: "É um encargo perigoso, mas posso confiar em ti mesmo contra ti mesmo", e Aragorn responde apenas: "Conheço o perigo. Não a descobrirei, nem a manipularei". Segundo, há uma curiosa série de mudanças no palavreado das observações de Gandalf sobre sua incapacidade de perceber imediatamente a natureza da esfera atirada de Orthanc. Primeiro, ele falou: "Eu nada disse porque nada sabia. Somente deduzia. Agora sei". Na primeira reescrita desse trecho, ele dizia: "Eu deveria ter sido mais rápido, mas minha mente concentrava-se em Saruman. E não deduzi *a natureza completa da pedra* — não até agora. Mas agora conheço a ligação entre Isengard e Mordor que há muito me intrigava". Isso foi reescrito outra vez, neste estágio: "E não deduzi *a natureza da pedra até que a vi nas mãos dele* [de Pippin]. Não tinha certeza até agora". Em uma revisão adicional do trecho, feita muito tempo depois, isso se tornou: "Não deduzi a natureza da pedra *até que fosse tarde demais*. Somente agora estou certo dela". Na forma final (DT, p. 860), isso foi alterado mais uma vez: "não deduzi de imediato a natureza da Pedra. Depois fiquei exausto, *e quando estava deitado ponderando a respeito o sono me dominou*. Agora sei!". De fato, em meio a todas essas formulações, não há grande diferença no sentido, mas evidentemente foi um detalhe que ocupou meu pai: exatamente quanto Gandalf deduzia sobre a *palantír* antes de a experiência de Pippin lhe dar a certeza, e há quanto tempo?

Um elemento de ambiguidade de fato permanece no SdA. Já no primeiro manuscrito de "A Voz de Saruman", Gandalf dizia: "Imagino que, se pudéssemos ter entrado, teríamos encontrado em Orthanc poucos tesouros mais preciosos que o objeto que o tolo Língua-de-Cobra atirou em nós!". A natureza do projétil lançado por Língua-de-Cobra não poderia estar de todo aparente nem mesmo para meu pai nesse estágio: foi apenas algumas linhas acima nesse manuscrito que ele alterou, conforme escrevia, a história inicial de que o globo se estilhaçou ao bater na rocha (p. 84). Mas, mesmo quando a natureza da *palantír* estava completamente estabelecida, ele manteve essas palavras de Gandalf (DT, p. 848) no momento em que a pedra irrompe na história — *muito embora*, como Gandalf disse em Dol Baran, "não deduzi de imediato a natureza da Pedra". Mas por que então ele foi tão enfático, quando estava no pé da torre, ao dizer que "teríamos encontrado em Orthanc poucos tesouros mais preciosos", mesmo antes de o guincho de Língua-de-Cobra reforçar sua opinião? Talvez devamos supor, simplesmente, que pelo menos isto ficou imediatamente claro para ele: era muito improvável que uma grande esfera de cristal escuro em Orthanc fosse somente um objeto elegante de decoração no escritório de Saruman.

Às palavras "Imagino que os hobbits as tenham esquecido" (as Rimas do Saber), depois de Gandalf recitar a Rima *Altas naus e altos senhores / Três vezes três* (DT, p. 863), um trecho curto de rascunho original — escrito à parte e à caneta e que, portanto, não foi perdido quando o lápis foi apagado, como em outros lugares — continua: a primeira concepção da declaração que Gandalf faz acerca da história das Pedras Videntes, aqui chamadas de *Palantirs*, uma palavra que, até onde está registrado, aparece agora pela primeira vez.

Elas [as Rimas do Saber] estão todas entesouradas em Valfenda. Barbárvore se lembra da maioria/de algumas: [Longos Rolos >] Longas Listas e essas coisas. Mas imagino que os hobbits tenham esquecido quase todas, mesmo as que conheceram alguma vez.

E sobre o que é essa: as sete pedras e sete estrelas?

Sobre as Palantirs dos Homens de Outrora, disse Gandalf. Estava pensando nelas.

Ora, o que são?

A Pedra-de-Orthanc era uma delas, disse Gandalf.

Então ela não foi feita, Pippin hesitou, pelo Inimigo, perguntou [? afoito].

Não, disse Gandalf. Nem por Saruman; está além da sua arte e além da de Sauron também, quem sabe. Não, não havia maldade nela. Foi corrompida, como muitas das coisas que permanecem. Ai do pobre Saruman, foi sua derrota, como percebo agora. São perigosos para todos nós os expedientes feitos por um conhecimento e uma arte mais profunda do que nós mesmos possuímos. Não sabia que uma Palantir tinha sobrevivido à decadência de Gondor e dos Elendilions até agora.

Sete eles instalaram. Em Minas Anor, que agora é Minas Tirith, havia uma, e uma em Minas Ithil, e outras em Aglarond, as Cavernas de Esplendor que os homens chamam de Abismo de Helm, e em Orthanc. Outras estavam longe, não sei onde, talvez em Fornost, e em Mithlond [*riscado:* onde Cirdan ancorava os ... navios ...] (no) Golfo de Lûn, onde estão atracadas as naus cinzentas. Mas a principal e dominante . . . . [? (das) pedras] estava em Osgiliath antes de sua ruína.

Nesse trecho estão as primeiras ocorrências de *Aglarond* (ver p. 42) e de *Fornost*, que no Primeiro Mapa era chamado de *Fornobel*, e continuou assim no mapa que fiz em 1943, VII. 358. Aqui também está a primeira aparição de *Cirdan* nos manuscritos de *O Senhor dos Anéis*.

No primeiro manuscrito completo, esse texto se desenvolveu rumo à versão em DT. Gandalf agora diz que "As *palantirs* vieram de além de Ociente, de Eldamar. Os Noldor as fizeram: quem sabe o próprio Fëanor as tenha engendrado, em dias tão longínquos que o tempo não pode ser medido em anos". Ele fala de Saruman da mesma forma que o faz no texto final, mas aqui termina: "Jamais falou palavra sobre ela a qualquer membro do Conselho. Não era sabido que alguma das *palantirs* havia escapado da ruína de Gondor. Sua própria existência era preservada apenas em uma Rima do Saber entre o povo de Aragorn". Isso foi alterado para: "Não era do nosso conhecimento que alguma das *palantirs* havia escapado da ruína de Gondor. Fora do Conselho, nem mesmo entre elfos e homens lembrava-se que tais objetos um dia haviam existido, salvo apenas em uma Rima do Saber preservada entre o povo de Aragorn".[14]

O restante do capítulo no primeiro manuscrito alcança a forma final em praticamente todos os aspectos. Ainda havia cinco *palantirs* outrora em Gondor, e uma delas ainda era a de Aglarond (traduzido, igual ao rascunho, como "Cavernas de Esplendor", mas alterado para "Cavernas Cintilantes").[15] Das outras duas, Gandalf ainda diz que estavam longe, "Não sei onde, pois nenhuma rima diz. Talvez estivessem em Fornost, e com Kirdan em Mith[l]ond[16] no Golfo de Lûn, onde estão atracadas as naus cinzentas".

Em resposta à pergunta de Pippin sobre a chegada do Nazgûl (DT, p. 866), Gandalf aqui diz apenas: "Poderia tê-lo levado para a Torre Sombria", e prossegue imediatamente: "Mas agora Saruman chegou ao último aperto do torno em que pôs sua mão". Ele diz que "Pode ser que ele [Sauron] descubra que estive ali, de pé na escadaria de Orthanc — com hobbits na aba do casaco. É isso que receio".[17] E, no fim do capítulo, ele diz a Pippin: "Poderá ver o primeiro lampejo da aurora no telhado dourado da casa de Eorl. Ao pôr do sol do dia seguinte há de ver a sombra do Monte Tor-dilluin recair sobre as muralhas brancas da torre de Denethor".[18]

No Prefácio à Segunda Edição de *O Senhor dos Anéis*, meu pai disse que, em 1942, ele escreveu "os primeiros esboços do material que agora permanece como o Livro III, e os começos dos capítulos 1 e 3 do Livro V ["Minas Tirith" e "A Convocação de Rohan"]; e ali, com os faróis ardendo em Anórien e com Théoden chegando ao Vale Harg, eu parei. A presciência falhara e não havia tempo para pensar".[19] Parece que foi por volta do fim de 1942, ou logo depois, que ele parou; pois, em uma carta a Stanley Unwin de 7 de dezembro de 1942 (*Cartas*, n. 47), ele disse que o livro chegara ao capítulo 31 "e serão necessários pelo menos mais seis para terminá-la [isto é, a história] (esses já estão esboçados)". Esse capítulo sem dúvida era "A Palantír" (e não "Destroços e Arrojos", como afirma a nota à carta 47).

No prefácio à Segunda Edição, ele continua: "Foi durante o ano de 1944 que [...] obriguei-me a abordar a jornada de Frodo a Mordor", e esse novo começo pode ser datado muito precisamente, pois, em 3 de abril de 1944, ele afirmou em uma carta a mim (*Cartas*, n. 58):

> Mas comecei a mexer no Hobbit novamente. Comecei a trabalhar um pouco (dolorosamente) no capítulo em que se volta para as aventuras de Frodo e Sam mais uma vez; e, para me manter afiado, tenho copiado e polido o último capítulo escrito (a Pedra-de-Orthanc).

Dois dias depois, em 5 de abril de 1944 (*Cartas*, n. 59), ele me escreveu:

Iniciei seriamente um esforço para terminar meu livro e tenho ficado acordado até muito tarde: muita releitura e pesquisas são necessárias. E é um negócio dolorosamente difícil entrar novamente no ritmo. Voltei para Sam e Frodo e estou tentando desenvolver as aventuras deles. Poucas páginas para muito suor: mas, no momento, eles acabaram de encontrar Gollum em um precipício.

Esse processo de "copiar e polir" o capítulo "A Pedra-de-Orthanc" que meu pai levou a cabo nessa época produziu o segundo manuscrito do capítulo, feito de modo muito esmerado. Bem mais de um ano se passara desde que o primeiro manuscrito do capítulo fora feito, mas, como não era incomum, não houve nenhuma alteração importante. Portanto, o recebimento da *palantír* por Aragorn continua na forma simples que tinha (p. 95); Gandalf não fala da possibilidade de que Língua-de-Cobra pudesse ter reconhecido Aragorn nas escadas de Orthanc (nota 17); Aglarond ainda era um dos antigos lugares das *palantíri* de Gondor, e Gandalf ainda diz que não sabe onde as outras poderiam estar, "pois nenhuma rima diz", mas talvez em Fornost e com Cirdan nos Portos Cinzentos.[20]

NOTAS

1 Sobre a "estrada que levava até a ponte", ver p. 46, em que, vindo pela direção oposta, a companhia tinha cruzado a ponte e "encontraram uma estrada que, fazendo uma curva ampla para o Norte, levou-os à grande via para os vaus".

2 Nas notas sobre distâncias mencionadas na p. 59, nota 14, *Eodoras até o Vau-do-Isen* está como 125 milhas [*c.* 201 km], o que está bem de acordo com o Primeiro Mapa (VII. 376) e com a afirmação em DT ("O Abismo de Helm", p. 771) de que "eram quarenta léguas e mais": ver p. 24. Nessas notas, *Eodoras até Isengard* está marcado como 140 milhas (46,6 léguas [*c.* 225 km]), o que, novamente, está de pleno acordo com o Primeiro Mapa (cerca de 2,8 cm). *Eodoras até o Abismo de Helm ou a boca da Garganta* é 110 milhas [*c.* 177 km]; na minha reelaboração do mapa, a distância é de 100 milhas [*c.* 161 km] (2 cm), mas o mapa é, neste ponto, muito difícil de interpretar, e provavelmente não coloquei o Abismo de Helm no ponto exato que meu pai pretendia: no meu mapa feito em 1943, a distância em linha reta é de 110 milhas.

A ideia de que, após a visita a Isengard, Théoden e seus companheiros retornaram a Eodoras remonta ao esboço "A História Prevista a partir de Fangorn", VII. 514.

3 Há um segundo rascunho da abertura, que não precisa ser incluído na íntegra. Aqui se observa como cavalgaram: "Gandalf levou Merry em sua garupa, e

Aragorn levou Pippin; Gimli, como antes, foi com Éomer, e Legolas estava ao seu lado, em Arod", mas isso foi alterado imediatamente para "Legolas e Gimli cavalgaram juntos outra vez". Após mais uma hesitação — se a companhia desceu para os Vaus ou passou pela ponte sob Isengard e foi para o leste — esse rascunho termina assim:

> O plano de Gandalf era, de início, cavalgar diretamente de Isengard a Eodoras. Mas ele disse que "A vitória tem seus perigos", e que era melhor Théoden cavalgar em segredo agora, e com muitos homens. Eles retornariam para a Garganta do Abismo e enviariam um mensageiro, ordenando aos homens que estivessem laborando ali que apressassem seus trabalhos e se aprestassem para cavalgar de manhã pelas trilhas das colinas. Então agora a companhia cavalgava em [ritmo] suave.

[4] Ver *Contos Inacabados*, p. 535: "Foi necessária a demonstração em Dol Baran dos efeitos da Pedra-de-Orthanc sobre Peregrin para revelar subitamente que a 'ligação' entre Isengard e Barad-dûr (cuja existência foi comprovada depois que se descobriu que tropas de Isengard haviam se unido a outras dirigidas por Sauron no ataque à Sociedade em Parth Galen) era de fato a Pedra-de--Orthanc — e uma outra *palantír*".

[5] A distância de Orthanc a Barad-dûr no Primeiro mapa é de 12,3 cm, = 615 milhas ou 205 léguas [*c.* 990 km]. Aqui é um lugar conveniente para observar que, em minha reelaboração da seção IVE do Primeiro Mapa (VII. 376), aquilo que eu representei como um pequeno círculo no lado ocidental do Vale do Mago parece não ser isso, mas sim uma alteração no traço que delimita a beira do vale. Na extremidade superior do vale a um círculo diminuto que deve representar Isengard.

[6] A história aqui era a de que os Ents (que, segundo o início do rascunho da p. 87, voltaram para as nascentes do rio, deixando Barbárvore sozinho nos portões de Isengard) imediatamente obedeceram ao pedido que Gandalf fez ao se despedir de Barbárvore (DT, p. 850) de que as águas do Isen fossem derramadas de novo no Anel.

[7] No Primeiro Mapa, do Vau-do-Isen até Osgiliath são 8,6 cm, = 430 milhas, ou 143 léguas [*c.* 692 km].

[8] Ver VII. 527: "Se eu viver, voltarei, Senhora Éowyn, e então quiçá cavalgaremos juntos".

[9] Ver as palavras de Gandalf em *As Duas Torres*, p. 864: "Ai de Saruman! Foi sua derrota, como percebo agora"; e, em *O Retorno do Rei*, p. 1236: "Assim a vontade de Sauron penetrou em Minas Tirith".

[10] De fato, está escrito no verso de uma das páginas de rascunho inicial e contínuo do capítulo (p. 92), mas parece inteiramente desconectado dele.

[11] *Angost* foi uma substituição transitória de *Angrenost*: ver p. 61, nota 27.

[12] Uma das páginas também traz o rascunho do trecho em "A Voz de Saruman" em que Gandalf, vendo Pippin carregar a *palantír*, exclama "Aqui, meu rapaz, eu fico com isso! Não lhe pedi para mexer nisso". Ver p. 84.

[13] Menciono os seguintes exemplos de diferenças nos detalhes desta parte da história. Na conversa de Gandalf com Merry quando saíram de Isengard (DT, p. 852), depois de dizer que ainda não sondou qual a ligação entre Saruman e Sauron, e que "Rohan estará sempre em seu pensamento", ele usa novamente as palavras que se encontram no rascunho abandonado da abertura do capítulo (p. 87): "Não há ninguém nesta companhia, estai seguros, cujo nome e feitos não estejam marcados agora na mente de Sauron"; mas meu pai pôs isso entre parênteses com a nota à margem: "Não: o retorno de Gandalf está oculto". Na parada à noite sob Dolbaran (assim escrito, como no esboço da p. 92), Merry e Pippin não estavam muito longe de Gandalf; quando Pippin se levantou, "os dois guardas nos cavalos estavam de costas para o acampamento"; Pippin viu um brilho nos olhos de Gandalf, adormecidos "por baixo dos longos cílios escuros" (em DT, "longos cílios"); a *palantír* estava sob a mão esquerda do mago.

[14] Essa frase foi preservada na Primeira Edição de *As Duas Torres*.

[15] Assim como em DT, Gandalf supõe que a *palantír* de Barad-dûr era a Pedra-de-Ithil.

[16] *Mithond* só pode ter sido um deslize, muito embora tenha sido deixado sem correção. É curioso que, no manuscrito seguinte, feito em 1944 (pp. 98–9), a forma nesse trecho era *Mithrond*, corrigido para *Mithlond*.

[17] Em DT, "É isso que receio" diz respeito a outras frases inseridas depois de "com hobbits na aba do casaco": "Ou que um herdeiro de Elendil vive e estava junto a mim. Se Língua-de-Cobra não foi enganado pela armadura de Rohan, lembrar-se-á de Aragorn e do título que reivindicou". Mas essa inserção foi feita muito tempo depois (sobre a "armadura de Rohan" que Aragorn usava, ver DT, p. 767 e, neste livro, p. 362 e p. 376 com a nota 9).

[18] *Tor-dilluin* foi emendado para *Mindolluin*. A montanha foi apressadamente acrescentada ao Primeiro Mapa e não recebe nome, mas é cuidadosamente mostrada no mapa de 1943 (VII. 365). Compare a previsão de Gandalf de que chegarão a Minas Tirith ao pôr do sol com a p. 93 (Gandalf chega em Minas Tirith ao pôr do sol em 5 de fevereiro).

[19] Ver a carta de meu pai a Caroline Everett, 24 de junho de 1957 (*Cartas*, n. 199):

> Na verdade, fui atrasado por mais tempo — por circunstâncias externas assim como internas — no ponto agora representado pelas últimas palavras do Livro iii (alcançadas por volta de 1942 ou 3). Depois disso, o Capítulo 1 do Livro v permaneceu por muito tempo como uma mera abertura (até a chegada em Gondor); o Capítulo 2 [A Passagem da Companhia Cinzenta] não existia; e o Capítulo 3, Convocação de Rohan, não havia ido muito além da chegada ao Vale Harg. O Capítulo 1 do Livro iv [A Doma de Sméagol] quase não foi além das palavras de abertura de Sam (Vol II p. 209). Algumas

partes das aventuras de Frodo e Sam nos confins e dentro de Mordor haviam sido escritas (mas acabaram sendo abandonadas).

A última frase evidentemente se refere ao texto que chamei de "A História Prevista a partir de Lórien" (VII. 381 e seguintes).

De fato, há evidências muito claras de que meu pai se enganou ao recordar que os começos abandonados dos Capítulos 1 e 3 do Livro V eram da época a que chegamos agora (ou seja, o fim do Livro III); ver p. 277 e seguintes, nas quais a questão é discutida em detalhes.

[20] O texto diz *Mithrond* aqui, corrigido para *Mithlond*: ver nota 16.

Recolho aqui alguns detalhes adicionais do segundo manuscrito. *Palantirs* se tornou *Palantíri* no decorrer da escrita. Osgiliath é chamada de *Elostirion* (e *Elostirion* foi apressadamente substituído por *Osgiliath* no primeiro manuscrito, muito provavelmente nesse momento). Essa alteração foi introduzida em uma nota de 9 de fevereiro de 1942 (VII. 498), e aparece no esboço "A História Prevista a partir de Fangorn" (VII. 512). Portanto, *Osgiliath* no rascunho e no primeiro manuscrito de "A Palantír" foi uma reversão, e *Elostirion*, em 1944, foi outra. Finalmente, *Elostirion* foi depois corrigido para *Osgiliath* no manuscrito de 1944.

Por fim, houve muita hesitação sobre a fase da lua na noite do acampamento em Dol Baran. No rascunho original, não se diz nada além de "A lua brilhava" quando Pippin se levantou da cama. No primeiro manuscrito, "A lua se erguera ao longe, mas não era possível vê-la ainda; havia um brilho pálido no céu acima dos arbustos e da beirada oriental do vale"; compare isso com as notas antigas em p. 89, em que Gandalf olha na Pedra Vidente e diz "A lua já está visível em Osgiliath". Isso foi alterado para "A lua brilhava fria e branca, lá de cima para o vale, e as sombras dos arbustos eram negras"; mas, tanto no primeiro quanto no segundo manuscrito, meu pai foi de lá para cá entre as duas afirmações, até que, por fim, decidiu-se pela última, que permaneceu em DT (p. 855).

No primeiro manuscrito, ele observou na margem os seguintes horários (que mostram uma jornada bem mais rápida de Isengard do que no esboço da p. 92): "Pôr do sol por volta de 5h. Acampam por volta de 6h. Isso [ou seja, Pippin olhando na *palantír*] ocorreu por volta das 11h da noite. A lua se ergueu às 6h34 da noite". De acordo com o elaborado esquema temporal feito após a introdução de mudanças em outubro de 1944 (VII. 432), a Lua Nova tinha sido em 21 de janeiro; o Primeiro Quarto, em 29 de janeiro; e a Lua Cheia foi em 6 de fevereiro, três noites depois do acampamento sob Dol Baran.

PARTE DOIS

O ANEL VAI PARA O LESTE

1

A Doma de Sméagol

Na carta de junho de 1957 citada na nota 19 do capítulo anterior (p. 101), meu pai disse que, na época de sua longa interrupção na escrita de *O Senhor dos Anéis*, "O Capítulo 1 do Livro iv quase não foi além das palavras de abertura de Sam (Vol II p. 209)". Creio que o início de uma nova história de Sam e Frodo em Mordor,[1] deixada de lado por tanto tempo, pode ser identificado: consiste em uma breve abertura narrativa que logo se ramifica em uma forma esboçada ("**A**") e em uma porção de narrativa desenvolvida ("**B**") que vai até o fim das palavras de Sam (DT, p. 873) "um bocado de pão simples e um caneco — ora, meio caneco — de cerveja iriam descer bem". O rascunho original A dizia o seguinte:

"Bem, Patrão, este aqui é um lugar horrendo, sem nenhum engano", disse Sam para Frodo. Estavam vagando há dias nos planaltos áridos e duros de Sarn Gebir. Agora, por fim, no quinto entardecer desde sua fuga,[2] estavam postados na borda de um penhasco cinzento. Um vento gélido soprava do leste. Muito lá embaixo, a terra era verde aos pés do penhasco, e bem longe, a SO [*leia-se* SE], pendia um manto de nuvem cinzenta ou de sombra que ocultava uma visão mais remota.

"Viemos pelo caminho totalmente errado, ao que parece", prosseguiu Sam. "É lá que queremos chegar, ou melhor, não queremos, mas estamos tentando. E quanto mais rápido, melhor, já que precisamos fazer isso. Mas não podemos descer e, se descermos, tem todo esse pântano nojento. Fu! Consegue sentir o cheiro?". Farejou o vento: por mais frio que estivesse, parecia pesado com o fedor de fria deterioração e podridão.

"Estamos acima dos Pântanos Mortos que ficam entre o Anduin e o passo para Mordor", disse Frodo. "Viemos pelo caminho errado — [nós >] eu devia ter deixado a Comitiva muito antes e descido do Norte, a leste de Sarn Gebir e passando sobre a dura terra da Planície da Batalha. Mas levaria semanas para voltarmos a pé para o norte por cima dessas colinas. Não sei o que deve ser feito. Quanta comida temos?

Provisão para algumas semanas, com parcimônia.

Vamos dormir.

Suspeita de Gollum àquela noite. Vão para o norte.

No dia seguinte, pegadas na rocha. Frodo manda Sam à frente e se esconde atrás de uma rocha *usando o anel.*[3] Gollum aparece. Frodo, tomado de subido medo, foge, mas Gollum persegue. Eles chegam a um penhasco um tanto mais baixo e menos escarpado que o de trás. Apavorados com Gollum, começam a descer.

Aqui meu pai abandonou esse rascunho e (acredito) começou imediatamente uma nova abertura (B), cujo texto fica muito parecido com o de DT em quase todos os pontos (mas as colinas ainda se chamam *Sarn Gebir*, e a cronologia é "o [*riscado:* quarto ou] quinto entardecer desde que haviam fugido da Comitiva"). Esse manuscrito termina, não no pé da página, com o desejo de Sam por pão e cerveja; e estou certo de que se trata da abertura abandonada do capítulo mencionada por meu pai.[4] Parece que não há como dizer quando foi escrito em relação ao trabalho no Livro III.[5]

"Poucas páginas para muito suor", disse meu pai na carta de 5 de abril de 1944 (ver p. 99), na qual me contou sobre sua retomada das aventuras de Sam e Frodo; e, 45 anos depois, é possível sentir isso lendo essas páginas nas quais ele batalhava (com uma letra cada vez mais impossível de ler) para descobrir como exatamente Sam e Frodo conseguiram, no fim, descer das colinas entremeadas até as horríveis terras abaixo.

Quando ele retomou o capítulo em 1944, ele não reescreveu a abertura original (que sobrevive com pouca alteração em DT), mas, pegando uma folha em branco, começou: "O sol estava envolto em nuvens e a noite chegou depressa" (ver DT, p. 873). Esse texto, que chamarei de "**C**", logo se deteriora, tornando-se um garrancho terrível e, no fim, parte do texto é completamente ilegível.

O sol estava envolto em nuvens e a noite chegou depressa. Dormiram em turnos, da melhor maneira que puderam, em um recôncavo nas rochas, abrigados do vento leste.

"Viu eles de novo, Sr. Frodo?", perguntou Sam enquanto estavam sentados, rijos e enregelados, mascando pedaços de *lembas* no frio cinzento do começo da manhã.

"Sim, uma vez", respondeu Frodo. "Mas ouvi a fungada várias vezes, e chegou mais perto do que antes."

"Ah!", disse Sam. "Ficando mais atrevido, parece. Eu o ouvi também, mas não vi nenhum olho. Ele ainda está atrás de nós: não tem jeito de nos desvencilharmos. Maldito verme escorregadio. Gollum! Eu lhe daria *gollum* se conseguisse pôr as mãos no pescoço dele. Como se já não tivéssemos problema o bastante pela frente sem ele pendurado por trás."

"Se eu ousasse usar o Anel", murmurou Frodo, "quem sabe então eu conseguiria pegá-lo."

"Não faça isso, patrão!", exclamou Sam. "Não aqui em cima! Ele o veria — e não estou falando do Gollum. Sinto-me nu do lado leste, se é que me entende, entalado aqui no horizonte sem nada senão um grande charco entre nós e aquela sombra mais além".[6] Ele olhou rapidamente por cima do ombro em direção ao Leste. "Precisamos descer daqui", disse, "e hoje nós vamos descer de algum jeito."

Mas aquele dia também se estendeu para o fim e os encontrou ainda se arrastando pelo espinhaço. Muitas vezes ouviram os passos a segui-los e, no entanto, por mais rápido que se virassem, não conseguiam captar um vislumbre do perseguidor. Uma ou duas vezes ficaram esperando atrás de um pedregulho. Mas, depois de um instante de *flip-flap* dos passos, eles paravam e tudo ficava em silêncio: só o vento suspirando por cima das pedras parecia lhes recordar da respiração tênue através de dentes afiados.

Perto do anoitecer, Frodo e Sam foram obrigados a parar. Chegaram a um lugar onde havia, por fim, apenas duas opções: ou voltar, ou descer. Estavam no espinhaço oriental externo das Emyn Muil,[7] que descia íngreme à direita. Ela vinha descendo por muitas milhas na direção das terras alagadas adiante; aqui, depois de prosseguir para o norte, voltava subitamente a se empinar, muitas braças de um salto só, e prosseguia em um nível elevado bem acima da cabeça deles. Estavam no pé de um penhasco virado para SO, cortado como se por um golpe de faca. Não podiam ir mais longe por ali. Mas também estavam no alto de outro penhasco virado para o leste.

Frodo olhou pela beirada. "É mais fácil descer do que subir", disse ele.

"Sim, sempre dá para pular ou cair, mesmo se não puder voar", disse Sam.

"Mas olhe, Sam!", exclamou Frodo. "Ou o espinhaço afundou, ou as terras aos pés dele incharam — não estamos de jeito nenhum tão no alto como ontem: umas 30 braças,[8] não muito mais."

"E isso basta", disse Sam. "Ugh! Como detesto olhar para baixo das alturas, e isso nem é tão ruim quanto escalar."

"Mas aqui eu quase chego a achar que poderíamos descer", disse Frodo. "A rocha é diferente aqui." De fato, o penhasco não era mais escarpado, mas inclinava-se um tanto para trás, e a rocha era de tal tipo que grandes placas achatadas pareciam ter se separado e caído. Parecia mais como se estivessem sentados nos beirais de um grande telhado de finas telhas de pedra ou ladrilhos que haviam tombado, deixando as bordas irregulares para cima.

"Bem", disse Sam, levantando-se e apertando o cinto. "Que tal tentar? De toda forma, vai dar o que pensar para aquele salteadorzinho."

"Se formos tentar hoje, é melhor tentar de imediato", disse Frodo. "Está escurecendo cedo. Acho que está chegando uma tempestade."

O borrão esfumaçado das montanhas no Leste perdia-se em um negrume mais profundo que já estendia grandes braços na direção deles. Ouvia-se o murmúrio distante de trovão. "Não há abrigo nenhum lá embaixo", disse Frodo. "Mesmo assim, vamos lá!". Ele deu um passo na direção da borda.

"Não, Sr. Frodo, eu primeiro!", exclamou Sam.

"Por que tão ávido?", perguntou Frodo. "Quer me mostrar o caminho?"

"Eu não", disse Sam. "Mas é só bom senso. Quem é mais sujeito a escorregar vai embaixo. Não quero escorregar, mas não quero escorregar e descer por cima do senhor e derrubá-lo."

"Mas eu [? faria] a mesma coisa com você."

"Então vai cair em cima de alguma coisa macia", disse Sam colocando as pernas por cima da beirada e se virando para o paredão. Os dedos dos pés encontraram uma saliência e ele grunhiu. "Agora onde é que colocamos as mãos?", murmurou.

"Há uma saliência bem mais larga descendo umas duas vezes a sua altura", disse Frodo lá de cima, "se você conseguir escorregar até ela." "Se!", exclamou Sam. "E depois?" "Vamos, vou me emparelhar e tentar, e aí não precisamos brigar sobre quem vai ser primeiro ou segundo". Frodo escorregou rapidamente para baixo até ficar estendido contra o penhasco, uma ou duas jardas à direita de Sam. Mas não conseguia encontrar nenhum apoio para a mão entre o cimo do penhasco e a saliência estreita debaixo dos pés e, embora o paredão se inclinasse para frente,[9] ele não tinha nem a habilidade nem aptidão para descer até a saliência mais larga embaixo.

> A partir deste ponto, o texto vai ficando cada vez mais mal-acabado e difícil de ler: reproduzo uma folha do manuscrito na p. 111 (para o trecho dessa folha, da melhor maneira que consigo interpretá-la, ver p. 112).

"Hm!", grunhiu Sam. "Aqui estamos, lado a lado, como moscas num mata-moscas".

"Mas pelo menos ainda conseguimos voltar", disse Frodo. "Eu consigo, pelo menos. Há um apoio bem acima da minha cabeça."

"Então é melhor você voltar", disse Sam. "Não consigo fazer isso, e meus dedos dos pés já estão doendo demais."

Frodo se arrastou de volta com alguma dificuldade, mas viu que não conseguia ajudar Sam. Quando se inclinou tão para baixo quanto se atreveu, a mão estendida de Sam estava um pouco fora do alcance.

"Valha, estou numa enrascada", disse o pobre Sam, e sua voz começou a tremer. O céu oriental ficou negro como a noite. O trovão estalou mais perto.

"Segure firme, Sam", disse Frodo. "Só espere eu tirar o cinto". Ele o desceu com a fivela para baixo. "Consegue pegar?"

"Sim", disse Sam. "Um pouco mais baixo até eu conseguir pegar com as duas mãos."

"Mas agora não sobrou muito para eu segurar e, de toda forma, não consigo me inclinar para trás ou prender meu pé", disse Frodo. "Você vai acabar me puxando ou puxando o cinto das minhas mãos. Quem dera tivéssemos uma corda."

"Corda", disse Sam. "Eu bem mereço ficar pendurado aqui a noite toda, mereço sim. Você é um verdadeiro imbecil, Sam Gamgi: foi isso que o Feitor me falou muitas vezes, e era fala costumeira dele. Corda. Tem uma daquelas cordas cinzentas na minha mochila. Sabe, aquela que conseguimos com os barcos em Lórien. Ela me agradou e eu a guardei."

"Mas a mochila está nas suas costas", disse Frodo, "e não consigo alcançá-la, e você não consegue arremessá-la."

"É o que devia ser, mas não é", disse Sam. "Você está com a minha mochila", disse Sam.

[? "Como é?"] . . . . .

"Agora se apresse, Sr. Frodo, ou meus dedos do pé vão quebrar", disse Sam. "A corda é minha única chance". Não demorou muito para Frodo ajeitar a mochila e, de fato, ali no fundo estava um longo rolo de corda cinza sed[osa]. Em um instante, Sam [? fixou] uma das pontas em torno da cintura e ... agarrou ... acima da cabeça [? com].[10] Frodo voltou correndo da beirada e apoiou o pé em uma fissura. Meio puxado, meio bracejando, Sam subiu ofegando e arfando os poucos pés do penhasco que o haviam aturdido. Ele se sentou e massageou os dedos dos pés.

"Cabeça oca e Imbecil", repetiu ele. "Qual o comprimento da corda, eu me pergunto?". Frodo a enrolou [? em volta dos] cotovelos. "10, 20, 30, 40, 50, 60, 70, 80 varas-hobbit", disse ele. "Quem diria."

"Ah, quem diria?". Disse Sam. "Um tanto fina, mas parece bem resistente. Macia como leite na mão. 80 varas.[11] Ora, *um* de nós consegue descer, ao que parece, ou bem perto disso, se a sua estimativa não estiver muito errada."

"Isso não seria muito bom", disse Frodo. "Você lá embaixo e eu aqui em cima, ou o contrário. Não há nenhum lugar para prender uma ponta aqui em cima?"

"O quê?", disse Sam. "E deixar tudo ajeitado para aquele Gollum?!"

"Bem", disse Frodo após pensar um pouco. "Eu vou descer preso na corda, e você vai segurar a ponta aqui em cima. Mas só vou usar a corda como precaução. Vou ver se consigo encontrar um caminho em que consiga descer sem corda. Depois, vou subir com sua ajuda e aí você desce com a corda e eu sigo. Que tal?"

Sam coçou a cabeça. "Não gosto disso, Sr. Frodo", falou, "mas parece que é a única coisa a fazer. É uma pena que não pensamos nesse negócio de escalar rochas antes de partir. Vou ter de ficar lá embaixo [? olhando] e esperando para segurá-lo. Você tenha cuidado."

8

The rope lay [illegible]
[illegible]
caught him at unawares. He [illegible]
[illegible]

[illegible]

1170

Uma página do primeiro manuscrito de "A Doma de Sméagol"

Frodo foi até a borda outra vez. A algumas jardas da beirada, pensou ter visto um ponto melhor para descer. "Vou tentar aqui", disse. "Ache um apoio em algum lugar para o seu pé, Sam, mas não deixe a corda [? roçar] em alguma [borda ... ? afiada]. Ela pode ser de feitura élfica, mas eu não a forçaria demais". Ele passou por cima da beirada ... Havia uma saliência para os pés antes de ter descido toda a sua altura: ela inclinava-se suavemente para baixo e para a direita. "Não puxe a corda a menos que eu grite", disse ele, e desapareceu.

* A corda ficou frouxa por bastante tempo enquanto Sam a observava. De repente, esticou-se e quase o pegou desprevenido. Ele apoiou os pés e se perguntando [*leia-se* se perguntou] o que tinha acontecido e se o seu patrão agora estava balançando no ar na outra ponta da corda, mas não [*leia-se* nenhum] grito chegou, e a corda afrouxou-se novamente. Depois do que pareceu muito tempo, pensou ter ouvido um chamado fraco. Prestou atenção, veio outra vez, e com cautela ele engatinhou até a beirada recolhendo a parte solta conforme avançava. A escuridão se aproximava — e parecia sombrio lá embaixo; mas, com a capa cinzenta, Frodo, se é que estava ali, parecia quase invisível. Mas alguma coisa branca esvoaçou e o grito agora chegou mais claro. "Está tudo em ordem, não é muito difícil, só em um lugar. Estou no fundo. [? Tenho] 3 varas de corda sobrando. Lentamente [? para segurar] meu peso ... estou subindo e vou usar a corda."

Em cerca de 10 min ele reapareceu pela beirada e se atirou ao lado de Sam. "É isso", falou. "Vou ficar contente de descansar um pouco. Agora desça" — ele descreveu a rota de descida o melhor que pôde e instru[iu] Sam a avisar quando chegasse ao lugar ruim. "Eu escorreguei ali", falou, "e [? teria caído] se não fosse pela corda, um pouco depois da metade do caminho, uma bela descida [? do começo ao fim]. Mas acho que consigo ... você.[12] Vá soltando a corda devagar e alivie o peso em qualquer ressalto que encontrar. Boa sorte."

Com um semblante sombrio, Sam foi até a beirada, [? virou-se] e encontrou o primeiro ressalto. "Boa sorte", disse Frodo.

---

* Neste ponto começa o texto do manuscrito reproduzido na p. 111, e ele continua até o fim do segundo parágrafo.

... [? tempos em tempos] a corda afrouxava, quando Sam encontrava algum ressalto para descansar ..., mas na maior parte seu peso era contido pela corda. Passaram-se . . . . . minutos até Frodo ouvir seu chamado.

Primeiro ele baixou a mochila pela corda, e depois a soltou. Ficou sozinho no cimo. Naquele momento ouviu-se um grande estrondo seco de trovão acima, e o céu ficou escuro. A tempestade estava chegando às Emyn Muil a caminho de Rohan e do Forte--da-Trombeta, onde os cavaleiros estavam acuados.[13] Ele ouviu o grito de Sam lá embaixo, mas não conseguiu entender as palavras, nem ver as mãos de Sam apontando. Mas algo o fez olhar para trás. Ali, não muito longe, em uma rocha lá atrás e o contemplando de cima estava uma figura negra [? cujos cintila(ntes)] olhos, como lâmpadas distantes, estavam fixos nele. Um medo irracional o dominou por um momento — pois ali, afinal, estava Gollum, não inteiramente . . . ., e tinha Ferroada no cinto e mithril sob a jaqueta: mas não parou para pensar nessas coisas. Passou pela beirada, que no momento o aterrorizava menos, e começou a descer. A pressa parecia ajudá-lo, e tudo correu bem até ele chegar no lugar ruim.

Talvez meu pai estivesse bem perto desse ponto quando escreveu, na carta de 5 de abril de 1944 citada na p. 99, que "no momento, eles acabaram de encontrar Gollum em um precipício". Daqui até o fim do rascunho há tantos "lugares ruins", até mesmo quedas abruptas, que não tentarei representar o texto da maneira que está. Segue-se um relato da descida de Frodo: como ele escorregou outra vez e foi deslizando pela face da rocha, agarrando-se com os dedos até parar com um solavanco, quase perdendo o equilíbrio, em uma saliência larga — "e, depois disso, logo chegou no fundo". Veio então a grande tempestade com vento e trovão, e uma torrente de chuva açoitando; e, ao olharem para cima, "puderam ver dois pontinhos de luz na beira do penhasco, até que a cortina de chuva os borrou. 'Que bom que conseguiu', disse Sam. 'Meu coração quase saiu pela boca quando você escorregou. Você o viu? Achei que sim, quando começou a descer tão depressa.' 'Sim', disse Frodo. 'Mas acho que deixamos um enigmazinho para aqueles pés [? saltitantes] dele. Mas vamos olhar aqui em volta. Não há nenhum abrigo da tempestade?'".

Eles procuraram abrigo e encontraram algumas rochas caídas na base do penhasco, mas o chão estava encharcado; eles mesmos não estavam ensopados, ao que parece, por causa das capas-élficas (esse trecho está majoritariamente ilegível). A tempestade passou pelas Emyn Muil e as estrelas apareceram; "lá longe o sol tinha se posto atrás de Isengard". O rascunho termina com Sam dizendo: "Não serve de nada ir por esse caminho [isto é, na direção dos pântanos] no escuro e à noite. Mesmo nessa viagem já tivemos acampamentos melhores: mas, aqui, é melhor ficarmos".

É muito evidente que havia grande necessidade de um texto melhor: meu próprio pai teria dificuldade com esse, num momento em que a ideia exata por trás das palavras tinha se turvado. Portanto, ele recomeçou do início do capítulo, dando-lhe agora seu título e seu número (32), e o manuscrito completo ("**D**") que evoluiu desse recomeço foi o único que ele fez (ou seja, os textos subsequentes são datilografados). A abertura do capítulo (texto B), que remontava à época anterior à longa interrupção durante 1943–4 (p. 106), foi reescrita, e chegou efetivamente à forma de DT (mas, quando a história começa, ainda era "o quinto entardecer" desde que haviam fugido da Comitiva, e não o terceiro, como em DT: ver a Nota sobre a Cronologia no fim deste capítulo).

Quando meu pai chegou ao ponto em que o novo rascunho (C) retomava o conto ("O sol estava envolto em nuvens e a noite chegou depressa", p. 106), além de polir a forma de se expressar e deixá-la com menos jeito de *staccato*, ele a princípio não alterou nenhum elemento da história até o início da tentativa que fizeram de descer — a não ser introduzir o fato de que, no último dia nas Emyn Muil, Sam e Frodo haviam percorrido alguma distância afastando-se do precipício externo, talvez para explicar o motivo de não terem observado que o penhasco agora estava menos alto e não mais escarpado; mas ainda não estava presente o sulco, ou ravina, pelo qual em DT eles passaram rumo ao precipício ao verem que o caminho à frente estava bloqueado. Os abetos no sulco teriam uma função narrativa na versão final da história, em que "velhos tocos partidos [estavam] dispersos quase até a beira do penhasco" (DT, p. 875): pois Sam apoiou o pé em um desses tocos, e amarrou a corda nele (DT, pp. 879–80), em contraste com o texto C, p. 110 ("Não há nenhum lugar para prender uma ponta aqui em cima?"

[...] "Eu vou descer preso na corda, e você vai segurar a ponta aqui em cima").

Meu pai inicialmente manteve a história em C (p. 108) segundo a qual Frodo foi depois de Sam pela beirada e ambos ficaram juntos estendidos contra a face da rocha, até que Frodo escalou outra vez. Mas, conforme escrevia, ele alterou isso: antes que Frodo tivesse tempo de dizer qualquer coisa a Sam,

No momento seguinte, ele deu um grito agudo e deslizou para baixo. Parou com um solavanco em uma saliência mais larga, alguns pés mais abaixo. Felizmente, a face da rocha inclinava-se bem para frente e ele não se desequilibrou. Conseguia alcançar com os dedos a saliência da qual saiu.

"Bem, foi outro passo para baixo", falou. "E agora?"

"Não sei", disse Frodo, espiando por cima. "A luz está diminuindo muito. Você começou um pouco rápido demais, antes de termos dado uma boa olhada. Mas a saliência em que você está fica bem mais larga à direita. Se puder seguir pela beirada até ali, acho que vai haver bastante espaço para se inclinar, colocar as mãos para baixo e tentar descer para o ressalto seguinte."

Sam andou um pouquinho e depois parou, respirando forte. "Não, não consigo", ofegou. "Estou ficando zonzo. Não posso voltar? Meus dedos dos pés já estão doendo demais."

Frodo se inclinou por cima até onde se atreveu, mas não conseguiu ajudar. Os dedos de Sam estavam bem fora de alcance.

"O que fazer?", disse Sam, e sua voz estremeceu. "Estou aqui preso como uma mosca num mata-moscas, só que as moscas não podem cair e eu posso". O céu oriental estava ficando negro como a noite, e o trovão estalou mais perto.

"Segure firme, Sam!", exclamou Frodo. "Meio minuto, até eu tirar meu cinto."

Assim, tendo se livrado do incidente desnecessário em que Frodo desce até a primeira saliência com Sam e depois escala de novo, o novo texto segue o anterior (C) — o fracasso da tentativa com o cinto, a súbita lembrança de Sam de que tinha corda e ele falando para Frodo que um está com a mochila do outro — até "Ele se sentou bem longe da beirada e esfregou os pés" (p. 109; ele se sentiu "como se tivesse sido resgatado de águas profundas ou de uma mina insondável").

"Cabeça oca e Imbecil!", murmurou.

"Bem, agora que você está de volta", disse Frodo, rindo de alívio, "pode explicar esse negócio das mochilas."

"Fácil", disse Sam. "Nós nos levantamos no escuro hoje de manhã e você simplesmente pegou a minha. Eu percebi e ia falar, quando notei que a sua estava um tanto mais pesada que a minha. Calculei que você estava carregando mais do que a sua parte dos apetrechos e tudo o mais desde que saí com toda aquela pressa, então pensei em revezar. E pensei que quanto menos se fala, menos discussão há."

"Um descaramento bem-intencionado", disse Frodo; "de toda forma, foi recompensado pela boa intenção". Sentaram-se por um momento e a escuridão aumentou.

"Cabeça oca", disse Sam de repente, dando um tapa na testa. "Qual o comprimento da corda, eu me pergunto?"

Aqui meu pai abandonou essa história, talvez sentindo que tudo estava ficando complicado demais e, rejeitando essas páginas novas, mais uma vez ele retornou, mas não ao início do capítulo, e sim ao começo do rascunho C, isto é, ao ponto em que Frodo e Sam acordam na última manhã que passaram nas Emyn Muil (p. 107), e Frodo agora diz — respondendo à pergunta de Sam "Viu eles de novo, Sr. Frodo?" — "Não, não ouço nada já faz três noites". A partir desse ponto, a história final foi composta no manuscrito completo D. Algumas coisas foram escritas inicialmente em páginas independentes de rascunho,[14] mas uma parte do rascunho a lápis foi sobrescrita à tinta e incorporada ao manuscrito. Contudo, fica claro que a história final agora evoluiu de maneira confiante e clara e, como há pouquíssimas diferenças importantes a se observar na narrativa nessas porções de rascunho inicial que consegui ler, duvido que haja mais naquelas que não consegui.

Meu pai agora visualizou, por fim, como Sam e Frodo conseguiram descer das Emyn Muil, e a dúvida deles sobre deixar a corda pendurada no alto do penhasco para Gollum usar foi resolvida simplesmente ao não se introduzir essa questão nas ponderações deles até que ambos tivessem descido. Neste texto, o curso da tempestade foi descrito assim:

As beiradas da tempestade estavam se erguendo, esfarrapadas e úmidas, e a batalha principal passara — apressando-se com vento e trovão sobre as Emyn Muil, sobre o Anduin, sobre os campos de Rohan, continuando até o Forte-da-Trombeta, onde o Rei Théoden estava acuado naquela noite, e as Tindtorras agora erguiam-se escuras contra o último brilho lúrido.

Em um estágio posterior (ver a Nota sobre a Cronologia no fim deste capítulo), o seguinte veio a substituir:

As beiradas da tempestade estavam se erguendo, esfarrapadas e úmidas, e a batalha principal passara para estender suas grandes asas sobre as Emyn Muil, nas quais o pensamento sombrio de Sauron pairou por alguns momentos. Desviou-se dali, atingindo o vale do Anduin com granizo e raios, e continuou rolando lentamente pela noite, milha após milha, sobre Gondor e os campos de Rohan, até que, muito longe, os Cavaleiros na planície viram sua sombra negra movendo-se por trás do sol enquanto rumavam com guerra para o Oeste.

O tio de Sam, irmão mais velho do Feitor, dono da cordoaria "lá pro lado do Campo-da-Corda", aparece agora (ver VII. 280), mas ele é chamado inicialmente de Obadias Gamgi, e não Andy.

Os rascunhos iniciais não chegaram ao ponto em que Gollum desceu pelo penhasco, e pode ser que meu pai o previra há muito tempo. No manuscrito do esboço "A História Prevista a partir de Lórien", ele riscou as primeiras ideias do encontro de Frodo e Sam com Gollum e escreveu: "Lugar escarpado onde Frodo precisa escalar um precipício. Sam vai primeiro, de modo que, se Frodo cair, vai atingir Sam antes. Veem Gollum descendo ao luar *como uma mosca*" (ver VII. 386–7 e nota 15). Mas não há como saber quando ele escreveu isso, se foi quando começou a escrever "A Doma de Sméagol" pela primeira vez, ou quando retomou em abril de 1944.

Em rascunhos iniciais, a discussão entre Sam e Frodo depois da captura de Gollum, quando Frodo ouviu "uma voz vinda do passado", dizia o seguinte:

"Não", disse Frodo. "Precisamos matá-lo imediatamente, Sam, se é que vamos fazer alguma coisa. Mas não podemos fazer isso, não do jeito que as coisas estão. É contra as regras. Ele não nos fez mal."

"Mas ele pretende/pretendia, palavra!", disse Sam.

"Será?", indagou Frodo. "Mas isso é outro assunto". Então pareceu que ouvia uma voz vinda do passado dizendo-lhe: *Mesmo Gollum, imagino, pode ter sua utilidade antes que tudo esteja acabado.* "Sim, sim, pode ser", respondeu ele. "Mas, seja como for, não consigo tocar na criatura. Queria que pudesse ser curado. Ele é tão horrivelmente desgraçado."

Sam fitou o mestre, que parecia estar falando com alguém que não estava ali.

Nesse estágio da evolução do capítulo "História Antiga", no ponto da conversa com Gandalf em Bolsão que Frodo estava recordando, o texto da versão da "segunda fase" (em VI. 327–8) tinha sido pouco alterado. O texto preciso e "atualizado" (isto é, a "quarta fase") de "História Antiga" (ver VII. 37–8) dizia:

> "[...] Que pena que Bilbo não apunhalou essa vil criatura antes de ir embora!"
>
> "Quanta tolice você fala às vezes, Frodo!", disse Gandalf. "Pena! A pena o teria impedido, se ele tivesse pensado nisso. Mas não poderia matá-lo, de toda forma. Era contra as Regras. [...]"
>
> "Claro, claro! Que coisa para se dizer. Bilbo não poderia fazer nada do tipo, então. Mas estou apavorado. E não consigo sentir nenhuma pena de Gollum. Quer dizer que você e os Elfos o deixaram continuar vivo depois de todos esses feitos horríveis? Seja como for, agora ele é pior que um gobelim e apenas um inimigo."
>
> "Sim, ele merecia morrer", disse Gandalf. "e não creio que ele possa ser curado antes de morrer. Mas mesmo Gollum pode se provar útil para o bem antes do fim. Em qualquer caso, não o matamos: ele estava muito velho e muito desgraçado. Os Elfos-da-floresta o mantêm na prisão [...]"

Não é com frequência que se consegue determinar o momento exato em que meu pai voltou a um trecho muito anterior de *O Senhor dos Anéis* para alterá-lo, mas aqui é possível. Quando ele escreveu o trecho no manuscrito (D) de "A Doma de Sméagol", a recordação de Frodo da conversa que teve com Gandalf começava em um ponto anterior em relação ao rascunho citado acima:

> Então pareceu a Frodo que ouvia, muito claras, porém distantes, vozes vindas do passado.

> *Que pena que Bilbo* não apunhalou essa vil criatura antes de ir embora!
>
> *Pena! A pena o teria impedido. Ele não poderia matá-lo. Era contra as Regras.*
>
> *Não sinto nenhuma pena de Gollum. Ele merece a morte.*

Foi neste ponto que meu pai percebeu que Gandalf tinha dito um tanto a mais para Frodo e, em outra página de rascunho de "A Doma de Sméagol", ele escreveu:

> Merecia! Imagino que merecia/merece, disse Gandalf. Muitos que vivem merecem a morte. E alguns que morrem merecem a vida. Você pode dá-la a eles? Então não seja ávido por conferir a morte, mesmo em nome da justiça. Pois nem mesmo os muito sábios conseguem ver todos os fins. Não tenho muita esperança de que Gollum possa ser curado

Isso foi então (penso eu) inserido no manuscrito de "A Doma de Sméagol" em uma forma um pouco diferente:

> *Merece a morte! Imagino que merece. Muitos que vivem merecem a morte. E alguns que morrem merecem a vida. Você pode dá-la a eles? Então não seja ávido demais por conferir a morte em nome da justiça, temendo pela sua própria segurança. Nem mesmo os muito sábios conseguem ver todos os fins. Talvez o Inimigo o capture. Talvez não. Mesmo Gollum pode fazer algum bem, querendo ou não, antes do fim.*

Foi certamente nesse momento que meu pai alterou o trecho em "História Antiga". Omitindo as palavras "temendo pela sua própria segurança", ele juntou o novo trecho ao da p. 118: "[...] Nem mesmo os sábios conseguem ver todos os fins. Não tenho muita esperança de que Gollum possa ser curado antes de morrer. Mas mesmo Gollum pode se provar útil para o bem antes do fim". Os dois trechos — o de "A Sombra do Passado" (SA, pp. 114–5) e o de "A Doma de Sméagol" (DT, p. 887) — conservam diferenças em detalhes do palavreado, talvez não intencionalmente em todos os pontos.

Por fim, no trecho em que Gollum faz a promessa a Frodo, há uma diferença interessante entre o texto dessa época e o de DT.

Quando Gollum disse "Sméagol vai jurar sobre o precioso", havia o seguinte, tanto no rascunho inicial quanto no manuscrito:

> Frodo deu um passo para trás. "Sobre o precioso!", disse ele. "Ah, sim! E o que ele vai jurar?"
>
> "Ser muito, muito bom", disse Gollum. Então, engatinhando até os pés de Frodo [...]

Isso foi alterado imediatamente, outra vez tanto no rascunho quanto no manuscrito, para:

> Frodo deu um passo para trás. "Sobre o precioso?", perguntou ele, por um momento confuso: ele pensara que *precioso* era o eu de Gollum com quem falava. "Ah! Sobre o precioso!", exclamou, com a franqueza desconcertante que já espantara Sam [*rascunho:* que surpreendera e alarmara Sam, e mais ainda Gollum].
>
> "*Um Anel que a todos rege para na Escuridão atá-los.*
> Você empenharia suas promessas por isso, Sméagol? [...]" [etc., como em DT, p. 892].

Esse trecho não foi substituído pela forma final até muito tempo depois.[15]

NOTAS

1 Para as ideias mais antigas desta parte da narrativa, quando Sam atravessava o Anduin sozinho e rastreava Frodo junto com Gollum, ver o esboço "A História Prevista a partir de Lórien", VII. 385–6.

2 Ver a Nota sobre a Cronologia depois destas Notas.

3 Em "A História Prevista a partir de Lórien", VII. 386, Frodo colocou o Anel para escapar de Gollum.

4 Um argumento contra isso é que, na carta de 1957, meu pai deu a referência de página II. 209 [DT, p. 871], e esse texto se estende até II. 210 [DT, p. 873]. Mas há muitas maneiras de se explicar isso, e a evidência manuscrita parece ter maior peso.

5 Junto desses primeiros manuscritos de "A Doma de Sméagol" encontrava-se um retalho de papel com as seguintes notas a lápis, que podem muito bem ter sido escritas ao mesmo tempo (eu acrescentei os números)

(1) Relato dos Anéis no Cap. 2 ["História Antiga"] precisa de alguma alteração. Foram os *Elfos* que fizeram os anéis, que Sauron *roubou.* Ele só fez o Um Anel. Os *Três* nunca estiveram em sua posse e estavam imaculados.

(2) Tom poderia se livrado do Anel desde o começo [? sem mais] .... — se pedissem!

(3) A Comitiva deve levar *cordas* — ou de Valfenda, ou de Lórien.

(4) *Emyn Muil* = Sarn Gebir como um nó, ou cadeia de colinas rochosas. [*Sern Erain* >] *Sarn Aran* as Pedras Reis = os Portões de Sarn Gebir.

Compare (1) com VI. 499; VII. 301–02 e 306–08. É muito frustrante, mas, em (2), não fui capaz de formular nem mesmo uma suspeita acerca da palavra completamente ilegível. Parece muito provável que (3) surgiu enquanto meu pai refletia sobre a descida de Sarn Gebir (Emyn Muil). Sobre a ausência de menções, no SdA, ao fato de que Sam não tinha corda, e a ausência do trecho a respeito das cordas quando deixaram Lothlórien, ver VII. 201, 219, 331. Quanto a (4), na abertura há muito abandonada do capítulo, as colinas ainda se chamavam *Sarn Gebir*, mas, quando meu pai a retomou em 1944, elas se haviam tornado *Emyn Muil* (nota 7). Muitos nomes efêmeros para substituir *Sarn Gebir* encontram-se em notas em VII. 498. *Sern Aranath* substituiu *os Portões de Sarn Gebir* no manuscrito de "O Grande Rio" (VII. 423–24 e nota 21).

6 Essa frase, com pouca alteração, é atribuída a Frodo em DT (p. 873).

7 A primeira ocorrência do nome *Emyn Muil* assim escrito *ab initio*. Ver nota 5.

8 30 braças: 180 pés [*c.* 55 m].

9 *inclinasse para frente*: ou seja, descia verticalmente inclinando-se para fora, isso que meu pai, anteriormente nesse relato, chamou de "para trás": "De fato, o penhasco não era mais escarpado, mas inclinava-se um tanto para trás".

10 No texto que se seguiu, o trecho correspondente diz: "Ele lançou a ponta para Sam, que a fixou em torno da cintura, e agarrou a linha acima da cabeça com ambas as mãos". No presente texto, a frase parece ter sido deixada no ar, inacabada.

11 Esses números se alteraram muito. Inicialmente, como se nota pelo termo *varas-hobbit*, meu pai não tinha a "vara inglesa" em mente, de 45 polegadas [*c.* 114 cm], pois, de acordo com essa medida, 80 varas seriam 300 pés ou 50 braças, o que se aproximaria do dobro da altura do penhasco que Frodo calculara, e Sam achava que a corda de 80 varas seria "bem perto" da estimativa de Frodo de 30 braças ou 180 pés. Parece que meu pai inicialmente alterou "80" para "77" e, na margem, ele escreveu "2 pés" e "154". Depois, mudou "2 pés" para "2½ pés" e, por essa medida, 77 varas equivaleria a 192½ pés [*c.* 59 m]. Em algum momento, ele riscou *hobbit* em *varas-hobbit* e, finalmente, substituiu o comprimento da corda por 50 varas. Evidentemente tinha decidido que a medida de 1 vara = 45 polegadas, donde 50 varas equivaleria a 187½ pés [*c.* 57 m], só um pouco mais comprida do que a altura do penhasco na estimativa de Frodo. Esse comprimento de vara foi utilizado em DT, em que o penhasco tinha cerca de 18 braças [*c.* 33 m] e a corda, cerca de 30 varas [*c.* 35 m]; tomando esses números como exatos, haveria 4½ pés de corda [*c.* 1,4 m] sobrando (em DT, p. 881, "ainda havia um bom pedaço nas mãos de Frodo quando Sam chegou ao fundo").

[12] Presumo que o sentido seja "Acho que consigo segurar você", mas a palavra escrita certamente não é *segurar*.

[13] Ver a Nota sobre a Cronologia adiante.

[14] Meu pai agora introduziu um outro obstáculo para o investigador ao usar o mesmo pedaço de papel para escrever, um em cima do outro, rascunhos de porções completamente diferentes da narrativa.

[15] Nesses textos, a palavra *precioso*, referindo-se ao Anel, não está em maiúscula, mas a inicial maiúscula foi introduzida em textos datilografados subsequentes, antes de o trecho ser alterado para a forma final.

Nota sobre a Cronologia

Neste capítulo, a narrativa se abre *no quinto entardecer* desde que Frodo e Sam fugiram da Comitiva. Eles também passaram aquela noite nas Emyn Muil, e foi no ocaso do dia seguinte (portanto, o "sexto entardecer") que eles empreenderam a descida. Como a data do Rompimento da Sociedade e da fuga de Frodo e Sam era 26 de janeiro (para a cronologia nesse período, ver pp. 13–4, e VII. 431, 475–6), isso deve significar que o capítulo começa no entardecer do dia 30, e que eles desceram das colinas no entardecer do dia 31. Por outro lado, conta-se (p. 117) que a grande tempestade estava se apressando "com vento e trovão sobre as Emyn Muil, sobre o Anduin, sobre os campos de Rohan, continuando até o Forte-da-Trombeta, onde o Rei Théoden estava acuado naquela noite". Mas a Batalha do Forte-da-Trombeta se deu na noite de 1 de fevereiro (pp. 15–7).

Dois breves esquemas temporais, que chamarei de Esquema "A" e Esquema "B", têm relevância para a questão da cronologia das andanças de Frodo nas Emyn Muil em relação aos eventos nas terras a oeste do Anduin. O Esquema "B", que começa neste ponto, é perfeitamente explícito:

Quinta-feira, 26 de jan. até quarta-feira, 1 de fev. Frodo e Sam nas Emyn Muil (Sarn Gebir).

Noite 1–2 de fev. Frodo e Sam encontram Gollum. (A tempestade que chegou no Abismo de Helm por volta da meia-noite em 1–2 de fev., passou sobre Emyn Muil mais cedo de noite.)

O Esquema "A", que também começa aqui, diz:

31 de jan. Noite fria

1 de fev. Descida, ocaso (5h30). Encontram Gollum por volta de 10h da noite. Andam pela ravina até o raiar do dia.

De acordo com eles, o capítulo se iniciaria no *sexto* entardecer desde a fuga de Frodo e Sam, e não no quinto.

Desde que o volume VII, *A Traição de Isengard*, foi completado, encontrei duas páginas manuscritas que são, muito claramente, notas sobre alterações cronológicas necessárias que meu pai fez em outubro de 1944, uns quatro meses e meio depois de chegar ao fim de *As Duas Torres* (ver VII. 476–77). Em 12 de outubro (*Cartas*, n. 84), ele me escreveu que tinha descoberto "um erro embaraçoso (um ou dois dias) na sincronização", que exigiria "pequenas alterações cansativas em muitos capítulos"; e, em 16 de outubro (*Cartas*, n. 85), escreveu que tinha solucionado o problema inserindo "um dia extra de Entencontro, dias extras na perseguição de Troteiro e na jornada de Frodo [...]".

Essas notas se referem, capítulo a capítulo, às alterações que teriam de ser feitas (mas não a todas). Algumas já foram vistas: as complexas alterações em "Os Cavaleiros de Rohan" em VII. 475–76; o dia extra no Entencontro em VII. 492; e as alterações em "O Cavaleiro Branco" em VII. 500. Nada mais precisa ser dito sobre essas. Contudo, em uma nota a "A Doma de Sméagol", levanta-se a questão da tempestade; e aqui meu pai anotou que a referência feita a Théoden e ao Forte-da-Trombeta deveria ser cortada, porque "não vai encaixar". Ele observou que a tempestade sobre as Emyn Muil foi por volta das cinco da tarde de 31 de janeiro, enquanto o trovão na Batalha do Forte-da-Trombeta foi por volta da meia-noite de 1 de fevereiro, e que 31 horas para avançar umas 350 milhas [*c.* 563 km] era devagar demais; mas nenhuma solução foi proposta.

Fiz menção (VII. 431) a um elaborado esquema temporal feito depois que as alterações de outubro de 1944 tinham sido introduzidas. Como essa era uma importante cronologia para o trabalho na escrita, ela está em alguns lugares terrivelmente difícil de interpretar devido a alterações posteriores e escritos à tinta por cima do lápis original. Está disposta em colunas, descrevendo de modo "sinóptico", e bastante completo, os movimentos de todos os principais atores na história em cada dia. Começa no quinto dia de viagem descendo o Anduin e termina no início da subida do passo de Kirith Ungol; e eu diria que pertence à época do trabalho na cronologia feito em outubro de 1944, e não a algum momento posterior. Nesse esquema, que chamarei de "S", meu pai depois escreveu "Old Timatal stuff" [coisas da Velha Cronografia] (islandês *tímatál* "cronologia").

No esquema S, a morte de Boromir e o Rompimento da Sociedade foram colocados um dia antes, na quarta-feira, 25 de janeiro.

> *25 de jan.* Comitiva se rompe. Morte de Boromir. ... Frodo e Sam atravessam o rio no rumo leste e adentram o L. das Emyn Muil.
> *26 de jan.* Frodo e Sam vagando nas Emyn Muil (1º entardecer desde a fuga).
> *27 de jan.* Nas Emyn Muil (2º entardecer).
> *28 de jan.* Nas Emyn Muil (3º entardecer).
> *29 de jan.* Nas Emyn Muil (4º entardecer).
> *30 de jan.* Na beirada das Emyn Muil. Passam uma noite fria sob uma rocha (5º entardecer).
> *31 de jan.* Descida das Emyn Muil no cair da noite. Encontram Gollum por volta de 10h da noite.
> Jornada pela ravina (31 de jan./1 de fev.).

Aqui, portanto, a abertura da história em "A Doma de Sméagol" se deu no entardecer de 30 de janeiro, e essa era explicitamente a sexta noite desde a fuga; mas, por alguma razão, meu pai não estava contando o primeiro entardecer nas Emyn Muil (25 de jan.) e, portanto, afirmou que o quinto entardecer foi o de 30 de jan. Talvez essa mesma contagem explique a discrepância entre o Esquema B e o texto do capítulo (p. 122). E, de todo modo, pode muito bem ser que os registros dessas manobras complicadas sejam insuficientes, ou que haja pistas que não consegui perceber.

No esquema B, assim como no manuscrito completo do capítulo (p. 117), fica explícito que a tempestade sobre as Emyn Muil chegou ao Forte-da-Trombeta mais tarde naquela mesma noite; movia-se depressa ("apressando-se com vento e trovão"). No Esquema S, contudo, não é assim; pois (assim como na nota de outubro de 1944 mencionada acima) a descida de Frodo e Sam das Emyn Muil foi no cair da noite de 31 de jan., mas a Batalha do Forte-da-Trombeta começou na noite de 1 de fev. O Esquema S, da maneira que foi escrito, não mencionava a grande tempestade, mas meu pai acrescentou ao lado de 31 de jan. "Trovão no cair da noite" e, subsequentemente, "Ele se arrasta para o oeste", com um traço aparentemente direcionando para 1 de fev. A tempestade sobre Rohan, lentamente alcançando os Cavaleiros conforme cavalgavam para oeste através das planícies no segundo dia saindo de Edoras (início do capítulo "O Abismo de Helm") e desabando sobre o Forte-da-Trombeta no meio da noite, já estava presente quando meu pai escreveu "A Doma de Sméagol". A tempestade sobre as Emyn Muil movendo-se para oeste, se não foi mesmo criada com este propósito, obviamente tinha o efeito desejável de unir os enredos agora separados, a leste e a oeste do Anduin. O trecho revisado acerca da tempestade em "A Doma de Sméagol" (p. 117) tinha a clara intenção de acomodar mais um dia no avanço da tempestade, e implica que Frodo e Sam desceram das colinas no dia *anterior* à Batalha do Forte-da-Trombeta, assim como em S; e isso resolve o problema de tempo e distância posto na nota de outubro de 1944 ao se afirmar que a grande tempestade não "se apressou", mas "continuou rolando lentamente pela noite".

Mas, no *Conto dos Anos*, a datação relativa é completamente diferente:

Esquema S

Frodo entra nas Emyn Muil	(25 de jan.)	*Dia 1*
Nas Emyn Muil	(26 de jan.)	*Dia 2*
Nas Emyn Muil	(27 de jan.)	*Dia 3*
Nas Emyn Muil	(28 de jan.)	*Dia 4*
Nas Emyn Muil	(29 de jan.)	*Dia 5*
Nas Emyn Muil	(30 de jan.)	*Dia 6*
Descida das Emyn Muil	(31 de jan.)	*Dia 7*
Batalha do Forte-da-Trombeta	(1 de fev.)	*Dia 8*

O Conto dos Anos

Frodo entra nas Emyn Muil	(26 de fev.)	*Dia 1*
Nas Emyn Muil	(27 de fev.)	*Dia 2*
Nas Emyn Muil	(28 de fev.)	*Dia 3*
Descida das Emyn Muil	(29 de fev.)	Dia 4
	(30 de fev.)	Dia 5
	(1 de mar.)	Dia 6
	(2 de mar.)	*Dia 7*
Batalha do Forte-da-Trombeta	(3 de mar.)	*Dia 8*

Portanto, na cronologia final, a Batalha do Forte-da-Trombeta aconteceu *quatro noites depois* de Frodo e Sam descerem e encontrarem Gollum. No entanto, a descrição revisada do avanço da tempestade para oeste em "A Doma de Sméagol" (p. 117) sobreviveu até as provas de *O Senhor dos Anéis*. Nessa prova, meu pai observou ao lado do trecho: "Cronologia incorreta. A tempestade de Frodo aconteceu 3 dias antes da cavalgada de Théoden" (ou seja, 29 de fevereiro e 2 de março, o dia em que Théoden saiu de Edoras). O trecho que está em DT (p. 880) foi uma substituição feita de última hora: dá à grande tempestade uma trajetória mais amplamente curvada e talvez reforce o seu poder e magnitude conforme passava lentamente sobre as Ered Nimrais.

2

A Travessia dos Pântanos

A composição deste capítulo pode mais uma vez ser datada com precisão por meio das cartas que meu pai me escreveu enquanto eu estava na África do Sul em 1944. No dia 13 de abril (*Cartas*, n. 60), ele disse que, no dia anterior, tinha lido seu "capítulo recente" ("A Doma de Sméagol") para C.S. Lewis e Charles Williams, e que havia começado outro. Em 18 de abril (*Cartas*, n. 61), ele escreveu: "Espero encontrar C.S.L. e Charles W. amanhã de manhã e ler meu próximo capítulo — sobre a passagem dos Pântanos Mortos e a aproximação dos Portões de Mordor, que agora praticamente terminei."[1] E, no dia 23 de abril (*Cartas*, n. 62), escreveu: "Li meu segundo capítulo, A Passagem dos Pântanos Mortos, para Lewis e Williams na manhã de qua. [19 de abril]. Ele foi aprovado. Quase terminei um terceiro agora: Os Portões da Terra da Sombra. Mas essa história me absorve, e já levei três capítulos no que era para ser apenas um!". De fato, o manuscrito completo de "A Travessia dos Pântanos" foi inicialmente intitulado "Kirith Ungol" (que ainda era o nome do passo principal para dentro de Mordor) — pois ele começou o manuscrito antes de ter finalizado o rascunho inicial do capítulo.

Na verdade, ideias essenciais para essa parte da narrativa haviam surgido muito tempo antes, no esboço "A História Prevista a partir de Lórien" (VII. 387–88) — quando estimava que o capítulo seria o de número 25, oito a menos do que acabou sendo. Naquele rascunho, ele escreveu:

> Gollum implora por perdão, e promete ajudar e, sem ter ao que recorrer, Frodo aceita. Gollum diz que os levará pelos Pântanos Mortos até Kirith Ungol. (Rindo para si mesmo ao pensar que era bem por esse caminho que desejava que eles fossem). [...]
>
> Dormem em pares, para que um esteja sempre acordado com Gollum.

Gollum o tempo todo está tramando como trair Frodo. Ele os conduz habilmente pelos Pântanos Mortos. Há rostos mortos esverdeados nas lagoas estagnadas; e os juncos ressecados sibilam como cobras. Conforme prosseguem, Frodo sente a força do olho buscando.

À noite, Sam fica de vigia, apenas fingindo estar adormecido. Ele ouve Gollum murmurando para si mesmo palavras de ódio a Frodo e de cobiça pelo Anel.

Os três companheiros agora se aproximam de Kirith Ungol, a pavorosa ravina que leva para dentro de Gorgoroth. Kirith Ungol significa Vale da Aranha: ali habitavam grandes aranhas [...]

Uma única página de notas mostra os pensamentos de meu pai à medida que, por fim, ele se pôs a escrever essa história. Essas notas não foram escritas na forma de um esboço contínuo, e nem todas foram escritas ao mesmo tempo, mas coloco-as na sequência que estão na página.

Problema da comida. Gollum se engasga com *lembas* (mas faz bem a ele?). Vai embora e volta com dedos [? e rosto] sujos. Uma hora ele o ouviu mastigando no escuro.

Capítulo seguinte

Gollum desce com eles pelo sulco onde corre água e então vira para o leste. O caminho leva a um ponto firme no meio dos Pântanos. Passam sobre os Pântanos Mortos. Rostos mortos. Em algumas lagoas, se olhasse veria seu próprio rosto todo esverdeado, e morto, e decomposto. Para Kirith Ungol.

Mudança em Gollum conforme se aproximam

Gollum dorme bem despreocupado — quieto, de início; mas, conforme se aproximam de Mordor, parece ter pesadelos. Sam o escuta quando começa ter colóquio consigo mesmo. É como se fosse um Smeagol bom com raiva de um Gollum mau. O segundo [? cresce] — se enche de ódio pelo Portador-do-Anel, ansiando ser ele mesmo Mestre-do-Anel.

Deitados [? numa] rocha perto dos portões, veem grande movimento de entra e sai. Explicação do porquê haviam escapado do movimento da guerra.

Ficam deitados o dia todo em leitos de junco

Sensação de peso. O Anel fica cada vez mais pesado no pescoço de Frodo conforme Mordor se aproxima. Ele sente o Olho.

Outra página, escrita antes de "A Travessia dos Pântanos" ter avançado muito, esboça a história da seguinte maneira:

Chegam a um ponto em que o sulco adentra os pântanos. Breve descrição deles (leva cerca de 3 a 4 dias para atravessarem). Lagoas onde há rostos, alguns horríveis, alguns belos — mas todos corrompidos. Segundo Gollum, conta-se que são memórias (?) daqueles que tombaram em eras passadas, na Batalha diante de Ennyn Dûr, os Portões de Mordor na Grande Batalha. Sob a lua, se olhar em algumas lagoas, verá seu próprio rosto imundo, e corrompido, e morto. Descrever as lagoas conforme se aproximam de Mordor como lagoas verdes e rios conspurcados por produtos químicos modernos.

Deitam-se nos sopés das colinas e veem homens e orques armados passando para dentro. Logo somem. Sauron está reunindo sua força e escondendo-a em Mordor em preparação. (Homens tisnados e homens selvagens com longos cabelos trançados vindo do Leste; Orques do Olho etc.).

No Chifre dos Portões do lado oposto (Leste) há uma torre branca e alta. Minas Ithil, agora Minas Morghul, que guarda o passo. Foi originalmente construída pelos homens de Gondor para impedir que Sauron saísse e era guarnecida pelos guardas de Minas Ithil,[2] mas logo caiu nas mãos dele. Agora impedia que qualquer um entrasse. Era guarnecida por orques e espíritos malignos. Fora chamada de [Neleg Thilim >] Neleglos [o Cintilante >] o Dente Branco.[3]

Esse trecho final é acompanhado de um pequeno croqui, reproduzido na p. 132 (n. I). Até agora, o passo — a principal entrada para Mordor — era chamado de *Kirith Ungol* (ver a citação de "A História Prevista a partir de Lórien" na p. 127). Ao visualizar a história adiante, conforme rascunhava "A Travessia dos Pântanos", meu pai viu que esse não era o caso: Kirith Ungol era um caminho diferente pelas montanhas — e (claramente) esse é o caminho que Sam e Frodo tomariam. Ao mesmo tempo, ele estava propondo alterar o lugar que há muito havia concebido para Minas Morgul, que é como aparece no Primeiro Mapa (ver Mapa III, VII. 364).[4] Ali, o Passo de Kirith Ungol era guardado por duas torres, uma de cada lado (ver VII. 409, nota 41), e Minas Morgul ficava a oeste, do outro lado das montanhas (ou seja, no lado ocidental da extremidade setentrional das Dúath, as Montanhas de Sombra); enquanto agora Minas Morgul seria a torre que guardava o passo.[5] Um croqui praticamente idêntico a esse, com lápis desbotado, encontra-se em uma página de rascunho de "O Portão Negro está Fechado". Contudo, claramente não é contemporâneo desse capítulo (o texto posterior está escrito através dele), e sim do presente trecho; e, acompanhando essa versão a lápis do croqui, há a seguinte nota:

> Seria melhor para a história posterior que Minas Ithil (Morghul) ficasse, na verdade, junto aos Portões de Mordor no lado Leste.

A cena é, portanto, retratada a partir do Norte.

Em uma página que também foi usada para rascunhar "A Travessia dos Pântanos", há outro croqui da torre e do passo (também reproduzido na p. 132, n. II), muito parecido, exceto em um aspecto importante: enquanto no Croqui I a fenda de Kirith Ungol está localizada imediatamente abaixo de Minas Morgul (que, portanto, fica em uma crista alta, ou "chifre", *entre* a "fenda" e o "passo"), no Croqui II, Kirith Ungol, em relação à torre, está do outro lado do passo. A cena é outra vez retratada a partir do Norte, pois o texto que acompanha diz: "Kirith Ungol *não* é a entrada principal, mas uma fenda estreita a [S(ul) >] Oeste". Tenho quase certeza de que o Croqui II representa um estágio posterior no desenvolvimento dessa ideia, e não a primeira aparição dela.

A maior parte de "A Travessia dos Pântanos" sobrevive em rascunho preliminar (na maior parte em uma letra excruciantemente difícil). Nesse capítulo, meu pai não empregou seu método de escrever o texto a lápis e depois fazer uma versão mais finalizada à tinta, por cima. A narrativa no rascunho não é perfeitamente contínua, e fica claro que (como era comum) ele construiu o manuscrito completo — o único que foi feito para este capítulo — em estágios. O rascunho inicial é extremamente mal-acabado na maior parte, escrito com grande velocidade e, em alguns lugares, o manuscrito completo (ainda que perfeitamente legível — foi a partir dele que meu pai fez a leitura do capítulo para Lewis e Williams em 19 de abril) é, na realidade, a composição primária, constantemente corrigida e alterada durante a escrita. Ainda assim, a história da travessia dos Pântanos Mortos conforme aparece em *As Duas Torres* parece ter sido alcançada, em quase todas as frases (exceto por alterações substanciais feitas muito tempo depois), naquela semana de abril de 1944.

Somente em um aspecto o rascunho inicial diferia significativamente da história conforme ela aparece no manuscrito. Essa diferença era primariamente em relação à estrutura narrativa, mas incluo a maior parte do trecho em questão como exemplo. Ele começa nas palavras de Gollum "Cobras, vermes nas poças. Montes de coisas nas poças. Nenhum pássaro" (DT, p. 903).

Assim passou o terceiro dia da jornada com Gollum.[6]

Prosseguiram a noite toda com breves paradas. Agora estava realmente perigoso, pelo menos para os hobbits. Prosseguiam lentamente, mantendo-se rigorosamente em fila e seguindo atentamente cada movimento de Gollum. As lagoas ficaram maiores e mais agourentas, e os lugares onde os pés podiam pisar sem afundar em lodaçais [? gélidos] e gorgolejantes, cada vez mais difíceis de encontrar. Não havia mais juncos e capins.

Mais tarde, depois da meia-noite, veio uma mudança. Uma brisa leve se ergueu e tornou-se um vento frio: vinha do Norte e, embora tivesse um odor acre, parecia-lhes agradável, pois tinha, por fim, um quê de ar puro e afastou as névoas fétidas para bancos com canais escuros no meio. O céu nublado se rasgou e esfarrapou, e a lua quase cheia galgou em meio aos [? destroços]. Gollum agachou-se e murmurou, mas os hobbits olharam para cima esperançosos. Uma grande sombra veio de Mordor como um pássaro imenso, passou pela frente da lua e foi-se rumo ao oeste. Sobreveio-lhes uma sensação exatamente igual à que tiveram no . . . . . atiraram-se no lodo. Mas a sombra passou rapidamente. Gollum ficou deitado como se atordoado e eles tiveram que levantá-lo. Não parava de dizer Espectros espectros [? sob] o lua. O precioso o precioso é o mestre deles. Eles veem tudo em todo lugar. Ele vê. Depois disso, [? até mesmo] Frodo sentiu outra vez uma mudança em Gollum. Estava [? ainda] mais bajulador [e] amistoso, mas falava cada vez mais no [seu] modo antigo. Tinham muita dificuldade em fazê-lo andar enquanto a lua

guards the pass. It was originally built by the
Men of Gondor to prevent Sauron breaking out, but
[illegible] [illegible] of the
guards of [illegible] [illegible]

Kirith Ungol

Gorgor Dûr

a full screen with the [illegible]. It was prevented any coming
in. It was manned by orcs and evil spirits. It was
then called [illegible] [illegible] [illegible] [illegible].

I

Kirith Ungol is not the main entrance
but a narrow cleft to South.

Minas Morghul

K.U

Morder Gates

They lie up in foothills and see armed men and orcs
passing in. Soon all is clear. Sauron is
gathering his power or hiding it in Mordor in readiness.
(Dwarf men, and wild men with long beards [illegible] out of
East; Orcs of [illegible]. etc.)

II

Dois croquis antigos de Kirith Ungol

O último trecho foi então reescrito ("Depois disso, Sam pensou outra vez sentir uma mudança em Gollum" [...]) e o rascunho continua com uma descrição do cansaço e morosidade de Frodo, e do peso do Anel, uma descrição que se aproxima do texto em DT (p. 908). Depois continua:

Ele agora realmente o sentia como um peso: e estava tomando consciência do Olho: era isso, tanto quanto o peso, que o fazia agachar-se e inclinar-se enquanto andava. Sentia-se como alguém escondido em uma sala (? jardim) quando seu inimigo mortal entra: sabendo que está ali, embora ainda não consiga vê-lo, o inimigo fica a espreitar todos os cantos com seu olhar mortífero. Qualquer movimento é repleto de perigo.[7] Gollum provavelmente sentia algo da mesma espécie. Depois da passagem da sombra do Nazgûl que voou para Isengard, foi difícil fazê-lo se movimentar caso houvesse luz. Enquanto durasse a lua, ele só se arrastava com as mãos, agachando-se e queixando-se. Não tinha tanta serventia como guia, e Sam passou a tentar encontrar uma trilha por si só. Ao fazê-lo, tropeçou para frente e caiu com as mãos em um lodaçal pegajoso, com o rosto inclinado sobre uma lagoa escura que parecia algum tipo de janela envidraçada, mas imunda, sob o luar. Ao arrancar as mãos do charco, saltou para trás com um grito. Tem rostos mortos ..... rostos mortos na lagoa, gritou ele, rostos mortos!

Gollum riu. Os Pântanos Mortos, sim, ssim. Esse é o nome deles. Não devia olhar quando o Olho Branco está lá em cima.[8] O que são eles, quem são eles, perguntou Sam, estremecendo e virando-se para Frodo, que chegou atrás dele. Não sei, disse Frodo. Não, não faça isso, patrão, disse Sam, são horríveis. Ainda assim, Frodo rastejou com cautela até a beirada e olhou. Viu rostos pálidos — pareciam estar fundos sob a água: uns sisudos, uns medonhos, uns nobres e belos: mas todos horríveis, corrompidos, doentios, podres .... Frodo rastejou de volta e escondeu os olhos. Não sei quem são, mas pensei que vi Homens e Elfos e Orques, todos mortos e podres. Os Pântanos Mortos. Homens e Elfos e Orques. Teve uma grande Batalha aqui muito, muito tempo atrás, precioso, sim, quando Smeagol era jovem e feliz muito tempo atrás:[9] antes do precioso chegar, sim, sim. Lutaram na planície ali adiante. Os Pântanos Mortos cresceram.

Mas eles estão ali de verdade? Smeagol não sabe, disse Gollum. Não dá para alcançar eles. Eu nós tentamos uma vez, sim, tentamos, precioso: mas não dá para tocar eles. Só formas para ver, talvez, não para tocar, não, precioso! Sam lançou-lhe um olhar sombrio e estremeceu, pensando que imaginava por que Smeagol tentara alcançá-los.

A lua agora estava afundando no oeste em nuvens que estavam lá em cima da distante Rohan além do Anduin. Prosseguiram e Gollum outra vez tomou a dianteira, por [*leia-se* mas] Sam e Frodo descobriram que ele [*leia-se* eles] não conseguiam evitar que seus olhos [? fascinados] se desviassem sempre que passavam por alguma lagoa de água negra. Se o faziam, capturavam vislumbres dos pálidos rostos mortos. Por fim, chegaram a um lugar onde Gollum parou, uma lagoa ampla . . . . . barrou o caminho deles.

As lagoas iluminadas por *fogo-fátuo* revelam rostos mortos. A lua mostra seus próprios rostos.[10]

. . . . A lua saiu de trás da sua nuvem. Eles olharam. Mas não viram rostos do passado desaparecido. Viram *seus próprios rostos*. . . . . . Sam, Gollum e Frodo olhando de volta com olhos mortos e carne lívida e podre.

Vamos embora deste lugar repugnante!

Ainda tem um caminho longo, disse Gollum. Precisamos chegar a algum lugar para deitar antes do dia.

Essa seção do rascunho vai acabando aqui. No manuscrito, o texto fica igual ao de DT em praticamente todos os pontos: a sequência da história foi reconstruída, de modo que a mudança no tempo e o sobrevoo do Nazgûl vem depois de atravessarem as lagoas com os rostos mortos; e não há nenhum outro indício da ideia (que remonta às notas preliminares, p. 128) de que rosto do próprio observador era espelhado como se estivesse morto quando o luar brilhava nas lagoas.

É notável que, no rascunho, conta-se que o Nazgûl estava voando para Isengard. Isso não é afirmado no manuscrito conforme inicialmente feito: "[...] um vasto vulto alado e agourento: roçou pela frente da lua e com um grito mortal foi-se rumo ao oeste, ultrapassando o vento em sua pressa cruel. [...] Mas a sombra passou rapidamente, e atrás dela o vento passou rugindo, deixando os Pântanos Mortos vazios e áridos". Contudo, depois da última frase meu pai acrescentou, provavelmente não muito tempo depois: "O Nazgûl se foi voando para Isengard com a velocidade da ira de Sauron". A reelaboração do trecho, de modo que o Nazgûl retorna e, voando baixo por cima deles, volta para Mordor, foi feita posteriormente (ver a Nota sobre a Cronologia no fim deste capítulo); mas as palavras em DT (p. 907) "com um grito mortal *foi-se rumo ao oeste*" são, na verdade, um vestígio da ideia original.

Entre as várias outras diferenças e desenvolvimentos, as seguintes parecem ser as mais dignas de nota.

No rascunho original, e inicialmente no manuscrito, a "cantoria" de Gollum (DT, pp. 894–5) era completamente diferente depois do primeiro verso:

O frio, duro chão
Pro pé e pra mão
não é gentil.
Lá o vento chia,
Na pedra fria;
nada se viu.

O que nós quer
É água qualquer
lá da lagoa.
Ah como agrada
Uma pescada
bem doce e boa![A]

Não havia referência a "Bolseiro" e à adivinha do peixe.

A história de que eles haviam dormido o dia todo depois de terem saído das Emyn Muil não estava presente de início. No rascunho preliminar da abertura do capítulo, depois de verificar se Gollum estava mesmo dormindo dizendo *peixxe* perto do ouvido dele, Sam não caiu no sono:

> O tempo parecia se arrastar; mas, depois de uma ou duas horas, Gollum se sentou subitamente, bem acordado como se o tivessem chamado. Ele se espreguiçou, bocejou, levantou-se e começou a escalar para fora do sulco. "Ei, aonde vai?", exclamou Sam. "Smeagol tem muita fome", disse Gollum. "Volta já."

No manuscrito, a história final aparece, pois Sam de fato adormece; mas, quando acordou, "o céu acima dele estava cheio da radiante luz do dia". Isso, contudo, foi alterado imediatamente: Sam e Frodo dormiram o dia todo, sem acordar até depois do pôr do sol, e a partida de Gollum para encontrar comida é adiada até o anoitecer.[11]

Não resta dúvidas de que a geografia da região em que os Pântanos Mortos se localizavam tinha sido substancialmente alterada. Em DT (p. 901), conta-se:

> Agora os hobbits estavam inteiramente nas mãos de Gollum. Não sabiam, e naquela luz enevoada não podiam adivinhar, que na verdade apenas acabavam de penetrar nos limites setentrionais dos pântanos, cuja extensão principal estava ao sul deles. Se conhecessem o terreno poderiam, com pequeno atraso, ter voltado um pouco sobre seus passos e depois, virando-se para o leste, contornado sobre estradas firmes até a planície nua de Dagorlad.

Esse trecho aparece no manuscrito e encontra-se de forma embrionária no rascunho original, em que, embora parcialmente ilegível, é possível discernir o bastante para ver que a nova concepção estava presente: "Eles na verdade apenas acabavam de penetrar nos limites noroeste dos Pântanos Mortos", e "[poderiam ter] contornado o lado oriental, chegando ao terreno firme da Planície da Batalha". O Primeiro Mapa (Mapas II e IV^{C}, VII. 360, 374), e o mapa grande que fiz baseado nele em 1943 divergem completamente disso: pois, naquela concepção, a Terra de Ninguém ficava entre Sarn Gebir (Emyn Muil) e o passo para Mordor. Se uma pessoa estivesse a caminho do passo (Kirith Ungol naqueles mapas) viajando por essas colinas, não haveria motivo algum para entrar nos Pântanos Mortos; e, caso alguém estivesse nos limites dos pântanos, de modo nenhum chegaria a Dagorlad se, em vez de atravessá-los, contornasse-os pelo lado oriental. Essencialmente, o que aconteceu foi que os Pântanos Mortos foram deslocados para sudoeste, para que ficassem entre as Emyn Muil e os Portões de Mordor — na região que, no Primeiro Mapa, está marcada como "Terras-de-Ninguém" — e, assim, formassem uma continuação do Campo Alagado, ou Nindalf (ver VII. 377 e seguintes); essa é a geografia vista no mapa ampliado de Gondor e Mordor que acompanha *O Retorno do Rei.*[12]

Em resposta à pergunta de Frodo se precisariam atravessar os Pântanos Mortos, Gollum respondia, no rascunho original (ver DT, p. 901): "'Não precisa. Volta um pouco e contorna um pouco' — seu braço magro acenou para o norte e o leste — 'e conseguem chegar com o pé seco na Planície. É Dagorlad, onde travaram a Batalha e Ele perdeu o precioso, ssim' — ele acrescentou isso meio que sussurrando para si mesmo". O manuscrito neste ponto traz o texto de DT; mas, subsequentemente, na explicação de Gollum acerca dos rostos mortos nos charcos (DT, p. 905), ele diz: "Teve uma grande Batalha muito tempo atrás, sim, assim disseram a ele quando Smeagol era jovem, muito tempo atrás, antes do Precioso chegar. Aí levaram Ele do Senhor, Elfos e Homens pegaram Ele. Foi uma grande batalha. Lutaram na planície por dias, e meses, e anos nos Portões de Mornennyn [> Morannon]" (para o rascunho original desse trecho, ver p. 133). A referência de Gollum à história da tomada do Anel de Sauron foi removida muito depois.

O relato da manhã seguinte à noite dos rostos mortos e do sobrevoo do Nazgûl, e das terras pelas quais passaram ao deixarem os pântanos, diferia em aspectos importantes do texto em DT, pp. 909–10. O manuscrito diz o seguinte (depois de um rascunho inicial):

> Quando finalmente o dia chegou, os hobbits surpreenderam-se em ver quão perto as montanhas agourentas haviam chegado: os contrafortes externos e as colinas acidentadas aos pés deles agora não estavam a mais de uma dúzia de milhas. Frodo e Sam olharam em torno horrorizados: por mais pavorosos que fossem os Pântanos em decomposição, o fim deles era ainda mais repugnante. Até mesmo ao brejo dos rostos mortos vinha algum fantasma desfigurado da primavera verde [...] (etc., como em DT, p. 910)

O trecho expandido e alterado que substituiu esse em DT, introduzido em um estágio posterior, deveu-se a considerações de geografia e cronologia. Junto com esse novo trecho, duas noites são acrescentadas à jornada (ver a Nota sobre a Cronologia no fim deste capítulo e o mapa na p. 143) e, durante esse estágio, eles passam por uma região vista a partir do fim dos pântanos como "longas encostas rasas, áridas e implacáveis", e subsequentemente descritas como "as charnecas áridas das Terras-de-Ninguém". Esse nome reaparece aqui vindo das palavras de Celeborn à Comitiva em "Adeus a Lórien" (SA, p. 526) e dos mapas antigos: ver VII. 377–8 e acima.

Uma página isolada traz dois elementos distintos, embora ambos tenham muito provavelmente sido escritos ao mesmo tempo. A alteração do nome dos Portões de Mordor, no ato da escrita, de *Ennyn Dûr* (o nome no Croqui I, p. 132) primeiro para *Morennyn* e depois para *Mornennyn* demonstra que essa página precedeu o ponto da composição do texto manuscrito em que Gollum fala dos rostos mortos nas lagoas, pois ali aparece *Mornennyn* (p. 137), mas é conveniente incluí-lo aqui, pois ele diz respeito à narrativa do fim do capítulo (e início do seguinte).

> O famoso passo de [Ennyn (Dûr) > Morennyn >] Mornennyn, os Portões de Mordor, era guardado por duas torres: os Dentes de Mordor [Nelig Morn Mel >] Nelig Myrn. Construídas por gondorianos muito tempo atrás: agora, incessantemente guarnecidas. Devido à incessante passagem de tropas, não se atrevem a tentar entrar, portanto viram-se para O. e Sul. Gollum lhes conta de Kirith Ungol sob a sombra [de] M. Morgul. É um passo alto. Não lhes conta das Aranhas. Eles se esgueiram para dentro de M[inas] M[orgul].

O texto é acompanhado por outro croqui da localização de Kirith Ungol, reproduzido na p. 140. Fica claro por ele que a transferência de Minas Morgul, transformando-a na fortaleza que guardava os Portões Negros, foi uma ideia passageira, agora abandonada; e, sem dúvida, foi neste exato ponto (Minas Morgul restaurada à sua antiga posição nas Montanhas de Sombra, a uma boa distância ao sul dos Portões Negros) que a jornada na direção sul pelo lado ocidental das montanhas entrou na narrativa. Mas também fica claro que a Torre de Kirith Ungol ainda não surgira: a fenda das aranhas passa embaixo de Minas Morgul, no lado sul (supondo-se que a cena está retratada a partir do Oeste); e a história original do esboço "A História Prevista a partir de Lórien" está outra vez presente, segundo a qual Frodo e Sam entraram em Minas Morgul (mas aqui não há menção à captura de Frodo).

No texto que acompanha o Croqui I, p. 132, é Minas Morgul, acima dos Portões Negros, que recebe o nome de "o Dente Branco", *Neleglos*; agora surgem (ou quem sabe ressurgem, a partir das duas torres que originalmente guardavam o passo, ver p. 129) os Dentes de Mordor, *Nelig Myrn*.

Ver-se-á subsequentemente (p. 149) que, neste estágio, "os Portões de Mordor", "os Portões Negros" (*Ennyn Dûr, Mornennyn*) eram especificamente os nomes do passo, e não de qualquer barreira construída através dele.

O outro breve texto nessa página coloca a cena em que Sam ouve o debate de Gollum consigo mesmo (já previsto nas notas preliminares ao capítulo, p. 128) neste ponto da narrativa (embora pareça que, neste estágio, meu pai os visualizava passando uma noite, e não um dia, diante dos Portões Negros).

> A noite vigiando os [Ennyn D(ûr) >] Mornennyn. É o turno de Frodo vigiar. Sam adormece e acorda de repente, pensando que ouvira seu patrão chamando. Mas vê que Frodo pegou no sono. Gollum está sentado ao lado dele, observando-o. Sam o escuta debatendo consigo mesmo: Smeagol versus "outro". Luz pálida e luz verde alternam-se em seus olhos. Mas não está lutando contra a *fome* ou o desejo de *devorar* Frodo: é o chamado do Anel. Sua mão comprida continuamente se estende e tenta alcançar Frodo, e depois é puxada de volta. Sam desperta Frodo.

O "colóquio" de Gollum que de fato foi relatado desenvolveu-se em estágios. Suas referências a "Ela" ("Ela poderia ajudar") e a fugaz reflexão de Sam sobre quem seria *ela* foram acrescentadas subsequentemente, sem dúvida quando essa parte da história foi alcançada. Uma alteração feita muito depois mudou o que os "dois Gollums" diziam a respeito de Bilbo e o "presente de aniversário"; de modo rudimentar no rascunho inicial, e depois no manuscrito e em textos datilografados subsequentes, o trecho dizia:

> "Oh não, não se não nos agradar. Ainda assim ele é um Bolseiro, meu precioso, sim, um Bolseiro. Um Bolseiro roubou ele."
> "Não, não roubou: foi um presente."
> "Sim, roubou. Nós não deu ele, não, nunca. Ele encontrou e não disse nada, nada. Nós odeia Bolseiros."

Por fim, no manuscrito e nos textos datilografados seguintes, o capítulo terminava nas palavras "No crepúsculo que caía, saíram da cova escalando-a e lentamente seguiram caminho pela terra morta" (DT, p. 914). Tudo o que vem em seguida em DT — a descrição da ameaça de um Espectro-do-Anel passando acima deles sem ser visto, ao anoitecer e novamente uma hora após a meia-noite, e a prostração de Gollum — foi acrescentado aos textos datilografados em um estágio posterior (ver a Nota sobre a Cronologia adiante).

The famous pass of ~~Ennyn~~ Morannon the Gate
of Mordor was guarded by two towers: the Teeth
of Mordor ~~Naglath Morn~~ Nelig Myrn. Built by
Gondorians long ago: now ceaselessly manned.
Owing to ceaseless passage of armies they dare not try the entr.
so they turn to the South. Gollum tells them of
Kirith Ungol beneath shadow Minas Morgul. This a high

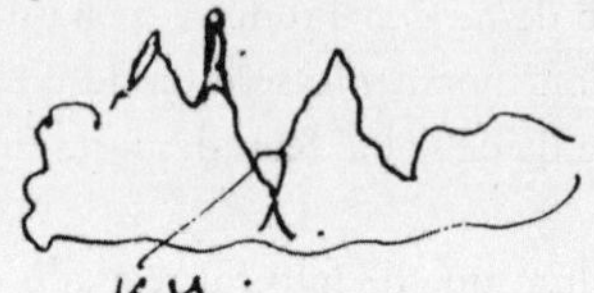

pass. He does not tell them of the Spiders. They
creep in to M.M.

That night watching the ~~[illegible]~~ Morannon
It is F's turn to watch. Sam sleeps and suddenly
awakes thinking he has heard his master calling.
But he sees Frodo has fallen asleep. Goll. is
very close to him – gazing at him. ~~[illegible]~~. Sam hears
him arguing with himself: [illegible] versus 'ache'.
~~[illegible]~~ Pale light and a green light alternate in his eyes
But it is not hunger – desire to eat F. But he is
constantly called; it is the call of the Ring. His long hand
keeps on going out and pawing towards Frodo and then
is pulled back. Sam rouses Frodo.

Terceiro croqui de Kirith Ungol

NOTAS

[1] Meu pai prosseguiu, falando de uma carta que tinha escrito para mediar uma disputa em uma querela do exército acerca da pronúncia do nome do poeta *Cowper* (*Cartas*, n. 61). Um rascunho dessa carta encontra-se em uma folha de rascunho do trecho que descreve a mudança do tempo nos pântanos (DT, p. 907).

[2] Creio que essa é a primeira vez em que aparece a ideia de que as fortalezas nos confins de Mordor foram construídas voltadas para dentro, e não para fora.

[3] Ver as *Etimologias* (V. 456), radical NÉL-EK "dente".

[4] Meu pai na verdade tinha deslocado Minas Morgul mais para o norte em relação à posição original no Primeiro Mapa (onde ficava a leste de Osgiliath), e colocou-a não muito longe da ponta setentrional das Montanhas de Sombra (ver VII. 365). Compare isso com "A História Prevista a partir de Lórien", em que se diz que era possível chegar a Minas Morgul por uma trilha que "subia para as montanhas — o chifre setentrional das Montanhas de Sombra que separava o vale de cinzas de Gorgoroth do vale do Grande Rio" (VII. 391). Mas Minas Morgul ainda ficava do lado ocidental das montanhas (ou seja, do outro lado das montanhas em relação ao Passo de Kirith Ungol).

[5] Em notas ao fim de "A História Prevista a partir de Lórien", meu pai sugeriu que Frodo deveria ser levado cativo até uma das torres-de-guarda no passo e, em um esquema temporal desse período, ele alterou "Sam resgata Frodo em Minas Morgul" para "Sam resgata Frodo em Gorgos" (ver VII. 404); e outra vez (VII. 484): "A escada serpenteante pode ter sido talhada na rocha e ela poderia subir de Gorgoroth para a torre-de-vigia. Cortar Minas Morgul". Agora, ao que parece, essas concepções seriam fundidas: Frodo seria novamente levado para Minas Morgul, mas a própria Minas Morgul era a torre-de-vigia acima do passo.

[6] *o terceiro dia*: ver a Nota sobre a Cronologia adiante.

[7] Esse trecho foi desenvolvido assim no manuscrito, antes de ser alterado para o texto de DT (p. 908):

> Frodo sabia exatamente onde estavam agora a moradia presente e o coração daquela vontade. Poderia ter caminhado, ou voado diretamente até lá. Ele estava de frente para ela: sua potência lhe golpeava a fronte se ele a erguesse por um momento. Sentia-se como alguém que, coberto apenas por um traje cinzento, adentrou um jardim por acaso, quando seu inimigo entra. O inimigo sabe que está ali, mesmo que ainda não consiga vê-lo, e fica a espreitar, silencioso, paciente, mortífero, varrendo todos os cantos com o ódio do olhar. Qualquer movimento é repleto de perigo.

[8] *quando o Olho Branco está lá em cima*: por toda essa parte da história, os nomes que Gollum dá ao Sol e à Lua eram originalmente o Olho Amarelo e o Olho Branco, e não Cara Amarela e Cara Branca. Em DT, assim como no manuscrito, neste trecho ele diz "quando as velas estão acesas": ver nota 10.

[9] Ver as palavras de Gollum em DT (p. 905): "Teve uma grande batalha muito tempo atrás, sim, assim disseram a ele quando Sméagol era jovem". Suas palavras no presente rascunho ("uma grande Batalha aqui muito, muito tempo atrás, precioso, sim, quando Smeagol era jovem") talvez indiquem o lapso de tempo muito menor (ver p. 35 e VII. 529–30, nota 11); mas o manuscrito dizia, desde o início, "assim disseram quando Smeagol era jovem".

[10] Sem dúvida foi este o ponto em que a ideia das luzes do brejo entrou (*ignis fatuus, fogo-fátuo*). Em DT, assim como no manuscrito, Gollum as chama de "velas de cadáveres" e, nos esquemas temporais deste período, meu pai se referiu ao "episódio das velas-de-cadáveres". *Corpse-candle* [lit. vela-de-cadáver] está definido no Dicionário Oxford como "uma chama bruxuleante que se vê no cemitério de uma igreja ou sobre uma sepultura e que, por superstição, acredita-se aparecer como prenúncio de morte, ou para indicar a rota de um funeral vindouro".

[11] Na conversa que se segue entre Frodo e Sam (DT, p. 900), nas palavras de Frodo "Se conseguirmos convencer nossos membros a nos levarem até o Monte da Perdição", o nome *Mount Doom* [Monte da Perdição] está escrito assim no rascunho preliminar, mas, no manuscrito, está *Mount Dûm*: essa grafia também se encontra em um rascunho da visão de Frodo em Amon Hen, VII. 437.

[12] O mapa ampliado de Gondor e Mordor foi muito baseado em um mapa feito por meu pai. Ele incluía o trajeto de Frodo de Rauros ao Morannon, e eu redesenhei essa seção específica a partir do original (p. 143). O mapa feito por meu pai é, em alguns aspectos, difícil de interpretar, pois foi feito rudimentar e apressadamente no que diz respeito à execução propriamente dita: as "curvas de nível" são muito sumárias, e o Nindalf e os Pântanos Mortos são mostrados apenas como hachuras mal-acabadas a lápis, que substituí pelas moitas de junco convencionais; mas tentei redesenhá-lo do modo mais preciso que consegui. Os elementos da fileira de quadrados no alto foram colocados de maneira muito rudimentar no original, em cima do topo do mapa, para mostrar o trajeto, e minha versão publicada em *O Retorno do Rei* não incluiu esse elemento. Os quadrados têm lados de uma polegada [2,54 cm], equivalendo a 25 milhas [*c.* 40 km].

Nota sobre a Cronologia

Conforme a história estava quando o manuscrito do capítulo foi completado, mas antes que lhe fossem feitas as mudanças que pertencem a um estágio posterior, a cronologia era a seguinte (prosseguindo a partir de 1 de fevereiro, quando Frodo e Sam desceram das Emyn Muil, p. 122):

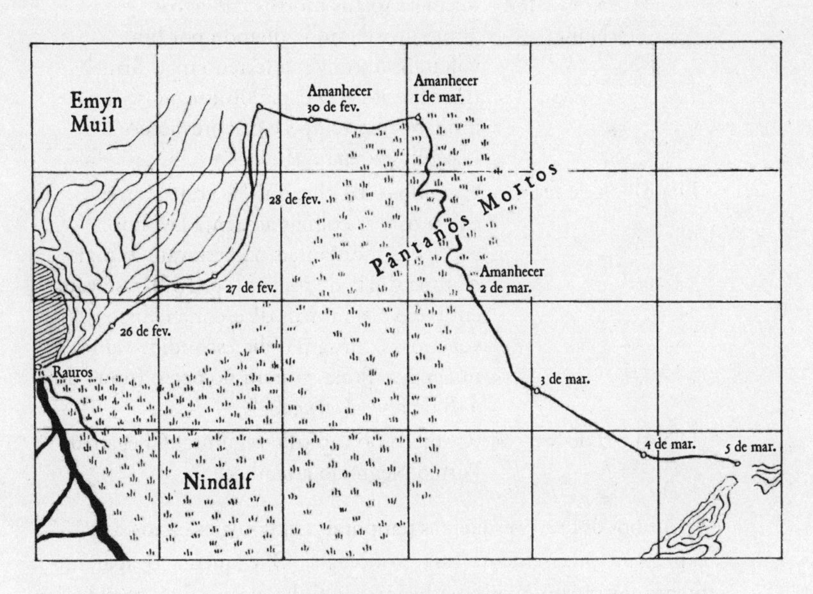

A jornada de Frodo ao Morannon

(Dia 1)	1–2 de fev. Noite.	Avançam pelo sulco. (*Jornada 1*)
	2 de fev.	Dormem o dia todo dentro do sulco.
	2–3 de fev. Noite.	Continuam pelo sulco e chegam à saída perto da alvorada. (*Jornada 2*)
(Dia 2)	3 de fev.	Entram nos pântanos e continuam a jornada durante o dia ("Assim passou o terceiro dia da jornada com Gollum" manuscrito e DT, p. 903). (*Jornada 3*)
	3–4 de fev. Noite.	Veem os rostos mortos nas lagoas. "Era tarde da noite quando por fim voltaram outra vez a terreno mais firme" (manuscrito e DT, p. 906); segue-se uma mudança no tempo e o sobrevoo do Nazgûl. (*Jornada 4*)
(Dia 3)	4 de fev.	Quando o dia chegou, "os contrafortes externos e as colinas acidentadas" nos sopés das montanhas não estavam a "mais de uma dúzia de milhas" (p. 137). Estavam em meio aos morros de escória e fossos venenosos. Passam o dia escondidos em uma cova. Prosseguiram no ocaso (noite de 4–5 de fev.). (*Jornada 5*)
(Dia 4)	5 de fev.	(Começo do capítulo seguinte) Chegam ao Portão Negro ao amanhecer.

Ambos os breves esquemas temporais cujos inícios estão na p. 122 expressam precisamente essa cronologia. O Esquema B aparentemente foi escrito quando a história já tinha alcançado a partida de Henneth Annûn, mas A acompanhou a escrita do presente capítulo e mal se estende depois dele. Notavelmente, em A, as jornadas em si estão numeradas (da forma que eu as numerei na cronologia acima), e pode muito bem ser que "3", ao lado de 3 de fevereiro explique a citação acima: "Assim passou o terceiro dia da jornada com Gollum" — pois essa foi a terceira jornada, mas não o terceiro dia.

Ambos os esquemas fazem referência ao sobrevoo do Nazgûl. Em B, em 3 de fevereiro, diz-se que o "Nazgûl sobrevoa os pântanos e vai para Isengard", com um acréscimo subsequente "chegando lá por volta da meia-noite". É difícil compreender isso, pois já no manuscrito completo "era *tarde da noite* quando por fim voltaram outra vez a terreno mais firme", e isso foi antes da mudança no tempo e do sobrevoo do Nazgûl. Em A, conta-se que o "Nazgûl sobrevoa de manhã cedo, antes do raiar do dia" (de 4 de fevereiro), o que concorda com o texto do capítulo; mas Théoden, Gandalf e a sua companhia saíram de Isengard ao anoitecer de 3 de fevereiro, e acamparam sob Dol Baran (sobre o qual o Nazgûl passou) naquela noite, e, assim, chega-se a uma dificuldade igual.

Nas notas de outubro de 1944 (ver p. 123), meu pai comentou, no subtítulo "Travessia dos Pântanos", que "o Nazgûl sobre os pântanos não pode ser o mesmo que passou sobre Dolbaran", e colocou a instrução de que o trecho em questão naquele capítulo e também o do fim de "A Palantír" deveriam ser alterados. Portanto, deve ter sido nessa época que a descrição do voo do Nazgûl sobre os pântanos foi alterada — ele deu a volta e retornou a Mordor (p. 134); ao mesmo tempo, em "A Palantír", as palavras originais de Gandalf para Pippin, "Poderia tê-lo levado para a Torre Sombria" (p. 98), foram expandidas com a pergunta de Pippin "Mas não veio à minha procura, veio?" e a resposta de Gandalf: "Claro que não. São 200 léguas ou mais em voo direto de Baraddur até Orthanc, e mesmo um Nazgûl levaria algumas horas para voar entre elas, ou assim imagino — não sei. Mas certamente Saruman olhou para dentro da Pedra depois do ataque-órquico, e dos seus pensamentos secretos mais foi lido do que ele pretendia, disso não duvido. Foi enviado um mensageiro para descobrir o que ele está fazendo. [...]"

O Esquema S (no qual as datas da jornada de Frodo estão adiantadas em um dia em relação aos esquemas A e B, ver p. 124) traz a seguinte cronologia:

(Dia 2)	2 de fev.	Viajam pelos pântanos durante o dia.
	2–3 de fev. Noite.	"Episódio das velas-de-cadáveres" (ver nota 10).
(Dia 3)	3 de fev.	Chegam aos morros de escória ao amanhecer. Passam o dia escondidos em uma cova, prosseguindo no cair da noite. Gandalf, Théoden etc. saem de Isengard ao pôr do sol e acampam em Dolbaran.
(Dia 4)	4 de fev.	Chegam ao Portão Negro na alvorada e se escondem o dia todo. Gandalf e Pippin avistam Edoras ao amanhecer.

Nas notas que acompanham as alterações feitas em outubro de 1944, meu pai também instruiu que "o primeiro Nazgûl" deveria sobrevoar Frodo e seus companheiros no ocaso (5h) de 3 de fevereiro "mais ou menos quando eles partem dos morros de escória", e chegar em Dol Baran por volta das 11h da noite. "O segundo Nazgûl, enviado depois que Pippin usou a Pedra", despachado de Mordor por volta da uma da manhã em 3–4 de fevereiro, deveria sobrevoar Frodo no fim do capítulo "A Travessia dos Pântanos" antes de eles chegarem ao Morannon. Esse Nazgûl passaria sobre Edoras em 4 de fevereiro, umas seis horas depois. "Mas ambos precisam passar muito alto e causar-lhes apenas uma leve inquietação".

O Esquema S é confuso quanto aos sobrevoos dos Nazgûl, fornecendo formulações diferentes, mas, no resultado, concorda bastante com as notas recém-mencionadas; aqui, contudo, o segundo Nazgûl sai de Mordor "às 11h da noite" ou "por volta da meia-noite", e "esquadrinha a planície e passa sobre Edoras às ? 8 da manhã". Esses movimentos estão em excelente harmonia com a conclusão que foi acrescentada em "A Travessia dos Pântanos" (DT, p. 914, e ver p. 139), a qual, presumo, foi introduzida nessa hora. Portanto, o Espectro-do-Anel que passou por cima sem ser visto logo depois de deixarem a cova em meio aos montes de escória, "quem sabe em alguma rápida missão de Barad-dûr", foi o mesmo que passou por Dol Baran seis horas depois (a caminho de Orthanc para "descobrir o que Saruman estava fazendo"); e aquele que sobrevoou uma hora depois da meia-noite, "apressando-se rumo ao Oeste com velocidade terrível", foi o Espectro enviado devido a Pippin ter olhado na *palantír*.

Na cronologia final disposta em *O Conto dos Anos*, dois dias foram acrescentados à jornada até o Morannon, durante os quais Frodo e seus companheiros passaram pelas "charnecas áridas das Terras-de-Ninguém" (ver p. 137):

(Dia 2)	1 de mar.	Frodo inicia a travessia dos Pântanos Mortos ao amanhecer.
	1–2 de mar. Noite.	Frodo chega ao fim dos Pântanos tarde da noite.
(Dia 3)	2–3 de mar. Noite.	Frodo viaja pelas Terras-de-Ninguém.
(Dia 4)	3–4 de mar. Noite.	Frodo viaja pelas Terras-de-Ninguém. Batalha do Forte-da-Trombeta.

(Dia 5)	4 de mar.	Amanhecer, Frodo chega aos morros de escória (e parte no ocaso). Théoden e Gandalf partem do Abismo de Helm rumo a Isengard.
(Dia 6)	5 de mar.	Alvorada, Frodo está à vista do Morannon. Théoden chega a Isengard ao meio-dia. Negociação com Saruman em Orthanc. Um Nazgûl alado passa sobre o acampamento em Dol Baran.

Portanto, de acordo com a cronologia final, nenhum dos dois Nazgûl que passaram bem alto, sem serem vistos, no fim do capítulo "A Travessia dos Pântanos" (no ocaso, em 4 de março e novamente uma hora depois da meia-noite) pode ter sido o mesmo que sobrevoou Dol Baran na noite de 5 de março, e nem o que passou sobre Edoras na manhã de 6 de março. Uma cronologia rigorosa leva a essa conclusão decepcionante.

3

O Portão Negro está Fechado

Já citei (p. 127) a carta de meu pai de 23 de abril de 1944 em que ele disse que tinha "quase terminado" o capítulo que intitulou "Os Portões da Terra da Sombra". Visto que, na primeira cópia manuscrita limpa deste capítulo, o texto continua sem interrupção no capítulo posteriormente chamado de "De Ervas e Coelho Ensopado", é provável que, àquela época, ele já tivesse passado bastante do ponto em que "O Portão Negro está Fechado" se encerra em DT (com a decisão de Frodo de tomar a estrada para o sul); e isso é corroborado pelo que disse no dia 26 (continuação de uma carta iniciada em 24 de abril, *Cartas*, n. 63): "A essa altura preciso saber o quão tarde a lua surge cada noite quando está quase cheia e como ensopar um coelho!".

Aqui, restrinjo meu relato à porção do novo capítulo que corresponde a "O Portão Negro está Fechado". Era uma parte da narrativa que em grande medida "escreveu a si própria" e não há muito para se registrar sobre o seu desenvolvimento; ademais, ela foi atingida de modo muito mais ordeiro do que vinha acontecendo há muito tempo. Aqui, temos um rascunho inicial contínuo e, na maior parte, facilmente legível que de fato se estende até o ponto em que "O Portão Negro está Fechado" se encerra em DT, e então se torna um breve esboço que leva Frodo, Sam e Gollum até a Encruzilhada e pelas Escadarias de Kirith Ungol acima — demonstrando que, naquela época, meu pai não tinha ideia do que lhes aconteceria na estrada para o sul. Deu a esse rascunho o título "Kirith Ungol" (o título original de "A Travessia dos Pântanos", p. 127), seguro de que seria capaz de levá-los até lá no espaço desse novo capítulo (mas "Kirith Ungol" agora tinha um sentido diferente do que tinha quando deu esse título ao capítulo anterior, ver p. 129).

Depois do rascunho veio uma cópia manuscrita passada a limpo (que chamo neste capítulo de "o manuscrito" para distinguir do "rascunho"), a qual, como já se disse, continua sem interrupção em "De Ervas e Coelho Ensopado", e aqui outra vez o primeiro título atribuído foi "Kirith Ungol", alterado para "Os Portões da Terra da Sombra" (o título usado por meu pai na carta de 23 de abril) e, depois, "Kirith Gorgor: O Portão Negro está Fechado". Em certo estágio, por alguma razão ele fez outro manuscrito do capítulo (terminando no mesmo ponto de DT) na sua letra mais bonita, e esse texto foi copiado no primeiro texto datilografado. O número do capítulo é 34.

No (primeiro) manuscrito, o texto, conforme se encontra em DT, foi alcançado sem muita hesitação na escrita em quase todos os pontos; mas houve muita alteração posterior nos nomes que ocorrem nessa região. O trecho de abertura, que fala das defesas de Mordor e sua história, diferia em alguns aspectos da versão em DT (p. 915). Depois de "Mas a força de Gondor fracassou, e os homens dormiram", as palavras *e por longos anos as torres permaneceram vazias* estão ausentes.[1] O parágrafo que começa com "Através da boca do passo, de um penhasco ao outro, o Senhor Sombrio havia construído um parapeito de pedra. Havia nele um único portão de ferro e em suas ameias as sentinelas caminhavam incessantemente" foi inicialmente escrito desta forma, tanto no rascunho quanto no manuscrito:

> Nenhum parapeito, ou muralha, ou barra de pedra ou ferro foi posto através do Morannon;[2] pois a rocha dos dois lados fora escavada e perfurada em uma centena de cavernas e tocas de vermes. Uma hoste de orques espreitava ali [...] (etc., como em DT).

Isso foi imediatamente alterado no manuscrito para a versão em DT, que introduz o parapeito de pedra e o portão único de ferro; portanto, percebe-se que até esse ponto o nome "Portão(ões) Negro(s)" era o nome do próprio passo.[3] O mesmo ocorre no início do trecho: onde DT diz "entre esses braços havia um fundo desfiladeiro. Esse era Cirith Gorgor, o Passo Assombrado, entrada para a terra do Inimigo", tanto o rascunho quanto o manuscrito dizem "entre esses braços havia um longo desfiladeiro. *Esse era o Morannon*, o Portão Negro, entrada para a terra do Inimigo". Quando o parapeito e o portão de ferro tinham sido introduzidos, esse trecho foi alterado no manuscrito para "Esse era Kirith Gorgor, o Passo Horrendo, entrada para a terra do Inimigo".[4]

As Montanhas de Sombra ainda eram chamadas de *Dúath* no rascunho, assim como no Primeiro Mapa (Mapa III, VII. 364); no manuscrito, o nome é *Hebel Dúath*, posteriormente alterado para *Ephel Dúath* (ver VII. 365).[5] Os "Dentes de Mordor" no rascunho são chamados de *Nelig Morn* (ver *Nelig Morn* > *Nelig Myrn*, p. 138);[6] no manuscrito, são *Naglath Morn*, subsequentemente riscado e não substituído.

É conveniente observar aqui alguns outros pontos a respeito dos nomes neste capítulo. O nome *Elostirion* para Osgiliath, empregado no belo manuscrito de "A Palantír" feito anteriormente em abril (p. 99 e nota 20), foi mantido no rascunho[7] e no manuscrito seguinte de "O Portão Negro está Fechado", mas, no segundo, foi depois substituído por *Osgiliath* (DT, p. 922). O nome da fortaleza de Sauron em Trevamata permanece *Dol Dúghol*, e a alteração para *Dol Guldur* foi feita em um estágio muito tardio.[8]

Um vestígio curioso se vê no nome *Bonfilho*, escrito a lápis acima de *Gamgi* na observação de Sam "Está além das forças de qualquer Gamgi adivinhar o que fará em seguida" (DT, p. 919). Em sua carta para mim (31 de maio de 1944, *Cartas*, n. 72) meu pai disse:

> A propósito, Sam é uma abreviatura não de Samuel, mas de Samwise (a palavra em ing. antigo para Meio-sábio, Simplório), como o nome de seu pai o Feitor (Ham) é da palavra em ing. ant. Hamfast ou Fica-em-casa. Hobbits dessa classe possuem, via de regra, nomes muito saxões — e não estou realmente satisfeito com o sobrenome Gamgi e o modificaria para Bonfilho se achasse que você me permitiria fazê-lo.

Eu respondi que jamais desejaria ver *Gamgi* alterado para *Bonfilho* e (entendendo completamente errado o ponto crucial) afirmei que o nome *Gamgi* era, para mim, a expressão essencial da "rusticidade hobbit" em seu aspecto "levemente cômico", profundamente importante para a obra como um todo. Faço menção a isso para explicar as observações seguintes de meu pai sobre o assunto (28 de julho de 1944, *Cartas*, n. 76):

> Quanto a Sam Gamgi. Concordo completamente com o que você disse, e eu não sonharia em alterar o nome dele sem a sua

> aprovação; mas o objetivo da alteração era precisamente o de ressaltar a comicidade, rusticidade e, se me permite, a inglesidade desta joia entre os hobbits. Se eu tivesse pensado bem a respeito disso no início, teria dado a todos os hobbits nomes bem ingleses para combinarem com o condado. [...] Duvido que esse nome seja inglês [isto é, o nome Gamgi]. [...] No entanto, é provável que toda a ideia que você faz do personagem esteja agora ligada ao nome.

E, assim, Sam Gamgi permaneceu.

Voltando-me agora para a narrativa em si, há apenas certos detalhes a mencionar. A distância entre a depressão em que estavam Frodo e seus companheiros até a mais próxima das Torres dos Dentes foi, no rascunho inicial e em ambos os manuscritos, estimada em cerca de uma milha em linha reta (um oitavo de milha em DT, p. 916). Os elementos essenciais da descrição das três estradas que levavam ao Portão Negro (DT, p. 919) estavam presentes desde o início (elas estavam de fato pontilhadas no Primeiro Mapa, muito embora não tenham sido incluídas na minha reelaboração),[9] assim como as palavras severas de Frodo para Gollum (DT, pp. 920–1) e a conversa que têm acerca da estrada para o sul; mas as histórias que Gollum lembrava ter ouvido na juventude e seu relato sobre Minas Morgul (DT, pp. 922–3) diferiam da forma final nos seguintes aspectos. Quando Frodo diz "Foi Isildur quem cortou o dedo do Inimigo", Gollum respondia: "As histórias não contavam isso", ao que Frodo falava: "Não, não tinha acontecido naquela época" (o que se tornou, no segundo manuscrito, "Não, não tinha acontecido quando as suas histórias foram feitas").[10] Segundo, a referência de Gollum aos "Vigilantes Silenciosos" em Minas Morgul (DT, p. 923) foi acrescentada ao manuscrito, o qual, conforme inicialmente escrito, dizia apenas: "Nada se mexe na estrada sem eles saberem. As coisas lá dentro sabem". Em terceiro lugar, depois da explicação de Gollum sobre o porquê Sauron não temia um ataque vindo de Minas Morgul (na fala que começa com "Não, não mesmo. Hobbits precisam ver, precisam tentar entender"), Sam diz:

"É o que eu imagino, mas, mesmo assim, não podemos subir por essa estrada alta e bater um papo com o pessoal no portão e perguntar se estamos no caminho certo para Torre Sombria.

Óbvio", disse Sam. "Podíamos fazer isso aqui e poupar uma longa caminhada."

Portanto, sua zombaria com Gollum ("Esteve falando com Ele ultimamente? Ou só batendo papo com Orques?") e a resposta dele ("Hobbit ruinzinho, insensato [...]") estão ausentes. Com o texto expandido (inserido depois no manuscrito) entra a segunda referência aos "Vigilantes Silenciosos" (e o comentário sarcástico de Sam "Ou eles são silenciosos demais para responderem?").

O breve texto incluído na p. 138 e reproduzido na p. 140 com o croqui que o acompanha, em que Kirith Ungol fica "sob a sombra de Minas Morgul", e no qual Frodo e Sam chegam a entrar em Minas Morgul, mostra que, bem pouco tempo antes desse ponto a que chegamos agora, a história e a geografia posteriores ainda não tinham surgido. Mas a concepção acerca das entradas para Mordor estava mudando muito rapidamente, e o rascunho original de "O Portão Negro está Fechado" mostra outra grande alteração. A conversa que se segue às observações de Sam sobre a futilidade de caminhar longamente para o sul apenas para se depararem com a mesma impossibilidade de entrarem despercebidos (DT, p. 924) dizia o seguinte no rascunho:

"Não faça piadas com isso", disse Gollum. "Sejam hobbits sensatos. Não é sensato de jeito nenhum tentar entrar em Mordor, nada sensato. Mas se mestre diz eu vou, ou eu preciso ir, então ele precisa tentar algum caminho. Mas não pode ir pra cidade terrível. É aí que Smeagol ajuda. Ele achou, ele conhece — se é que está ali ainda."

"O que você achou?", perguntou Frodo.

"Uma escada e uma trilha que sobem pras montanhas ao sul do passo", disse Gollum, "e depois um túnel, e depois mais escadas, e depois uma fenda bem acima do passo principal: e foi por esse caminho que Smeagol saiu de Mordor muito tempo atrás. Mas pode ser [? que tenha desaparecido] [...]"

"Não é vigiada?", perguntou Sam incrédulo, e imaginou perceber um lampejo verde no olho de Gollum.

"Sim, talvez", disse ele, "mas nós precisa tentar. Não tem outro caminho", e não disse mais nada. O nome desse lugar perigoso e do passo alto ele não sabia dizer, ou não queria. Seu nome era

Kirith Ungol, mas os hobbits não sabiam dele e nem do significado desse nome horrendo.

Conforme o manuscrito seguinte foi escrito inicialmente, isso não foi alterado significativamente (o caminho e a escadaria ainda ficam "ao sul do passo"); o trecho em que Frodo intervém e confronta a história de Gollum de que ele tinha escapado de Mordor, citando a visão que Aragorn tinha sobre o acontecimento, foi acrescentado depois em um adendo ao manuscrito.[11]

Portanto, Kirith Ungol agora não é o passo guardado por Minas Morgul, como no texto da p. 138, mas uma escadaria que sobe bem acima dela; contudo, é muito difícil dizer como meu pai visualizava o curso seguinte da história nessa época. No texto da p. 138, Frodo e Sam "se esgueiram para dentro de Minas Morgul", o que sugere que a história da captura de Frodo em "A História Prevista a partir de Lórien" tinha sido temporariamente abandonada — embora não fique claro por que eles seriam obrigados a entrar na "cidade terrível". Com a nova geografia, contudo, parece que eles vão evitar Minas Morgul atravessando as montanhas bem acima de lá. Seria possível concluir que a Torre de Kirith Ungol já tinha sido concebida?

Não há nada no rascunho ou no manuscrito que demonstre ser o caso — mas, por si só, isso prova pouca coisa, visto que em todos os textos desde o rascunho original Gollum se recusa a dizer claramente se Kirith Ungol é vigiada (ver "As Escadarias de Cirith Ungol" DT, p. 1014: "Era uma torre negra posta acima da passagem externa. [...] 'Não gosto da cara disso!', comentou Sam. 'Então esse seu caminho secreto é vigiado afinal', grunhiu, virando-se para Gollum"). O brilho no olho de Gollum que Sam viu quando lhe perguntou se a trilha era vigiada certamente significa que Gollum sabia que era, mas não implica, absolutamente, que era vigiada por uma torre. Estou certo de que Gollum estava pensando nas aranhas (nesse estágio da evolução da história). A única evidência adicional se encontra no esboço que termina o rascunho original de "O Portão Negro está Fechado":

Frodo se decide. Concorda em tomar o caminho para o sul.

Partem assim que o ocaso chega. Com necessidade de pressa, eles usam a estrada, mas temem encontrar soldados apressando-se por ali para atender à convocação do Senhor Sombrio. Gollum diz que há vinte léguas, talvez, até a Encruzilhada na mata. Foram com toda a velocidade que conseguiram. O terreno sobe um pouco. Veem o Anduin abaixo deles, reluzindo ao luar. [? Água] boa. Finalmente, no fim [do terceiro dia de sua jornada à luz do dia >] da terceira noite de jornada desde Morannon eles chegam à encruzilhada e saem da mata.

Veem a lua brilhando em Minas Ithil Minas Morghul.

Passam a primeira escadaria em segurança. Mas o túnel está negro com teias [de] aranhas. ... abrem caminho e chegam à segunda escadaria. [?? Haviam] chega[do] a Kirith Ungol. As aranhas despertam e os caçam. Estão exaustos.

Isso, é claro, não implica que as aranhas eram o único perigo que enfrentaram ao tomar o caminho de Kirith Ungol, mas possivelmente sugere que sim.

Qualquer que seja o caso — e deixando em aberto a questão sobre se, neste estágio, meu pai já havia decidido que Kirith Ungol era vigiada por uma torre própria — seria interessante saber se a decisão foi tomada quando ele introduziu no manuscrito as referências de Gollum aos "Vigilantes Silenciosos". Os Vigilantes, chamados de "Sentinelas", já haviam aparecido em "A História Prevista a partir de Lórien" (ver VII. 399–401 e nota 33); ali, é claro, eram as sentinelas de Minas Morgul. Aqui Gollum também está falando de Minas Morgul (nesse ponto do capítulo, ele nem sequer mencionou a existência de Kirith Ungol). Seria bem estranho meu pai colocar essas referências aos Vigilantes Silenciosos de Minas Morgul se ele já tivesse decidido que o encontro em si com os Vigilantes Silenciosos seria na Torre de Kirith Ungol; e poder-se-ia suspeitar, portanto, que quando ele os colocou no texto, a ideia da torre ainda não tinha surgido. Mas isso é a mais pura conjectura.[12]

O trecho que conta onde Gandalf estava quando Frodo e seus companheiros estavam escondidos na depressão diante do Portão Negro passou por muitas mudanças. O rascunho original diz:

Aragorn talvez pudesse lhes ter dito, Gandalf poderia tê-los prevenido, mas Gandalf estava ? voando pela [? planície] verde de Rohan em Scadufax subindo a estrada até os portões vigiados de Minas Tirith e Aragorn marchava na dianteira de muitos homens rumo à guerra.

Isso parece expressar duas respostas distintas para a pergunta "onde estava Gandalf?". No manuscrito, isso se torna:

Aragorn talvez pudesse lhes ter dito esse nome e seu significado; Gandalf os teria prevenido. Mas estavam sozinhos; e Aragorn estava longe, um capitão de homens reunindo as tropas para uma guerra desesperada, e Gandalf estava postado nas muralhas brancas de Minas Tirith, perdido em pensamentos atribulados. Era principalmente neles que pensava: e por sobre as longas léguas sua mente os buscava.

No segundo manuscrito, incorporando uma revisão feita ao primeiro, Gandalf está outra vez cavalgando pelas planícies:

[...] Mas estavam sozinhos; e Aragorn estava longe, um capitão de homens reunindo as tropas para uma guerra desesperada, e Gandalf voava com Scadufax pelos campos de Rohan, mais veloz que o vento, rumo às muralhas brancas de Minas Tirith rebrilhando ao longe. E, no entanto, conforme cavalgava, era principalmente neles que pensava, em Frodo e Sam, e por sobre as longas léguas sua mente os buscava.

Isso foi alterado depois para o texto em DT (pp. 924–5):

[...] e Gandalf estava em meio à ruína de Isengard e porfiava com Saruman, atrasado pela traição. Mas, ao mesmo tempo em que ele falava suas últimas palavras a Saruman e a *palantír* tombava em fogo nos degraus de Orthanc, seu pensamento estava sempre com Frodo e Samwise, por sobre as longas léguas sua mente os buscava em esperança e compaixão.

Sobre o significado dessas variações, ver a Nota sobre a Cronologia no fim deste capítulo.

O sobrevoo distante do Nazgûl (DT, p. 927) e a chegada dos Homens sulistas que Gollum observou e relatou não diferiam, já no rascunho, em nenhum ponto essencial em relação ao texto final (exceto que é Gollum que os chama de *Tisnados*); mas o poema de Sam sobre o Olifante não estava presente. Encontra-se em trabalhos rudimentares abundantes e em um texto preliminar antes de ser incorporado ao manuscrito; meu pai também o copiou para mim em uma carta em 30 de abril de 1944 (*Cartas*, n. 64), quando a história chegara ao fim do que se tornou "De Ervas e Coelho Ensopado", dizendo: "Um grande elefante de tamanho pré-histórico, um elefante de guerra dos Tisnados, está à solta, e Sam realizou um desejo de longa data de ver um Olifante, um animal sobre o qual havia uma cantiga infantil hobbit (embora comumente se acreditasse que fosse mítico)".[13]

NOTAS

[1] Em um esboço inicial muito rudimentar da abertura do capítulo, que precede o rascunho contínuo, o texto diz: "Foram construídas pelos Homens de Gondor longas eras após a queda da primeira Torre Sombria e da fuga de Sauron, para que ele não buscasse [? reaver] seu antigo reino". Isso se repetiu no rascunho do capítulo ("após a queda da primeira fortaleza Sombria"), mas imediatamente alterado para "após a derrota de Sauron e sua fuga".

[2] O esboço mais antigo da passagem de abertura, mencionado na nota 1, traz um nome que termina com *-y*. Poderia ser interpretado como *Mornennyn* com o *-n* final omitido, mas está escrito assim em ambas as ocorrências. Sobre *Mornennyn*, que substituiu *Ennyn Dûr*, ver pp. 137–8.

[3] A palavra do inglês antigo *geat* "gate" [geralmente traduzido como "portão"] ocorre em vários topônimos ingleses com o sentido de "passagem, abertura nas colinas", como em *Wingate* (passagem pela qual o vento sopra) e *Yatesbury*.

[4] Na verdade, parece que meu pai não transferiu imediatamente o nome *Morannon* para o "Portão Negro" em si, construído por Sauron, mas o manteve por um tempo como sendo o nome do passo: portanto, mais adiante no manuscrito (DT, p. 919), Frodo ficou "fitando os penhascos escuros do Morannon" (alterado subsequentemente para *Kirith Gorgor*).

[5] Aqui também aparece a planície de *Lithlad* (ver VII. 248, 254) e "o amargo mar interior de *Nûrnen*", mostrado no Primeiro Mapa (Mapa III, VII. 364).

[6] No texto da p. 138 e reproduzido em manuscrito na p. 140, *Nelig Myrn* substituiu *Nelig Morn* no momento da escrita; contudo, parece óbvio que aquele texto foi escrito durante a composição original de "A Travessia dos Pântanos".

[7] Na verdade, o texto do rascunho tem *Osgiliath* em uma ocorrência, na primeira descrição da estrada para o sul (DT, p. 919): "Ela seguia caminho para a planície estreita entre o Grande Rio e as montanhas e dali para Osgiliath e, ainda mais adiante, para as costas e as longínquas terras meridionais". Mas *Elostirion* é o nome nesse mesmo texto, no trecho que corresponde a DT, p. 922.

[8] O nome *Amon Hen* foi alterado na primeira ocorrência do manuscrito (DT, p. 920) para *Amon Henn*, mas não na segunda (DT, p. 926). No segundo manuscrito, o nome foi grafado *Amon Henn* em ambas as ocorrências.

[9] A estrada para o sul corre um pouco a leste do Anduin até a parte inferior da coordenada Q 14 no Mapa III, VII. 364. A estrada para o leste percorre as beiradas setentrionais das Ered Lithui, até a metade do quadrado O 17 no Mapa II, VII. 360. A estrada para o norte se bifurca na parte inferior da coordenada O 15 do Mapa II, sendo que o braço ocidental vai até as colinas no lado esquerdo de O 15, e o braço setentrional curva-se para nordeste ao longo da beirada ocidental dos Pântanos Mortos, virando-se então para oeste e terminando no lado esquerdo de N 15.

O trecho que descreve a estrada para o sul foi alterado muitas vezes no que diz respeito à distância até a depressão em que Frodo, Sam e Gollum estavam escondidos. No rascunho original, não era "mais do que um oitavo de milha ou perto disso"; no primeiro manuscrito, a distância foi alterada de "alguns oitavos de milha" para "cinquenta passos" e, depois, para "um oitavo de milha", e a medida final (preservada no segundo manuscrito) era "[ela] passava ao longo do vale no pé da encosta da colina onde os hobbits estavam, e não muitos pés abaixo deles". Sobre um motivo — um tanto surpreendente — para essa hesitação, ver p. 209.

Na Primeira Edição, a descrição da topografia era diferente em relação à da Segunda Edição (DT, p. 919):

> A depressão em que se tinham refugiado estava escavada na face de uma colina baixa, e ficava pouca coisa acima do nível da planície. Um longo vale semelhante a uma trincheira corria entre ela e os contrafortes externos da muralha montanhosa. À luz da manhã já se podia ver claramente as estradas que convergiam para o Portão de Mordor, pálidas e poeirentas; uma serpenteando de volta rumo ao norte; outra perdendo-se em direção ao leste, nas névoas que se agarravam aos pés das Ered Lithui; e outra que, fazendo uma curva fechada, corria bem perto da base da torre-de-vigia ocidental e depois passava ao longo do vale no pé da encosta da colina onde os hobbits estavam, e não muitos pés abaixo deles. Logo fazia uma volta, apoiada nas encostas das montanhas [...]

Esse é o texto do segundo manuscrito.

[10] Frodo deve estar querendo dizer que essas histórias em particular que Gollum conhecia acerca das cidades dos Númenóreanos haviam se originado em uma época anterior à Última Aliança e à derrota de Sauron.

[11] Conforme escrito inicialmente, esse adendo diferia da seguinte forma em relação ao texto de DT (p. 925):

> Por exemplo, notara que Gollum usara o *eu*, o que raramente tinha feito desde que o intimidaram a abandonar seu antigo juízo maligno lá atrás sob o penhasco das Emyn Muil.

Isso foi alterado para "[...] Gollum usara o *eu*, e isso normalmente parecia um sinal, nas raras aparições, de que Smeagol estava (por um momento) dominando" e, depois disso, para o texto final.

[12] Mesmo se fosse o caso, não se pode supor que meu pai ainda achava que Frodo e Sam entrariam em Minas Morgul e encontrariam os Vigilantes Silenciosos ali. Se tivesse isso em mente, o esboço com o qual o texto rascunhado termina (p. 153) obviamente afirmaria. Ademais, não muito tempo depois, em sua carta de 30 de abril de 1944 (*Cartas*, n. 64) ele disse que "No próximo capítulo a ser escrito, eles chegarão a Kirith Ungol e *Frodo será capturado*".

[13] É difícil dizer com certeza, mas, pela evidência do manuscrito, parece que originalmente a palavra de Sam [para *Olifante* em inglês] era *oliphant*, e que *oliphaunt* foi usada apenas no poema. — A forma está em francês e inglês medieval *olifa(u)nt*. Não há diferença entre os textos, exceto que, na versão do rascunho e na versão citada na carta de meu pai, o verso 11 diz "I've stumped" [pisoteei] em vez de "I stump" [pisoteio]; e, no verso 15, está escrito "Biggest of All" [O Maior de Todos] em vez de "Biggest of all".*

Nota sobre a Cronologia

Onde estava Gandalf quando Frodo, escondido diante do Morannon, pensava nele? Quatro versões do trecho em questão (DT, pp. 924–5) foram incluídas em pp. 155–6. O rascunho original (1) parece deixar em aberto se Gandalf estava cavalgando por Rohan ou se estava quase no fim da jornada, subindo a estrada até os portões de Minas Tirith; no manuscrito seguinte (2) ele estava postado nas muralhas de Minas Tirith; no segundo manuscrito (3) ele novamente está cavalgando por Rohan; por fim em (4), assim como em DT, ele estava nos degraus de Orthanc.

Essas versões refletem, é claro, a dificuldade que meu pai encontrou ao colocar os diferentes fios narrativos em harmonia cronológica. De acordo com a "cronologia reconhecida" nesse período, o dia em questão (que Frodo, Sam e Gollum passaram escondidos diante do Morannon) era 5 de fevereiro (ver p. 144); ao passo que Gandalf, Théoden e os seus companheiros deixaram Isengard na noite de 3 de fevereiro (pp. 17, 93), acampando em Dol Baran naquela noite — a grande cavalgada de Gandalf com Pippin, portanto, começou na noite de 3–4 de fevereiro.

No fim do belo manuscrito de "A Palantír" que meu pai confeccionou no início de abril de 1944 (p. 99), Gandalf tinha dito

*Ver o poema original em *As Duas Torres*, p. 1064. [N.T.]

a Pippin, enquanto passavam pela boca da Garganta do Abismo, de acordo com o primeiro manuscrito do capítulo: "Poderá ver o primeiro lampejo da aurora no telhado dourado da Casa de Eorl. Ao pôr do sol do dia seguinte há de ver a sombra púrpura do Monte Mindolluin recair sobre as muralhas brancas da torre de Denethor". De acordo com a cronologia do período, isso foi dito nas primeiras horas da madrugada de 3–4 de fevereiro; e Gandalf, portanto, estava prevendo que chegariam a Minas Tirith no pôr do sol do dia 5.

Essa é a cronologia que subjaz às palavras do rascunho original (versão 1). Alterações posteriores na data — para que Gandalf e Pippin chegassem a Minas Tirith mais tarde e Frodo alcançasse o Morannon mais cedo — fizeram com que a jornada de Gandalf estivesse bem menos avançada, mas sua cavalgada através de Rohan ainda coincidia com Frodo no Morannon (versão 3). Nenhum dos esquemas temporais, contudo, faria com que Gandalf de fato tivesse chegado a Minas Tirith naquele momento e, portanto, não consigo explicar a versão 2.

A versão final 4 do trecho, presente em DT, reflete a cronologia final, é claro, segundo a qual Frodo estava escondido diante do Portão Negro no mesmo dia (5 de março) em que Gandalf conversou com Saruman nos degraus de Orthanc.

4

De Ervas e Coelho Ensopado

Para esse capítulo — escrito como continuação de "O Portão Negro está Fechado" e separado dele apenas depois de estar completo, quando foi numerado "25" — há uma boa quantidade de rascunhos iniciais (descontínuos), alguns ilegíveis, e um manuscrito completo, uma parte do qual é ela própria a composição primária. Assim como no capítulo anterior, diferencio os textos como "rascunho" e "manuscrito" (nesse caso, nenhum outro manuscrito foi feito, ver p. 148).

Em 26 de abril de 1944, em uma carta para mim e já citada (p. 148), meu pai disse que, no dia anterior, tinha lutado com "uma passagem recalcitrante no 'Anel'", e continuou dizendo que "a essa altura preciso saber o quão tarde a lua surge cada noite quando está quase cheia e como ensopar um coelho!". A julgar pelos rascunhos e o manuscrito, é fácil ver qual era esse trecho recalcitrante: a jornada para o sul até o ponto em que os pensamentos de Sam se voltaram à possibilidade de encontrar comida mais apetitosa do que o pão-de-viagem dos Elfos (DT, p. 936).

O rascunho começava assim:

Descansaram durante as poucas horas de luz do dia que restavam, comeram um pouco e beberam com frugalidade, embora tivessem esperança de encontrar água logo nos riachos que fluíam para o Anduin vindos de Hebel Dúath. Conforme o crepúsculo se aprofundava eles partiram. A lua não subiu até tarde e logo ficou escuro. Após algumas milhas passando por morros quebrados e [? terreno] difícil, tomaram a estrada para o sul, pois precisavam de velocidade. Esforçavam sempre os ouvidos para escutar sons de pés ou de cascos na estrada à frente e atrás [...]

Após a descrição da estrada, conservada sob o Morannon, mas, mais ao sul, invadida pelo mato, o rascunho de abertura vai se perdendo e provavelmente neste ponto meu pai começou a escrever o manuscrito. Aqui, a única luz vermelha nas Torres dos Dentes aparece, mas some de vista após algumas milhas apenas, "virando-se para o sul, contornando um grande ressalto escuro das montanhas inferiores", ao passo que, em DT, isso se deu "quando a noite estava velha e eles já estavam cansados".[1] Neste texto, eles chegaram às terras menos áridas, com encostas cobertas de árvores, durante a primeira noite, e os arbustos que os hobbits em DT não conheciam por lhes serem estranhos aqui eram "irreconhecíveis no escuro". Depois de um pequeno descanso por volta da meia-noite, Gollum desceu com eles até a estrada para o sul, e segue-se uma descrição dela.

A sequência exata da composição entre rascunhos e manuscritos é difícil de deslindar, mas creio que foi provavelmente neste ponto que meu pai escreveu um brevíssimo esboço da história que viria, junto com notas sobre nomes. É frustrante, mas, em alguns lugares, a escrita aqui resistiu a todas as tentativas de elucidação.

Após tanto labor e perigo, os dias que passaram ali pareciam quase um descanso. Pela estimativa de Gollum, havia umas 20 [*alterado a partir de algum outro número*] léguas do Morannon até as defesas exteriores de Minas Morghul, talvez mais. Gollum encontra comida. Noite de Lua Cheia, veem uma ... branca bem no alto, na sombra escura das colinas à esquerda, na ponta de uma ampla [? reentrância, *isto é, vale*], Minas Morghul.[2] Na noite seguinte eles chegam à encruzilhada. E uma grande figura [? de pedra] ...[3] para Elostirion ... [*Riscado:* Sarnel Ubed.[4] Ennyn. Aran] Taur Toralt [*riscado:* Sarn Torath.] Annon Torath. Aranath. lembrando Frodo dos Reis em Sern Aranath. ou Sairn Ubed.

Mas a cabeça fora arrancada e, por chacota, alguns orques? tinham posto ... bola de argila com ... O olho vermelho foi ... [? pintado por cima].[5]

Sobre *Sern Aranath* como nome dos Pilares dos Reis, ver VII. 429, nota 21; e ver DT, p. 1003 (no fim de "Jornada para a Encruzilhada"): "O breve luzir caía sobre uma enorme figura sentada, imóvel e solene como os grandes reis de pedra de Argonath". Não está claro para mim se *Sairn Ubed* é uma alternativa para *Sern*

Aranath. Nessa mesma página, depois (mas não muito depois), meu pai fez notas adicionais sobre os nomes (ver pp. 167–8) e, entre elas, aparece o seguinte:

As duas Pedras Reis	Sern Ubed (negação)
	Sern Aranath

A palavra *negação* nos faz pensar na descrição dos Pilares dos Reis em "O Grande Rio" (SA, p. 552). O rascunho mais antigo desse trecho (VII. 422) dizia "A mão esquerda de cada um estava erguida ao lado da cabeça, com a palma para fora, em gesto de advertência e *recusa*".[6]

Fica claro por esse texto que, nessa época, o surgimento de Faramir e da Janela para o Oeste estava completamente imprevisto, mas, por outro lado, a estátua quebrada na Encruzilhada já estava presente.

O passo seguinte no desenvolvimento da "recalcitrante passagem" se vê, acredito, no que vem depois da descrição da estrada para o sul no manuscrito:

Depois dos labores e perigos que tinham acabado de enfrentar, os dias que passaram na estrada pareceram quase agradáveis, embora o medo lhes rodeasse e a escuridão jazesse à frente. O tempo agora estava bom, apesar de o vento que soprava do noroeste por sobre as longínquas Montanhas Nevoentas ter um dente afiado. Prosseguiram adentrando os limites setentrionais daquela terra que os homens outrora chamaram de Ithilien, uma bela região de bosques ascendentes e ribeirões em queda veloz. Pela estimativa de Gollum, havia umas trinta léguas do Morannon até o cruzamento das vias acima de Elostirion, e ele esperava percorrer essa distância em três jornadas. Mas talvez a distância fosse maior, ou eles seguiam mais devagar do que ele esperava, pois ao fim da terceira noite não haviam chegado.

Esse trecho foi rejeitado imediatamente, mas, antes disso, "trinta léguas" foi alterado para "vinte" e talvez tenha sido nesse momento que uma frase foi acrescentada depois de "Mas não estavam indo depressa o bastante para Gollum" (DT, p. 932): "Pelas suas estimativas havia vinte léguas do Morannon até o cruzamento das vias acima de Osgiliath,[7] e ele esperava percorrer essa distância em três jornadas" (onde DT diz "quase trinta léguas" e "quatro jornadas").

Se minha análise da sequência estiver correta, meu pai agora decidiu que estava tratando a jornada do Morannon à Encruzilhada de modo muito descuidado; e seu passo seguinte, na mesma página do manuscrito, foi voltar à primeira noite (que era a de 5 de fevereiro):

Arrastaram-se por toda aquela noite, e por toda a seguinte. A estrada aproximava-se cada vez mais do curso do Grande Rio e afastava-se da sombra de Hebel Dúath à esquerda. Naquela segunda noite, a lua estava cheia. Não muito antes da aurora, viram-na afundando, redonda e amarela, bem para lá do grande vale abaixo deles. Aqui e ali um brilho branco aparecia onde o Anduin rolava, uma pujante torrente inflada pelas águas das Emyn Muil e do vagaroso e serpenteante Entágua. Muito, muito longe, fantasmas pálidos acima das névoas, os picos das Montanhas Negras eram pegos pela lua radiante. Cintilavam ali pela noite as neves do Monte Mindolluin; mas, ainda que os olhos de Frodo fitassem o oeste, perguntando-se onde seus antigos companheiros poderiam estar agora na vastidão da terra, ele não sabia que sob

Esse trecho foi, por sua vez, riscado. As últimas palavras estão no pé da página.[8]

Parece que foi nesse momento que meu pai decidiu introduzir o episódio dos coelhos capturados por Gollum (desenvolvendo-o a partir da passagem em que aparece pela primeira vez, ver nota 6).

Arrastaram-se por toda aquela noite. Ao primeiro sinal do dia eles pararam, e ajeitaram-se sob uma ladeira em uma moita de velhas samambaias marrons sombreadas por pinheiros escuros. A água descia correndo não muito longe, vindo fria das colinas, e boa para beber.

Sam viera pensando seriamente em comida durante a marcha. Agora que o desespero do Portão impenetrável havia ficado para trás, ele não se sentia tão inclinado quanto o mestre a não se preocupar com o sustento além do fim da sua missão; e de qualquer maneira pareceu-lhe mais prudente poupar o pão élfico para tempos piores à frente. Dois ou mais dias haviam-se passado desde que ele calculara que tinham suprimento que mal dava para três semanas.[9] "Se alcançarmos o Fogo nesse tempo, vamos ter sorte, neste ritmo", pensou ele. "E talvez vamos querer voltar. Talvez." Além disso, ao fim de [? sua] longa marcha noturna, ele se sentia mais faminto do que o normal.

Com tudo isso em mente, virou-se para Gollum. Gollum estava rastejando pelas samambaias. "Ei!", disse Sam. "Aonde vai? Vai caçar? Bem, olhe aqui, meu amigo, você não gosta de nossa comida, mas se conseguisse encontrar algo que sirva para um hobbit comer, eu ficaria agradecido."

Sim, ssim.

Gollum volta com 2 coelhos. Raiva do fogo (a) medo (b) furioso por estragar bons coelhos suculentos. Tranquilizado por Frodo (promessa de peixe?).

Noite de lua cheia e visão do Anduin.

Terceira noite. Não chegam até a encruzilhada. [? Tentam] apressar a jornada durante o dia pelas árvores. Chegam ao cruzamento das vias e espiam de uma moita.

O rei sem cabeça com uma cabeça feita por chacota por orques e cheia de garatujas.

Naquela noite, viram para a esquerda. Visão de Minas Morghul à lua no alto na reentrância.[10]

Aqui esse texto termina, e ele foi seguido por outro rascunho que começa exatamente no mesmo lugar desse acima, e nele a história de Sam cozinhando foi desenvolvida quase até a forma final. Em uma das páginas desse texto, meu pai colocou uma observação a lápis: "Descrever os loureiros e as ervas aromáticas enquanto eles marcham". Portanto, foi o episódio em que os coelhos são cozidos que levou ao relato das moitas e ervas de Ithilien (DT, p. 934) — "que está se revelando uma terra adorável", como ele disse em sua carta de 30 de abril de 1944 (*Cartas*, n. 64).

Ele então retornou à cópia manuscrita limpa e, sem alterar a abertura do capítulo nem na hora e nem depois, escreveu a história da maneira que se encontra em DT, p. 933 e seguintes, a partir de "Assim passaram para os limites setentrionais daquela terra que os Homens outrora chamaram de Ithilien". Nesse estágio, portanto, a cronologia da jornada era a seguinte:

5 de fev. Deixam o Morannon no crepúsculo e chegam a uma terra menos árida de urze. Tomam a estrada para o sul por volta da meia-noite (p. 161).

6 de fev. Param à aurora. Descrição de Ithilien, suas ervas e flores. Sam cozinha, e chegam os homens de Gondor.

Com a introdução de um longo adendo ao texto datilografado seguinte, um dia e uma noite extras foram inseridos na jornada entre o Morannon e o lugar onde Sam cozinha (ver a Nota sobre a Cronologia no fim deste capítulo). Na aurora desse dia adicional eles se viram em uma região menos árida de urzais, e passaram o dia escondidos na urze funda (DT, p. 932); partiram novamente no ocaso, e somente então tomaram a estrada para o sul.

No fim do episódio do "Coelho Ensopado", há um breve esboço no manuscrito com a história que viria, escrito tão rápido a lápis que não consigo entender tudo; mas é possível ver que Sam descobre que Gollum não está ali; ele apaga o fogo e corre para lavar as panelas, escuta vozes e, de repente, vê alguns homens perseguindo Gollum. Gollum escapa deles e desaparece entre arbustos emaranhados. Eles sobem a colina e Sam os ouve rindo. "Não é um orque", diz um deles. Sam se esgueira de volta para Frodo, que também ouviu vozes e se escondeu, e veem muitos homens indo na direção da estrada.

Outra página, que se encontra separada, parece muito provavelmente ser a continuação desse esboço, e é igualmente difícil de ler. Deve haver uma descrição de homens como Boromir, trajados de verde mais claro e mais escuro, armados com punhais; os hobbits se perguntam quem são — certamente não são batedores de Sauron. A luta na estrada entre os homens de Harad e os de Minas Tirith é mencionada; e então continua:

Um Homem-de-Tirith morto cai na ladeira e colide com eles. Frodo vai até ele, e ele grita *orch* e tenta ... mas cai morto, gritando "Gondor!". Os Homens-de-Harad rechaçam os Gondorianos colina [? abaixo]. Os hobbits esgueiram-se pelos arbustos. Por fim, escalam uma árvore. Veem os Gondorianos lutarem e finalmente vencerem. No crepúsculo, Gollum escala ao encontro deles. Pragueja contra Sam por [? trazer inimigos]. Não se atrevem a voltar para a estrada, mas prosseguem vagando pelas clareiras selvagens de Ithilien naquela noite. Veem a Lua Cheia. Não encontram mais ninguém.

Põem o pé na estrada para Osgiliath lá embaixo, e precisam fazer um longo [? retorno] para Leste. Florestas fundas de ílex. Gollum prossegue de dia. Ao anoitecer do terceiro dia eles chegam à Encruzilhada. Veem a estátua quebrada.[11]

Nesse estágio, portanto, a história da emboscada[12] aos Homens Sulistas parece não ter tido sequência. Mas a partir do ponto em que esse esboço começa (quando Sam chama Gollum, dizendo que sobrou um pouco de coelho ensopado, caso ele mude de ideia, mas descobre que ele sumiu, DT, p. 941), a versão final da história, que existe parcialmente em um rascunho rudimentar, foi atingida sem hesitação — tendo, contudo, uma diferença importante: o líder dos Gondorianos *não* era Faramir, irmão de Boromir. Nesse momento, o líder era Falborn, filho de Anborn (e assim permaneceu no manuscrito). Mablung e Damrod, os dois homens que ficaram vigiando Frodo e Sam,[13] disseram-lhes que Falborn era parente de Boromir e que "ele e eles eram Caminheiros de Ithilien, pois descendiam de um povo que outrora vivia em Ithilien antes que fosse invadida" (ver DT, p. 946).

No mais, a conversa de Falborn com Frodo e Sam continua quase exatamente como a que têm com Faramir em DT.[14] Mablung e Damrod usavam "ora a fala comum, mas à moda dos dias mais antigos, ora alguma outra língua deles próprios", mas a descrição dessa outra língua (DT, p. 946) foi inserida no texto datilografado que se seguiu ao manuscrito em algum momento posterior. O relato que fazem dos Sulistas mal difere da versão final, mas, onde em DT (p. 946) Mablung diz "Esses malditos Sulistas", no manuscrito ele diz "Esses malditos Barangils, pois assim os chamamos" (alterado em seguida para o texto final). O nome *Barangils* foi escrito no Primeiro Mapa ao lado de *Tisnados* (ver Mapa III, VII. 364).

O relato acerca do Olifante nunca foi alterado, exceto o nome pelo qual esses grandes animais eram conhecidos em Gondor (em DT, *Mûmak*). No rascunho original, Mablung[15] gritou *Andabund!*, o que foi posto inicialmente também no manuscrito. Depois, isso foi alterado para *Andrabonn*,[16] e depois para *Múmund*. Tais mudanças foram imediatas, pois algumas linhas abaixo aparece "o *Múmund* de Harad era de fato um animal de vasto volume", onde o rascunho dizia *Múmar*. Logo depois, a forma *Mâmuk* foi introduzida em ambos os trechos: essa é a grafia que meu pai usou em sua carta para mim em 6 de maio de 1944 (*Cartas*, n. 66).

Por fim, no manuscrito, Damrod grita "Que os deuses o desviem", onde em DT ele invoca os Valar; *deuses* foi precedido de alguma palavra rejeitada que não consigo interpretar.

Em 30 de abril de 1944 (*Cartas*, n. 64), meu pai me descreveu o curso da história que eu não tinha lido:

> ["O Anel"] está crescendo e florescendo novamente [...] e desdobrando-se em caminhos inesperados. Até agora nos novos capítulos Frodo e Sam atravessaram Sarn Gebir[17] desceram o penhasco, encontraram e temporariamente domaram Gollum. Com a orientação dele, cruzaram os Pântanos Mortos e os morros de escória de Mordor, deitaram-se escondidos do lado de fora dos portões principais e descobriram que eram intransponíveis e partiram para uma entrada mais secreta próxima a Minas Morghul (anteriormente M. Ithil). Tal entrada acabará sendo a mortal Kirith Ungol e Gollum cometerá traição. Mas no momento eles estão em Ithilien (que está se revelando uma terra adorável); lá houve muito incômodo por causa de coelho cozido; e eles foram capturados por Gondorianos e testemunharam tais homens emboscarem um exército dos Tisnados (homens escuros do Sul) que marchava indo em auxílio a Mordor. Um grande elefante de tamanho pré-histórico, um elefante de guerra dos Tisnados, está à solta, e Sam realizou um desejo de longa data de ver um Olifante [...]. No próximo capítulo a ser escrito, eles chegarão a Kirith Ungol e Frodo será capturado. [...] No geral, Sam está se comportando bem e vivendo de acordo com a reputação. Ele trata Gollum bem como Ariel trata Caliban.

Como se passou uma semana até ele fazer menção à súbita e completamente inesperada aparição de Faramir em cena, parece-me que, quando escreveu essa carta, ele não tinha avançado muito além do fim do episódio do Olifante, se é que tinha avançado alguma coisa; pois no manuscrito do capítulo que se tornou "De Ervas e Coelho Ensopado", o líder dos Gondorianos é Falborn, não Faramir, e ainda não há indício de que ele desempenhará alguma função depois (ver o esboço na p. 165).[18]

Este capítulo (incluindo o que se tornou "O Portão Negro está Fechado") foi lido para C.S. Lewis em 1 de maio de 1944 (*Cartas*, n. 65).

Este é um lugar conveniente para colocar as notas sobre nomes acrescentadas depois à página transcrita na p. 162:

> Alterar *Montanhas Negras* para *Montanhas Brancas. Hebel* [*Orolos* >] *Uilos Nimr*[?*ais*]

> Alterar o *Morannon* para *Kirith Naglath* Fenda dos Dentes
> *Gorgor*
> As duas Pedras Reis *Sern Ubed* (negação)
> *Sern Aranath*
> *Rohar?*

A essas notas a lápis, meu pai acrescentou, à tinta:

> Não *Hebel*, e sim *Ephel. Et-pele* > *Eppele. Ephel-duath. Ephel* [*Nimras* >] *Nimrais. Ered Nimrath.*

Compare *Kirith Naglath* com *Naglath Morn*, p. 150; e, sobre a referência a *Sern Ubed* e *Sern Aranath*, ver p. 161. Sobre a alteração de Montanhas Negras para Brancas, ver VII. 510.

NOTAS

[1] No manuscrito, assim como no rascunho, "A lua não apareceria até tarde àquela noite"; em DT, "A lua já estava a três noites da cheia, mas só subiu acima das montanhas quando era quase meia-noite".

[2] Que a palavra ilegível é *reentrância* parece ser confirmado pela outra ocorrência dessa palavra, perfeitamente clara e no mesmo contexto, no texto da p. 164. No presente texto, neste ponto, há uma linha vertical ondulada; isso claramente indica a linha das montanhas cortadas por um vale muito amplo que sobe até um ponto.

[3] A palavra ilegível certamente não é *pointing* [apontando]. Começa com *f* ou *g* e provavelmente termina com *ing*, mas não sugere nem *facing* [de frente] e nem *gazing* [fitando].

[4] A palavra *Ubed*, que ocorre duas vezes aqui e novamente nas outras notas sobre nomes nessa página (onde está traduzida como "negação"), foi escrita em todas as ocorrências exatamente do mesmo jeito, e não tenho absoluta certeza acerca da terceira letra.

[5] Antes das palavras "O olho vermelho" serem escritas, meu pai desenhou uma runa S anglo-saxônica (ver VII. 448), mas a riscou.

[6] O restante dessa página tem trechos desconexos: assim como em outros lugares, meu pai provavelmente a tinha do lado e a usou para rabiscar "momentos" da narrativa conforme lhe chegavam à cabeça. O primeiro trecho diz:

> aquela grande encosta montanhesa foi construída Minas Tirith, a Torre de Guarda, onde Gandalf agora caminhava perdido em pensamentos.

Sobre isso, ver nota 8. E então continua.

> Prosseguiram pela terceira noite. Tinham água boa em abundância, e Gollum estava mais bem alimentado. Já tinha um aspecto menos faminto. Bem cedo pela manhã, enquanto se escondiam para descansar, e no anoitecer, quando partiam outra vez, ele escapulia e voltava lambendo os beiços. Às vezes, durante a longa noite, ele tirava alguma coisa . . . . . e mastigava enquanto caminhava.
>
> . . . . . e ficaram sob uma ladeira funda em samambaias altas sob a sombra de pinheiros. A água corria não muito distante, fria, boa para beber. Gollum escapuliu e logo voltou, lambendo os beiços; mas trouxe consigo também um presente para os hobbits. Dois coelhos que tinha apanhado.

Com observações de que Sam não fazia objeção a coelhos, mas tinha aversão ao que Gollum trouxe, e uma referência ao seu desejo prudente, em contraste com a indiferença de Frodo, de poupar o pão-de-viagem élfico para tempos piores à frente, esses "excertos" extremamente difíceis terminam. Fica claro aqui que o episódio do coelho ensopado havia surgido; mas parece pouco possível definir como meu pai o relacionava à sequência completa da jornada desde o Portão Negro.

[7] Sobre a contínua hesitação entre *Elostirion* e *Osgiliath* nessa época, ver p. 150 e nota 7.

[8] A última frase é, na verdade (e muito estranhamente), completada pelo primeiro trecho da nota 6, desta forma:

> Cintilavam ali pela noite as neves do Monte Mindolluin; mas, ainda que os olhos de Frodo fitassem o oeste, perguntando-se onde seus antigos companheiros poderiam estar agora na vastidão da terra, ele não sabia que sob / aquela grande encosta montanhesa foi construída Minas Tirith, a Torre de Guarda, onde Gandalf agora caminhava perdido em pensamentos.

Ver a Nota sobre a Cronologia adiante.

[9] Essa frase substituiu outra em que a estimativa de Sam era de que tinham um "suprimento de pão-de-viagem que mal dava para dez dias: com isso, sobravam oito". No manuscrito de "A Travessia dos Pântanos" que corresponde ao trecho em DT, p. 899, Sam dizia "Calculo que temos o bastante para durar, digamos, 10 dias agora". Isso foi alterado para "umas três semanas", sem dúvida ao mesmo tempo em que a frase no presente texto foi reescrita.

Em DT (p. 936) afirma-se nesse ponto que "Seis ou mais dias haviam-se passado" desde que Sam fizera o cálculo das provisões de *lembas*, ao passo que aqui se diz "Dois ou mais dias". Na verdade, três dias se passaram: 3, 4 e 5 de fevereiro (p. 144). Em DT, a duração da jornada aumentou devido aos dois dias a mais que eles passaram atravessando as Terras-de-Ninguém (pp. 137, 143) e ao dia extra na jornada do Morannon ao local do episódio do coelho ensopado (p. 165).

[10] *reentrância*: ver nota 2.

[11] O restante desse esboço está ilegível porque meu pai o atravessou com notas à tinta sobre outro assunto (ver p. 178).

[12] Não está claro se foi concebido inicialmente como uma emboscada, o que talvez só tenha surgido quando a história veio a ser escrita — e foi aí que meu pai acrescentou no manuscrito, em um ponto anterior, "Haviam chegado ao fim de um longo corte, fundo e de paredes íngremes no meio, pelo qual a estrada passava através de uma crista de pedra" (DT, p. 934).

[13] Em um rascunho a lápis, tão esmaecido e apressado a ponto de ser na maior parte ilegível, outro nome está escrito no lugar de Mablung, e muitos nomes precederam Damrod, mas não sou capaz de interpretar nenhum deles com certeza.

[14] Valfenda ainda é *Imladrist* e os Pequenos ainda são os *Meios-altos* (ver VII. 177). Boromir é chamado de "Alto-guardião da Torre Branca e nosso capitão general", como em DT (p. 944).

[15] Damrod em DT; as falas de Damrod e Mablung foram se alternando entre os dois.

[16] Ver as *Etimologias*, V. 451, radical MBUD "projetar": **andambundā* "de focinho longo", quenya *andamunda* "elefante", noldorin *andabon*, *annabon*.

[17] *Sarn Gebir*: um caso interessante em que o nome antigo reapareceu por engano — a menos que meu pai tenha usado *Sarn Gebir* deliberadamente, lembrando-se de que eu não tinha lido nada do Livro IV, em que o nome *Emyn Muil* foi usado pela primeira vez. Ver, contudo, p. 201, nota 7.

[18] Fica claro que, no manuscrito, o capítulo acabava nas palavras de Sam (DT, p. 949) "Bem, se isso passou vou dormir um pouco". O breve diálogo seguinte entre Sam e Mablung (com o indício de que não deixariam os hobbits prosseguirem a jornada livremente: "Não creio que o Capitão te deixe aqui, Mestre Samwise") foi escrito no manuscrito como sendo o começo do capítulo seguinte ("Faramir"), e apenas depois foi juntado ao anterior, tornando-se sua conclusão; a essa altura, Falborn havia se tornado Faramir.

Nota sobre a Cronologia

O breve esquema temporal B traz a seguinte cronologia (ver pp. 144, 164–5):

(Dia 3)	4 de fev.	Frodo, Sam e Gollum chegam às Terras Áridas e aos Morros de Escória. Ficam ali durante o dia e dormem. À noite, percorrem 12 milhas [*c.* 19 km] e chegam diante do Morannon em 5 de fev.

(Dia 4)	5 de fev.	Frodo, Sam e Gollum ficam escondidos o dia todo. Vão para o sul, para Ithilien, no crepúsculo.
(Dia 5)	6 de fev.	Lua Cheia. Coelho ensopado. Frodo e Sam levados por Faramir. Passam a noite em Henneth Annûn.

Há dois outros esquemas ("C" e "D"), um obviamente escrito pouco depois do outro, ambos os quais começam em 4 de fevereiro. Conforme escritos originalmente, ambos mantêm a cronologia de B, mas dão algumas informações sobre outros eventos também e, nesse aspecto, são diferentes. O esquema C diz o seguinte:

(Dia 3)	4 de fev.	Gandalf e Pippin passam os Vaus e chegam à boca da Garganta por volta de 2h30 da manhã [*acrescentado:* e cavalga até o raiar do dia, depois descansa escondido. Cavalga outra vez à noite.] Théoden parte de Dolbaran e chega ao Abismo de Helm logo depois do amanhecer. Frodo chega às Terras Áridas e aos Morros de Escória e passa o dia ali.
(Dia 4)	5 de fev.	Théoden parte do Abismo de Helm na jornada de volta. Aragorn vai cavalgando à frente com Gimli e Legolas. Gandalf abandona o sigilo e, depois de um breve descanso, cavalga o dia todo para Minas Tirith. Ele e Pippin chegam a Minas Tirith ao pôr do sol. No amanhecer de 5 de fev., Frodo chega diante do Morannon. Frodo, Sam e Gollum ficam escondidos o dia todo e partem para o sul, rumo a Ithilien, no cair da noite.
(Dia 5)	6 de fev.	Frodo e Sam em Ithilien. São levados por Faramir. Batalha com os Sulistas. Frodo passa a noite em Henneth Annûn.

O esquema D, certamente seguindo C, diz (conforme escrito originalmente):

(Dia 3) 4 de fev. Gandalf e Pippin começam a cavalgada para Minas Tirith (passam os Vaus e chegam à boca da Garganta do Abismo por volta de 2h da manhã). Chegam a Edoras no amanhecer (7h30). Gandalf, temendo Nazgûl, descansa o dia todo. Ordena que o povo vá ao Fano-da-Colina. Nazgûl sobrevoa Rohan outra vez.

(Dia 4) 5 de fev. Gandalf cavalga a noite toda de 4–5 e adentra Anórien. Pippin vê os faróis ardendo nas montanhas. Veem mensageiros cavalgando para Oeste.

Aragorn (com Legolas e Gimli) cavalga rápido à noite (4–5) para o Fano-da-Colina via Edoras, chega a Edoras pela manhã e sobe o Vale Harg. Théoden, com Éomer e muitos homens, vai pelas trilhas montanhesas pelas margens meridionais [*sic*] das montanhas até o Fano-da-Colina, cavalgando devagar.

Frodo, ao amanhecer, chega diante do Morannon. No cair da noite, Frodo, com Sam e Gollum, vira-se para o sul, na direção de Ithilien.

(Dia 5) 6 de fev. Lua Cheia (nasce por volta de 9h20 da noite e se põe cerca de 6h30 da manhã em 7 de fev.). Gandalf cavalga a noite toda de 5–6 e avista Minas Tirith ao amanhecer do dia 6.

Théoden sai do oeste e adentra o Vale Harg, algumas milhas acima do Fano-da-Colina, e chega ao Fano-da-Colina antes do cair da noite. Vê as tropas já se reunindo.

Frodo e Sam em Ithilien; levados por Faramir; batalha com os Sulistas. Frodo passa a noite em Henneth Annûn.

Sobre a afirmação no esquema D que Théoden desceu para o Vale Harg, *algumas milhas acima do Fano-da-Colina*, ver p. 309. A lua cheia de 6 de fevereiro é a lua cheia de 1 de fevereiro de 1942, como explicado em VII. 433.

Percebe-se que, na datação, esses esquemas dão sequência aos esquemas A e B (ver p. 144), segundo os quais o dia que Frodo passou em meio aos morros de escória foi 4 de fevereiro e chegou diante do Morannon em 5 de fevereiro. Se, por um lado, esses esquemas obviamente datam de 1944 e foram feitos quando o Livro IV estava quase ou inteiramente escrito (pp. 220, 272), por outro, parece claro que eles *precederam* os problemas cronológicos mencionados por meu pai nas cartas de 12 e 16 de outubro de 1944 (ver p. 123), pois nessa segunda carta ele diz que tinha feito uma pequena alteração na jornada de Frodo, "2 dias do Morannon a Ithilien", e essa alteração não está presente nos esquemas C e D.

O esquema D foi revisado naquele momento, acrescentando um dia na jornada do Morannon a Ithilien, e isso foi feito adiantando-se as datas: portanto, Frodo agora chega diante do Morannon em 4 de fevereiro e, em 5 de fevereiro, "fica na urze nas fronteiras de Ithilien" (ver p. 165 e DT, p. 932); portanto, o episódio do coelho ensopado continua em 6 de fevereiro. Como esse esquema só começa em 4 de fevereiro, ele não mostra como se deu a chegada diante do Morannon mais cedo.

Fica claro, portanto, que o esquema S foi criado depois das modificações cronológicas de 12–16 de outubro de 1944; pois em S o dia extra na jornada do Morannon estava presente desde o começo, e a data desse dia extra era 5 de fevereiro (como no Esquema D revisado), pois, nesse esquema, a data do Rompimento da Sociedade foi adiantado de 26 para 25 de janeiro (ver pp. 124, 145). Entendo, portanto, que a cronologia em S representa a estrutura vigente quando meu pai escreveu, em 16 de outubro, "Creio que finalmente a tenha resolvido":

(Dia 3)	3 de fev.	Frodo etc. chegam aos morros de escória ao amanhecer e passam o dia em uma cova, prosseguindo no cair da noite. Nazgûl passa bem no alto a caminho de Isengard por volta de 5h da tarde. Outro passa uma hora após a meia-noite.
		Gandalf e companhia saem de Isengard e acampam em Dolbaran. Episódio da Pedra-de-Orthanc. Nazgûl sobrevoa por volta das 11h da noite.

(Dia 4)	4 de fev.	Frodo etc. chegam no vale à vista do Morannon no raiar do dia, e passam o dia todo escondidos. Veem os Homens de Harad marchando para dentro. No crepúsculo, começam a jornada para o sul.
		Gandalf e Pippin cavalgam para o leste. Avistam Edoras ao amanhecer. Nazgûl sobrevoa Edoras por volta de 8h da manhã.
(Dia 5)	5 de fev.	Frodo etc. chegam às terras fronteiriças e ficam na urze dormindo o dia todo. À noite, adentram Ithilien.
		Gandalf adentra Anórien.
(Dia 6)	6 de fev.	Frodo etc. acampam em Ithilien. Episódio do Coelho Ensopado. Frodo é capturado por Faramir e levado para Henneth Annûn.
		[Gandalf e Pippin chegam a Minas Tirith.]

Não é possível ler as entradas originais a respeito de Gandalf em 5 e 6 de fevereiro nesse esquema depois de "Gandalf adentra Anórien", pois meu pai escreveu por cima delas, mas fica claro que, assim como no esquema D, ele chegou a Minas Tirith no amanhecer de 6 de fevereiro.

Neste capítulo, a relação com os movimentos dos outros membros da Comitiva original surge no trecho rejeitado da p. 162, interrompido no manuscrito, porém concluído como se mostra na nota 8. Nesse trecho, escrito antes do episódio do coelho ensopado e de os homens de Gondor entrarem na história, Frodo estava andando para o sul, atravessando Ithilien e, no fim da noite de 6–7 de fevereiro (a segunda dessa jornada), viu a lua cheia descendo no Oeste. À luz dela, vislumbrou ao longe as neves no Monte Mindolluin; ao mesmo tempo, Gandalf caminhava "perdido em pensamentos" em Minas Tirith, sob aquela montanha. Quando a história foi completamente alterada pela entrada de Faramir, foi em Henneth Annûn, antes do amanhecer do dia 7, que Frodo viu a lua cheia se pondo naquela noite, e no rascunho original de "A Lagoa Proibida" aparece a sua triste especulação acerca do destino de seus antigos companheiros "na vastidão das terras noturnas" (DT, p. 978). Quando aquilo foi escrito, a história ainda era a de que Gandalf e Pippin já tinham chegado a Minas Tirith.

Na cronologia final, essas relações se alteraram. Pippin, cavalgando com Gandalf em Scadufax na noite de 7–8 de março, vislumbrou ao cair no sono "altos picos brancos, reluzindo como ilhas flutuantes por cima das nuvens que apanhavam a luz da lua poente. Perguntou-se onde estaria Frodo, se já estava em Mordor ou se estava morto; e não sabia que Frodo, de longe, olhava para aquela mesma lua que se punha além de Gondor antes da chegada do dia" (*O Retorno do Rei*, pp. 1090–91). Essa ainda era a noite que Frodo passava em Henneth Annûn; mas agora Gandalf não cavalgava até o muro da Pelennor até o amanhecer de 9 de março.

5

FARAMIR

Em 26 de abril de 1944, meu pai disse (*Cartas*, n. 63) que precisava saber como ensopar um coelho; no dia 30 (n. 64), escreveu que "Um grande elefante de tamanho pré-histórico, um elefante de guerra dos Tisnados, está à solta" (mas não fez menção a nada além disso); no dia 4 de maio (n. 65), tendo lido o capítulo para C.S. Lewis no dia primeiro, ele estava "ocupado agora com o próximo"; e, no dia 11 (n. 67), afirmou que tinha lido seu "quarto novo capítulo ('Faramir')" para Lewis e Williams três dias antes.[1] Portanto, parece que aquilo que posteriormente foi intitulado "A Janela para o Oeste" foi feito em não muito mais do que uma semana. Deve ter sido um período de trabalho intenso e concentrado, pois o volume de escrita que entrou nesse capítulo, os rascunhos novos e as reformatações, é notável. É também muito complexo e, para mim, levou muito mais do que uma semana para determinar como o capítulo evoluiu e para tentar descrever isso aqui. Nas páginas seguintes, investigo o desenvolvimento bem de perto, pois em "Faramir" há elementos que têm relevância para outras partes de *O Senhor dos Anéis* e muita coisa especialmente interessante no discurso de Faramir acerca de história antiga, em particular nas observações que faz sobre as línguas de Gondor e a fala comum (coisas que se perderam completamente em *As Duas Torres*).

As várias sequências de rascunho que constituem a história do capítulo são tão confusas que tentarei deixar meu relato mais claro usando letras para distingui-las sempre que for útil. Apenas um manuscrito foi feito, intitulado "36. Faramir":[2] é um texto bem-feito e claro, não muito emendado posteriormente, e nele a versão final foi atingida, mas com algumas exceções importantes. Deve ter sido esse o texto (neste capítulo chamado de "o manuscrito completo" ou simplesmente "o manuscrito") de "Faramir" que meu pai leu para Lewis e Williams em 8 de maio de 1944. Nesse estágio, o capítulo começava na frase "'Dorme enquanto podes', disse Mablung": ver p. 170, nota 18.

O rascunho original do fim daquele que se tornou "De Ervas e Coelho Ensopado" — que chamarei de "**A**" — continuava assim depois das palavras de Sam "Bem, se isso passou vou dormir um pouco" (DT, p. 949):

Virou-se e falou no ouvido de Frodo. "Eu quase poderia dormir de pé, Sr. Frodo", disse ele. "E você também não dormiu muito. Mas parece que esses homens são amigos: parecem mesmo vir do país de Boromir. Mesmo que não confiem muito em nós, não consigo achar motivo para duvidar deles. E de qualquer forma estamos perdidos se, no fim das contas, eles forem maus, então é melhor descansarmos."

"Dorme, se quiseres", disse Mablung. "Guardar-te-emos e também teu mestre até Falborn chegar. Falborn voltará aqui, se tiver salvado sua vida. Mas quando ele chegar havemos de partir depressa. Todo esse tumulto não passará despercebido, e antes que a noite avance teremos muitos perseguidores. Precisaremos de toda a velocidade para chegar ao rio primeiro."

Parecia a Sam que só alguns minutos se passaram até despertar e ver que Falborn voltara, e vários homens vieram consigo. Estavam conversando ali perto. Frodo estava acordado e no meio deles. Estavam debatendo o que fazer com os hobbits.

Sam sentou-se e escutou, e compreendeu que Frodo não satisfizera o líder dos homens de Gondor em alguns pontos: o papel que tivera de desempenhar na comitiva que partira de Valfenda, por que deixaram Boromir, e aonde ia agora. Ao significado da Ruína de Isildur voltou várias vezes, mas Frodo não lhe contou a história do Anel.

"Mas as palavras diziam *Co'a ruína de Isildur na mão*", disse Falborn.[3] "Se tu és o Meio-alto, então deverias ter a coisa na mão, seja lá o que for. Não a tens? Ou está oculta porque tu resolveste ocultá-la?"

"Se Boromir estivesse aqui ele responderia às tuas perguntas", disse Frodo. "E, visto que Boromir estava há muitos dias em Rauros a caminho da tua cidade, se voltares rapidamente poderás saber da resposta. Meu papel nessa comitiva era conhecido por ele e por todos os demais, e pelo Senhor Elrond, deveras. A missão que me foi dada me traz a esta terra, e não é [? sábio] que qualquer inimigo do Senhor Sombrio a impeça."

"Vejo que há mais aí do que percebi de início", disse Falborn. "Mas eu também estou sob ordens: matar ou aprisionar, conforme [? a razão justificar], todos os que forem encontrados em Ithilien. Não há razão para te matar."

Aqui esse rascunho praticamente ilegível termina. No fim dele está escrito a lápis: *A morte de Boromir é conhecida*. Isso deve provavelmente ser associado às seguintes notas escritas através do esboço na p. 165 (ver nota 11 ao capítulo anterior):

Sabem que Boromir morreu?

Somente por uma visão do barco com uma luz ao redor dele, descendo o rio flutuando, e uma voz. E por alguns pertences dele boiando?

É 6 de fev., Gandalf chega somente no pôr do sol de 5 de fev., e os Caminheiros devem ter saído de Tirith muito antes disso. Mal daria tempo para um mensageiro ir de Edoras a Minas Tirith (250 milhas [*c.* 402 km]).

. . . . . 31 de jan. manhã até [4 de fev. >] noite 3 de fev. 3½ dias. Caminheiros precisam ter partido na noite de 3 de fev.

NÃO.

Sobre a data 6 de fevereiro, ver pp. 170–4. 31 de janeiro foi o dia em que Gandalf chegou com Aragorn, Legolas e Gimli a Edoras e partiu com Théoden, cavalgando para oeste através das planícies (ver pp. 13–6). Meu pai evidentemente estava calculando que um homem cavalgando 70 milhas [*c.* 112,5 km] por dia poderia ter levado as notícias da morte de Boromir para Minas Tirith antes de Falborn e seus homens deixarem a cidade para cruzar o rio e adentrar Ithilien, mas decidiu que não foi isso que aconteceu.

Um novo rascunho ("**B**"), no início escrito de maneira clara, começa a partir das palavras de Mablung "Dorme, se quiseres",[4] e continua como no rascunho original A (p. 177): portanto, ainda não há indício, neste ponto, de que não permitirão que os hobbits prossigam seu caminho (ver nota 18 ao capítulo anterior), e o líder dos homens de Gondor ainda é Falborn. O rascunho A foi seguido de perto nesse novo texto (que foi bastante emendado subsequentemente) quase até o fim,[5] mas, no ponto em que Frodo diz "Mas os que afirmam opor-se ao Senhor Sombrio farão bem em não impedi-la", o diálogo se move para o mesmo ponto em DT (p. 951): "Frodo falava altivamente, não importava o que sentisse, e Sam o aprovava isso muitíssimo; mas não apaziguou Falborn", e continua quase como na versão final, passando pela conversa cautelosa sobre Boromir, até as palavras de Frodo "porém certamente há muitos perigos no mundo". À resposta de Falborn — "Muitos deveras, e a traição não é o menor" — Sam não intervém neste texto, e Falborn continua: "Perguntas como sabemos que nosso capitão está morto. Não sabemos por certo e, no entanto, não temos dúvidas disso". E pergunta a Frodo se ele se recorda algo de natureza especial que Boromir levava consigo entre os objetos dele, e Frodo teme uma armadilha, refletindo sobre o perigo que corre assim como em DT (pp. 953–4). E então prossegue:

"Recordo que Boromir levava uma trompa", disse ele por fim.

"Recordas bem, como alguém que verazmente o viu", disse Falborn. "Então talvez possas vê-la com os olhos da mente: um grande chifre de um boi selvagem do [ermo Oriental >] Leste, envolto em prata e inscrito com seu nome [*riscado:* preso em uma corrente de prata]. Essa trompa as águas do Anduin trouxeram até nós, talvez [> mais de] sete noites atrás. Tomamos por mal sinal, e prenúncio de pouco júbilo para Denethor, pai de Boromir; pois a trompa estava partida em duas, como se por espada ou machado. As metades chegaram à margem separadas [...]

O relato de Falborn sobre como as metades da trompa foram encontradas agora prossegue como em DT (p. 956),[6] terminando com "Mas o assassinato se revela, segundo dizem"; e continua:

"Não sabes da partição da trompa, ou quem a lançou por Rauros — para que afundasse para sempre nos remoinhos da cachoeira, sem dúvida?"

"Não", disse Frodo, "não sei. Mas ninguém de nossa Comitiva tem a disposição para realizar esse feito, e ninguém tem a força, a menos que seja Aragorn. Mas, embora possa ser um mal sinal, uma trompa partida não prova que seu portador está morto."

Neste estágio, portanto, a morte de Boromir era uma suposição em Minas Tirith que dependia unicamente da descoberta dos pedaços de sua trompa no rio. Contudo, segue-se agora (e, neste ponto, a letra de meu pai acelerou notavelmente e está muito difícil de interpretar, sinal frequente da entrada de uma nova concepção que levaria à reelaboração e rejeição do que veio antes; assim, o que se segue retorna, por assim dizer, a um estágio mais "primitivo" da composição):

"Não. Mas a descoberta da trompa veio depois de uma outra coisa mais estranha", disse Falborn. "E sobreveio-me este triste acaso, e a outros também [*alterado para:* "Não", disse Falborn. "Mas a descoberta da trompa veio depois de outra coisa mais estranha que me sobreveio, e a outros também]. Estava sentado à noite junto às águas do Anduin, logo antes do primeiro quarto da lua, na treva cinzenta, observando a correnteza sempre em movimento e os juncos tristes farfalhando. [...]"

O relato acerca do barco que levava o corpo de Boromir é, na maior parte, muito parecido com DT (p. 954) e, muito curiosamente, é aqui que Falborn se torna irmão de Boromir, ainda que seu nome não seja alterado: "Era Boromir, meu irmão, morto". É como se ele tivesse escorregado, sem uma decisão consciente, para dentro do papel que estava sendo preparado para ele. O que mais ele poderia ser, esse capitão de Gondor tão preocupado com a história de Frodo e o destino de Boromir? Resumindo a evolução que de fato ocorreu, meu pai escreveu na carta de 6 de maio de 1944 (*Cartas*, n. 66):

> Um novo personagem entrou em cena (tenho certeza de que não o inventei, eu nem mesmo o queria, embora goste dele, mas ele veio caminhando para os bosques de Ithilien): Faramir, o irmão de Boromir [...]

A conclusão da história de Falborn difere da versão final:

"[...] O barco virou para a correnteza e partiu para dentro da noite. Outros viram, alguns de perto, alguns de longe. Mas ninguém se atreveu a tocar nele, e talvez nem mesmo as mãos malignas daqueles que detêm Osgiliath se atreveriam a obstá-lo.

"[? Isso] tomei por uma visão, embora de maligno prenúncio, e mesmo quando ouvi o relato dos demais, duvidamos — Denethor, meu pai, e eu — que fosse algo além disso, embora prenunciasse o mal. Mas da trompa ninguém pode duvidar. Jaz agora em dois pedaços no colo de Denethor. E mensageiros cavalgam por toda a parte para descobrir novas de Boromir."

"Ai de nós!", disse Frodo. "Pois agora, de minha parte, não duvido do teu relato. O cinto dourado lhe foi dado em Lórien pela Senhora Galadriel. Foi ela quem nos vestiu assim como nos vês. Este broche é da mesma feitura" — tocou a folha [? esmaltada] que lhe prendia a capa ao redor do pescoço. Falborn olhou-o com curiosidade. "Sim", falou, "é obra do mesmo [? feitio]."

"Mesmo assim", disse Frodo, "creio que talvez não tenhas tido mais do que uma visão. Como um barco poderia ter passado as cataratas de Rauros e as cheias [? ferventes], sem que nada caísse além da trompa, e sem afundar com o peso da água?"

"Não sei", disse Falborn, "mas de onde vinha o barco?"

"De Lórien; era um barco-élfico", disse Frodo.

"Bem", disse Falborn, "se quiseres lidar com a senhora da magia que . . . . . [*acrescentado:* habita] na Floresta Dourada, então eles [*sic*] devem estar certos de que coisas estranhas e malignas se seguirão."

Isso foi demais para a paciência de Sam. Levantou-se e entrou no debate. "Não é mal de Lórien", falou. "Com seu perdão, Sr. Frodo", disse ele, "mas já ouvi um bocado dessa conversa. Vamos chegar ao ponto antes que todos os Orques de Mordor desçam sobre nós. Olha aqui, Falborn de Gondor, se é esse o teu nome" — os homens olharam com espanto (e sem diversão) para o pequeno ... hobbit com os pés plantados firmes diante da figura sentada do capitão. "Aonde queres chegar? Se pensas que assassinamos teu irmão e depois saímos correndo, então dize. E dize o que pretendes fazer a respeito."

"Era minha intenção dizê-lo", respondeu Falborn. "Se eu fosse apressado como tu, teria te matado muito tempo atrás. Mas nos levou só alguns minutos de conversa para descobrir de que tipo sois. Estou prestes a partir de uma vez. Vireis comigo. E considerai-vos afortunados por isso!"

Aqui esse segundo rascunho, B, termina,[7] e meu pai então prosseguiu para uma terceira versão ("**C**"), que começa no mesmo ponto do rascunho B (p. 178), com as palavras de Mablung "Dorme, se quiseres", sem avançar mais no capítulo, mas C foi escrito em pedaços desparelhados de papel, em grande parte de modo muito mal-acabado, não é contínuo e contém algumas seções da narrativa em formas divergentes. Fica claro, portanto, que essas páginas acompanhavam o início do manuscrito completo.

Esse terceiro rascunho C — no qual o nome *Falborn* havia se tornado *Faramir*[8] — preserva em grande parte a estrutura de B, mas ao mesmo tempo se move, nos detalhes de expressão, para a versão da abertura do diálogo entre Faramir e Frodo em DT (pp. 950–7). Houve muitas mudanças e deslocamentos intrincados e novas conjunções dentro da matéria desse diálogo até que meu pai estivesse satisfeito com a estrutura, e passarei ao largo de grande parte disso. As diferenças essenciais em relação à forma final são que a indignação de Sam não irrompe quando Faramir diz "e a traição não é o menor", mas, assim como no segundo rascunho B, quando faz sua observação depreciativa sobre Lórien; e que não havia entrado a história de Faramir sobre como escutou ao longe, "como se fosse apenas um eco na mente", o toque da trompa de Boromir.

Há alguns pontos particulares a se notar. No início do interrogatório ("que agora parecia-se desagradavelmente com o julgamento de um prisioneiro"), Faramir não menciona mais as palavras do poema como *Co'a ruína de Isildur na mão* (ver p. 177 e nota 3), mas como *A Ruína de Isildur sustendo*,[9] e continua — no manuscrito completo assim como no rascunho — com "Se tu és o Pequeno que foi mencionado, sem dúvida o seguraste diante dos olhos de todo o Conselho de que falas, e Boromir o viu". Em DT (p. 950) — quando as palavras conclusivas do poema eram *A Ruína de Isildur desperta, / E o Pequeno se revelará* — Faramir diz: "Mas era com a vinda do Pequeno que a Ruína de Isildur deveria despertar [...] Então, se tu és o Pequeno que foi mencionado, sem dúvida trouxeste esse objeto, o que quer que seja, ao Conselho de que falas, e ali Boromir o viu."

Quando Frodo diz que, se há alguém que poderia reivindicar a Ruína de Isildur, esse alguém seria Aragorn, tanto no rascunho quanto no manuscrito, Faramir responde: "Por que ele e não Boromir, príncipe da cidade que Elendil e seus filhos fundaram?", onde em DT (p. 951) ele fala dos "filhos de Elendil" como sendo os fundadores. A história de que Elendil permaneceu no Norte e ali fundou seu reino, enquanto seus filhos Isildur e Anárion fundaram as cidades do Sul, aparece na quinta versão de "O Conselho de Elrond" (VII. 174–75); e isso talvez sugira que tal versão de "O Conselho de Elrond" foi escrita depois do que eu supunha.

Como já foi dito, o som da trompa de Boromir ao longe ainda não estava presente no rascunho C; e Faramir ainda relata a descoberta dos pedaços da trompa antes de falar do barco fúnebre descendo o Anduin. Em resposta à objeção de Frodo de que "uma trompa partida não prova que seu portador está morto" (p. 179), agora ele diz: "'Não', disse Faramir. 'Mas a descoberta dos fragmentos da trompa veio depois de outra coisa mais estranha que me sobreveio, como se tivessem sido enviadas como confirmação, além de qualquer esperança'". Portanto, as palavras "(que me sobreveio) e a outros também" em B foram omitidas; mas, nesta história do barco que levava o corpo de Boromir, Faramir ainda afirma que não foi o único a vê-lo: "Outros o viram também, a sombra cinzenta de um barco de longe". Em mais uma revisão desse trecho antes de a versão final surgir, ele termina: "Uma visão vinda das fímbrias do sonho eu julguei. Mas não duvido que Boromir esteja morto, quer seu corpo deveras tenha descido o Rio até o Mar, quer esteja agora nalgum lugar sob os céus indiferentes".

O remoto toque da trompa de Boromir entrou apenas no manuscrito, e Faramir diz ali que o ouviu "oito dias antes de eu partir nesta expedição, faz onze dias mais ou menos nesta hora", onde DT (p. 954) diz o mesmo, mas com "cinco" em vez de "oito".[10] Conforme meu pai escreveu o trecho inicialmente no manuscrito, ele continuava depois de "como se pudesse ser apenas um eco na mente": "E outros o ouviram, pois temos muitos Homens que vagam ao longe em nossas fronteiras, ao sul e oeste e norte, até mesmo nos campos de Rohan". Isso foi riscado aparentemente na hora.

Diante da reação indignada e corajosa de Sam contra esse grande homem de Minas Tirith, a resposta de Faramir neste rascunho foi gentil:

"[...] Dize o que pensas, e dize o que pretendes fazer."

"Eu já ia fazer isso", disse Faramir sorrindo, e agora menos severo. "Se eu fosse apressado como tu, poderia ter-vos matado muito tempo atrás. Guardei a breve porção de [? uma hora], apesar do perigo, para vos julgar com mais justiça. [? Agora], se desejas saber o que penso: duvidei de vós, naturalmente, como é meu dever. Contudo, se é que sou juiz das palavras e feitos dos homens, talvez possa conjecturar algo sobre os hobbits. Só duvidava que fôsseis amigos ou aliados dos orques e, embora o vosso tipo não possa ter matado meu irmão, poderíeis ter ajudado ou fugido com algum espólio."

Aqui termina a terceira fase de manuscritos (C).[11] É curioso que, no manuscrito completo, a intervenção de Sam desapareceu completamente: o diálogo entre Faramir e Frodo no trecho em que aparecia originalmente chega à forma de DT (p. 955), e Faramir não mais expressa uma visão tão convencional sobre a Senhora da Floresta Dourada (ver p. 181).

Penso estar claro que, neste ponto, nas palavras "Volta, Faramir, valoroso Capitão de Gondor; defende tua cidade enquanto puderes e deixa-me ir aonde minha sina me leva", a composição do manuscrito foi interrompida, e que, àquela época, nada mais tinha sido escrito: em outras palavras, em termos de composição, este capítulo se divide em duas partes: tudo até este ponto (exceto pela ausência do acesso de raiva de Sam) chegou praticamente à forma final antes de a história prosseguir.

Esboços muito mal-acabados e em alguns pontos completamente ilegíveis mostram os pensamentos preliminares de meu pai quanto à continuação. Um deles, impossivelmente difícil de ler, começa no ponto em que o rascunho C termina e, nele, Faramir ainda diz a Sam: "Mas não tens os modos de orques, nem a fala deles, e deveras Frodo, teu patrão, tem um ar que não consigo ..., um ar élfico talvez". Neste texto, Faramir não demonstra hesitação acerca do seu curso e nem adia sua decisão, mas conclui de modo severo: "Sereis bem tratados. Mas não tenhais dúvida. Até que Denethor, meu pai, vos libere, sois prisioneiros de Gondor. Não tenteis escapar se não quiserdes ser mortos" (ver o trecho na nota 7). E então continua:

Em alguns minutos estavam a caminho outra vez, descendo as encostas. Hobbits [? cansados]. Mablung carrega Sam. Chegam ao acampamento cercado em um bosque denso de árvores, a 10 milhas de distância [*c.* 16 km]. Não haviam avançado muito quando Sam subitamente disse a Frodo: "Gollum! Ora, graças aos céus o perdemos!", mas Frodo não está tão seguro. "Ainda precisamos entrar em Mordor", falou, "e não sabemos o caminho". Gollum os resgata

As três últimas palavras são muito obscuras, mas não tenho dúvidas de que são essas — mas a história por trás delas jamais será conhecida.

Outro breve texto diz o seguinte:

Faramir diz que não duvida mais. Se é que é juiz de homens. Mas diz que há [muito] mais nisso do que achou inicialmente. "Eu deveria", falou, "levar-te de volta a Minas Tirith e, se as coisas se provassem ruins, eu perderia o direito à vida. Mas não decidirei ainda. Mas precisamos sair imediatamente". Emitiu algumas ordens e os homens se dividiram em pequenos grupos e sumiram nas árvores. Mablung e Damrod permaneceram. "Agora vireis comigo", disse ele. "Não podeis ir pela estrada, se era essa a vossa intenção. E não podeis ir longe pois estais cansados. E nós também. Vamos a um acampamento secreto a 10 milhas de distância. Vinde conosco. Antes da manhã decidiremos."

Eles . . . . Faramir disse. "Não falas abertamente. Não eras amistoso com Boromir. Vejo que S.G. pensa mal dele. Ora, eu o amava, porém o conhecia bem. A Ruína de Isildur. Digo que isso se pôs entre vós dalguma forma. Legados não geram paz entre companheiros. Antigas histórias."

"E as antigas histórias nos ensinam a não garrular", disse Frodo.

"Mas precisas saber que, em Minas Tirith, muita coisa é conhecida das quais não se fala em voz alta. Por isso dispensei meus homens. Gandalf estava aqui. Nós os governantes sabemos que I[sildur] levou o Anel Regente. Ora, isso é um assunto terrível. E posso muito bem adivinhar que Boromir, altivo, sempre ansioso pela glória de Minas Tirith (e por seu próprio renome) poderia desejar apossar-se disso. Suponho que tens o Anel, embora como ele poderia ...

O restante da frase está ilegível. O breve esboço termina com as palavras de Faramir "Não o tocaria nem que ele jazesse junto à estrada" e com a expressão do seu amor e desejos por Minas Tirith

(DT, p. 962); as últimas palavras são "Poderia aconselhar-te se me contasses mais". É uma pena que o trecho sobre o Anel seja tão breve e elíptico, mas a implicação deve ser, com certeza, que os governantes da cidade sabiam que Isildur levou o Anel Regente porque Gandalf lhes contara. Isso, é claro, não foi de modo algum a maneira com que a história se desenrolou quando veio a ser escrita.

Outra página de rascunho ainda mais apressado e em modo mais *staccato* começa do ponto em que o primeiro termina, e talvez seja sua continuação (ver DT, p. 962, em que as palavras de Faramir "talvez eu possa te aconselhar [...] e até ajudar-te" são seguidas de "Frodo não deu resposta").

Frodo não diz mais nada. Algo o refreia. Sabedoria? Lembrança de Boromir? Medo do poder e da traição daquilo que carrega — apesar de gostar de Faramir. Falam de outras coisas. Razões do declínio de Gondor. Rohan (alterar as palavras de Boromir sobre não ter ido até lá).[12] Gondor fica parecido com Rohan, amando a guerra como um jogo: e Boromir também. Sam diz pouco. Contente que Gollum parece esquecido. Faramir silencia. Sam fala de poder, barcos, cordas e capas élficas. De repente toma ciência de que Gollum vem sorrateiro atrás. Mas, quando param, ele se desvia.

Faramir, respeitando a lei, venda-os conforme chegam ao baluarte secreto. Conversam. Faramir o alerta, alerta-o contra Gollum. Frodo revela que precisa ir a Mordor. Fala de Minas Ithil. Nascer da lua. Faramir diz adeus ao amanhecer. Frodo promete voltar a Minas Tirith e submeter-se a ele, caso retorne.

Nesse estágio, antes de o capítulo avançar mais, a intervenção de Sam no interrogatório inicial de Frodo por Faramir foi reintroduzida, em um ponto anterior no diálogo (em "e a traição não é o menor") e inserida no manuscrito em um adendo.[13]

A última parte do capítulo sobrevive em rascunho contínuo e, na maior parte, claro, com uma boa quantidade da "sobreposição" que era característica de meu pai: quando a narrativa toma uma direção errada ou insatisfatória em algum aspecto, degenera-se em rabiscos e é substituída por uma nova página que começa em um ponto anterior (produzindo, assim, seções de quase repetição). Esse rascunho levou ao manuscrito finalizado, no qual ainda havia diferenças importantes em relação ao texto de *As Duas Torres*: ver-se-á que, nessa época, ainda ocorreria muito desenvolvimento na história pregressa de Rohan e Gondor.

Esse novo rascunho ("**D**") começa (assim como o recomeço do manuscrito, que é muito baseado em D) com "'Não duvido mais de ti', disse Faramir".[14] A narrativa a partir desse ponto (DT, p. 957) até o vislumbre que Sam tem de Gollum conforme andavam pela mata (DT, p. 963), já no rascunho é muito parecida com o texto final; mas há algumas diferenças interessantes.[15]

É aqui que os Regentes de Gondor aparecem pela primeira vez, e o trecho a respeito deles (DT, p. 959) foi escrito no rascunho praticamente sem hesitação ou correção, embora não reste material preliminar. É notável que, desde sua primeira aparição em "O Rompimento da Sociedade" (VII. 441), Denethor jamais foi chamado de Rei: ele é o Senhor Denethor, Denethor Senhor da Torre de Guarda. Parece mais do que provável, portanto, que esse elemento central na história e no governo de Gondor já existia há muito tempo, embora não tivesse até agora vindo à tona na narrativa. A linhagem de Denethor remonta, no rascunho, a *Máraher*, o bom regente, alterado provavelmente de pronto para *Mardil* (o nome no manuscrito); mas o último rei da linhagem de Anárion, em cujo lugar Mardil governou quando partiu para a guerra, não era Eärnur. Tanto no rascunho quanto no manuscrito, ele se chama *Rei Elessar*.

A listagem de Gandalf dos seus nomes, conforme o relato de Faramir (que no rascunho o chama de "o Errante Cinzento" e, no manuscrito, de "o Peregrino Cinzento"), foi alterada de modo intrincado na composição inicial, mas aparentemente se desenvolveu assim:

> [*Acrescentado:* Mithrandir entre os Elfos. Sharkûn para os Anãos.] [O nome da minha juventude no Oeste está esquecido >] [Olórion >] Olórin eu fui na minha juventude que está esquecida; [*riscado:* Shorab *ou* Shorob no Leste,] [Forlong >] Fornold no Sul, Gandalf no Norte. Ao Leste eu não vou. [*riscado:* Não a toda parte]

O trecho foi então escrito outra vez no rascunho, na mesma forma de DT, mas com os nomes *Sharkûn* e *Fornold*, esse último subsequentemente alterado para *Incânus*. No manuscrito, *Sharkûn* permanece (posteriormente tornou-se *Tharkûn*). Aqui o nome *Olórin* aparece pela primeira vez, como alteração de *Olórion*. Não consigo esclarecer os nomes de Gandalf "no Sul", *Forlong* alterado para *Fornold*; não sei se é relevante que, no Apêndice F do SdA, se diga que o nome de Forlong, Senhor de Lossarnach (que morreu na Batalha dos Campos de Pelennor) estava entre os nomes de Gondor que "tinham origem esquecida, mas sem dúvida descendiam dos dias antes que as naus dos Númenóreanos singrassem o Mar".

As palavras de Faramir sobre a avidez de Gandalf por histórias sobre Isildur mudaram muito: "era ávido por histórias sobre Isildur, apesar de termos menos coisas para contar dele, [pois Isildur era do Norte em Fornost, e o reino de Gondor governado por Anárion. > pois a Gondor nenhuma história segura jamais chegou a respeito do seu fim, só o rumor de que pereceu no Rio, alvejado por flechas-órquicas. >] pois nada de certo jamais se soube sobre seu fim". Acerca da primeira ocorrência do nome *Fornost* nos textos, substituindo *Fornobel*, ver p. 97.

Um último ponto aqui é que (tanto no rascunho quanto no manuscrito) Faramir diz: "Isildur tirou algo da mão do Inominado antes de partir da batalha", onde em DT (p. 961) ele diz "antes de partir de Gondor". Ver as palavras de Gandalf em "O Conselho de Elrond" (SA, pp. 362–3): "Pois Isildur não marchou direto da guerra em Mordor, como alguns contaram", e Boromir o interrompe: "Alguns do Norte, talvez. Em Gondor todos sabem que ele foi primeiro a Minas Anor e morou por algum tempo com seu sobrinho Meneldil, instruindo-o antes de lhe confiar o governo do Reino do Sul". Ver também o início de "O Desastre dos Campos de Lis" em *Contos Inacabados*.

No ponto em que Sam, escutando a conversa sem participar, e notando que Gollum não foi mencionado, vê-o deslizando para trás de uma árvore, o rascunho (que chamarei de "**D 1**", pois foi logo substituído por outro) continua assim:

Abriu a boca para falar, mas não falou. Não tinha certeza e "por que eu deveria mencionar o velho vilão, de todo modo, até que seja obrigado?", pensou.

Depois de um tempo, Frodo e Faramir começaram a falar outra vez, pois Frodo estava ávido por notícias de Gondor e seu povo e das terras ao redor deles, e que esperança tinham na sua longa guerra.

"Faz muito tempo que não temos esperança", disse Faramir.

Essas últimas palavras aparecem bem depois em DT (p. 970). Portanto, toda a história em DT, pp. 963–70, está ausente nesse estágio: os olhos vendados, a chegada a Henneth Annûn, a descrição da caverna, o relato de Anborn sobre o "esquilo preto" na mata, a refeição noturna e as histórias de Frodo sobre suas jornadas (embora o fato de que Frodo e Sam seriam vendados antes de chegarem ao "baluarte secreto" já fosse conhecido por meu pai: ver o esboço em p. 186). Tudo isso se encontra no manuscrito completo praticamente na forma final.

O relato de Faramir sobre a história de Gondor e a vinda dos Mestres-de-cavalos (DT, pp. 970–2) desenvolveu-se em dois estágios antes de entrar no manuscrito. Já na primeira versão (D 1), Faramir fala dos males e loucuras dos Númenóreanos nas Grandes Terras,[16] e de sua obsessão com a morte. Mas, depois de "Senhores sem descendentes sentavam-se a meditar em profundos paços, ou em altas torres frias faziam perguntas às estrelas", ele continua:

"[...] Mas fomos mais afortunados que outras cidades, recrutando nossa força na gente vigorosa das costas marinhas, e no povo resistente das Montanhas Brancas[17] — onde ficavam certa vez muitos remanescentes de raças há tempos esquecidas. E então vieram os homens do Norte, os [Marechais-de-cavalos >] Rohir. E lhes cedemos os campos de [Rohan >] Elenarda [*escrito acima:* Kalen(arda)] que desde então se chamam Rohan,[18] pois não pudemos resistir à sua rude força, e tornaram-se nossos aliados e sempre se demonstraram fiéis, e aprendem nosso saber e falam nossa língua. Mas mantêm seus modos antigos e sua própria língua entre si. E nós os amamos, pois nos recordam da juventude dos homens como eram nas antigas histórias das guerras dos Elfos em Beleriand. Deveras creio que [? nesse] sentido somos parentes remotos, e que eles vieram daquela antiga linhagem, a primeira a sair do Leste da qual os Pais dos Pais de Homens vieram, Beren e Barahir, e Huor e Húrin, e Tuor e Túrin, sim, e o próprio Earendel, o meio-elfo, primeiro rei de Ociente. Isso é o que ainda mostra alguma afinidade na língua e no coração. Mas jamais atravessaram o Mar ou foram para o Oeste e, portanto, hão de permanecer sempre [? estranhos]. Mas nos casamos entre nós e, se eles se tornaram um tanto parecidos conosco e não podem ser chamados de homens selvagens, nós nos assemelhamos a eles e não somos mais Númenóreanos. Pois agora amamos a guerra e a valentia como coisas boas sem si, e estimamos os guerreiros acima de todos os demais. Tal é a necessidade de nossos dias. [...]"

Nesse trecho notável há o prenúncio de novos elementos de história antiga que sem dúvida estavam em preparação há muito tempo antes de aparecerem em qualquer texto narrativo, ainda que Eorl, o Jovem, tenha entrado em "O Rei do Paço Dourado", vindo a cavalo do Norte para a "Batalha do Campo de Gorgoroth", na qual Sauron foi derrotado (ver VII. 522–23 e nota 11). Que "entre Rohan e Ondor havia grande amizade" já havia aparecido no rascunho inicial de "Os Cavaleiros de Rohan" (VII. 461), e no esboço "A História Prevista a partir de Fangorn" (VII. 514): depois de "Chegam notícias [...] do cerco de Minas Tirith pelos Haradwaith", foi acrescentado "Théoden responde que não deve fidelidade — somente aos herdeiros de Elendil".

A menção a Earendel como "primeiro rei de Ociente" é realmente estranha, mas creio que provavelmente desimportante, uma inadvertência passageira: ver adiante, p. 193 e nota 26.

O rascunho D 1 avança por mais um trecho, numa escrita rápida, e voltarei a ele; mas é conveniente agora dar atenção ao rascunho que o substituiu ("**D 2**"), e que começa na decisão de Sam de não dizer nada sobre Gollum:

"[...] por que eu deveria lembrá-los do velho vilão, se decidiram esquecê-lo? Gostaria que eu pudesse."

Depois de um tempo, Frodo e Faramir começaram a falar outra vez, e Frodo fez muitas perguntas sobre Gondor e seu povo e as terras ao redor deles, e que esperança tinham na sua longa guerra. Tinha interesse nesses assuntos, mas desejava também descobrir, se pudesse, quanto Faramir conhecia do saber antigo, e como havia aprendido. Lembrou-se agora que, no Conselho, Boromir demonstrara muito conhecimento sobre essas coisas [*riscado*: dizendo o número dos anéis de]

Essa última parte foi alterada para:

Tinha interesse nesses assuntos, mas também pensava em Bilbo. "Ele vai querer relatos de todas essas coisas", pensou. "Faz tempo que não faço uma anotação sequer no meu diário: hoje à noite, talvez, enquanto descansamos". Então sorriu para si mesmo: "Mas ele vive na Casa de Elrond, e lá há mais respostas para perguntas do que tudo o que se lembra em Gondor! Ah, mas bem, ele vai preferir saber por um hobbit, recordações pessoais. Vai preferir, se eu algum dia revê-lo, ai de mim!"

Tudo isso foi subsequentemente riscado da página, quando a estrutura posterior da narrativa se impôs; mas o texto, da forma que foi escrito, continua (ver p. 189): "'Que esperança temos?', disse Faramir. 'Faz muito tempo que não temos esperança. [...]", e depois desenvolve a discussão de Faramir sobre Gondor e Rohan em uma versão muito mais parecida com a de *As Duas Torres*, embora ainda com importantes diferenças.

Onde na primeira versão, D 1 (p. 189), ele dizia "Mas fomos mais afortunados que outras cidades, recrutando nossa força na gente vigorosa das costas marinhas, e no povo resistente das Montanhas Brancas", agora ele diz: "Mas fomos mais sábios e mais afortunados do que alguns; mais sábios, pois recrutamos a força de nosso povo na gente vigorosa das costas marinhas e nos resistentes montanheses de Hebel Nimrath;[19] mais afortunados nos inimigos que se tornaram nossos amigos."[20] Faramir continua sem indicar quando os Cavaleiros saíram do Norte: "Pois certa vez vieram homens do Norte e assaltaram nossas fronteiras, homens de feroz valentia, mas não serviçais do Senhor Sombrio, não as hordas selvagens do Leste ou as hostes cruéis do Sul. Do Norte vieram os Rohiroth,[21] os Eorlingas, e lhes cedemos por fim os campos de Kalinarda[22] que desde então se chamam Rohan; por muito tempo eles estiveram esparsamente povoados, e não pudemos resistir à força daqueles cavaleiros de cabelos dourados. E tornaram-se nossos vassalos, ou deveras nossos aliados [...]". Ele continua de modo bem parecido com DT, p. 971. No manuscrito completo, Faramir dá a indicação da data da vinda deles: "Certa vez, nos dias do filho de Mardil, vieram homens do Norte [...]", mas isso, é claro, comunica muito pouco.

Quanto à origem dos Rohiroth, o rascunho D 2 dá a seguinte versão. O trecho foi muitíssimo emendado, e coloco as alterações significativas:

"[...] Deveras dizem os mestres-do-saber entre nós que eles são de certo modo aparentados nossos em sangue e fala, descendendo [daqueles das Três Casas dos Homens que não atravessaram o mar rumo ao Oeste >] das mesmas Três Casas dos Homens de que eram os Númenóreanos, de Beor, e Hador, e Haleth, mas daqueles que não atravessaram o mar rumo ao Oeste atendendo ao chamado dos Poderes. Portanto, têm conosco um parentesco, [tal como os Elfos Exilados que ainda se demoram no Oeste (dentre os quais deveras está a Senhora da Floresta Dourada) e não retornaram para Casadelfos têm com os que partiram. Mas eles jamais retornaram. >] tal como os Altos Elfos que ainda vivem aqui e ali a oeste destas terras têm com aqueles que ficaram e jamais foram a Casadelfos. Tal é o parentesco que a Senhora da Floresta Dourada tem com o povo que ela governa.[23] E, portanto, assim com os Elfos são divididos em três — os Altos Elfos, e os Elfos Médios, [Os Que Se Demoram, os Elfos das Florestas >], a gente deles que se demorou nas costas, e os Elfos Selvagens [os Que Recusam] das florestas e montanhas — também dividimos os Homens, chamando-os de Altos, ou Homens [da Luz >] do Oeste, que são os Númenóreanos, e os Médios, ou Homens da Sombra, como são os Rohiroth e outros da sua gente em Valle e Trevamata, e os Homens Selvagens, ou Homens da Escuridão. E a veracidade disso ainda se atesta na semelhança de suas línguas e coração. Ainda assim, os de Númenor atravessaram o Mar, deveras, mesmo que tenham depois perdido seu reino e voltado, e tornaram-se, portanto, um povo à parte, e assim devem permanecer. Porém, se os Rohir se tornaram mais parecidos conosco de algumas maneiras, com incremento das artes e da cortesia, também nós nos assemelhamos mais a eles, e agora não reclamamos com justiça o título de Altos. Tornamo-nos Homens Médios, da Sombra, mas com lembranças de outras coisas. [...]"

Grande parte disso foi mantida (da forma emendada) no manuscrito, mas com estas diferenças principais: "vieram das mesmas Três Casas dos Homens de que eram os Númenóreanos, talvez de Hador, o de Cabelos Dourados, Amigo-dos-Elfos, mas daqueles de seus filhos que não atravessaram o Mar rumo ao Oeste, recusando o chamado";[24] não há menção à Senhora da Floresta Dourada; e "o Povo Médio ou os Homens das Sombras, como são os Rohiroth e outros de sua gente em Valle e nas águas superiores do Anduin".

A tripartição dos Elfos aqui (que não aparece em *As Duas Torres*) é a que foi introduzida no *Quenta Silmarillion* depois que a editora devolveu o manuscrito no fim de 1937 (ver *A Estrada Perdida*, pp. 236, 260): os Elfos de Valinor; os *Lembi*, ou os Que se Demoram; e os *Avari*, os Indesejosos.

O rascunho D 1, interrompido na p. 190, continua com a resposta de Faramir às observações de Sam sobre os Elfos, e ela é de grande interesse. Embora uma grande parte tenha sido mantida em DT (pp. 972–3), coloco o texto integralmente aqui. No fim, a escrita fica muito apressada e o rascunho termina com notas rabiscadas. Trechos entre colchetes foram assim colocados no original.

"Não dizes muita coisa sobre os Elfos em todas as tuas histórias, senhor", disse Sam, reunindo súbita coragem: estivera com certo temor de Faramir desde seu conflito em favor do seu patrão.

"Não, Mestre Samwise", disse Faramir, "e aí tocas em outro ponto no qual mudamos, tornando-nos mais como outros homens. Pois (como podeis saber, se Mithrandir foi vosso hóspede; e se falastes com Elrond) os Númenóreanos eram amigos-dos-elfos e vieram daqueles homens que auxiliaram os Gnomos nas primeiras guerras, e foram recompensados com a dádiva do reino em meio ao Mar, à vista de Casadelfos para onde os Altos Elfos se retiraram [*escrito acima:* onde os Altos Elfos habitavam]. Mas nas Grandes Terras[25] os homens e os elfos se separaram pelas artes do Inimigo [que aliciara a maioria dos homens (salvo apenas os Pais dos Númenóreanos) para seu serviço] e pelas lentas mudanças do tempo em que cada espécie caminhou mais longe em sua estrada dividida. Os homens temem e duvidam dos Elfos, sem distinguir os Altos-Elfos (que permanecem aqui e ali) daqueles que, como eles próprios, jamais atravessaram o Mar. E os Elfos desconfiam dos homens, que com tanta frequência serviram o Inimigo. E nos tornamos como os demais homens, até mesmo como os de Rohan, que não os veem se eles passam (ou persuadem a si mesmos de que não veem), e que falam com temor da Floresta Dourada. Porém ainda há Amigos-dos-Elfos entre nós em Gondor, mais do que em qualquer outro povo; pois ainda que o sangue de Númenor agora se tenha raleado em Gondor, ainda corre ali, quem sabe até sangue élfico deveras: pois nossos reis de outrora eram meio-elfos, mesmo nosso primeiro rei, Elros, filho de Earendel e irmão de Elrond.[26] E conta-se que a casa de Elendil era um ramo mais jovem de Elros. Há alguns de Gondor que negociam com os Elfos, alguns até mesmo ainda vão à Floresta Dourada (embora com frequência não retornem). Uma grande vantagem nós temos: falamos uma fala élfica, ou uma tão próxima que podemos entendê-los em parte e eles a nós."

"Mas tu falas na linguagem comum", exclamou Sam. "A mesma que nós, mas de um jeito um pouco antiquado, se me perdoas dizer."

"Sim", disse Faramir, "falamos, pois é nossa língua. O idioma comum, como alguns o chamam, é derivado do númenóreano, sendo uma forma alterada daquela fala de homens que os pais usavam, Beren, e Túrin, e Earendel e aqueles outros. [Daí seu parentesco remoto com os idiomas de Rohan, e de Valle, e do Westfolde, e da Terra Parda e de outros lugares.] Essa língua é a que se espalhou pelo mundo ocidental por entre todos os que são de boa vontade, e entre outros também. Mas os senhores de Númenor falavam o idioma gnômico dos Noldor, de quem eram aliados, e esse idioma, de alguma forma alterado e misturado, vive ainda entre nós, embora não o falemos comumente. É por isso que nossos nomes mais antigos estão no quendiano alto élfico, tais como Elendil, Isildur e o restante, mas os nomes que demos aos lugares, e ainda damos às mulheres e homens, são de tipo élfico. Com frequência os tiramos das antigas histórias: donde Denethor, e Mablung, e muitos outros."

Aqui o rascunho D 1 vai sumindo, e retorno a D 2, interrompido na p. 192, no mesmo ponto ("Não dizes muita coisa sobre os Elfos em todas as tuas histórias, senhor"). Em sua resposta a Sam a respeito dos Amigos-dos-Elfos das guerras antigas em Beleriand, Faramir diz que "foram recompensados (os que desejavam) com a dádiva do reino em meio ao Mar, à vista de Casadelfos, aonde tinham permissão para ir".[27] E continua: "Mas nas Grandes Terras os Homens e os Elfos separaram-se nos dias de Escuridão [...]". Aqui ele não fala mais que os homens de Rohan eram incapazes de ver os Elfos, ou que, caso os vissem, fingiam para si mesmos não ver, e sim, como em DT, diz apenas que os evitavam; e afirma, novamente como em DT, que ele mesmo não iria para Lothlórien, considerando agora "coisa perigosa para Homens mortais, no mínimo ir voluntariamente em busca do Povo Antigo". Mas sua resposta à exclamação de Sam "Mas tu falas na linguagem comum!" foi substancialmente alterada:

"Claro que falamos", disse Faramir. "Pois esse é o nosso próprio idioma, o qual talvez preservamos melhor do que vós no longínquo Norte. O idioma comum, como alguns o chamam, é derivado dos Númenóreanos,[28] não sendo senão uma forma alterada pelo tempo daquela fala que os Pais das Três Casas [*riscado:* Hador, e Haleth, e Beor] usavam outrora. Essa língua é a que se espalhou pelo mundo ocidental por entre todos os povos e criaturas que usam palavras; para alguns, apenas uma segunda língua para uso no intercâmbio com estranhos, para outros, a única língua que conhecem. Mas não é isso que quero dizer com fala élfica. Toda fala dos homens neste mundo é de ascendência élfica, mas somente se voltarmos aos começos. O que quis dizer foi: [os senhores >] muitos homens das Três Casas há muito renunciaram à fala-humana e falavam o idioma de seus amigos, os Noldor, ou Gnomos:[29] um idioma alto-élfico [*riscado:* aparentado, mas alterado do élfico antigo de Casadelfos]. E os senhores de Númenor sempre conheceram aquele idioma e o usaram entre si. E ainda o fazemos entre nós, aqueles em cujas veias ainda corre o sangue de Númenor, ainda que porventura o tenhamos mudado de alguma forma ao misturá-lo, como nosso sangue com outras linhagens. Por isso todos os nossos nomes de cidade e campo, colina e rio estão naquele idioma, e os nomes de nossas mulheres e nossos homens. [*Riscado:* Só nos mais arcaicos dias usamos o alto élfico antigo para tais propósitos: desse tipo são Elendil e Isildur.] Muitos deles, deveras, ainda retiramos dos contos dos dias antigos: tais são Mablung e Damrod, e o meu próprio,[30] e o de meu pai, Denethor, e muitos outros."

"Bom, senhor, fico contente que tu não pensas mal dos Elfos, de todo modo", disse Sam. "Povo maravilhoso, eu acho, senhor. E a Senhora de Lórien, Galadriel, devias vê-la, devias mesmo, senhor. Eu sou apenas um hobbit, se me entendes, e a jardinagem é meu serviço em casa [...]"

Esse rascunho D 2 continua com a fala de Sam (essencialmente como em DT, p. 973), ele deixando escapar que Boromir sempre desejou o Anel, e a resposta de Faramir; mas agora, por sua vez, rapidamente começa a ficar mal-acabado e disforme (para a continuação após esse ponto, ver p. 199), e foi substituído por um novo rascunho ("**D 3**"), que começa em "Muitos deles, deveras, ainda retiramos dos contos dos dias antigos [...]".

No texto do manuscrito completo, o rascunho D 2 recém-incluído foi repetido quase sem alterações até perto do fim. Sobre o idioma élfico falado pelos senhores de Gondor, Faramir agora diz que "podemos compreender em parte os Elfos [*riscado:* e eles a nós] mesmo quando falam uns com os outros secretamente", mas tudo o que diz em D 2 sobre o idioma comum está repetido com exatidão até: "Toda fala dos homens neste mundo é de ascendência élfica, mas somente se voltarmos aos começos". A frase seguinte em D 2 ("O que quis dizer foi: muitos homens das Três Casas há muito renunciaram à fala-humana e falavam o idioma de seus amigos, os Noldor, ou Gnomos") foi inicialmente incorporada ao manuscrito, mas riscada imediatamente e substituída pelo seguinte (eliminando assim a referência ao abandono de sua própria fala pelos homens das Três Casas, ver nota 29):

"[...] O que quis dizer foi isto: muitos homens das Três Casas aprenderam havia muito tempo os idiomas alto-élficos, conforme falados [em Beleriand >] em Gondolin ou pelos Filhos de Fëanor. E os Senhores de Númenor sempre conheceram tais idiomas, e usavam a fala gnômica entre si. E nós ainda o fazemos, os governantes de Minas Tirith, em quem o sangue de Númenor ainda corre [...]"[31]

E Faramir, dando exemplos de nomes retirados "dos contos dos Dias Antigos", acrescenta Díriel aos mencionados antes.

Entre as ocasionais referências anteriores à fala comum, somente uma vez sua natureza é definida e, nesse ponto, de modo totalmente diferente. Trata-se de um rascunho antigo de um trecho no capítulo "Lothlórien" (VII. 284–85, nota 26), onde se diz que Frodo não compreendeu a fala dos Elfos de Lórien "pois a língua era o antigo idioma das matas, e não o dos elfos ocidentais que, naqueles dias, era usado como fala comum entre muitos povos".

É possível comparar o presente trecho, em suas formas variadas, a respeito da fala comum e do conhecimento do idioma alto-élfico dos Noldor entre os senhores de Gondor com o que se diz no Apêndice F de *O Senhor dos Anéis*:

> O *westron* era uma fala dos Homens, apesar de enriquecida e suavizada sob influência élfica. Era originalmente a língua dos

que os Eldar chamavam de *Atani*, ou *Edain*, "Pais de Homens", em especial os povos das Três Casas dos Amigos-dos-Elfos que rumaram para o oeste até Beleriand na Primeira Era e auxiliaram os Eldar na Guerra das Grandes Joias contra o Poder Sombrio do Norte. [...]

Só os *Dúnedain*, entre todas as raças dos Homens, conheciam e falavam uma língua élfica; pois seus antepassados haviam aprendido o idioma sindarin, e eles a repassaram aos filhos como tema de saber, pouco mudando com a passagem dos anos. E seus homens sábios também aprendiam o quenya alto-élfico, o estimavam acima de todas as demais línguas e fizeram nele nomes para muitos lugares de fama e reverência e para muitos homens de realeza e grande renome.

Mas a fala nativa dos Númenóreanos continuou sendo, na maior parte, seu idioma ancestral de Homens, o adûnaico, e a ele seus reis e senhores voltaram nos dias posteriores de sua altivez, abandonando a fala-élfica, exceto pelos poucos que ainda se atinham à antiga amizade com os Eldar.

Segue-se um relato da disseminação do adûnaico pelas costas antes da Queda de Númenor, tornando-se uma fala comum nessas regiões, e do seu emprego pelos Amigos-dos-Elfos que sobreviveram à Queda "em seus negócios com outros povos e no governo de seus amplos reinos", enriquecendo-a com muitas palavras élficas.

Nos dias dos reis númenóreanos, essa fala westron enobrecida se estendeu por toda a parte, mesmo entre os seus inimigos; e foi cada vez mais usada pelos próprios Dúnedain, de modo que, à época da Guerra do Anel, a língua-élfica só era conhecida por pequena parte dos povos de Gondor e falada diariamente por menos ainda.

Ainda assim, no que diz respeito à natureza e origem da fala comum, essa concepção muito mais complexa não parece radicalmente distinta daquilo que Faramir apresenta aqui: pois em ambos os relatos, antigo e tardio, a fala comum descendia diretamente do idioma ancestral dos "Pais de Homens". Portanto, é curioso ver que isso foi alterado por correção posterior a lápis no manuscrito, e Faramir agora diz:

"Claro que falamos [...] Pois esse é o nosso próprio idioma também, que nós mesmos fizemos e que aqui talvez preservamos melhor do que vós no longínquo Norte. O idioma comum, como alguns o chamam, é derivado dos Númenóreanos; pois os Númenóreanos, ao chegarem às praias destas terras, tomaram o rude idioma dos homens que aqui encontraram, e os quais governaram, e o enriqueceram, e ele se espalhou daí pelo mundo Ocidental";

E, no fim do discurso de Faramir sobre história linguística, depois dos seus exemplos de nomes gnômicos em Gondor, ele agora acrescenta: "Mas, no intercâmbio com outra gente, usamos a fala comum, que fizemos para esse propósito".

Aqui, a ideia de que a fala comum era derivada "daquela fala que os Pais das Três Casas usavam outrora" é negada.

Em sua carta de 6 de maio de 1944, depois do trecho incluído na p. 180, meu pai continuou:

> (Um novo personagem entrou em cena [...] Faramir, o irmão de Boromir) — e ele está retardando a "catástrofe" com muitas coisas sobre a história de Gondor e de Rohan (com algumas reflexões muito válidas, sem dúvida, sobre glória marcial e glória verdadeira): mas, se ele continuar falando muito mais, boa parte dele terá de ser removida para os apêndices — para onde alguns fascinantes materiais sobre a indústria do Tabaco hobbit[32] e os Idiomas do Oeste já foram.

A passagem sobre a história linguística no presente capítulo (com as emendas que acabei de colocar acerca da natureza da fala comum) sobreviveu em textos datilografados subsequentes e só foi removida posteriormente; assim, o material excluído sobre "os Idiomas do Oeste" não correspondia ao relato dado por Faramir.

Conforme já observado (p. 196), um novo rascunho "sobreposto" (D 3) começa no fim da exposição de Faramir, e nele Sam se mostra mais impressionado com o que acabara de ouvir do que na versão anterior, e tem mais a dizer sobre os Elfos antes de começar a falar sobre Galadriel. Esse trecho foi mantido e ligeiramente estendido no manuscrito (cuja versão eu cito aqui), e sobreviveu nos textos datilografados seguintes até ser removido do capítulo juntamente com o relato das línguas que o precedia.

Sam olhou para Faramir com olhos arregalados e quase com assombro. Ter um nome élfico, e até mesmo um possível direito de reivindicar sangue élfico, conquanto remoto, parecia-lhe régio de fato. "Bem, Capitão, vossa senhoria, eu deveria dizer, é bom te ouvir falar tão belamente dos Elfos, senhor. Eu queria ter um nome élfico. São um povo maravilhoso, não é? Pensa nas coisas que conseguem fazer, e nas coisas que falam! Não se descobre o valor delas ou o que significam de uma vez só, por assim dizer: isso aparece depois, de modo inesperado. Um pedaço de corda bem-feita dentro de um barco e aí está: chega um dia e é tudo o que você quer, e o nó dela se desfaz quando você pede, e ela pula na sua mão. E o barco: concordo com vossa senhoria; e acho que ele passou as cachoeiras sem sofrer nenhum dano. É claro que isso aconteceria, se fosse necessário. Era um barco-élfico, senhor; embora eu tenha me sentado num deles por dias a fio e nunca notei nada de especial."[33]

"Creio que estás certo, Mestre Samwise", disse Faramir sorrindo; "mas alguns diriam que a Senhora Branca te encantou."

"E encantou mesmo, senhor!", disse Sam. "A Senhora de Lórien! Galadriel! Devias vê-la, devias mesmo, senhor. Eu sou apenas um hobbit, e a jardinagem é meu serviço em casa [...]"[34]

> Mencionei (p. 195) que o rascunho D 2, que agora se tornara muito mal-acabado, continuava na descrição que Sam faz para Faramir sobre Galadriel, deixando escapar a verdade que Frodo por tanto tempo e tão cuidadosamente escondeu — "Boromir queria o Anel!".[35] Nesse rascunho, no ponto de DT em que "Frodo e Sam saltaram das banquetas e se postaram lado a lado, de costas para a parede, apalpando para achar os punhos das espadas", e "todos os homens na caverna pararam de falar", tudo o que se diz aqui é: "Frodo e Sam saltaram lado a lado e apalparam para achar as espadas". Faramir sentou-se e começou a rir, e então, de súbito, assumiu um ar grave. Fica claro que ele se sentou no chão, onde eles estavam, na mata. As últimas palavras mal legíveis do rascunho antes de ele ser abandonado eram:

"Não temais. Não quero vê-lo e nem tocá-lo — meu único medo é vê-lo e sentir-me tentado. Mas agora se torna meu real dever ajudar-vos com tudo o que tenho. Se é este o conselho de Mithrandir, que essa Coisa [? horrenda] seja enviada [? a esmo] para as fronteiras de Mordor sob a guarda de dois hobbits, então ele está deveras desesperado e no seu limite. Vinde, vamos nos abrigar o mais rápido possível."

Foi dito (pp. 188, 199) que, no rascunho (D 1–2) da última parte desse capítulo, toda a história da chegada a Henneth Annûn estava ausente, e toda a conversa que em DT aconteceu ali depois da refeição noturna aqui se deu conforme andavam na floresta. Contudo, quando chegamos à terceira porção sobreposta do rascunho (D 3), na parte do desenlace, a revelação do Anel, eles estão na caverna, e tudo está conforme DT. Fica claro, portanto, que foi só ao chegar bem no fim do capítulo que meu pai percebeu que a longa conversa com Faramir tinha sido interrompida quando chegaram ao refúgio; e talvez tenha sido só nesse momento que percebeu que refúgio era aquele: a Janela do Poente, Henneth Annûn. O rascunho do novo trecho (DT, pp. 963–71, a partir de "Assim foram em frente até que a mata rareou [...]") encontra-se separado, com pouca divergência significativa em relação à forma finalizada. Anborn não é mencionado, e nem a visão de Gollum nas matas, no crepúsculo: isso apareceu pela primeira vez no manuscrito completo;[36] e Faramir diz a Frodo e Sam antes da refeição: "Rogo-vos fazer como fazemos. Assim fazemos sempre, olhamos para Númenor que foi, e além, para Casadelfos, e para o que está além de Casadelfos, Valinor, o Reino Abençoado."[37]

Na página deste rascunho, onde aparecem as palavras de Faramir "Esta é a Janela do Oeste" (alterado para "Janela do Poente"), meu pai escreveu muitos nomes antes de chegar a *Henneth Annûn*: *Nargalad*, *Anngalad*, *Carangalad*; *Henneth Carandûn*, *Henneth Malthen*; *Henlo Naur*, *Henlo n'Annun*; *Henuil n'Annun*.

NOTAS

1 Os "capítulos novos" eram: (1) "A Doma de Smeagol"; (2) "A Travessia dos Pântanos"; (3) "O Portão Negro está Fechado" (incluindo "De Ervas e Coelho Ensopado"); (4) "Faramir". Ver nota 2.

2 Como "A Doma de Smeagol" era o Capítulo 32, "A Travessia dos Pântanos", o 33 e "O Portão Negro está Fechado" era o 34, "Faramir" — o "quarto novo capítulo" — deveria ser 35. O número 36 implica que "De Ervas e Coelho Ensopado" já tinha sido separado e tornou-se o 35. Mas então, é claro, "Faramir" se tornou o quinto capítulo novo. Talvez o número 36 tenha sido acrescentado depois. Ver p. 207.

[3] A referência é à forma do "verso onírico de Minas Tirith" cuja segunda metade dizia o seguinte (ver VII. 177):

E este será o sinal
de que Sina está à mão:
Verás o Meio-alto afinal,
Co'a ruína de Isildur na mão.[A]

[4] Por todo esse rascunho, Falborn se dirige a Frodo usando o pronome *thou* [tu], mas esse uso foi emendado em todos os lugares e não aparece no texto seguinte.

[5] Os homens de Gondor, nesse rascunho B, estavam "sentados em um anel, no meio do qual estavam Falborn e Frodo. Parecia que havia um debate acontecendo". Além disso, Frodo se refere a "Elrond de Imlad-rist": ver p. 170, nota 14.

[6] Em uma versão rejeitada, "a outra metade foi encontrada mais para lá do rio, acima de Osgiliath, por outros vigias".

[7] Na mesma página encontram-se outros trechos que, presumo, eram ingredientes potenciais da reprimenda de Sam a Falborn:

> É uma pena que a gente contra Mordor se desentenda com tanta facilidade. Era de se esperar que estivesse claro como o dia.
>
> Boromir estava a caminho de Minas Tirith. Decidimos não ir por ali e tomamos nosso próprio rumo. Boromir não estava morto quando partimos, mas os orques sabiam de nossa jornada: atacaram-nos acima das corredeiras para lá de Sarn Gebir. O que isso significa?
>
> Agora acho que cometemos um erro. Não conheço a localização das terras, mas talvez tivéssemos chegado mais rápido até aqui vindo por Minas Tirith. Mas até aqui teríamos chegado. E se nos arrastares de volta, haverá quem não goste disso. Boromir não gostaria. E nem Aragorn.

Compare *Sarn Gebir* aqui, em vez de *Emyn Muil,* com p. 167 e nota 17. Outro trecho aqui, totalmente ilegível em parte, é o rascunho de uma conclusão mais substancial para o interrogatório de Falborn a Frodo: com o tom asperamente inflexível em relação ao posterior Faramir e sugerindo que nenhuma outra conversa entre eles fora planejada nesse estágio.

> "Foste ordenado a ir — a algum lugar. Mas eu também estou sob ordens: matar todos os que vagam irresponsavelmente em Ithilien, ou no mínimo levá-los prisioneiros a Minas Tirith. Não vejo motivo para te matar, ou, pelo menos, há dúvida demasiado grande. Mas a Minas Tirith vós ireis. E, se Boromir estiver lá, será ... convosco. Se a morte de Boromir for comprovada, será do interesse de Denethor falar com aqueles que o viram antes de morrer. Se ele [? vier], sem dúvida ficareis contentes — talvez não. De vossa própria missão . . . . . [*as frases seguintes são efetivamente ilegíveis*] . . . . . Talvez se contásseis mais da verdade e revelásseis vossa missão, ajudar-vos-íamos e

não vos obstaríamos. Mas, se não quereis falar, não me resta escolha em minha dúvida."

"Talvez ajudaríeis, talvez não", respondeu Frodo. "Mas não é assunto para falar com tais como vós — nem se os muros de [? Mordor] estivessem a mil milhas de distância, sendo que estão a poucas léguas".

Também aqui há reelaborações sem conclusão da segunda parte dos "versos oníricos de Minas Tirith".

[8] *Falborn* foi emendado para *Faramir* (mas não de modo consistente) no segundo rascunho, B, onde entraram também muitas outras alterações que levaram à terceira versão, C.

[9] Esse verso não aparece nas reelaborações do poema mencionadas no fim da nota 7, mas *Um sinal será sustido* encontra-se ali. É possível que nenhuma versão assim do poema tenha sido de fato escrita. Inicialmente, o manuscrito dizia o mesmo que o rascunho, mas foi então alterado para "Mas as palavras diziam que o Pequeno ergueria a Ruína de Isildur". *Pequeno*, no lugar de *Meio-alto* entrou como emenda ao segundo rascunho B: "Se tu és o Meio-alto" > "Se tu és o Pequeno".

[10] A data da morte de Boromir era 26 de janeiro (e, em um dos esquemas temporais, afirma-se que a hora da morte foi "meio-dia"); era então 6 de fevereiro, onze dias depois. (Na margem do manuscrito, meu pai escreveu "doze" ao lado de "onze", o que, contudo, não foi riscado. Presumo que isso dependa da cronologia no esquema "S", segundo o qual Boromir morreu em 25 de janeiro: ver pp. 124, 173). Em *O Conto dos Anos*, as datas correspondentes são 26 de fevereiro e 7 de março, também onze dias depois (pois fevereiro tem 30 dias). Nas notas da p. 178, Faramir e seus Homens partiram de Minas Tirith em 3 de fevereiro, portanto, três dias antes; e tanto no rascunho quanto no manuscrito ele diz a Frodo que nenhum membro da Comitiva havia chegado à cidade quando ele partiu três dias antes (no lugar em que DT diz seis dias, p. 951). Em *O Conto dos Anos*, ele partiu em 1 de março, seis dias antes, portanto.

[11] Pode-se notar outro retalho isolado de rascunho. Presumo que represente palavras de Frodo que não foram aproveitadas quando ele falou a Faramir sobre os barcos de Lothlórien: "Tais barcos são engenhosos e diferentes dos das demais gentes. Não afundam, nem se carregados com mais do que o usual quando todos já estiverem embarcados. Mas são inconstantes e, se mal manejados" (a frase termina aqui).

[12] Isso aparentemente se refere a um trecho em "Adeus a Lórien". Na cópia manuscrita limpa do capítulo, as palavras originais de Boromir "Eu mesmo não estive lá" (referindo-se a Fangorn) tornaram-se "Eu mesmo jamais atravessei Rohan" (VII. 333 e 345, nota 36). Isso agora foi alterado naquele manuscrito para "Eu mesmo estive em Rohan raras vezes, mas jamais o atravessei rumo ao norte" (compare com SA, p. 527).

[13] Há rascunhos rudimentares para esse novo posicionamento da intervenção de Sam. Aí, muito estranhamente, a resposta de Faramir prossegue com sua astuta conjectura acerca da relação de Frodo com Boromir e sobre a Ruína de Isildur, e com o desejo rapidamente reprimido de Frodo de "contar tudo àquele homem gentil, mas justo". Esse trecho em DT, em uma forma muito mais desenvolvida, não surge até depois de começarem a jornada rumo a Henneth Annûn. Contudo, isso claramente não passou de um esboço de novos elementos no diálogo; não era um rascunho com a finalidade de revisar tudo o que tinha sido escrito no capítulo até então.

[14] Ver o início do esboço incluído na p. 185. O trecho que precede esse em DT, p. 957 — de "A mim não consola nossa conversa" até "Mas não importa o que tenha ocorrido na Fronteira Norte, de ti, Frodo, não duvido mais" (em que Faramir sugere que alguns da Comitiva ainda estão vivos, pois quem mais teria aprestado Boromir no barco fúnebre?) — não entrou até mais tarde (foi acrescentado ao primeiro texto datilografado do capítulo).

[15] Vários elementos estão ausentes no rascunho, mas presentes no manuscrito, tais como "Ele queria que esse objeto fosse levado a Minas Tirith" (DT, p. 959); e o trecho a respeito de Gandalf (DT, pp. 960–1) — de "Tens certeza disso" até "Obteve permissão de Denethor, não sei como, para olhar os segredos de nosso tesouro" — é assim no rascunho: "[...] tanto saber pudesse ser removido do mundo. Obteve permissão para olhar os segredos de nosso tesouro [...]". O rascunho tem alguns elementos que se perderam no manuscrito: assim, depois de "há algo em ti, não sei o quê, um ar élfico talvez" (DT, p. 957), ele continua: "E isso não é o que estaria buscando, se os velhos contos e rumores de longe diziam a verdade a respeito do povo pequeno". Isso foi rejeitado e substituído por "Algum poder maior do que a estatura da tua gente", também rejeitado. E, depois de "eram diferentes e, no entanto, também muito afins" (DT, p. 962), o rascunho continua: "Faramir sem dúvida tinha o temperamento diferente, mas Frodo temia o poder e a traição do objeto que portava: quanto maior e mais sábio, maior o engodo e pior a queda". Compare isso com o esboço da p. 186.

[16] *Grandes Terras*: esse vestígio do antigo uso permanece, neste local, em *As Duas Torres* (p. 970), e é a única ocorrência em *O Senhor dos Anéis*. Em uma ocorrência subsequente de *Grandes Terras* neste capítulo (p. 193), DT diz *Terra-média* (p. 972), sugerindo que a ocorrência no primeiro trecho foi um descuido.

[17] *Montanhas Brancas:* a palavra *Brancas* foi acrescentada, mas quase certamente enquanto o texto progredia. Ver as notas na p. 168: "Alterar *Montanhas Negras* para *Montanhas Brancas*".

[18] A grafia do nome *Elenarda* é perfeitamente clara e unívoca, e não foi riscada quando *Kalen(arda)* foi escrito acima (mas ver p. 191 e nota 22). É estranho encontrá-la sendo aplicada a Rohan, pois essa antiga palavra mitológica deriva da concepção dos três "ares" na cosmologia descrita no *Ambarkanta*. É ali traduzida como "Reino Estelar", e é outro nome para a região média de *Ilmen*,

onde se movem Sol, Lua e estrelas (ver IV. 285–87, 298). Sobre o nome Rohir na frase anterior, ver p. 36 e nota 24.

[19] *Hebel Nimrath* era o nome das Montanhas Brancas no manuscrito, subsequentemente alterado para *Ered Nimras*. Compare esses nomes com os das notas na p. 168.

[20] No manuscrito, Faramir diz, como em DT (p. 971), "Mas os regentes foram mais sábios e mais afortunados". Os Regentes de Gondor, que governaram Minas Tirith depois da morte do último rei sem filhos da linhagem de Anárion já apareceram na porção inicial do diálogo de Frodo e Faramir (p. 187). No manuscrito, o equilíbrio que Faramir faz com as frases ("mais sábios e mais afortunados; mais sábios [...], mais afortunados [...]") foi preservado ("mais afortunados, pois nossos inimigos mais perigosos tornaram-se nossos amigos"), mas perdeu-se em DT devido a alterações nesse ponto do texto feitas posteriormente.

[21] *Rohiroth*: ver p. 36. No primeiro desses rascunhos (D 1) a forma é *Rohir* (nota 18); no rascunho em questão (D 2), tanto *Rohir* quanto *Rohiroth* aparecem bem próximos. No manuscrito, a grafia é *Rohiroth*.

[22] No manuscrito, meu pai escreveu *Kalin*, riscando imediatamente e escrevendo *Calenardan*, alterando então para *Calenardhon*. Todas essas alterações foram feitas no momento da escrita. Ver nota 18.

[23] A diferença entre essas formulações evidentemente é que, na versão rejeitada, a relação se dá entre os Noldor (como Galadriel) que permaneceram depois da queda de Morgoth e aqueles que partiram para Tol Eressëa; e, na segunda versão, a relação se dá entre os Noldor que permaneceram e os Elfos que jamais foram para Valinor (como os Elfos de Lothlórien). Ver o trecho no capítulo "Galadriel" em VII. 293 e a nota 12 ali.

[24] Em DT (p. 971) o texto diz "*não* talvez de Hador, o de Cabelos Dourados, Amigo-dos-Elfos [...]". Meu pai inseriu o *não* em um texto datilografado tardio do capítulo; foi colocado muito apressadamente e, para mim, parece possível que ele tenha lido a frase de modo diferente do que ela significava originalmente: por certo que "Talvez eles descendam de Hador, de fato, *mas, se for o caso*, então certamente foi dos descendentes de Hador que não atravessaram o Mar". No manuscrito, "daqueles de seus filhos" foi posteriormente emendado para "daqueles de seu povo" e isso parece ter sido interpretado pela pessoa que datilografou erroneamente como "daqueles de seus filhos e de seu povo".[*]

Pode-se notar aqui que, ao mesmo tempo em que essa correção foi feita ao manuscrito, as palavras "tornaram-se, portanto, um povo à parte, e assim devem permanecer" foram alteradas para "e assim deveriam ter permanecido".

---

[*] Esse erro foi corrigido na edição de 2004 de *O Senhor dos Anéis*, que foi usada para a tradução brasileira. [N.T.]

[25] *Grandes Terras*: nesse ponto, DT diz *Terra-média*; ver nota 16.

[26] Essa frase aparentemente evoluiu assim: "mesmo Earendel, nosso primeiro rei e irmão de Elros [*isto é*, de Elrond]" > "mesmo nosso primeiro rei, Elros, filho de Earendel e irmão de Elrond". Ver p. 190.

[27] Desde o começo era explícito que os Númenóreanos estavam expressamente proibidos pelos Deuses de navegar para Oeste além da Ilha Solitária (ver o esboço original e as versões originais de *A Queda de Númenor* em *A Estrada Perdida*, pp. 18, 22, 36–7). *Casadelfos* aqui quer dizer a Ilha Solitária: pois essa ilha ficava na Baía de Casadelfos (ver *A Estrada Perdida*, V. 127: "à Ilha de Eressëa em Casadelfos"); e esse também é o significado no mesmo trecho em DT (p. 972), em que as palavras "à vista de Casadelfos" foram mantidas. Ver o trecho de *Akallabêth* (*O Silmarillion*, pp. 345–46) em que se descreve a visão remota de Avallónë, porto de Eressëa, a partir de Númenor. Além de quaisquer outras considerações, isso se confirma pelo trecho na p. 200.

[28] A palavra *Númenóreano(s)* está grafada de modo variado, com acento na primeira ou na terceira sílaba, ou sem acento. Aqui a grafia é *Númenóreanos*, mas estendi isso para as outras ocorrências.

[29] Ver os *Anais de Beleriand* tardios em *A Estrada Perdida*, p. 226: "o povo de Hador abandonou o próprio idioma e adotou o dos Gnomos"; também o *Lhammas* §10, *ibid.* p. 210.

[30] O nome *Faramir* não aparece em nenhum escrito anterior.

[31] Por uma correção do manuscrito feita posteriormente a lápis, as palavras de Faramir foram alteradas, de modo que a referência ficou apenas ao noldorin: "muitos homens das Três Casas aprenderam havia muito tempo o idioma alto-élfico dos Noldor, conforme falado em Gondolin ou pelos Filhos de Fëanor. E os Senhores de Númenor sempre conheceram tal idioma, e o usavam entre si".

[32] Sobre a remoção da história da erva-de-fumo do texto, ver pp. 52–5.

[33] Compare essas observações de Sam com o esboço inicial na p. 186: "Sam fala de poder, barcos, cordas e capas élficas". Isso foi escrito antes da entrada do relato de Faramir sobre as línguas (que foi o motivo de as palavras de Sam terem se perdido em *As Duas Torres*).

[34] Nos dois rascunhos com as palavras de Sam sobre Galadriel, Faramir não intervém com "Então ela deve ser deveras linda. Perigosamente bela", o que leva (no manuscrito e em DT) à consideração de Sam sobre a justiça da palavra *perigosa* quando aplicada a Galadriel; mas, ainda assim, em ambos os rascunhos Sam diz "Não sei sobre perigosa", e faz as mesmas observações. Nesse estágio, ele estava se referindo ao comentário anterior de Faramir: "considero coisa perigosa para homens mortais, no mínimo ir voluntariamente em busca do Povo Antigo" (p. 194).

[35] No rascunho em questão (D 2), a gafe de Sam é precedida pelas mesmas palavras de DT (p. 974), mas ele termina: "e é minha opinião que desde o momento em que ouviu falar pela primeira vez ele quis o Anel". Portanto, ele

não faz referência a Lórien como sendo o lugar onde Boromir (nas palavras do rascunho final, D 3) "se viu com clareza pela primeira vez, e viu o que eu tinha visto antes".

[36] O homem que viu Gollum foi inicialmente chamado de *Falborn* no manuscrito, alterado depois para *Anborn* (essa alteração foi, na verdade, feita no decorrer do rascunho inicial de "A Lagoa Proibida"). No rascunho e no manuscrito de "De Ervas e Coelho Ensopado" (p. 166), Anborn era pai de Falborn, líder dos homens de Gondor em Ithilien que se tornou Faramir.

[37] Sobre *Casadelfos* aqui (Tol Eressëa) ver nota 27. O manuscrito traz o texto final (DT, p. 968): "[...] para Númenor que foi, e além, para Casadelfos que é, e para o que está além de Casadelfos e estará sempre". Ver *Cartas*, n. 211, em que, numa das notas de rodapé da p. 411, as palavras "o que está além de Casadelfos e estará sempre" são interpretadas como "está além das terras mortais, além da lembrança da Bem-aventurança imaculada, além do mundo físico.".

6

A Lagoa Proibida

O "quarto novo capítulo ('Faramir')" foi lido para C.S. Lewis e Charles Williams em 8 de maio de 1944 (ver p. 176) — "quarto" porque "O Portão Negro está Fechado" e "De Ervas e Coelho Ensopado" não haviam ainda sido separados (ver p. 200, notas 1 e 2). Em 11 de maio, meu pai escreveu (*Cartas*, n. 67) que outro capítulo estava em curso, "levando ao desastre em Kirith Ungol onde Frodo é capturado. História então volta para Gondor e se dirige muito rapidamente (espero) para o desfecho.". No dia seguinte, (*Cartas*, n. 68), ele afirmou que "agora estamos à vista de Minas Morghul"; também citou as palavras de Faramir para Frodo: "Quando voltares à terra dos vivos,[1] e nós recontarmos nossas histórias, sentados ao sol junto de um muro, rindo dos velhos pesares, então me contarás". Em *As Duas Torres*, essas palavras estão logo antes do fim de "A Lagoa Proibida". Na manhã de 15 de maio de 1944 (*Cartas*, n. 69), ele leu seu "6º capítulo novo, 'Jornada para a Encruzilhada'" para C.S. Lewis.

Rascunhos iniciais daquilo que se tornou "A Lagoa Proibida" continuam sem interrupção no que se tornou "Jornada para a Encruzilhada" e, na cópia manuscrita completa passada a limpo, os dois capítulos são igualmente um só, intitulado "37. Jornada para a Encruzilhada"; o título posterior e a quebra de capítulo foram inseridos no manuscrito mais tarde, quando a primeira parte se tornou "A Lagoa Proibida".[2] Visto que meu pai não teria chamado seu "capítulo novo" de "Jornada para a Encruzilhada" se Frodo, Sam e Gollum não chegassem até lá no decorrer dele, concluo que era aqui que estavam — ao lado da estátua quebrada no anel de árvores — quando ele leu seu "6º capítulo novo" para Lewis em 15 de maio (a essa altura, presumo que havia separado "De Ervas e Coelho Ensopado" de "O Portão Negro está Fechado", tornando "Faramir" o quinto). Na carta em que registra isso (n. 69) ele continuou: "Até o momento a história tem ido bem: mas agora estou chegando no ponto crucial, onde os fios devem ser reunidos, os períodos de tempo, sincronizados e a narrativa, entrelaçada; enquanto a coisa toda cresceu tanto em importância que os esboços dos capítulos finais (escritos há muito tempo) são por demais inadequados, sendo de um nível mais 'juvenil'".

Uma vez que meu pai começou a escrevê-la, essa parte da história se desenrolou praticamente sem hesitações entre versões concorrentes; contudo, há um breve esboço extremamente difícil de entender que ele escreveu quando nem tudo ainda estava claro.

São despertados tarde da noite. Pôr da lua sobre o Mindolluin. Sam resmunga de ter sido acordado só para ver o luar.

Veem Gollum pescando abaixo da lagoa.

Faramir diz que precisa flechar para matar, ou Frodo deve ajudar a capturá-lo.

Frodo e alguns homens saem. Frodo chama Gollum e Gollum é pego ainda com um peixe nas mãos.

Faramir alerta Frodo contra Gollum.

[*Riscado:* Frodo lhe diz] Não, é Gollum.

Frodo implora pela vida dele. Concedem seu desejo caso Frodo se disponha a induzir Gollum a vir . . . . .[3]

Gollum é pego por guardas e trazido.

[? Finge] grande contentamento ao ver Frodo. Belo peixe. Implora que não se demore e que parta pela manhã.

Voltam a dormir até a manhã.

Prosseguem nas matas durante o dia. Nenhum orque. Adeus. Perdem a conta, e levam [? mais tempo do que]

Aqui essas notas terminam. As frases "Frodo e alguns homens saem. Frodo chama Gollum e Gollum é pego ainda com um peixe nas mãos" estão assinaladas com uma linha na margem, o que provavelmente quer dizer que essa seria a versão a ser seguida, em vez de "Gollum é pego por guardas e trazido. Finge grande contentamento ao ver Frodo". Não consigo explicar as palavras rejeitadas "Frodo lhe diz", seguido de "Não, é Gollum".

O rascunho do capítulo (muito dele em uma letra tão difícil que algumas partes seriam praticamente ininterpretáveis se já não estivessem parecidas com a versão final) sugere uma composição extremamente fluente, e há pouquíssimo a falar sobre ela. Novos elementos entraram em páginas sucessivas de rascunho, mas a cópia manuscrita limpa, a partir da qual o capítulo foi lido para C.S. Lewis em 15 de maio, chegou ao texto de *As Duas Torres* em todos os pontos, exceto alguns menores.

Um ponto pequeno por si só, mas notável, é o que Faramir diz sobre a Lua. Em DT (p. 978) ele diz: "O belo Ithil, partindo da Terra-média, olha de relance os cachos brancos do velho Mindolluin"; no manuscrito, onde o texto é, no mais, idêntico ao de DT, ele dizia: "*A bela* Ithil" [...]".[4]

No rascunho original da resposta de Frodo para a pergunta de Faramir sobre Gollum ("Por que faz isso?", DT, p. 980), ele diz, corroborando sua sugestão de que Gollum não percebe que há homens escondidos ali: "Tem olhos noturnos, mas é peticego e duvido que nos consiga ver aqui em cima". Em um segundo rascunho do trecho, a última frase se tornou "[...] e não vê claramente a distância"; no manuscrito "[...] e coisas distantes lhe são turvas". Ao lado disso, no segundo rascunho, meu pai escreveu (ao mesmo tempo): "Fazer com que Gollum *não* seja aquele que olhou para o Morannon — ou então deixá-lo a 100 jardas" [*c.* 91 m] (com "200 jardas" escrito acima). Mas a referência à miopia de Gollum foi riscada dos textos datilografados e não aparece em DT, e Gollum permaneceu como aquele que olhou da depressão diante do Portão Negro e viu os "Homens muito cruéis e maus" subindo a estrada do sul. Meu pai hesitou muito acerca da distância entre a depressão e a estrada, e a miopia de Gollum foi claramente uma das razões para isso; ver p. 157, nota 9. O "vulto semelhante a um sapo" que saiu da água conforme Frodo e Faramir olhavam para a lagoa abaixo foi uma alteração de "um vulto semelhante a uma aranha".

Em um rascunho inicial muito rudimentar e apressado da parte que conclui o capítulo em DT (pp. 988–91), Frodo não diz nada sobre o caminho depois de Minas Morghul a não ser que Gollum lhe dissera que tal trilha existia, "ascendendo em uma alta passagem nas montanhas". Após isso vem a afirmação de Faramir de que o nome é Kirith Ungol, como em DT. No manuscrito passado a limpo, meu pai escreveu inicialmente aqui:

"Não sei claramente", disse Frodo; "mas creio que ela ascende para as montanhas do lado sul daquele vale nas montanhas em cujo lado norte se ergue a antiga cidade. Ela sobe para uma fenda alta e depois desce para… o que está além."

Isso foi subsequentemente alterado para o texto de DT. Sobre a ideia anterior de que Kirith Ungol ficava no lado sul do vale, ver p. 138.

No fim desse rascunho inicial, meu pai esboçou brevemente o curso posterior da história: os hobbits e Gollum vendados, o relato dos batedores sobre o estranho silêncio e o vazio das terras, o conselho de Faramir para prosseguirem à luz do dia pela floresta "ladeando a última descida do terreno antes do vale do rio", e sua despedida. No pé da página há uma nota que só consigo interpretar parcialmente:

> K[irith] U[ngol] não deve ser mencionada antes de Frodo … contar a Faramir de Gollum.
> Sim, ele encontrou o anel há muitos, muitos anos, disse Frodo. Ele é o meio pelo qual todo esse grande assunto foi iniciado.

Seguem-se duas frases das quais não consigo entender nada, a não ser talvez "onde o anel estivera". Mas, de toda forma, essa foi evidentemente uma ideia passageira.

NOTAS

[1] O rascunho original do trecho em "A Lagoa Proibida" era praticamente igual a DT: "Se alguma vez voltares à terra dos vivos […]".

[2] Um arranjo experimental subsequente foi colocar "A Lagoa Proibida" junto com "Faramir", chamando a primeira parte de "Faramir (1): A Janela do Oeste" (e não "para o Oeste") e a segunda de "Faramir (2): A Lagoa Proibida".

[3] O final ilegível da frase de fato se parece mais com "visitá-los" do que qualquer outra coisa. Se for o caso, presumo que o sentido seja: "se Frodo puder induzir Gollum a sair da lagoa e subir com ele até a presença de Faramir"; a escolha de palavras é estranha, mas essas notas foram escritas com grande velocidade.

[4] *A bela* foi corrigido para *O belo* no primeiro texto datilografado. Ver o *Quenta Silmarillion* em *A Estrada Perdida*, p. 286 §78: "Varda ordenou que a Lua se erguesse somente depois que o Sol tivesse deixado o céu, mas ela viaja com passo incerto, e ainda o persegue […]".*

*No original em inglês, a referência é ao uso dos pronomes *he* ("ele") com relação à Lua e *she* ("ela") para o Sol. [N.T.]

Outro assunto que diz respeito à Lua pode ser mencionado. No começo do capítulo, quando Faramir diz, ao acordar Frodo, "a lua cheia está se pondo", meu pai alterou isso no manuscrito para "está nascendo"; quando eles emergiram da escada na rocha, as palavras "Bem longe, no Oeste, a lua cheia descia" foram alteradas para "Atrás dele, a lua redonda, cheia e majestosa, erguia-se da sombra do Leste"; e a fala de Faramir "Pôr da lua sobre Gondor" foi alterada para "Nascer a lua sobre Gondor". Isso, é claro, faria com que tudo se passasse bem mais cedo naquela noite. Mas todas essas alterações foram revertidas para o texto original, presumo que de imediato, pois subsequentemente "Já estava escuro, e a cascata era pálida e cinzenta, refletindo apenas o luar que restava no firmamento ocidental" (DT, p. 981) não foi alterado.

7

Jornada para a Encruzilhada

Falei da relação original entre "A Lagoa Proibida" e "Jornada para a Encruzilhada"[1] no início do capítulo anterior. Rascunhos preliminares para a segunda parte do que era originalmente um único capítulo prosseguem continuamente, em uma letra excruciantemente difícil, até a chegada de Frodo e seus companheiros à cadeia de colinas coberta com moitas de tojos e arandos, tão altas que eles conseguiam andar eretos sob elas (DT, p. 998).[2] A história até esse ponto era diferente de *As Duas Torres*. A jornada leva um dia a menos: eles chegaram à estrada que vinha de Osgiliath no crepúsculo do dia em que deixaram Henneth Annûn pela manhã; e o refúgio que fizeram na grande azinheira era descrito de modo bem mais completo (ver DT, p. 997, a partir de "Relutante, Gollum concordou com isso"):

Gollum concordou com isso e os viajantes deram as costas para a estrada, mas Gollum não queria descansar no chão em mata aberta. Após procurar um pouco, escolheu uma enorme azinheira escura com grandes ramos nascendo juntos do grande tronco como um pilar [? gigante]. Crescia no pé de uma pequena ladeira que [? se inclinava] um pouco para oeste. Gollum saltou com facilidade da ladeira para o tronco, escalando como um gato e apressando-se pelos ramos acima. Os hobbits só escalaram com o auxílio da corda de Sam e, nessa tarefa, Gollum não ajudou, e não se dispôs a encostar um dedo sequer na corda élfica. Os grandes ramos, brotando quase do mesmo ponto, formavam uma ampla bacia onde eles [? conseguiram] encontrar algum tipo de conforto. Ficou muito escuro sob o grande dossel da árvore. Não conseguiam ver o céu e nenhuma estrela.

"Poderíamos descansar confortavelmente e em segurança aqui, se não fosse por esse desgraçado do Gollum", pensou Sam. Se estava mesmo indulgente como afirmava ou não, Gollum, pelo menos, não temia seus companheiros e enrolou-se como algum animal das árvores e logo pegou no sono, ou assim parecia. Mas os hobbits não confiavam nisso — provavelmente nenhum dos dois (certamente não Sam) se esqueceria do alerta de Faramir. Fizeram turnos de vigia e dormiram umas 3 horas cada um. Todo esse tempo, Gollum não se moveu. Não saiu para caçar, seja porque o "belo peixe" lhe dera força para aguentar um pouco ou por alguma outra coisa.

Logo antes da meia-noite ele despertou subitamente e viram seus olhos pálidos, de pálpebras abertas, fitando na escuridão.

No ponto em que esse rascunho de abertura termina, meu pai escreveu *Trovão*. Mas, neste estágio, não há nenhuma sugestão no texto de alguma mudança no tempo ou na sensação do ar. Outros pontos dignos de nota são que os cajados dados por Faramir a Frodo e Sam tinham "cabeças entalhadas como um gancho de pastor"; que a árvore de que foram feitos foi inicialmente chamada *melinon* (as últimas duas letras não são perfeitamente claras), depois *lebendron* e, por fim, *lebethras*, todas essas alterações feitas no ato da escrita;[3] e que, embora Faramir os aconselhe a não beber qualquer água que corresse do vale de Morghul, ele não o chama de *Imlad Morghul* (mas o nome ocorre logo depois: p. 269, nota 25).

Um segundo rascunho retoma do início do trecho acima ("Gollum concordou com isso") e o episódio da azinheira foi reescrito. Neste texto aparece a primeira referência a uma vindoura mudança no tempo.

Subiam continuamente. Olhando para trás, puderam ver agora a copa das florestas que tinham deixado, estendendo-se como uma enorme sombra densa sob o céu. O ar parecia pesado, não mais fresco e claro, e as estrelas estavam embaçadas e, quando perto do fim da noite a lua se ergueu lentamente sobre Ephel Dúath,[4] estava envolta em um doentio clarão amarelo. Prosseguiram até o céu sobre as montanhas que assomavam ficar pálido. Gollum parecia saber bem onde estava. Ficou por um momento com o nariz levantado, fungando. Então, fazendo sinal para eles, apressou-se adiante. Seguindo-o cansados, começaram a subir uma grande encosta. [...]

Depois da descrição das grandes moitas de tojo e deles se escondendo num emaranhado de espinheiros e urzes, o texto continua (ver DT, p. 998):

Ali ficaram, contentes por estarem deitados, ainda cansados demais para comerem, e viram o lento crescimento do dia. Conforme a luz aumentou, as montanhas de Ephel-dúath pareciam carranquear e olhá-los com severidade por cima das terras acidentadas a meio caminho. Pareciam ainda mais próximas do que estavam, negras sob a noite que se demorava, com cumes recortados e bordas delineadas em formatos ameaçadores contrastando com o céu que se abria.

Um pouco para o norte de onde os hobbits estavam deitados, elas pareciam recuar para o leste e retroceder em uma grande reentrância, cujo contraforte mais próximo se projetava para fora, escondendo a visão naquela direção. Abaixo, saindo da grande sombra, conseguiam ver a estrada vindo do Rio por uma pequena extensão, conforme fazia a curva a nordeste e juntava-se à estrada para o sul que ainda ficava mais adiante, [? oculta] pela terra crispada.

"Para onde vamos daqui?", perguntou Frodo.

"Temos de pensar nisso já?", disse Sam. "Certamente não vamos andar por horas e horas, não?"

"Não, certamente não", disse Gollum. "Mas precisamos ir alguma hora . . . . . . de volta para a Encruzilhada que nós falou para os hobbits."

"Quando chegaremos lá?"

"Nós não sabe", disse Gollum. "Talvez antes da noite acabar, talvez não."

Neste ponto, o segundo rascunho se transforma em um esboço da história a seguir e a escrita em alguns lugares fica completamente inescrutável.

Gollum fica a maior parte do dia fora. Não chegam até a Encruzilhada até o anoitecer, de fato, por causa do terreno difícil. Partem no crepúsculo, por volta de 5h30 e não chegam à Encruzilhada e à estátua sem cabeça até a manhã [*sic*]. Gollum em estado de grande terror. O tempo mudou. O céu acima de Ephel Dúath absolutamente negro. Nuvens ou fumaça? flutuando em um vento

Leste. Estrondos? Sol oculto. Nessa escuridão eles saem das árvores e veem Minas Morghul. Ela brilha em meio a uma treva profunda, como se fosse por uma lua maligna — embora não haja nenhuma lua.

Horror dos hobbits. Peso do Anel. . . . . vale de Morghul. Onde a estrada seguiu para o contraforte setentrional e as bases da fortaleza, eles viraram para o lado e escalaram para o sul, para o outro lado do V [*isto é,* Vale de Morghul]. Frodo e Sam . . . . veem uma trilha. Já subiram um tanto e os portões de Minas Morghul olham-nos com ira quando se ouve um grande ribombo e estrondo. Explosão de Trovão . . . . chuva. Saindo dos portões vem a hoste liderada pelo C[avaleiro] N[egro].

Foi neste texto que surgiu a ideia da grande nuvem se espalhando a partir de Mordor. Em uma terceira seção de rascunhos, meu pai voltou ao ponto onde o segundo se transforma num esboço, depois das palavras de Gollum sobre a Encruzilhada: "O sol que se erguera com um clarão vermelho atrás das Ephel-dúath se enfiou em nuvens escuras que se moviam lentamente do Leste. Era uma manhã sombria. Os hobbits pegaram alguma comida e se ajeitaram para descansar [...]".

Quando Gollum reapareceu de sua longa ausência naquele dia, esse rascunho também se transforma em um esboço:

Ao voltar, diz que precisam partir. Os hobbits acham que algo o deixou preocupado (ou ?). Ficam desconfiados, mas precisam concordar. [O começo da noite >] A tarde está ameaçadora e nublada. Ao anoitecer, chegam à Encruzilhada na mata. O sol mergulha cor de sangue no oeste, sobre Osgiliath. Começa uma treva terrível.

Neste caso, o manuscrito completo passado a limpo não chegou à versão da história em *As Duas Torres*, pois Frodo e seus companheiros ainda levavam dois dias apenas de Henneth Annûn até a Encruzilhada, e uma alteração posterior importante foi o acréscimo de um dia na jornada deles. Isso se deu pela inserção da seguinte passagem em um texto datilografado do capítulo, depois das palavras (DT, p. 995) "Parecia que todos os pássaros haviam voado para longe ou emudecido":

A escuridão chegou cedo às matas silenciosas, e antes do cair da noite eles pararam, exaustos, pois haviam caminhado sete léguas ou mais desde Henneth Annûn. Frodo deitou-se e dormiu a noite toda na terra funda sob uma árvore antiga. Sam, ao seu lado, estava mais inquieto: acordou muitas vezes, mas nunca havia sinal de Gollum, que escapulira assim que os outros se ajeitaram para descansar. Se dormiu sozinho em algum buraco próximo ou se vagara sem descanso, andando a esmo pela noite, ele não disse; mas retornou com o primeiro lampejo de luz e despertou os companheiros.

"Precisam levantar, sim, eles precisam!", disse ele. "Ainda tem longe para ir, pro sul e pro leste. Hobbits precisam se apressar!"

Aquele dia passou bem semelhante ao anterior, exceto que o silêncio parecia mais intenso; o ar tornou-se pesado e começou a ficar sufocante sob as árvores. Era como se uma trovoada estivesse para chegar. Gollum parou várias vezes, farejando o ar, e depois murmurava sozinho e os apressava para que fossem mais depressa.

(À medida que passava a terceira etapa da marcha do dia [...])

Isso foi mantido praticamente igual em DT. No manuscrito, o texto passa imediatamente de "Parecia que todos os pássaros haviam voado para longe ou emudecido" para "À medida que passava a terceira etapa da marcha do dia" e, portanto, nessa narrativa (assim como no rascunho original, p. 212) eles chegam à Encruzilhada no pôr do sol do segundo dia. Haviam chegado a Henneth Annûn no pôr do sol de 6 de fevereiro (pp. 160, 172); partiram na manhã do dia 7 e, chegando à estrada de Osgiliath no crepúsculo daquele dia, passaram a primeira parte da noite na grande azinheira; prosseguiram "um pouco antes da meia-noite" e passaram a maior parte das horas claras de 8 de fevereiro escondendo-se no espinheiro antes de seguirem para a Encruzilhada (ver a Nota sobre a Cronologia no fim deste capítulo).

Portanto, a frase "À medida que passava a terceira etapa da marcha do dia" se referia, quando foi escrita, à afirmação que a precedia imediatamente: "Naquele dia duas vezes descansaram e comeram um pouco dos alimentos que Faramir lhes entregara"; da forma que ficou em DT, a referência não é tão clara.

Nessa passagem inserida está a primeira referência em DT ao peso do ar e à sensação de uma trovoada. No manuscrito e no rascunho (p. 213), a primeira referência à mudança do tempo não aparece até que eles partem novamente e começam a subir para o leste, depois de passarem a primeira parte da noite (da segunda noite, em DT) na azinheira; neste ponto de DT, devido a uma alteração posterior, "Parecia haver *um grande negrume* erguendo--se devagar vindo do Leste, consumindo as estrelas débeis e embaçadas". Na manhã seguinte, enquanto estavam escondidos sob os espinheiros, o manuscrito preservou a história do rascunho: os hobbits "viram o lento crescimento do dia" e os cumes das montanhas recortados contra o nascer do sol; e isso foi outra vez alterado depois para o texto de DT (p. 998): os hobbits "*esperaram* o lento crescimento do dia. *Mas o dia não veio*, só uma penumbra parda e morta. No Leste havia um vago clarão vermelho sob a nuvem baixa: *não era o vermelho do amanhecer.*" Onde o manuscrito diz, novamente seguindo o rascunho (p. 215), "O sol que se erguera com um clarão vermelho atrás de Ephel-dúath logo se enfiou em nuvens escuras que se moviam lentamente do Leste. Seria uma manhã sombria, se não fosse pior", DT diz: "O clarão vermelho sobre Mordor minguou. A penumbra se tornou mais profunda à medida que grandes vapores subiam no Leste e se arrastavam por cima deles". Por outro lado, as outras referências à escuridão nesse capítulo (e aos estrondos profundos) já estavam presentes na versão original e ela dizia no fim, praticamente como em DT (p. 1003): "Ali, bem longe, o sol se punha, encontrando afinal a orla do grande manto de nuvens que rolavam lentas e caindo em fogo agourento na direção do mar ainda não conspurcado".[5]

Comparando o texto como ele está no manuscrito com o de DT, bem se poderia supor, à primeira vista, que todas essas alterações cuidadosas revelam meu pai em um momento posterior (quando tinha chegado ao Livro V) desenvolvendo a ideia original de uma grande tempestade com trovoadas surgindo nas montanhas, transformando-a no "Dia sem Amanhecer", uma emanação do poder de Mordor que obliterou a aurora e transformou dia em noite, o golpe de Sauron que precedeu seu grande assalto. Mas está claro que não foi isso o que aconteceu. Essa ideia já estava presente. De fato, o motivo essencial para essas mudanças foi cronológico, e devem ser associados ao dia a mais na jornada desde Henneth Annûn. A aproximação lenta da grande nuvem do Leste precisava avançar em cada estágio sucessivo da jornada à Encruzilhada (ver a Nota sobre a Cronologia no fim deste capítulo). Contudo, também é verdade que a reformulação desses trechos intensificou a Escuridão, tornando-a mais poderosa e sinistra.

Por fim, outra alteração posterior ao manuscrito foi a frase (DT, p. 996): "e o som da água parecia frio e cruel: a voz de Morgulduin, o rio poluído que corria do Vale dos Espectros".

Na p. 219 está reproduzido um plano da Encruzilhada e de Minas Morghul.[6]

NOTAS

[1] Meu pai grafou a palavra "Cross-roads" [Encruzilhada] de modo muito variado, mas neste capítulo eu a escrevo assim, com hífen, em todas as ocorrências, como em DT.

[2] Ver *Contos Inacabados*, p. 143 e a nota 16.

[3] Na cópia manuscrita limpa, ainda se dizia que as cabeças dos cajados tinham o formato de um gancho de pastor, embora isso tenha sido subsequentemente rejeitado (ver p. 251), mas o nome da árvore nessa cópia era *lebethron* desde o início.

[4] No primeiro rascunho, a forma ainda era *Hebel Dúath*. Sobre essa alteração, ver p. 168. Essa referência à lua se erguendo sobre Ephel Dúath "perto do fim da noite" é curiosa, tendo em vista a abertura de "A Lagoa Proibida", em que perto do fim da noite anterior a lua cheia estava se pondo no Oeste. O rascunho original aqui é ainda mais estranho:

> A lua, por fim, ergueu-se [? alta] das sombras à frente deles. Mal mostrava qualquer ... de sua luz plena, mas lá longe, atrás das montanhas e da terra encovada e das desolações vazias, o dia já começava a ficar pálido.
>
> "Lá vem o Cara Branca", disse Gollum. "Nós não gosta dele. E a Cara Amarela vem logo, sss. Duas caras juntas no céu de uma vez, não é um bom sinal. E ainda tem um caminho para andar."

Como me escreveu em 14 de maio de 1944 (*Cartas*, n. 69), meu pai certamente estava "tendo problemas com a lua".

No manuscrito, a lua ainda está se erguendo acima de Ephel Dúath tarde da noite; somente em uma alteração posterior ela se torna "a lua poente" que "escapou das nuvens que a perseguiam" (DT, p. 998).

[5] As palavras em DT "além da triste Gondor agora dominada pela sombra" foram um acréscimo posterior.

[6] No alto da primeira escada há evidentemente uma trilha, não um túnel. Portanto, a ideia posterior da subida para o passo já está presente (pp. 240–3).

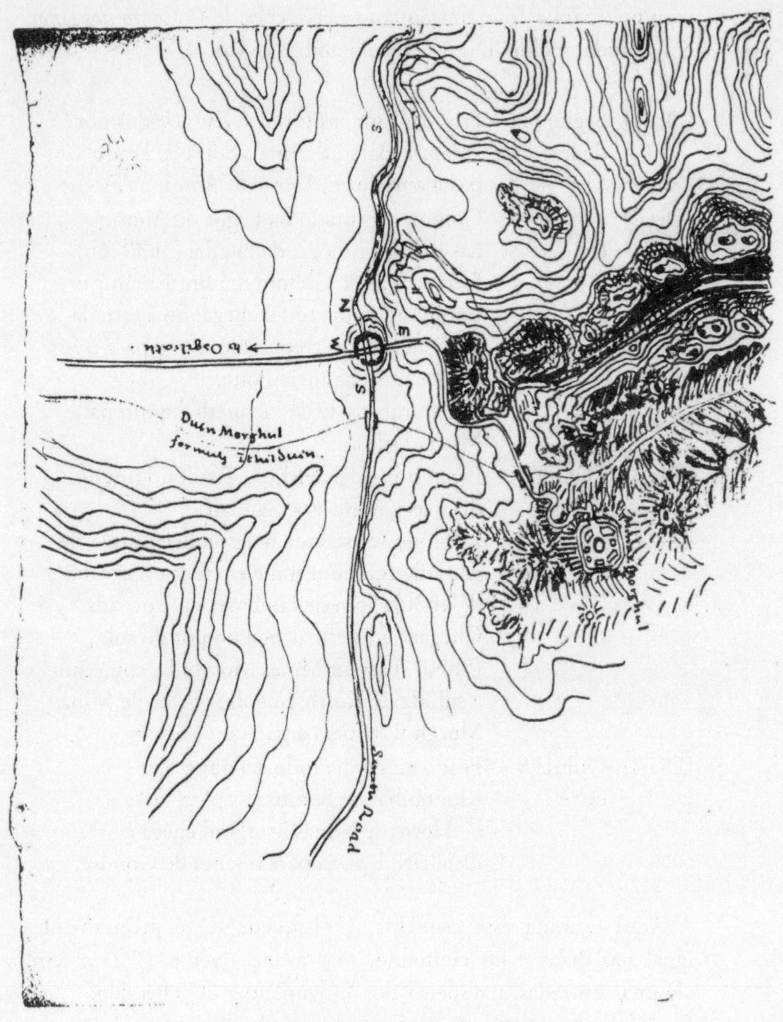

Minas Morghul e a Encruzilhada

Nota sobre a Cronologia

Ambos os esquemas temporais chamados de Esquema C e Esquema D (pp. 171–2) cobrem essa parte da narrativa. O Esquema C diz o seguinte (para a comparação com as citações de *O Conto dos Anos* em seguida, incluí "Dia 1" etc. em ambos os casos).

[Dia 1]	Segunda 6 de fev.	Frodo e Sam em Ithilien. São levados por Faramir. Batalha com os Sulistas. Frodo passa a noite em Henneth Annûn.
[Dia 2]	Terça 7 de fev.	Gollum capturado na Lagoa de Annûn nas primeiras horas da manhã (5h30–6h). Frodo, Sam & Gollum deixam Faramir e caminham o dia todo, chegando à estrada de Osgiliath no crepúsculo, e vão para o *leste* pouco antes da meia-noite. Faramir parte de Henneth Annûn para Minas Tirith.
[Dia 3]	Quarta 8 de fev.	Faramir cavalga a Minas Tirith no fim do dia e leva notícias a Gandalf. Frodo se esconde no espinheiro até o fim da tarde (Gollum some e retorna por volta de 4h30). Som de tambores ou trovoada. Chegam à Encruzilhada no pôr do sol (5h30). Passam Minas Morghul e começam a subida de Kirith Ungol. A hoste de Minas Morghul sai para a guerra.
[Dia 4]	Quinta 9 de fev.	Frodo etc. o dia todo e a noite nas Montanhas de Sombra. Hoste de Minas Morghul chega a Osgiliath e passa para o reino de Gondor.

Aqui termina esse esquema. O Esquema D é precisamente igual nas datas e no conteúdo, mas avança (ver p. 272) e tem algumas entradas a respeito dos movimentos de Théoden: 7 de fev. "Théoden se prepara para cavalgar a Gondor. Mensageiros de Minas Tirith chegam. Também notícias da invasão do Norte de Rohan e guerra no Norte"; 8 de fev. "Théoden cavalga de Edoras". O esquema "sinóptico" completo S também concorda e menciona, além disso, a chegada da "Grande Treva" em 8 de fev.

Ver-se-á que essa cronologia se acomoda precisamente à narrativa do manuscrito, ou seja, antes de ser alterada com o acréscimo de um dia. Quando isso foi feito, chegou-se à cronologia (relativa) de *O Conto dos Anos*:

[Dia 1]	7 de março	Frodo é levado por Faramir a Henneth Annûn.
[Dia 2]	8 de março	Frodo deixa Henneth Annûn.
[Dia 3]	9 de março	Ao crepúsculo Frodo chega à estrada de Morgul.
[Dia 4]	10 de março	O Dia sem Amanhecer. Frodo passa pela Encruzilhada e vê a hoste de Morgul partindo.

A sincronização da história de Frodo com a dos eventos a oeste do Anduin exigia que a jornada de Frodo fosse mais longa e que o "Dia 4" fosse o Dia sem Amanhecer. Portanto, na história original, Frodo e Sam veem o nascer do sol vermelho do seu esconderijo nos espinheiros no "Dia 3"; na versão final, eles estão escondidos ali no "Dia 4" e o sol não nasce: há um clarão vermelho sobre Mordor que "não era o vermelho do amanhecer".

8

Kirith Ungol

Neste capítulo, descreverei a escrita dos três últimos capítulos de *As Duas Torres*: "As Escadarias de Kirith Ungol", "A Toca de Laracna" e "As Escolhas do Mestre Samwise". Isso, como se verá, foi ditado pelo modo que meu pai desenvolveu a narrativa.

Essa é a última parte de *O Senhor dos Anéis* em que é possível datar com precisão, pois, quando as portas da Torre de Kirith Ungol foram fechadas na cara de Sam, meu pai parou outra vez por um longo período e, quando voltei para a Inglaterra em 1945, a constante correspondência entre nós naturalmente cessou. Em 12 de maio de 1944 (*Cartas*, n. 68), ele escreveu que "agora estamos à vista de Minas Morghul"; e uma boa parte do trabalho examinado neste capítulo deve ter sido feita no decorrer dos dez dias seguintes, pois, em 21 de maio (*Cartas*, n. 70), ele disse:

> Aproveitei uma semana enfadonha de frio cortante [...] para escrever: mas topei com um trecho complicado. Tudo o que eu havia esboçado ou escrito antes se mostrou de pouca serventia, visto que cronologias, motivos etc., foram todos modificados. Finalmente, porém, com um trabalho m. grande e certas negligências de outras obrigações, escrevi ou quase escrevi agora toda a coisa até a captura de Frodo no passo elevado nos próprios limites de Mordor. Agora devo voltar ao outro pessoal e tentar levar as coisas ao desastre final com certa rapidez. Você acha que *Shelob* [Laracna] é um bom nome para uma monstruosa criatura aracnídea? Ele é apenas, é claro, "she+lob" (= aranha), mas escrito como uma palavra só, parece bastante nauseante.

No dia seguinte, segunda-feira, 22 de maio, como continuação dessa carta, ele disse:

> Ontem (domingo) foi um dia miseravelmente frio. Trabalhei com afinco no meu capítulo — é um trabalho muito extenuante, especialmente à medida que o clímax se aproxima e é necessário manter o ritmo elevado: nível moderado algum servirá; e há todos os tipos de pequenos problemas de enredo e de mecanismos. Escrevi, rasguei e reescrevi a maior parte do capítulo muitas vezes, mas fui recompensado esta manhã, uma vez que tanto C.S.L como C.W. o consideraram um espetáculo admirável e os últimos capítulos os melhores até agora. Gollum continua a se desenvolver em um personagem muito intrigante.

À primeira vista, as referências nessa carta parecem inconsistentes: na semana anterior ele tinha escrito toda, ou quase toda, a história até a captura de Frodo; ele tinha acabado de passar o dia trabalhando no "meu capítulo" (no singular); e naquela manhã "o" tinha lido para Lewis e Williams. Há várias maneiras de se explicar isso: meu palpite é que, àquela altura, ele tinha toda a história rascunhada, na qual ainda estava trabalhando e a qual considerava um "capítulo"; mas o que ele leu para Lewis e Williams foi "As Escadarias de Cirith Ungol". Essa certeza se demonstra pela carta de 31 de maio de 1944 (*Cartas*, n. 72):

> O resto do meu tempo [...] foi ocupado pela tentativa desesperada de levar "O Anel" a uma pausa apropriada, a captura de Frodo pelos Orques nas passagens de Mordor, antes que eu seja obrigado a interrompê-lo por causa da correção de provas. Por ter ficado acordado a noite toda, consegui fazê-lo e li os 2 últimos capítulos (*A Toca de Laracna* e *As Escolhas do Mestre Samwise*) para C.S.L. na manhã de segunda.

Foi grande o labor. Os elementos estavam presentes: a subida até o passo elevado, a toca da aranha, as teias no túnel, o uso do frasco de Galadriel, o desaparecimento de Gollum, sua traição, o ataque da aranha, a torre que guardava o passo, a chegada dos Orques; mas eles por muito tempo impuseram desafios a uma articulação satisfatória. Talvez em nenhuma outra parte de *O Senhor dos Anéis* seja possível discernir o trabalho por trás do texto finalizado mais claramente do que aqui.

Enquanto rascunhava o capítulo "O Portão Negro está Fechado", meu pai já havia esboçado a ideia que tinha da aproximação de Kirith Ungol (p. 152): ali, Gollum fala a Frodo e Sam sobre "Uma escada e uma trilha que sobem pras montanhas ao sul do passo, e depois um túnel, e depois mais escadas, e depois uma fenda bem acima do passo principal". E no esboço que conclui o rascunho original daquele capítulo (p. 154) está previsto que, depois de saírem da Encruzilhada, eles verão a lua brilhando em Minas Morghul; passarão a primeira escadaria, abrirão caminho pelo túnel "negro com teias de aranhas", e subirão a segunda escadaria que os levará a Kirith Ungol; mas as "aranhas despertam e os caçam. Estão exaustos". Não está claro se, nesse estágio, Kirith Ungol era guardada por uma torre (ver p. 154).

Muito antes disso, porém, meu pai escrevera um relato da entrada de Frodo e Sam em Mordor, relato esse que começa como esboço e logo se transforma em narrativa ("A História Prevista a partir de Lórien", em *A Traição de Isengard*, p. 388 e seguintes).[1] A história dizia respeito principalmente a Sam resgatando Frodo de Minas Morghul, e isso não é o nosso foco aqui; mas a primeira parte do texto é muito relevante, pois meu pai a tinha diante de si em maio de 1944, e cito novamente aqui uma porção (incorporando vários acréscimos feitos ao texto que certamente estavam presentes quando ele então lhe voltou a atenção).

> Os três companheiros agora se aproximam de Kirith Ungol, a pavorosa ravina que leva para dentro de Gorgoroth.[2] Kirith Ungol significa Vale da Aranha: ali habitavam grandes aranhas, maiores que as de Trevamata, como as que havia outrora na terra de Elfos e Homens no Oeste que agora está sob o mar, como as que Beren enfrentou nos cânions sombrios das Montanhas de Terror acima de Doriath. Gollum já conhecia bem essas criaturas. Ele vai embora furtivamente. As aranhas vêm e tecem seus fios por cima de Frodo enquanto Sam dorme: aferroam Frodo. Sam desperta e vê Frodo jazendo, pálido como a morte — esverdeado: recorda-se dos rostos nas lagoas dos pântanos. Não consegue instigá-lo ou despertá-lo.
>
> Subitamente, Sam tem a ideia de prosseguir com o trabalho, e tateou em busca do Anel. Não conseguiu soltar o fecho, nem cortar a corrente, mas retirou a corrente pela cabeça de Frodo.

Assim que o fez, imaginou ter sentido um tremor (suspiro ou estremecimento) atravessar o corpo; mas, quando pausou, não conseguiu sentir nenhuma batida de coração. Sam colocou o Anel em volta do próprio pescoço.

Então, ele se sentou e fez um *Lamento para Frodo*. Depois disso, enxugou as lágrimas e pensou no que poderia fazer. Não podia deixar seu querido patrão a jazer no ermo para as feras cruéis e as aves carniceiras; e pensou em tentar construir um teso de pedras ao redor dele. "A cota prateada de anéis de mithril será sua mortalha", falou. "Mas vou colocar o frasco da Senhora Galadriel sobre o peito dele, e Ferroada ficará do lado."

Deitou Frodo de costas e cruzou-lhe os braços no peito, e depositou Ferroada ao seu lado. E quando retirou o frasco, ele resplandeceu. Iluminou o rosto de Frodo, e ele parecia pálido agora, mas belo, com uma beleza élfica, como de quem há muito tempo ultrapassou as sombras. "Adeus, Frodo", disse Sam; e suas lágrimas caíram nas mãos de Frodo.

Mas nesse momento houve um som de passos pesados subindo na direção da plataforma rochosa. Chamados e gritos ásperos ecoavam nas rochas. Orques estavam a caminho, evidentemente guiados até o local.

"Maldito Gollum", disse Sam. "Eu devia saber que não era a última vez que o veria. Esses são alguns dos seus amigos."

Sam não tinha tempo a perder. Certamente não tinha tempo de se esconder ou cobrir o corpo de seu patrão. Sem saber mais o que fazer, pôs o Anel, e então pegou também o frasco, para que os Orques imundos não o tomassem, e colocou Ferroada na própria cintura. E esperou. Não precisou esperar muito.

Na treva, Gollum chegou primeiro, farejando o rastro, e atrás dele vieram os orques negros: cinquenta ou mais, ao que parecia. Com um grito, avançaram para cima de Frodo. Sam tentou armar uma luta sem ser visto, mas, quando estava prestes a sacar Ferroada, foi derrubado e pisoteado pelo ímpeto dos Orques. Perdeu completamente o fôlego. A coragem lhe faltou. Com grande alegria, os Orques apanharam Frodo e o ergueram.

"Tinha outro, sim", ganiu Gollum. "Onde ele está, então?", perguntaram os Orques. "Está por perto. Gollum sente ele, Gollum fareja ele."

"Bem, então encontre ele, resmungão", disse o chefe-órquico. "Ele não pode ir muito longe sem se meter em encrenca. Já temos o que queremos. Portador-do-Anel! Portador-do-Anel!", gritavam em júbilo. "Rápido. Rápido. Mandem alguém rapidamente até Baraddur, ao Grande. Mas não podemos esperar aqui — precisamos voltar ao posto de guarda. Levem o prisioneiro para Minas Morgul." (Gollum corre atrás deles, resmungando que o Precioso não está ali).

Ao fazerem isso, Frodo parece despertar, e dá um grito alto, mas eles o amordaçam. Sam fica dividido entre a alegria de saber que está vivo e o horror de vê-lo sendo carregado pelos Orques. Sam tenta seguir, mas eles vão muito rápido. O poder do Anel parece crescer nessa região: ele vê claramente no escuro e parece compreender a fala dos orques. Teme o que pode acontecer se encontrar um Espectro-do-Anel — o Anel não confere coragem: o pobre Sam treme o tempo todo. Sam conclui que eles estão indo para Minas Morgul [...]

Sam segue os Orques conforme marcham para Minas Morgul, e os vê entrando na cidade; depois, segue-os para dentro.

Meu pai agora escreveu um novo esboço, e fica claro que o escreveu antes de ter avançado muito na história que constitui o capítulo "As Escadarias de Cirith Ungol". Na verdade, o rascunho original de "Jornada para a Encruzilhada" continuava sem interrupção no que se tornaria o capítulo seguinte, mas logo se transformou meramente em um esboço. O ímpeto súbito e insano de Frodo na direção da ponte (DT, p. 1005) está ausente; após palavras mal legíveis, que correspondem às posteriores "Frodo notou os sentidos cambaleando e a mente se obscurecendo", o texto continua:

Gollum o afasta outra vez. Não por aí . . . . . sibilou ele . . . . . mas o som parecia dilacerar o ar como um apito. Não por aí. Ele os afastou e [? encolhendo-se] atrás dele, deixaram a estrada e começaram a subir rumo à escuridão no lado norte do vale, ... os olhos para longe da cidade à direita, mas sempre olhando outra vez para trás.

É aqui que aparece pela primeira vez o posicionamento do passo elevado (Kirith Ungol) no lado norte do Vale Morghul. E depois prossegue:

Chegaram a um . . . . e degraus, e prosseguiram com esforço. Conforme subiam acima das emanações do vale, a trilha foi ficando mais fácil e os [*ou* seus] passos, menos pesados e lentos. Mas, por fim, não conseguiram prosseguir. Estavam em um lugar estreito onde a trilha ou estrada — se é que era isso — não passava de uma saliência larga serpenteando pela face da montanha. Diante deles, parecia desaparecer na sombra ou na própria rocha.

Pararam e, naquele momento, um grande lampejo vermelho iluminou o vale. Naquele lugar de sombra e pálida luz fosforescente, parecia intolerável, subitamente feroz e cruel. Dois picos com dentes nos meios subitamente saltaram [? negros] à vista diante do [? repentino] fogo por trás. Naquele exato momento um grande [? estalo] de trovão . . . . . .

Segue-se uma frase ilegível que parece se referir ao guincho estridente, e o texto termina com uma referência à hoste de Morghul avançando.

Nesse ponto começa o novo esboço para toda a história de "Kirith Ungol". Escrito em grande velocidade e a lápis, é em muitos lugares extremamente difícil de entender e, em um trecho, muito complicado de acompanhar.

Descrição das intermináveis fileiras negras. *Cavaleiro na dianteira*. Ele para e percorre o vale com o olhar. A tentação de Frodo de colocar o Anel. Por fim a hoste [? passa].

A [? tempestade] está desabando — estão indo para Osgiliath e para a travessia do Rio, ele disse. Faramir estará do outro lado? O exército vai matá-los?

[*Acrescentado*: longa [? jornada] de subida. Frodo usa o frasco.]

Entram no túnel. No meio do caminho, descobrem que está bloqueado com teias. Gollum se recusa a dizer o que são. Frodo vai à frente e abre um caminho com Ferroada. Sam ajuda.

Na outra ponta, depois de longo esforço no escuro, encontra uma *escadaria*. Não conseguem mais enxergar o vale, pois há muralhas escarpadas de rocha dos dois lados. A escadaria sobe, sobe infinitamente. Teias [? ocasionais] através do caminho.

Gollum fica para trás. Começam a suspeitar dele. Descrição das aranhas? Lá habitavam criaturas enormes em forma de aranha que outrora viveram na Terra dos Elfos no Oeste que está agora sob o Mar, como as que Beren combateu nas ravinas escuras das Montanhas de Terror acima de Doriath. Toda luz elas apanhavam e teciam em teias impenetráveis. Eram de carne pálida, multiolhos, venenosas, mais velhas e mais horríveis que as negras criaturas de Trevamata. Gollum já as encontrara: conhecia-as bem. Mas pensou em usá-las para seus propósitos.

Saem por fim no alto da escadaria. A estrada se abre um pouco. Ainda há um clarão agourento. Veem a estrada [? claramente] . . por uma fenda [? estreita], e agora o paredão à direita decresce e eles olham para baixo, uma vasta escuridão, a grande fenda que era a extremidade do Vale Morghul. À esquerda, pináculos denteados e afiados cheios de fissuras negras. E, no alto de uma das pontas, uma pequena torre negra.[3]

Que torre é essa? perguntou Frodo cheio de suspeita. É vigiada? Então descobriram que Gollum tinha escapulido e desaparecido.

Frodo está cheio de medo. Mas Sam diz Bem, subimos este . . . . bem perto do cume das montanhas. Mais longe do que jamais esperamos chegar. Vamos em frente e acabar com isso.

Frodo vai na frente e Sam segue. Sam é subitamente enlaçado e cai para trás. Ele chama, mas Frodo não vem. Esforça-se para se levantar e cai outra vez — há alguma coisa em torno dos pés. Liberta-se aos golpes em um acesso de fúria. Frodo, patrão, ele grita, e então vê a grande aranha que o atacou. Avança, mas a criatura foge. Então ele vê que [há] uma grande quantidade em volta — saindo das fissuras, mas todas estão se apressando pela estada, sem lhe dar mais atenção.

Há linhas traçadas no manuscrito aqui e, embora o trecho imediatamente anterior não tenha sido riscado, foi obviamente rejeitado nesse ponto. O significado não fica claro de imediato: o pronome “o” em “a grande aranha que o atacou” se refere a Sam ou Frodo? Pelas evidências gerais, à primeira vista parece mais provável que seja Frodo: nos dois esboços anteriores, Frodo era a vítima, e também na versão que substituiu essa. De fato, não há como duvidar de que Frodo haveria de ser a vítima aqui, mas me parece certo que a referência é na verdade a Sam — justamente porque ele escapou (e as palavras “enlaçado” e “liberta-se aos golpes” claramente se referem a um ataque de aranha). Era necessário atrasar Sam de alguma forma para que ele não estivesse por perto quando o ataque a Frodo acontecesse. A ideia inicial era que uma das aranhas avançou contra Sam também, mas sem sucesso; meu pai então logo viu que não foi uma aranha que o atacou por trás, e sim Gollum. Não fica claro qual era a ideia por trás da afirmação de que as outras aranhas estavam se apressando pela trilha, sem dar mais atenção para Sam, mas presumo que estivessem indo atrás de Frodo (incitadas por Gollum?).

Voltando ao começo do último parágrafo, o esboço continua:

Sam subitamente vê as aranhas saindo das fissuras. Não consegue ver Frodo e grita para alertá-lo, mas, naquele momento, é agarrado por trás. Não consegue sacar a espada. Gollum faz com que tropece e ele cai. Gollum tenta alcançar a espada de Sam. Sam trava uma longa luta e, por fim, pega o cajado e golpeia Gollum. Gollum se torce para o lado e só leva uma pancada nas mãos. Ele solta. Sam está mirando outro golpe quando ele salta para longe e, partindo como um relâmpago, desaparece em uma fissura. Sam se adianta rapidamente para procurar Frodo. Chega tarde demais. Há grandes aranhas ao redor dele. Sam saca a espada e luta, mas elas não parecem [? dar atenção]. Ele então encontrou Ferroada caída junto ao braço esticado de Frodo. (2 ou 3 aranhas mortas ao lado dele).

Pega Ferroada e afugenta as aranhas. Frodo caído como se estivesse morto. Aranhas o aferroaram. Está pálido como a morte. Sam usa o frasco. Recorda Sam da visão que teve no espelho de Galadriel.[4] Todos os esforços para despertar seu patrão fracassam. Não consegue ouvir nem sentir os batimentos do coração. Está morto. Sam primeiro [? cai] numa fúria irracional por Gollum, [? batendo] nas pedras e gritando para que saia e venha lutar. Depois em um negro desespero de pesar. Nunca soube quanto tempo ficou sentado ali. Saiu desse transe negro e encontrou Frodo ainda do mesmo jeito que o deixara, mas agora com tom esverdeado, uma horrível aparência morta com um . . . .[5]

Sam lembra ter ele mesmo dito que tinha um trabalho a fazer. Pergunta-se se agora era sua incumbência. Toma o frasco e Ferroada e afivela o cinto. Sam, o de duas espadas, diz sinistramente. Pede por força para lutar e vingar Frodo. Naquele momento, teria marchado direto para a morte, direto para o próprio Olho de Baraddur.

Dois acréscimos foram feitos ao texto nessa página no momento da escrita, o primeiro inserido nesse ponto por uma flecha: "Lamento ver 5c". É uma referência ao esboço anterior, onde as palavras "Então, ele se sentou e fez um *Lamento para Frodo*" (p. 225) aparecem em uma página numerada como "continuação de 5". O outro acréscimo pode ser convenientemente colocado aqui, pois é necessário para se explicar a narrativa imediatamente a seguir:

> Orques *capturaram* Gollum — todo o seu plano mesquinho de fazer as aranhas atarem Frodo deu [? errado]. Estão conduzindo Gollum.

O texto continua:

Ruído de risadas-órquicas [? aproximando-se]. Lá embaixo, saindo de uma fenda com Gollum conduzindo, vem um bando de orques negros. Desesperado, Sam tira o anel do pescoço de Frodo e o pega. Não conseguiu desenganchar ou cortar a corrente, então escorregou-a pelo pescoço de Frodo e a colocou. Ao fazê-lo, tropeçou para frente, era como se uma grande pedra tivesse subitamente se atado ao seu pescoço. Naquele momento chegam os orques. Sam coloca o Anel.

Frodo grita — ou o motivo de Sam é simplesmente [? desejar] enterrar Frodo: não quer ver o corpo de Frodo sendo levado embora. E também quer chegar até Gollum.

Para esclarecer a sintaxe da frase que começa com "Frodo grita", a palavra dúbia *desejar* pode ser lida como *deseja*, ou a palavra *de* talvez esteja antes de *desejar*; mas, de toda forma, o pensamento de meu pai foi expresso de modo muito elíptico e difícil de acompanhar. Contudo, visto que imediatamente embaixo dessas duas últimas frases ele traçou linhas no manuscrito, dando a entender que a história recém-esboçada estava prestes a ser modificada, creio que a interpretação dessas frases está correta.

"Frodo grita" deve ser entendido em relação ao esboço anterior (p. 226): quando os Orques pegam Frodo, ele "parece despertar, e dá um grito alto". As palavras seguintes ("ou o motivo de Sam [...]") mostram meu pai fazendo uma interrupção completa e questionando se o que acabara de esboçar estava correto: talvez essa história de Sam pegar o Anel de Frodo por causa da chegada dos Orques estivesse errada. Talvez o único "motivo" de Sam (seu único propósito ou desejo) nessa situação fosse não deixar Frodo simplesmente caído ali (ver o esboço anterior, p. 225: "Não podia deixar seu querido patrão a jazer no ermo para as feras cruéis e as aves carniceiras; e pensou em tentar construir um teso de pedras ao redor dele") — além do seu desejo de se vingar de Gollum. Creio que tal interpretação é corroborada pela história revisada que se seguiu de imediato.

Fazer com que Sam *fique sentado* junto de Frodo por um longo tempo, a noite inteira. Segura o frasco no alto e vê nele uma beleza élfica. Dividido por não saber o que fazer. Ajeita Frodo e dobra suas mãos. Colete de mithril. Frasco na mão. Ferroada do lado.

Tenta seguir em frente e acabar o serviço. Não consegue se forçar a isso. Como morrer [? logo]. Pensa em pular da beirada. Mas bem que poderia tentar fazer *alguma coisa*. Fenda da Perdição? Relutantemente, como parece de certa forma um roubo, ele pega o Anel. Prossegue na trilha com pesar e desespero violentos. [*Na margem:* Aurora vermelha.] Mas não consegue se arrastar para longe de Frodo. Vira-se para trás — decidido a jazer junto de Frodo até a morte chegar. Então, vê Gollum chegar e tocá-lo. Dispara e corre de volta. Mas os orques chegam e Gollum foge rapidamente. Orques erguem Frodo e o levam embora. Sam se arrasta atrás deles. *Sam coloca o anel!* Parece que o anel cresceu em força e poder. Pesa a mão para baixo. Mas consegue ver com terrível clareza — mesmo *através* das rochas. Consegue ver cada fissura repleta de aranhas. Consegue entender a fala órquica. Mas o anel *não* confere coragem a Sam.

Parece que foram alertados a ficarem *especialmente vigilantes*. Alguns espiões de importância maior que o normal poderiam tentar entrar de alguma forma. Se algum for pego, mensageiro deve ser [? enviado]. *Frasco levado*. Sam sobe uma longa escadaria até a torre. Consegue ver tudo claramente lá embaixo. O Portão Negro, e Ithilien, e Gorgoroth, e o Mte. da Perdição.

Aqui esse esboço termina. Conforme revisada no decorrer da escrita, a estrutura essencial da história agora estava assim:

- Entram em um túnel que, no meio do caminho, está bloqueado com teias. Frodo corta as teias com Ferroada.
- No fim do túnel, chegam a uma longa escadaria. (Descrição das aranhas, que Gollum conhece bem).

- No alto da escadaria, veem a torre, e descobrem que Gollum desapareceu.
- Frodo vai na frente; atrás, Sam vê aranhas vindo e grita para Frodo, mas, naquele momento é agarrado por Gollum por trás. Sam se desvencilha dele lutando, e Gollum escapa.
- Sam encontra Frodo morto, conforme julga, aferroado por aranhas. Agarra Ferroada e as afugenta; senta-se ao lado de Frodo a noite toda; coloca o frasco na mão dele e Ferroada ao lado.
- Pensa que ele mesmo deve tentar a tarefa de Frodo, pega o Anel e parte.
- Mas não consegue fazer isso e vira-se para trás; vê Gollum chegando e tocando em Frodo, mas, conforme corre de volta, os Orques chegam e Gollum foge.
- Os Orques pegam Frodo e o levam embora.
- Sam coloca o Anel e segue os Orques por uma escadaria até a torre.

Uma comparação entre este esboço e o antigo mostra que a nova narrativa era uma evolução da outra, e de forma nenhuma um começo totalmente novo; aqui e ali, até mesmo o fraseado foi mantido. A Grande Aranha única ainda não tinha surgido. Mas (se a considerarmos apenas como uma estrutura passo a passo), ela já tinha se transformado, em parte por uma concepção nova e completamente distinta do passo de Kirith Ungol e, em parte, por uma alteração acerca da visão do papel de Gollum; e, mesmo enquanto esse novo esboço era escrito, o papel dele mudou outra vez. Inicialmente, os Orques eram guiados por Gollum até o local, muito embora ele tenha sido forçado a fazer isso, e seu próprio plano nefando era inteiramente baseado nas aranhas; mas, quando meu pai havia chegado ao fim, decidiu que Gollum na verdade não tinha nenhum tipo de trato com os Orques.

A ideia de que o túnel estava obstruído por grandes teias está presente, mas, como Frodo foi capaz de abrir caminho com Ferroada, a presença delas não afeta a evolução do enredo em si. As palavras "Gollum se recusa a dizer o que são" sugerem que as teias entraram na história como explicação de qual era o "plano mesquinho" de Gollum: no meu entendimento, que Frodo e Sam deveriam ficar encurralados no túnel e, dessa forma, seriam entregues às aranhas. Mas ele não tinha visualizado que a lâmina élfica de Frodo seria capaz de cortar os fios.

Entra agora o importante elemento de que Frodo foi na frente quando saíram do túnel (e, portanto, Sam tinha se separado dele quando foi atacado pelas aranhas), embora não se dê nenhuma explicação sobre isso.

Um elemento notável desse esboço é que a clareza da visão de Sam enquanto está com o Anel não apenas foi preservada do enredo antigo ("O poder do Anel parece crescer nessa região: ele vê claramente no escuro", p. 226) como também foi muito aumentada: ele é capaz até mesmo de ver *através* das rochas; em DT (p. 1044), por outro lado, "tudo em volta dele não estava escuro, e sim vago; e ele próprio estava ali, em um mundo cinzento e nebuloso, sozinho, como uma pequena rocha negra e sólida". Sobre essa questão, ver VII. 438–9, 446; e, acerca do desenvolvimento posterior desse elemento (o efeito do Anel sobre os sentidos de Sam) ver pp. 256, 259.

A cópia manuscrita passada a limpo foi construída em estágios. Do início do capítulo "As Escadarias de Kirith Ungol" até "Frodo notou os sentidos cambaleando, seus membros fraquejando" (ver DT, p. 1005), desenvolveu-se a partir do rascunho original (p. 226) e praticamente chega à versão de DT; mas, a partir desse ponto, meu pai brevemente retornou à sua frustrante prática de apagar o rascunho a lápis e passar a cópia a limpo nas mesmas folhas. Contudo, isso só acontece em duas páginas, e algumas palavras e frases escaparam da borracha; na terceira página, por outro lado, o rascunho não foi apagado; ele escreveu por cima e aqui muito do texto original pode ser lido. A narrativa alcança o ponto (DT, p. 1010) em que a hoste de Minas Morghul desapareceu na estrada para Oeste e Sam instou Frodo a acordar; e não há nenhuma razão para crer que as páginas perdidas do rascunho fossem algo além de uma versão mais rudimentar da narrativa final.[6]

Mas, desse ponto em diante (onde o rascunho a lápis diz: "Frodo se levantou, tomando o cajado em uma mão e o frasco na outra. Então, viu que uma luz tênue manava através dos seus dedos e o guardou no peito"), a narrativa original divergiu, e foi seguida no manuscrito passado a limpo (onde foi subsequentemente substituída pela história posterior). Essa primeira forma da história completa pode ser chamada de "Versão 1". A situação textual neste ponto é estranha e confusa, mas aqui basta dizer que a abertura dessa seção (não muito extensa) se perdeu, tanto no rascunho quanto na cópia limpa, e a história só recomeça com o cheiro estranho que os hobbits não conseguiam identificar (ver "A Toca de Laracna" em DT, p. 1022).[7]

Estou seguro que as linhas que se perderam traziam um relato da subida da *primeira escadaria*, que levava a uma abertura na rocha, a qual era *a boca do túnel*, e de onde o cheiro estranho vinha (ao passo que, em DT, o texto nesse ponto diz como, depois de passarem por uma saliência, a trilha chegou a "uma estreita abertura na rocha" que era o início da *primeira escadaria*, de paredes altas). Meu pai ainda tinha em mente a série descrita no rascunho de "O Portão Negro está Fechado" (p. 152), onde Gollum diz que há "*uma escada* e uma trilha e *depois um túnel*, e *depois mais escadas*, e depois uma fenda bem acima do passo principal", e outra vez, no rascunho que se seguiu (p. 154), onde eles "passam a *primeira escadaria* em segurança. Mas *o túnel* está negro com teias de aranhas. ... abrem caminho e chegam à *segunda escadaria*". E, ainda outra vez, no rascunho original de "As Escadarias de Kirith Ungol" (p. 226), quando começam a subir do vale, eles se deparam com "degraus". Outras evidências que corroboram isso aparecerão em breve.

Após as linhas que foram obliteradas, a história original continuava assim:

> [...] um estranho odor saía dali — não era o odor de decomposição do vale lá embaixo, um odor que os hobbits não reconheceram, uma repulsiva mácula no ar.[8]
>
> Dobrando-se ao medo, eles entraram. Estava completamente sem luz. Depois de um tempinho, Sam subitamente deu um encontrão em Gollum à sua frente, e Frodo topou com Sam. "O que há agora?", disse Sam, "Nos trouxe para um beco sem saída, é?" "Sem saída — é bom", murmurou. "É meio que isso." "O que é que há, seu vilão?" Gollum não respondeu.
>
> Sam o empurrou para o lado e avançou, só para topar com algo que cedia, mas não saía do caminho, mole, invisível e forte como se a escuridão pudesse ser tateada. "Tem alguma coisa no meio do caminho", falou. "Uma armadilha ou coisa assim. O que fazer? Se esse velho vilão sabe o que é, e aposto que sabe, por que não fala?"
>
> "Porque ele não sabe", sibilou Gollum. "Ele está pensando. Nós não esperava encontrar isso aqui, não é, precioso? Não, claro que não. Nós quer sair, claro que quer, sim, sim."
>
> "Para trás", disse Frodo e, subitamente, tirando a mão do peito, segurou no alto o frasco de Galadriel. Por um momento

ele bruxuleou, como uma estrela se esforçando para atravessar as névoas da Terra, então, à medida que o medo o deixava, ele começou a queimar[9] com uma luz cegante de prata, como se o próprio Earendel tivesse descido das trilhas do ocaso com a Silmaril na testa. Gollum esquivou-se da luz que, por alguma razão, parecia enchê-lo de medo.

Frodo sacou a espada, e Ferroada saltou. Os brilhantes raios do cristal-de-estrela faiscaram sobre a lâmina, mas no seu gume corria um fogo azul ominoso — ao qual, naquele momento, nem Frodo e nem Sam deram atenção.

A "Versão 1" no manuscrito passado a limpo termina aqui, no pé de uma página, e o restante foi retirado dele quando essa versão foi rejeitada e substituída.[10] A página seguinte da "Versão 1" contudo, foi preservada; foi separada dos outros papéis de "Kirith Ungol" muitos anos atrás, e agora está na Biblioteca Bodleiana em Oxford, em meio a outras ilustrações de *O Senhor dos Anéis* — pois o verso da página, além do texto, tem um desenho da subida a Kirith Ungol. Ele foi reproduzido em *Pictures by J.R.R. Tolkien* (n. 28, "A Toca de Laracna") e está reproduzido novamente na guarda deste livro. É possível ter certeza de que o anverso da página é a continuação do texto a partir do ponto alcançado tanto por causa do número "[6]", que se segue ao "[5]" no manuscrito passado a limpo, quanto por associação interna, especialmente as palavras de Sam quando vê que estão diante de teias de aranha: "Por que não falou nada, Gollum?" (ver as palavras dele anteriormente: "Tem alguma coisa no meio do caminho [...] Se esse velho vilão sabe o que é, e aposto que sabe, por que não fala?"). O anverso diz o seguinte:

Diante deles havia algo cinzento que a luz não penetrava. Embaciada e pesada, essa coisa *absorvia* a luz. Por toda a abertura do túnel, do chão ao teto, de um lado ao outro havia teias . . . . [11] Organizadas como as teias de aranhas, mas muito maiores: cada fio com a espessura de uma grande corda.

Sam riu de modo soturno quando as viu. "Teias de aranha", disse ele. "É só isso? Por que não falou nada, Gollum? Mas eu poderia ter adivinhado sozinho! Teias de aranha! Fortes e grandonas, mas vamos atacá-las". Sacou a espada e golpeou, mas o fio atingido não se partiu, ele cedeu e depois ressaltou como uma corda de arco, desviando a lâmina e lançando para trás a espada e o braço. Três vezes Sam golpeou, e por fim um único fio se partiu, retorcendo-se e enrolando-se, chicoteando em volta como a corda arrebentada de uma harpa. Quando uma extremidade açoitou a mão de Sam e aguilhoou-o como um flagelo. [*sic*] Ele gritou e foi para trás. "Vai levar semanas assim", disse ele. "Deixe-me tentar com a espada de Bilbo", disse Frodo. "Vou na frente agora: *segure o cristal-de-estrela atrás de mim*". Frodo sacou Ferroada[12] e deu um grande golpe curvo e saltou para trás para evitar o açoite dos fios.

A afiada lâmina-élfica, com faiscante gume azul, passou pelas cordas enredadas e aquela teia foi destruída. Mas havia outras atrás. Devagar, Frodo abriu caminho por elas até que, por fim, chegaram outra vez a um caminho desobstruído. Sam chegou atrás, segurando a luz no alto e empurrando Gollum — estranhamente relutante — diante de si. Gollum ficava tentando se esquivar e voltar.[13]

Depois de um tempo, depararam-se com mais teias e, depois de as cortarem, o túnel chegou ao fim.

O paredão rochoso se revelava e subia alto, e a segunda escadaria estava diante deles: paredões de cada lado torreando a uma grande altura — não conseguiam imaginar quão alto, pois o céu estava pouco menos negro do que as muralhas — e só podiam ser discernidos por algum fortuito clarão ou lampejo vermelho na parte de baixo das nuvens. A escada parecia interminável, subindo, subindo, subindo. Seus joelhos estalavam. Aqui e ali uma teia atravessava o caminho. Estavam bem no coração das montanhas. Subindo, subindo.

Chegaram, por fim, ao topo da escada. A estrada se abriu. Então todas as suas suspeitas de Gollum chegaram ao ápice. Ele saltou inesperadamente para frente, saindo do alcance de Sam e, empurrando Frodo para o lado, correu soltando um tipo de grito sibilante e agudo, tal como jamais o ouviram emitindo antes.

"Volte aqui, seu desgraçado!", gritou Sam, dardejando atrás dele. Gollum virou-se uma vez com os olhos brilhando e depois desapareceu bem subitamente na treva, e não conseguiram encontrar sinal dele.[14]

O verso da página, com o número "[7]", que contém a ilustração da subida até o passo,[15] tem o seguinte texto:

"Aí está!", disse Sam. "Bem o que eu esperava. Mas não gosto disso. Suponho que agora estamos exatamente onde ele queria nos trazer. Bem, vamos sair daqui o mais rápido possível. Verme traidor! Aquele último assobio dele não era de pura alegria por sair do túnel, era pura maldade de algum tipo. E de que tipo nós vamos descobrir logo."

"É bem provável", disse Frodo. "Mas não teríamos chegado assim longe sem ele. Então, se algum dia dermos cabo de nossa missão, Gollum e toda a sua maldade serão parte do plano."

"Assim longe, você diz", disse Sam. "Mas quão longe? Onde estamos agora?"

"Mais ou menos na crista da cordilheira principal de Ephel-dúath, eu acho", disse Frodo. "Olhe!". A estrada se abriu agora: ela continuava subindo, mas não era mais íngreme. Além dela, à frente, havia um clarão agourento no céu e diante dele, como um grande corte na parede da montanha, uma fenda se delineava — dessa forma [*há aqui um pequeno croqui*]. À direita deles, o paredão de rocha decrescia e a estrada se ampliava até não ter mais beirada. Olhando para baixo, Frodo não viu nada além da vasta escuridão da grande ravina que era a extremidade do vale Morghul. Lá em suas profundezas estava o débil cintilar da estrada-dos-espectros que saía da cidade e levava por cima do passo Morghul. À esquerda, pináculos denteados e afiados erguiam-se como torres esculpidas pelos anos mordentes, e entre elas havia muitas fissuras sombrias e fendas. Mas bem alto, à esquerda da fenda para onde sua estrada levava (Kirith Ungol), havia uma pequena torre negra, e ali uma janela exibia uma luz vermelha.

"Não gosto da cara disso", comentou Sam. "Esse passo superior é vigiado também. Lembra-se de que ele nunca disse se era vigiado ou não? Você acha que ele foi buscar eles — orques ou o que for?"

"Não, não acho", disse Frodo. "Ele não tem boas intenções, é claro, mas não acho que foi buscar orques. Seja lá o que for, não é escravo do Senhor Sombrio." "Suponho que não", disse Sam. "Não, acho que o tempo todo foi pelo anel para o pobre Smeagol. Esse era o esquema dele. Mas não consigo imaginar como subir até aqui o ajudaria". Logo ele iria descobrir.

Frodo agora se adiantou — a última etapa — e empenhou toda a sua força. Sentia que, se conseguisse chegar à cavidade do passo e olhar para a Terra Inominável, teria realizado alguma coisa. Sam seguiu. Sentia maldade por toda a volta. Sabia que tinham entrado em alguma armadilha, mas qual? Embainhara a espada, mas agora sacou-a, deixando-a de prontidão. Parou por um momento e abaixou-se para pegar seu cajado com a mão esquerda

Aqui o texto da "página da Bodleiana" termina, mas a continuação desse texto extraordinariamente desmembrado encontra-se entre os papéis que acabaram não indo para Marquette.[16] A página seguinte está devidamente numerada "[8]" e "[9]", e continua, como antes, com tinta sobre um rascunho a lápis.

— tinha um toque confortável à mão. Ao se erguer novamente, viu emergindo de uma fissura à esquerda a forma mais monstruosa e detestável que jamais contemplara — além da sua imaginação.[17] Era semelhante a uma aranha na forma, mas enorme como uma fera selvagem, e mais terrível por causa da malícia e do propósito maligno nos seus olhos. Estes eram numerosos, agrupados na cabeça pequena, e cada um deles tinha uma luz perniciosa. Andava com grandes pernas arqueadas — os pelos delas eriçavam-se como espinhos de aço, e na extremidade de cada uma havia uma garra. O corpo inchado e redondo por trás do pescoço curto era negro, borrado de marcas lívidas mais claras, mas o ventre embaixo era pálido e debilmente luminoso como os olhos. Fedia. Movia-se com uma velocidade súbita e horrível, correndo com os braços e saltando. Sam viu imediatamente que ele [*sic*] estava caçando seu patrão — que agora estava um pouco à frente na treva e, ao que parecia, inconsciente do seu perigo. Puxou rapidamente a espada e berrou. "Cuidado! Sr. Frodo! Cuidado! Eu...". Mas não terminou. Uma mão comprida e pegajosa lhe fechou a boca e outra o apanhou pelo pescoço, enquanto algo se enrolava em suas pernas. Apanhado desprevenido, caiu para trás nos braços do atacante.

"Peguei!", chiou Gollum em seu ouvido. "Finalmente, meu precioso, pegamos ele sim, o hobbit asqueroso. Nós pega este. Ela vai pegar o outro. Ó sim. Ungoliant vai pegar ele.[18] Não Smeagol. Ele não vai machucar o mestre nem um pouco. Ele prometeu. Mas ele pegou você, seu imundozinho asqueroso!"

A descrição da luta é muito parecida com a de DT (p. 1034) com algumas diferenças nos detalhes da luta corpo a corpo.[19] Depois do segundo golpe que atingiu as costas de Gollum, o texto continua:

Mas foi o bastante para Gollum! Agarrar por trás era um antigo jogo para ele — e nunca fracassara. Mas tudo dera errado em seu belo plano desde a teia inesperada na trilha. E agora estava face a face com um inimigo furioso, pouco menor do que ele mesmo e com um cajado robusto. Isso não era para ele. Não tinha tempo nem mesmo de agarrar a espada caída no chão. Guinchou quando o cajado desceu outra vez,[20] e deu um pulo para o lado, ficando de quatro, e depois fugiu saltando com um grande ímpeto, como um gato. Então, com velocidade espantosa, correu de volta e desapareceu no túnel. Recolhendo a espada, Sam foi atrás dele — no momento esquecera-se de tudo o mais, exceto a luz rubra de fúria no cérebro. Mas Gollum se fora antes que conseguisse alcançá-lo. Então, à medida que o buraco escuro e o fedor o atingiram, como um trovão terrível o pensamento em Frodo voltou à mente de Sam. Girou de repente e correu pela trilha chamando. Estava atrasado. Até ali a trama de Gollum tivera sucesso.

Frodo jazia no chão e o monstro se curvava sobre ele, tão atento à vítima que parecia não dar importância a mais nada até Sam estar bem perto. Não foi um feito de bravura que Sam realizou então, pois não pensou nisso. Frodo já estava atado com grandes cordas enroladas do tornozelo ao peito e, com suas grandes pernas dianteiras, ela começava meio a erguer seu corpo, meio a arrastá-lo, mas os braços dele ainda estavam livres: uma mão estava sobre o peito, outra estava estendida, frouxa em cima da pedra, e o cajado de Faramir estava partido sob ele.

No ponto em que Sam vê que Frodo está atado com cordas, o rascunho a lápis subjacente termina; a cópia limpa e legível à tinta por cima continua, mas no mesmo ponto se degenera muito rapidamente na letra típica dos rascunhos iniciais, decifrável somente com esforço e, neste caso, muitas vezes nem isso.[21] Ele continua até o fim da página ("9" no texto da Versão 1, a última numerada), com o ataque de Sam a "Ungoliant". Muitas palavras, e mesmo frases inteiras, estão completamente ilegíveis, mas é possível entender o suficiente para ver que, nessa versão mais antiga da história, foi o corte de Ferroada através da barriga de Ungoliant que a fez pular para trás: não há indício do grande ferimento que sofreu quando jogou todo o corpo na ponta da espada (DT, p. 1037). Quando ela saltou para trás, "Sam ficou a cambalear, com uma perna de cada lado do patrão, mas, a alguns passos de distância, ela o observava: e o veneno verde que era seu sangue lentamente permeou a luz pálida dos seus olhos. Com Ferroada erguida diante de si, Sam agora . . . . e, antes que ela atacasse novamente, encontrou a mão do patrão no peito. Estava fria e frouxa, e rapidamente, mas com gentileza, tirou dela o cristal de Galadriel. E o ergueu."

Esse rascunho rudimentar continua em outras páginas (não numeradas a partir de "9", mas isso prova pouca coisa); mas duvido que muito mais coisas, se tanto, foram escritas nessa conjuntura (ver p. 253). A questão não é de grande importância no estudo da evolução da história e, de toda forma, é mais conveniente pausar aqui no rascunho original.

O fato de que meu pai tinha escrito legivelmente à tinta por cima do original até o ponto em que Frodo é aferroado por Ungoliant sugere uma confiança na história, ao passo que a súbita transição de uma "cópia limpa" para um "rascunho preliminar" nesse ponto sugere que ele percebeu a exigência de alterações importantes. A razão imediata para isso pode muito bem ter sido que ele observou o que acabara de escrever, como se inadvertidamente: "Então, com velocidade espantosa, [Gollum] correu de volta e desapareceu *no túnel.* [...] Então, à medida que o buraco escuro e o fedor o atingiram [...] o pensamento em Frodo voltou à mente de Sam. Girou de repente e correu pela trilha chamando". Mas, nessa versão, o fim do túnel era seguido pela agonizantemente longa segunda escadaria, e foi só depois de eles terem chegado no topo dela que Gollum fugiu (p. 236). O desenho da subida até o passo que está contido nesse texto (ver p. 235) mostra com perfeita clareza a *primeira escadaria* subindo até o túnel, e a *segunda escadaria* subindo depois dele.[22] Obviamente, está fora de cogitação que meu pai tenha imaginado que Gollum fugiu descendo toda a segunda escadaria com Sam no encalço, e que depois Sam subiu a escadaria outra vez! Creio que a evolução da narrativa estava forçando o aparecimento de uma nova topografia, exatamente como ele escreveu (ver adiante).

De fato, parece que havia várias questões interrelacionadas. Uma delas era essa da topografia: a relação das escadarias com o túnel. Outra era o momento e o local do desaparecimento de Gollum. No esboço (p. 228), descobrem que ele desapareceu quando chegam ao topo da segunda escadaria; e, na presente versão, ele saiu correndo com um estranho grito sibilante quando chegaram àquele lugar. E outra questão era o plano de Gollum e seu fracasso. Meu pai tinha escrito (p. 239): "Mas tudo dera errado em seu belo plano *desde a teia inesperada na trilha*". Certamente parece que nessa versão Gollum ficou muito confuso quando a encontraram no túnel: "Nós não esperava encontrar isso aqui, não é, precioso? Não, claro que não" (p. 234); e, depois que as primeiras teias foram cortadas, Gollum ficou "estranhamente relutante" em prosseguir, e "ficava tentando se esquivar e voltar".

Deixando de lado a "Versão 1", que agora se reduzira a um rascunho muito mal-acabado, em algum momento indeterminado meu pai rabiscou em um pedacinho de papel:

Precisa ser escadaria — escadaria — túnel. O túnel é a toca de Ungoliante. O túnel tem passagens escondidas para fora. Uma sobe diretamente para os calabouços da torre. Mas os orques não a utilizam muito por causa de Ungoliant. Ela tem um grande buraco no meio do caminho. O plano fracassa porque ela fez uma *teia* atravessando o caminho, e fica intimidada pela luz do frasco. Fedor saindo do *buraco*, e o frasco impede Frodo e Sam de caírem nele. Gollum desaparece e eles acham que talvez tenha caído no buraco. Abrem caminho e saem da teia na extremidade oposta. Ungoliant sai do túnel.

Portanto, a série inerente à Versão 1, "primeira escadaria — túnel — segunda escadaria", foi alterada. Creio que a razão para isso é a seguinte. O arranjo "escadaria — túnel — escadaria" surgiu quando ainda havia muitas aranhas no passo; no esboço, o túnel parece ser apenas uma parte do território delas, e também há teias pela segunda escadaria (p. 227) — a impressão que se tem é a de que todos os penhascos e rochedos margeando a trilha estão repletos delas. Mas, com a redução da horda de aranhas para uma única Grande Aranha, cuja toca é muito claramente dentro do túnel (onde estavam as grandes teias), o ataque dela no alto da segunda escadaria, muito acima do túnel, se torna insatisfatório. Portanto, não foi muito depois do surgimento, na Versão 1, de Ungoliant como sendo a única fonte do terror de Kirith Ungol que essa versão colapsou, e meu pai a abandonou na cópia manuscrita passada a limpo. A decisão de que Gollum desertou Frodo e Sam enquanto ainda estavam no túnel estaria associada a isso.

O enredo esboçado no breve texto incluído acima não é muito claro; mas no mesmo período, talvez no mesmo dia, meu pai escreveu uma nota mais completa, junto com um plano dos túneis que está reproduzido na p. 244. Ele também está guardado na Biblioteca Bodleiana (ver p. 235). O título *Plano da Toca de Laracna* foi escrito depois, visto que o nome da Aranha no texto é Ungoliant(e); ver nota 15.

O texto diz:

Precisa ser Escadaria — Escadaria — Túnel. O túnel é a Toca de Ungoliant.

Esse túnel é obra-órquica (?) e tem as costumeiras passagens ramificadas. Uma sobe direto para os calabouços da Torre — mas os orques não a utilizam muito por causa de Ungoliante.[23] Ungoliante fez um buraco e uma armadilha no meio do chão da trilha principal.

O plano de Gollum era fazer Frodo cair na armadilha. Esperava obter o Anel e deixar o resto para Ungoliant. O plano fracassou porque Ungoliant suspeitava dele — ? ele viera fuçando até o túnel no dia anterior? — e ela tinha colocado uma teia no lado mais próximo (oeste) do buraco. Quando Frodo ergueu o frasco, ela ficou intimidada por [um] momento e se retirou para sua toca. Mas, quando os hobbits saíram do túnel, ela veio por caminhos laterais e se esgueirou para perto deles.

O frasco impede que F. e S. caiam no buraco; mas um fedor horrível sai de lá. Gollum desaparece e eles receiam que tenha caído no buraco. Mas não voltam — (a) veem a torre com uma luz nos penhascos, na extremidade do passo e (b) enquanto estão se perguntando o que aconteceu e desconfiando de uma traição, o ataque acontece: Ungoliant avança para Frodo e Gollum agarra Sam por trás. Ungol[iant] quer especialmente o cristal-de-estrela? (Frodo o escondeu outra vez quando saiu do túnel).

Teia no fim do túnel?

O plano do túnel foi mormente feito a lápis, coberto com tinta preta depois. A palavra a lápis perto do túnel menor a norte da passagem principal parece dizer "Desvio". A bolinha a lápis na passagem principal está marcada como "Armadilha" e o grande círculo preto, "toca de Ungoliant". Dos dois túneis que vão para o sul e que deixam o caminho principal perto da saída oriental, o que está mais à direita está assinalado com "Caminho subterrâneo para a Torre", e o túnel largo (feito com várias linhas) que sai deste para o leste seria o caminho do qual Ungoliant surgiu para atacar. O último túnel, que se ramifica para o sul do túnel principal, foi feito com caneta esferográfica azul, e está marcado com "trilha-órquica".[24]

Como se vê nessas notas meu pai de fato colocando no papel sua decisão de que a segunda escadaria veio antes do túnel, presumo que foi nessa conjunção (sem tocar na questão de quanto a história tinha avançado nesse período) que ele voltou ao ponto onde a concepção defeituosa entrou na narrativa (ver p. 234); e, de fato, no verso da primeira dessas notas está o rascunho da nova versão da história após a decisão (ver DT, p. 1011):

> Seguindo-o, chegaram a uma saliência ascendente. Sem ousar olhar para baixo, à direita, passaram por ela. Por fim, ela foi parar numa esquina arredondada, onde o flanco da montanha se projetava de novo diante deles. Ali a trilha entrou de súbito por uma estreita abertura na rocha, e ali, à frente deles, estava a primeira escadaria de que Gollum falara.

Segue-se a descrição da primeira escadaria. Portanto, a "abertura na rocha" foi habilmente transformada da boca do túnel para o começo da escadaria (p. 234).

Há rascunhos contínuos da narrativa revisada ("Versão 2"), e a história conforme contada em DT foi em grande parte atingida já no rascunho, até chegarem os eventos do túnel: a subida da Escada Reta e da Escada Tortuosa, os hobbits descansando ao lado da trilha, sua conversa sobre a necessidade de encontrar água[25] que leva ao diálogo que têm sobre as histórias (*ab initio* escrito em uma forma muito parecida com a de DT), eles percebendo que Gollum desapareceu, sua volta, quando os encontra dormindo (com a descrição do seu "debate interior", olhando de volta para o passo e balançando a cabeça, sua aparência de "velho hobbit exausto que viveu além de seu tempo e perdeu todos os amigos e família: um ser velho, esfomeado, triste e digno de pena"), e a infeliz

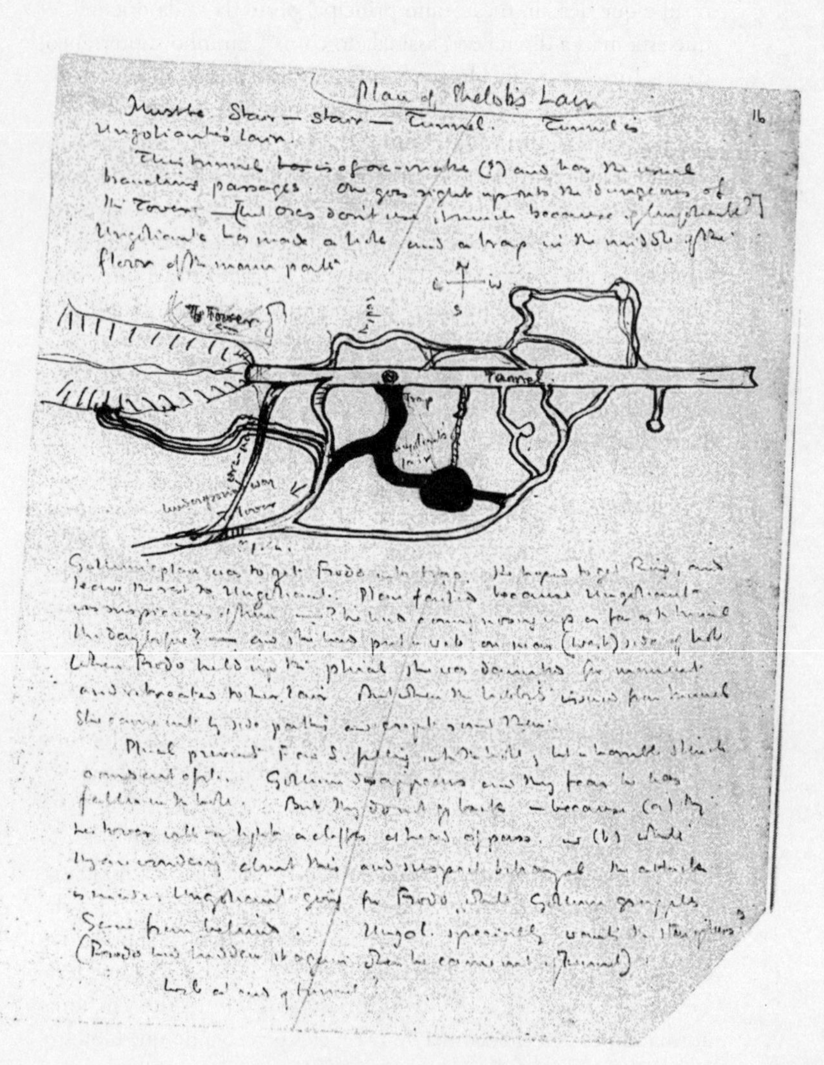

Plano da Toca de Laracna (1)

interpretação errônea que Sam fez do gesto de Gollum na direção de Frodo (DT, pp. 1011–21, onde o capítulo "As Escadarias de Cirith Ungol" termina). Alguns trechos em DT estão ausentes no rascunho, mas não são importantes para a narrativa e, de todo modo, aparecem na cópia manuscrita passada a limpo.

Um pequeno croqui a lápis aparece na página do rascunho onde eles veem a torre pela primeira vez (DT, p. 1014) — assim como havia um desenho da concepção anterior de Kirith Ungol neste ponto da Versão 1 (quando eles já haviam passado pelo túnel). No primeiro plano desse esboço se vê a trilha que sai do topo da Segunda Escadaria, onde (nas palavras do texto rascunhado), os hobbits "viram pináculos denteados de pedra de ambos os lados: colunas e espigões dilacerados e esculpidos nos anos mordentes e invernos olvidados e, entre eles, grandes fendas e fissuras apareciam, negras mesmo na treva pesada daquele lugar inamistoso". O lugar onde descansaram ("em uma escura fenda entre dois grandes pilares de rocha") está assinalado com um ponto à direita da trilha. Mais além se vê a "grande muralha cinzenta, uma última massa, imensa e erguida, de rocha da montanha" (DT, p. 1022, no início de "A Toca de Laracna"), onde está a boca do túnel e, além dele, bem no alto, a "fenda [...] na crista superior, estreita, entalhada funda entre duas elevações negras; e em cada elevação havia um chifre de pedra" (DT, p. 1014). Uma forma desenvolvida desse croqui encontra-se no mesmo ponto da cópia manuscrita limpa, e está reproduzida na p. 248.[26]

O rascunho continua em "A Toca de Laracna" sem interrupção. Há pouco a dizer da narrativa que constitui a abertura do posterior capítulo. No rascunho, o nome élfico do túnel é *Terch Ungol*, "a Toca da Aranha", e a descrição do fedor vindo do túnel foi mantida da Versão 1 (pp. 233–4): "Saía dele um odor que não conseguiam identificar: não era o odor doentio de decomposição junto aos prados de Morghul, e sim um cheiro repulsivo, pernicioso, abafado: uma repulsiva mácula no ar". Na cópia limpa, meu pai inicialmente colocou *Te*, alterando conforme escrevia para *Torech Ungol*, "a Cova da Aranha", e também alterou isso para "Toca de Laracna" (o nome *Laracna* já tinha sido cunhado quando ele fez esse manuscrito). Aqui ele inicialmente descreveu o fedor do túnel nestas palavras: "Saía dele um fedor: não o odor doentio de decomposição dos prados de Morghul, mas um cheiro rançoso sufocante, pernicioso, uma fetidez como a de imundícies além da conta amontoadas e acumuladas, maculando até mesmo o ar livre com o mal". Mas, na margem, perguntou-se se essa descrição não era forte demais: se o fedor era tão insuportavelmente horrível, mesmo do lado de fora, "por que eles sequer teriam entrado?"; e substituiu-a imediatamente pela descrição em DT (p. 1022). Ele também hesitou quanto à largura do túnel.

A nova história na versão rascunhada chega à forma final com eles percebendo que havia túneis adjacentes, e as coisas roçando neles enquanto andavam, até que passaram a larga abertura à esquerda de onde vinha o fedor e a intensa sensação de malignidade. A partir desse ponto, o rascunho diz:

[...] uma sensação de malignidade tão forte que, por um momento, desfaleceu. Sam também deu uma guinada. "Tem algo ali", diz ele. "Cheira igual a uma casa de mortos. Pff!" Empenhando a força e resolução que lhes restavam, prosseguiram. Logo chegaram ao que quase parecia ser uma bifurcação no túnel: pelo menos, na absoluta treva, estavam em dúvida.

"Por onde foi Gollum", disse Sam, "é o que me pergunto."

"Smeagol!", disse Frodo. "Smeagol!", mas sua voz se perdeu nos lábios. Não houve resposta, nem mesmo um eco. "Desta vez imagino que ele foi embora mesmo."

"Acho que agora estamos exatamente onde ele queria nos trazer. Mas precisamente o que ele pretende fazer nesse buraco negro, não posso imaginar". Não precisou esperar muito pela resposta.

"E aquele cristal-de-estrela?", perguntou Sam. "A Senhora não disse que seria uma luz nos lugares escuros? E, para falar a verdade, precisamos de alguma luz agora."

"Não o usei", disse Frodo, "por causa de Gollum. Creio que o teria afugentado, e também porque seria tão luminoso. Mas aqui parece que chegamos a uma situação desesperadora." Lentamente tirou a mão do peito e segurou no alto o frasco de Galadriel. Por um momento ele bruxuleou como uma estrela se esforçando para atravessar as névoas da Terra; então, à medida que o medo os deixava, ele começou a queimar com uma luz cegante de prata, como se o próprio Earendel tivesse descido das trilhas do ocaso com a última Silmaril na testa. A escuridão cedeu diante dele e ele brilhou em um globo de espaço encerrado no absoluto negrume. Mas, diante deles, dentro do raio de sua luz, havia duas aberturas. Agora sua dúvida fora solucionada, pois aquele à esquerda logo virava, enquanto o outro à direita seguia reto, só um pouco mais estreito do que o túnel atrás.

Naquele momento, alguma presciência de malícia ou de alguma atenção maligna fez com que ambos se virassem. Seus corações pararam. [Ouviu-se um grito agudo e sibilante de Gollum?] Não muito atrás, ... pela vil abertura talvez, havia olhos: dois grandes feixes de olhos. Se brilhavam com luz própria ou se a radiância do cristal-de-estrela se refletia nas suas milhares de facetas . . . . . Monstruosos, e abomináveis, e cruéis eles eram: bestiais e, no entanto, repletos de uma malícia e propósito, e até mesmo de um contentamento e deleite hediondos que os olhos de nenhuma fera conseguem demonstrar. Uma mente maligna exultava por trás daquela luz perniciosa.

> Neste ponto meu pai parou e observou que os olhos deveriam vir primeiro, e depois o cristal-de-estrela (deixando necessariamente subentendido que os olhos da Aranha brilhavam com luz própria). Segue-se um esboço:

A criatura se afasta. Eles recuam pelo túnel. Frodo segura o cristal no alto e . . . . . [27] e a cada vez, os olhos param. Então, cheio de uma determinação súbita, ele sacou Ferroada. Ela faiscou e, chamando Sam, voltou a passos largos na direção dos olhos. Eles ... [? viraram], recuaram e desapareceram. Sam cheio de admiração. "Agora vamos correr!", exclamou. Eles correram e, de súbito, [? colidiram] com algo [? cinzento] que ricocheteou e os lançou de volta. Sam não consegue romper as cordas. Frodo lhe dá Ferroada. E Sam vai cortando enquanto Frodo fica de vigia.

A teia cede. Eles se apressam e descobrem que a teia estava cobrindo a boca do túnel. Estão na última ravina e o passo-do-chifre ... diante deles.

"Esse é o topo", disse Sam. "E saímos dele. Nossa sorte continua. Vamos em frente e percorrer o último trecho enquanto a sorte dura."

Frodo correu para frente, colocando o cristal-de-estrela no peito, sem pensar em nada a não ser escapar. Sam o segue com

Dimly could be discerned tall piers and jagged pinnacles of stone on either side, and between them darkling great crevices and fissures blacker than the general night, where the forgotten winters in the Dark Years had gnawed and carved the sunless stone. And now the red light in the sky seemed stronger, though whether a dreadful morning was indeed coming to this place of shadow they could not tell, or whether only they saw the flame of some great violence of Sauron in the torment of Gorgoroth beyond. Still far ahead, and still high above, Frodo looking up saw, as he guessed, the very crown of this bitter road. Against the sullen redness of the eastern sky a cleft was outlined in the topmost ridge, narrow, deep-cloven between two black shoulders, and on either shoulder was a horn of stone.

He paused and looked more attentively. The horn upon the left was tall and slender; and in it burned a red light, or the red light in the land behind it shone through a hole. He saw now: it was a black tower poised above the outer pass. He touched Sam's arm and pointed.

'I don't like the look of that!' said Sam. 'So, this secret way of yours is guarded after all,' he growled, turning to Gollum. 'And you knew all along, I suppose?'

'All ways are watched, yes,' said Gollum. 'Of course they are. But hobbits must try some way. This may be least watched. Perhaps they've all gone away to big battle — perhaps!'

'Perhaps!' grunted Sam. 'Well, it still seems a long way off and a long way up, before we get there. And there's still the tunnel. I think you ought to rest now, Mr. Frodo. I don't know what time of day or night it is, but we've kept going now for hours and hours.'

'Yes, we must rest,' said Frodo. 'Let us find some corner out of the wind, if we can, and gather our strength — for the last lap.' For so he felt it. The terrors of the land beyond, and the deed to be done there seemed remote, too far off yet to trouble him. All his mind was bent on getting through or over this impenetrable wall and guard. If once he could do that impossible thing, then somehow the errand would be accomplished, or so it seemed to him in that dark hour of weariness, still labouring in the stony shadows under Kirith Ungol.

In a dark crevice between two great piers of rock they sat down, Frodo and Sam a little way within, and Gollum crouched upon the ground near the opening. There the hobbits took what they expected would be their last meal before they went down into the Nameless Land, maybe their last meal they would ever eat together. Some of the food of Gondor they ate, and wafers of the waybread of the Elves, and they drank a little.

Kirith Ungol

Ferroada em mãos — virando-se constantemente para observar a boca do túnel — quase sem pensar no engenho de Ungoliant. Ela tinha muitas saídas de sua toca.

Frodo começa a ganhar a dianteira. Tentou correr e depois, um tanto à frente, viu saindo de uma sombra na parede da ravina a forma mais monstruosa e detestável. Além da imaginação dos seus piores sonhos.

Esse relato harmoniza-se bem com o plano reproduzido na p. 244: eles haviam passado a abertura larga à esquerda que levava para a toca de Ungoliant, e a bifurcação no túnel, onde é possível detectar facilmente o túnel que estava "à esquerda [e] logo virava, enquanto o outro à direita seguia reto, só um pouco mais estreito do que o túnel atrás". Mas a história mudou radicalmente em relação ao esboço que acompanhava o plano (p. 242), esboço que aparentemente nunca recebeu uma forma narrativa e cuja história seguia assim:

- Ungoliant fizera uma teia no lado oeste da armadilha (buraco) no túnel principal. O fedor subia do buraco.
- Frodo segurou o frasco no alto (não se diz que cortou as teias) e Ungoliant retrocedeu para sua toca.
- Devido à luz do frasco, eles evitaram o buraco. Gollum desapareceu e eles recearam que tivesse caído nele.
- Saíram do túnel, ao que Ungoliant, tendo se adiantado e dado a volta por um caminho lateral, atacou Frodo, e Gollum agarrou Sam por trás.

Na versão muito semelhante e mais curta desse enredo (p. 241), conta-se, ademais, que eles "Abrem caminho e saem da teia na extremidade oposta".

A história no presente rascunho se moveu para bem mais perto da versão final: eles passaram pela abertura que levava à toca, de onde vinha o cheiro, e não há menção à "armadilha" ou "buraco" no chão da passagem principal; e chegaram à bifurcação no túnel.[28] Mas, nesta versão, o frasco de Galadriel é usado nessa conjuntura, mostrando-lhes qual caminho tomar; e, virando-se por causa da sensação do mal que se aproximava, a luz do frasco é refletida nos olhos da Aranha. A instrução de meu pai nesse ponto, de que os olhos deveriam vir antes do cristal-de-estrela, claramente significa que os olhos, brilhando com luz própria, apareceram no túnel, e que só então veio a ideia de usar o crista-de-estrela. O restante do episódio agora está essencialmente como na versão final, exceto que, conforme eles corriam do túnel, Sam está com Ferroada e Frodo com o frasco de Galadriel.

Quando chegou nesse ponto, a cópia manuscrita passada a limpo não havia atingido a história final em todos os aspectos, e essa seção foi subsequentemente rejeitada e substituída. No primeiro estágio, a ideia no rascunho de que o frasco seria usado simplesmente para iluminar o túnel (com a explicação de Frodo de que ele não o usara antes por medo de afugentar Gollum) foi abandonada e, como em DT, foi somente o som da Aranha se aproximando — o "ruído gorgolejante, borbulhante" e o "longo chiado venenoso" — que levou Sam a pensar no frasco (revertendo, portanto, a decisão de que os olhos deveriam vir primeiro e depois o cristal-de-estrela); a luz do cristal iluminou os olhos (no entanto, "por trás do brilho um fogo pálido e mortal começava a luzir continuamente *no interior*, uma chama alimentada em algum fundo poço de pensamento maligno"). Mas, nesse estágio, manteve-se a ideia de que a luz acabou mostrando o caminho a seguir, mesmo que incidentalmente: "E agora o caminho estava claro diante deles, pois a luz revelou dois arcos; e o da esquerda não era a trilha, pois estreitava-se rapidamente outra vez e virava, mas o da direita era a trilha verdadeira, e seguia reto como antes."[29]

A perseguição dos "olhos" e a fuga da Aranha quando Frodo a confrontou com o frasco na mão esquerda e Ferroada na direita, com sua lâmina azul bruxuleante,[30] está na forma final, mas meu pai continuou seguindo o rascunho ao fazer com que Sam cortasse a teia com Ferroada na outra ponta do túnel. O texto diz aqui, a partir da exclamação de Sam "Gollum! Que a maldição de Faramir morda ele!" (DT, p. 1029):[31]

"Isso não nos ajudará", disse Frodo. "Vamos! Vou erguer a luz enquanto tenho força. Pegue minha espada. É uma lâmina élfica. Veja o que ela consegue fazer. Dê-me a sua."

Sam obedeceu e tomou Ferroada, e um tremor correu pela sua mão assim que pegou no belo cabo, a espada de seu patrão, de

Bilbo, a espada que Elrond declarara ter vindo das grandes guerras antes dos Anos Sombrios quando os muros de Gondolin ainda resistiam.[32] Virando-se, deu um grande golpe curvo e então saltou para trás para evitar o açoite dos [? fios]. De gume azul, cintilando na radiância da estrela, a lâmina élfica cortou as cordas enredadas. Em três golpes rápidos a teia estava despedaçada e a armadilha, rompida. O ar das montanhas fluiu para dentro como um rio.

"Está claro!", gritou Sam. "Está claro. Consigo ver a luz [? noturna] no céu."

Não! Fazer com que Sam segure a luz, e assim *Frodo sai primeiro*, e por isso, como ele está com a luz, Laracna ataca Frodo.

Sam recolhe a espada de Frodo do chão.

Deixa o Frasco cair na luta com Gollum.

Eliminar os cajados.

> Segue-se a isso uma sugestão, parcialmente ilegível, de que os cajados deveriam "pender em *tiras de couro*", e outra de que Frodo deveria ir batendo nas paredes com o cajado. Aparentemente, meu pai estava aqui preocupado com o problema que surgia pelo fato de só se ter duas mãos. Sem dúvida, foi nessa época que o texto no manuscrito limpo de "Jornada para a Encruzilhada" — em que as pontas dos cajados ainda tinham a forma de um gancho de pastor (p. 213 e nota 3) — foi alterado para o texto de DT (p. 992): "cajados [... com] cabeças entalhadas perpassadas de tiras de couro trançado". O texto continua:

Quando Sam não consegue cortar a teia, Frodo diz: "Não sinto mais os olhos. Por ora, a atenção deles foi embora. Você segura a luz. Não tenha medo. Erga-a. Verei o que a espada-élfica pode fazer."

Frodo rompe as teias. E, assim, a armadilha planejada se frustrou. Pois, ainda que uma vez, há muito tempo, ele [Gollum] a tivesse visto, não sabia da natureza daquela espada, e do Frasco de Galadriel ele jamais ouvira.[33]

Apressam-se para fora. Sam vem atrás e subitamente tomam ciência (a) da janela vermelha (b) da luz azul de Ferroada. "Orques", disse Sam, e, fechando a mão em torno do frasco, escondeu-o outra vez sob a capa. Uma súbita loucura (?) em Frodo. Ele vê a fenda vermelha, o objetivo de todo o seu esforço, diante de si.

Não está muito longe, meia milha. Atravessar de um ímpeto só. Corra! . . . . . Sam, disse ele. A porta, a trilha. Vamos para lá, antes que alguém consiga nos deter.

Sam tenta acompanhar. Então a aranha ataca, e Gollum.

> E assim, essa narrativa extraordinariamente resistente foi, por fim, moldada em quase todos os pontos até deixar meu pai satisfeito: "um trecho complicado", ele descreveu, alcançado com "um trabalho m. grande"; e rascunhos adicionais levaram ao texto final de "A Toca de Laracna" no manuscrito limpo. Contudo, mesmo agora ele parecia não estar completamente confiante quanto à exatidão da história, pois o manuscrito também tem um segundo texto do episódio no túnel (assinalado como "outra versão") e parece não haver dúvidas de que foi escrito *depois* do outro.[34] Ele começa depois das palavras "um ruído gorgolejante, borbulhante, e um longo chiado venenoso" (DT, pp. 1025–6):

Viraram-se de súbito, mas de início não viram nada. Ficaram parados, imóveis como pedras, esperando por não sabiam o quê. Então, pouco adiante no túnel, bem na abertura onde tinham titubeado e tropeçado, viram um brilho. Avançava muito lentamente. Havia olhos na escuridão. Dois grandes feixes de olhos. Ficavam maiores e mais brilhantes à medida que avançavam muito lentamente. Ardiam constantes com uma cruel luz própria, alimentada em algum fundo poço de pensamento maligno. Eram olhos monstruosos e abomináveis, bestiais e, no entanto, repletos de propósito, e com deleite hediondo: além de qualquer esperança de fuga, sua presa foi encurralada.

Frodo e Sam recuaram, sua visão fascinada pelo pavoroso contemplar daqueles olhos frios, e, à medida que recuavam, os olhos avançavam, sem pressa, satisfeitos. De repente, os dois juntos, como se libertados simultaneamente do mesmo encantamento, os hobbits se viraram e fugiram às cegas no túnel. [*Riscado:* A abertura à esquerda estava bloqueada com alguma barreira que não conseguiam ver; alucinadamente tatearam e encontraram a abertura à direita, e correram outra vez.] Mas enquanto corriam olharam para trás e viram horrorizados os olhos saltando atrás deles.

Então veio um sopro de ar: frio e esparso. A abertura, o portão de cima, o fim do túnel, afinal: estava bem à frente.

Desesperadamente, jogaram-se para frente e depois cambalearam para trás. A passagem estava bloqueada por alguma barreira que não conseguiam ver: mole, forte, impenetrável. Mais uma vez investiram contra ela. Cedeu um pouco e, então, como se fossem cordas esticadas, lançou-os de volta mais uma vez. Os olhos que agora estavam mais perto pararam, observando-os em silêncio, satisfeitos, cintilando com cruel divertimento. O odor da morte era como uma nuvem em torno deles.

"Pare!", exclamou Frodo. "Não adianta lutar. Fomos pegos". Virou-se para encarar os olhos e, conforme o fazia, sacou a espada. Ferroada reluziu e nas bordas da afiada lâmina-élfica bruxuleou um fogo azul.

Sam, enjoado, desesperado, mas acima de tudo furioso, tateou à procura de sua própria espada curta, que trouxera de tão longe e que tivera tão pouca serventia em todo o caminho desde as Colinas-dos-túmulos. "Queria que o velho Bombadil estivesse por perto", murmurou. "Apanhados no fim! Gollum — que a maldição de Faramir morda ele". A escuridão o cercava e havia um negrume no seu coração. E então, de repente, mesmo naqueles últimos momentos antes de a coisa maligna dar seu salto final, viu uma luz, uma luz na escuridão de sua mente [...]

O texto continua como na outra versão (DT, p. 1026), mas sem as frases "O chiado borbulhante aproximou-se, e ouviu-se um rangido como de algum grande ser articulado que se movia no escuro com lento propósito. Diante dele vinha um cheiro desagradável"; e termina em *Uma luz quando todas as outras luzes se apagarem!* Depois disso há a instrução de "prosseguir" conforme a outra versão.

Essa também era uma boa história. Há aqui uma disposição formalmente mais simples dos elementos: pois Frodo e Sam foram encurralados diretamente entre o monstro e a armadilha — de fato, apanhados "além de qualquer esperança de fuga",[35] e salvos no último segundo pelo Frasco de Galadriel.

As Escolhas do Mestre Samwise

Deixei a "Versão 1" — a narrativa original em que não havia encontro com a Aranha no túnel e o ataque a Frodo se dava no topo da Segunda Escadaria (acima do túnel) — no ponto onde meu pai a abandonou como "cópia manuscrita limpa" e o texto colapsou depressa em um rascunho pavorosamente difícil: ver pp. 239–40.

É difícil ter certeza quanto à evolução precisa a partir desse ponto, porque esse rascunho muito mal-acabado continua sem interrupção até o fim da história em *As Duas Torres*, sendo, de fato, a disposição original da narrativa em "As Escolhas do Mestre Samwise" e, no entanto, ela não pode ter sido uma continuação ininterrupta da Versão 1. A última página que certamente faz parte da Versão 1 termina com um relato inicial praticamente ilegível do ataque de Sam a Ungoliant e com ele segurando no alto o frasco que pegou do corpo de Frodo (p. 240). A conclusão do encontro com Ungoliant talvez faça parte da Versão 1, mas não muito mais do que isso, pois quando Sam, acordando do seu longo transe em desespero, ajeita o corpo de Frodo, ele diz: "Ele me emprestou Ferroada e ela eu vou levar". Isso, é claro, depende do desenvolvimento da história (Versão 2) em que Frodo deu Ferroada a Sam para golpear a teia no fim do túnel, enquanto ele próprio segurava o frasco (ver pp. 249–51).

A partir do ponto em que Sam segura o frasco contra Ungoliant, o rascunho continua:

"Galadriel!", gritou. "Elbereth! Agora venha, coisa imunda. Agora sabemos, afinal, o que é que guarda esta trilha. Mas nós vamos em frente. Venha, vamos acertar as contas antes de irmos". Como se sua ira e coragem tivessem posto em movimento a potência dele, o cristal se iluminou como uma tocha — como [um] clarão não de relâmpago, mas de alguma estrela crestante fendendo o ar escuro com radiância intolerável, branca e terrível. Nenhuma luz assim dos céus jamais havia queimado na sua cara antes.[36]

O relato do recuo de Ungoliant está majoritariamente ilegível, mas é possível ler algumas frases: "Ela parecia ... encrespar como um vasto saco", "suas pernas fraquejaram e lentamente, dolorosamente, retrocedeu diante da luz rumo a uma abertura na parede", "reunindo sua força, ela se virou e, com um último . . . . . salto e uma sórdida, mas já digna de pena ...,[37] escorregou para dentro do buraco".

A afirmação de que, seja lá qual foi o destino de Ungoliant depois, "esta história não conta" aparece no rascunho, assim como (de modo muito rudimentar) o trecho que se segue em DT (pp. 1039–40) até o ponto em que Sam ajeita o corpo de Frodo. Aqui, o rascunho diz:

Deitou seu patrão de costas e dobrou suas mãos frias. "Que a cota prateada de mithril seja sua mortalha", falou.[38] "Ele me emprestou Ferroada e ela eu vou levar, mas uma espada há de ficar ao seu lado". E o frasco ele colocou na mão direita e escondeu-a no peito. "É bom demais para mim", falou, "e Ela o deu a ele para que fosse uma luz em lugares escuros". Não havia pedras para um teso, mas as duas únicas de tamanho manejável que conseguiu encontrar ele rolou, uma para a cabeça de Frodo e outra para os pés. Então se levantou e segurou o cristal-de-estrela no alto. Ele agora ardia suavemente, com a quieta radiância da estrela vespertina no verão, e na sua luz o matiz do . . . . . . de Frodo era [? pálido], porém belo, e havia uma beleza élfica no seu rosto, como de quem há muito tempo ultrapassou as sombras.

E então esforçou-se para dizer adeus. Mas não conseguiu. Ainda segurava a mão de Frodo e não conseguia soltá-la.

Uma seta indica que o momento em que o frasco é colocado na mão de Frodo e as palavras de Sam "É bom demais para mim [...]" deveriam vir depois de "[...] como de quem há muito tempo ultrapassou as sombras".

O relato do debate aflito de Sam não era diferente do que está em *As Duas Torres* (pp. 1041–2) na sequência dos pensamentos, e suas palavras de despedida e o momento em que pega o Anel estão praticamente na forma final; mas ele não leva o frasco, que fica escondido na mão de Frodo nesta versão da história. A partir deste ponto, coloco o rascunho original na íntegra.

Por fim, com grande esforço ele se levantou e se virou e, sem ver nada além de uma névoa cinzenta, seguiu aos tropeços rumo ao passo que agora estava bem em frente. Mas seu patrão ainda o atraía: a mente de Sam não estava em paz, não estava mesmo decidida. (Estava agindo da melhor forma que conseguia raciocinar, mas contra toda a sua natureza). Não tinha ido longe quando olhou para trás e, através das lágrimas, viu o pequeno trecho escuro na ravina onde toda a sua vida desabara em ruína. Novamente se virou e prosseguiu, e tinha então quase chegado ao V [*isto é, a*

Fenda]. Era o próprio portão de despedida. Agora precisava olhar para trás pela ultimíssima vez. Fez isso.

"Não, não consigo fazer isso", disse ele. "Não consigo. Eu iria até a Torre Sombria para encontrá-lo, mas não consigo partir e deixá-lo. Não posso terminar essa história. É para outras pessoas. Meu capítulo terminou". Ele começou a cambalear de volta. E então, de repente, para sua ira e horror, pensou ter visto uma coisa furtiva esgueirando-se da sombra, aproximando-se de Frodo e começando a tocá-lo.[39] Uma fúria que obliterava todos os outros pensamentos inflamou-se outra vez. "Gollum! Atrás do seu precioso — acha que seu plano funcionou, no fim das contas. O imundo...". Começou a correr silenciosamente. Não havia mais do que 20 [? jardas] para percorrer. Sacou a espada. Gollum! Rangeu os dentes.

Mas, de repente, Gollum pausou [e] olhou em volta, não para Sam, e com toda a velocidade disparou, mergulhando de volta na direção da parede, [a] mesma abertura de onde Ungoliant saíra.

Sam percebeu que Gollum não fugira dele, nem mesmo o notara. Quase de imediato ele viu a razão. Orques! Havia orques saindo do túnel. Parou onde estava. Uma nova escolha estava diante de si, e dessa vez precisava escolher rápido. Então, também ouviu vozes-órquicas por trás. De alguma trilha que descia da torre, havia orques chegando. Estava no meio deles. Não havia como voltar agora — Sam jamais chegaria ao Passo de Kirith Ungol agora. Agarrou Ferroada. Um breve pensamento passou-lhe pela cabeça. Quantos mataria antes que eles o apanhassem? Será que alguma canção mencionaria isso? Como Samwise tombou no Passo Alto — fez um muro de cadáveres ao redor do corpo do seu patrão. Não, nenhuma canção, pois o Anel seria capturado, e todas as canções cessariam para sempre [em] uma era de Escuridão ... O Anel. Com uma ideia e um impulso súbitos, ele *o pôs no dedo*! [*Acrescentado:* Sua mão pende para baixo, inútil.] De início, não notou nada — exceto que parecia enxergar muito mais claramente. As coisas pareciam duras e negras e pesadas, e as vozes, altas. Os bandos-órquicos viram um ao outro e estavam gritando. Mas ele parecia ouvir ambos os lados como se estivessem falando de perto. E os entendia. Ora, estavam falando numa língua clara. Talvez estivessem, ou talvez o Anel, que tinha poder sobre todos os serviçais de Sauron e crescera em poder ao se aproximar do lugar onde fora forjado, estava trazendo o pensamento das cabeças deles diretamente para Sam em uma fala clara.

"Olá! Gazmog", disse o orque na dianteira, saindo do túnel.

"Oi, você, Zaglûn. Então chegou, no fim. Ouviu eles? Viu isso?"

"Vi o quê? Acabamos de sair do túnel da La-racna.[40] O que era para ver ou ouvir?"

"Berros e gritos aqui, e luzes. Tem alguma travessura acontecendo. Mas estamos de vigia na torre, e não podemos sair. Esperamos, mas você não veio. Agora rápido, porque precisamos voltar. Só Naglur-Danlo e o velho Nûzu estão aqui em cima, e ele está numa correria."

Então, subitamente os orques da torre viram Frodo e, enquanto Sam ainda hesitava, passaram rápido por ele com um uivo e se adiantaram apressadamente. (Ferroada precisa estar embainhada.) Uma coisa que o Anel não conferia era coragem — bem ao contrário, pelo menos para Sam. Ele agora não se [? precipitou] — nem ergueu um monte de corpos ao redor do seu patrão. Havia umas três dúzias deles ao todo, e estavam falando rápido e animadamente. Sam hesitou. Se sacasse Ferroada, eles veriam. Não iriam . . . . : os orques nunca faziam isso — mas 36! Eles veem [*? leia-se* veriam] onde ele estava.

Não — isso em cima não vai funcionar, ele precisa ver os Orques de uma distância maior e *segui-los*. A fenda não pode estar muito longe, 100 jardas?, do corpo de Frodo e ele a 20–30 jardas do túnel. *Tirar Gollum*.

Sam vê orques *descendo* da torre quando ele se vira [pela] última vez. De longe, parecem identificar o pequeno vulto de Frodo e dão um grito. Ouvem um grito em resposta — outros orques estão saindo do túnel! Colocar então a parte acerca dos seus pensamentos sobre uma *canção* conforme ele corre de volta. Coloca o anel e não consegue manusear a espada.[41] Troca para a mão esquerda [*cajado quebrado* (o de Sam se partiu em Gollum)].[42] Àquela altura, os orques apanharam Frodo e estão indo para o túnel. Sam segue. O Anel confere o conhecimento da língua — não coragem.

Sam segue e ouve a conversa conforme eles vão pelo túnel. Os orques discutem sobre Frodo. Ordenaram especial vigilância. O que é? O líder [B. . . . . .] Zaglûn diz[43] que as ordens são de que mensagens [*ou* mensageiros] devem ir a Morgul *e* direcionadas a Lugburz. Eles [? grunhem]. Falam de Laracna e do verme (= Gollum).

Coisas grandes acontecendo. Só feitos preliminares. Notícias. Osgiliath tomada, e o vau. Exército também saiu do Portão Norte.

[? Outra travessia] em algum lugar lá do norte e entrando na parte norte da terra dos cavalariços — sem oposição ali. Vamos chegar nas Fozes do Anduin em uma semana, e no Golfo de Lûn antes do verão chegar — e dali não tem para onde fugir. Como vamos fazê-los suar! Nem começamos ainda. Vai vir coisa grande.

Um grande apuro, se você não se apressar.

É para despojar o prisioneiro. Dentes e unhas? Não. Ele é metade elfo e homem? — [? tem] uma bela mistura de tolice e travessura. Melhor terminar logo. Logo!

Fazem uma curva. Sam vê luz vermelha em um arco. Porta subterrânea para a torre. Horrorizado de ver que o túnel o enganou: estão mais à frente do que imaginava. Corre adiante, mas a porta de ferro se fecha com um clangor. Está do lado de fora, no escuro. Agora voltar para Gandalf.

[*Acrescentado:* Fazer a maior parte da conversa dos gobelins esperar até o capítulo do resgate?]

> No estágio seguinte da evolução, meu pai retornou às palavras "Por fim, com grande esforço ele se levantou e se virou e, sem ver nada além de uma névoa cinzenta, seguiu aos tropeços rumo ao passo que agora estava bem em frente" (p. 255), e então continuou assim (ver DT, p. 1043):

Não precisou ir longe. O túnel estava umas cinquenta jardas atrás; a fenda, algumas centenas de jardas à frente ou menos. Havia uma trilha visível na penumbra, agora subindo rapidamente, com o penhasco de um lado e, do outro, uma parede baixa de rocha que se erguia constante até outro penhasco. Logo havia degraus largos e rasos. Agora a torre-órquica estava bem acima dele, carrancuda e negra, e nela luzia o olho vermelho. Ele já estava subindo os degraus e a fenda estava bem na frente dele.

"Tomei minha decisão", continuou dizendo a si mesmo. Mas não tomara. O que estava fazendo, apesar de ter tido muito tempo para ponderar, era totalmente contra sua natureza. Ficar junto do seu patrão era da sua natureza. "Decidi errado?", murmurou. "Havia outra coisa a fazer?". Com as bordas escarpadas da fenda fechando-se em volta dele, e antes de chegar ao topo, antes de contemplar a trilha adiante que descia, ele se virou, intoleravelmente dividido por dentro. Olhou para trás. Ainda podia ver, como uma pequena mancha na treva crescente, a boca do túnel; e pensava poder ver ou adivinhar onde jazia Frodo; quase imaginou que ali embaixo havia uma luz, ou lampejo disso. Através das lágrimas, viu aquela solitária altura rochosa onde toda a sua vida desabara em ruínas.

O que era a "luz, ou lampejo disso" (o que, suponho, quer dizer "uma luz, ou o lampejo de uma luz") que Sam viu? Ela sobrevive em DT (p. 1043): "Imaginou que ali embaixo havia um lampejo no chão, ou quem sabe era alguma ilusão de suas lágrimas". É possível que o sentido original seria que havia um brilho tênue do Frasco de Galadriel, que nesse estágio (ver p. 255) muito provavelmente ainda foi deixado na mão de Frodo?

Depois de "'Não, não consigo fazer isso', disse ele" (p. 256), meu pai repetiu o texto original quase exatamente, mas cortando o retorno de Gollum. Quando chegou à parte em que Sam coloca o Anel, ele escreveu: "O Anel. Com um impulso súbito ele o segurou e *o pôs no dedo*. O peso dele puxou sua mão para baixo. Por um momento, não notou mudança, e depois pareceu que via mais claramente". Mas nesse momento ele parou, marcou um X no que tinha escrito e colocou: "Não! Ouvi[a] mais claramente, estalar de pedra, grito de ave, vozes, Laracna borbulhando desgraçada fundo nas rochas. Vozes nos calabouços da torre. Mas tudo não estava escuro, e sim nebuloso, e ele próprio como uma rocha negra e sólida e o Anel como ouro quente. Difícil de acreditar em sua invisibilidade". O relato da compreensão de Sam quanto ao que os Orques conversavam assume a seguinte forma aqui: "Será que o Anel conferia poder de línguas, ou lhe conferia a compreensão de tudo o que estivera sob seu poder [*escrito acima:* serviçais de Sauron], de modo que ouvia diretamente? Certamente as vozes pareciam estar perto dos seus ouvidos, e era muito difícil estimar a distância deles". Com uma referência ao poder crescente do Anel naquela região, e ao fato de não conferir coragem ao portador, esse rascunho termina, e é seguido por um esboço dos pontos de destaque naquilo que Sam escutou:

> Por que tanta demora para os Orques chegarem? Aterrorizados por Laracna. Sabem que há outro espião nas redondezas. O líder diz que as ordens são de que mensageiros devem ir a Morgul e direcionados a Baraddur Lugburz. Orques [? grunhem]. Falam de Laracna e do verme da Aranha [que] esteve ali antes. Notícias da guerra.

Em rascunho adicional, a chegada dos bandos-órquicos é descrita assim:

Então, de repente, ouviu exclamações e vozes. Ficou imóvel. Vozes-órquicas: ele as tinha ouvido em Moria e Lórien e no Grande Rio, e jamais as esqueceria. Virando-se com um ímpeto, viu luzinhas vermelhas, talvez tochas, saindo do túnel lá embaixo. E a apenas algumas jardas abaixo dele, saindo do próprio penhasco ao que parecia, por algum vão ou portão perto da base da torre que não notara quando passou ponderando pela estrada, havia mais luzes. Bandos-órquicos. Vieram caçar, por fim. O olho vermelho não estivera completamente cego.

E um ruído de passos e gritos chegou também pela fenda. Havia orques subindo para o passo saindo de Mordor também.

Essa ideia de três bandos-órquicos convergindo sobreviveu no manuscrito passado a limpo, no qual, contudo, ela foi imediatamente ou logo removida, pois não há mais referências a isso; aqui, "orques estavam subindo para o passo que saía da terra mais além", enquanto "a apenas algumas jardas de distância", luzes e "formas-órquicas negras" vinham por "algum vão ou portão na base da torre". Em DT (p. 1044), os Orques da torre apareceram no lado oposto ao da Fenda.

O rascunho prossegue:

O medo o dominou. Como podia escapar? Então agora o *seu* capítulo acabaria. Não tinha nem uma página a mais do que o de Frodo. Como podia salvar o Anel? O Anel. Ele não se deu conta de nenhum pensamento ou decisão: simplesmente viu-se puxando a corrente e segurando o Anel na mão. Os orques que vinham em sua direção ficaram mais barulhentos. Então ele *o pôs no dedo.*[44]

A conversa entre os líderes dos dois bandos-órquicos no túnel exigiu bastante trabalho para ficar pronta — trabalho que continuou até na cópia passada a limpo — e detalhar todas as reorganizações, as alterações dos falantes e tudo o mais exigiria muito espaço. Mas há um rascunho que merece ser citado na íntegra, pois muito pouca coisa dele sobreviveu. Aqui, os dois Orques, e especialmente o de Minas Morghul, estão muito preocupados com o momento exato em que as muitas mensagens foram passadas.

Na escuridão [*do túnel*] ele parecia estar mais à vontade agora; mas não conseguia vencer sua exaustão. Podia ver a luz das tochas um pouco à frente, mas não conseguia alcançá-las. Os gobelins andam depressa em túneis, especialmente nesses que eles mesmos haviam feito, e todas as muitas passagens nessa região das montanhas eram obras deles, até mesmo o túnel principal e o grande fosso profundo onde Laracna habitava. Foram feitos nos Anos Sombrios, até que Laracna chegou e fez ali sua toca e, para escaparem dela, escavaram novas passagens, estreitas demais para [ela, conforme crescia lentamente >] o tamanho dela, que cruzavam e recruzavam o caminho reto.[45]

Sam ouviu o clamor das suas muitas vozes, monótonas e ásperas no ar morto, e em algum lugar escutou duas vozes mais altas que as demais. Os líderes dos dois grupos pareciam estar discutindo ao caminhar.

"Não pode impedir a algazarra da sua ralé?", disse um. "Não me importa o que vai acontecer com eles, mas não quero Laracna em cima de mim e dos meus rapazes."

"Os seus estão fazendo mais da metade do barulho", disse o outro. "Mas deixe os rapazes brincarem. Não precisa se preocupar com Laracna por uns tempos. Ela sentou num alfinete ou alguma coisa assim, e nenhum de nós vai chorar. Então você não viu os sinais? Uma garra arrancada, sangue imundo no caminho todo até aquela maldita fresta (não foi nem uma nem cem vezes que nós tapamos ela). Deixe os rapazes brincarem. E demos um pouco de sorte finalmente: nós pegamos algo que Ele quer."

"Sim, *nós*, Shagrat.[46] *Nós*, veja bem. Mas por que estamos indo para a sua torre miserável, isso não sei. Encontramos o espião, meu grupo estava lá primeiro. Devia ser nosso. Devia ser levado de volta para Dushgoi."[47]

"Ora, ora, vamos com calma. Eu disse antes tudo o que tinha para dizer, mas se precisa de mais argumentos, aqui estão: tenho dez espadas a mais do que você, e mais trinta ali na frente, de prontidão. Vê? De toda forma, ordens são ordens, e eu tenho as minhas."

"E eu, as minhas."

"Sim, e eu sei quais são, porque Lugburz me disse, vê?" *Yagûl*[48] *de Dushgoi vai patrulhar até encontrar a sua guarda, ou até o topo de Ungol: vai passar o relato a você antes de voltar e passar o relato para Dushgoi*. O seu relato foi *nada*. Muito útil. Pode levar de volta para Dushgoi quando quiser."

"Eu vou, mas não quero ainda. Eu encontrei o espião, e preciso saber mais antes de voltar. Os Senhores de Dushgoi têm algum segredo de mensagens rápidas e vão fazer as notícias chegarem a Lugburz mais depressa do que qualquer um que você consiga mandar direto."

"Sei de tudo isso, e não estou impedindo você de mandar notícia para eles. Sei de todas as mensagens. Eles confiam em mim em Lugburz, Ele reconhece um orque bom quando vê. Foi isso que aconteceu: mensagem de Dushgoi para Lugburz: *Sentinelas inquietos. Receio agente élfico subiu a Escadaria. Guardar o passo.* Mensagem de Lugburz para Ungol: *Dushgoi inquieto. Dupla vigilância. Fazer contato. Mandar relato por Dushgoi e direcionar.* E aí está."

"Não, não estou aí, ainda não. Vou levar um relato e volta, meu próprio relato, Mestre Shagrat, e quero saber isto primeiro. Quando foi que você recebeu essa mensagem? Partimos assim que deu, depois das tropas saírem, e não vimos sinal de vocês até sairmos do Túnel — um lugar imundo e dentro da *sua* área. E aí vemos vocês acabando de partir. Ora, eu acho que você recebeu essa mensagem mais cedo hoje, provavelmente essa manhã, e ficou bebendo desde então para ganhar coragem de olhar dentro do buraco. É isso que você pensa de ordens que não lhe agradam."

"Mestre Yagûl, não tenho que dar satisfação para vocês, cavalariços de Dushgoi. Mas já que está tão curioso: a mensagem de Dushgoi foi enviada tarde: as coisas parecem um pouco descuidadas enquanto o Senhor está fora. Não chegou em Lugburz até *a noite passada*, veja bem, e não chegou para mim até esta tarde. E a essa altura quase não precisávamos de mensagem. Já tinha mandado meus rapazes há um tempo. Tinha coisas muito esquisitas acontecendo. Luzes dentro do túnel, luzes fora, gritaria e tudo o mais. Mas Laracna estava em ação. Meus rapazes viram ela e o verme dela."

"O que é isso?"

O restante desse texto é um trabalho bem rudimentar do que vem depois em DT (pp. 1050–3). Em um rascunho seguinte, Yagool (como está grafado) diz sobre Frodo: "O que você acha que é? Achei élfico, pela cara pálida, lisa e nojenta. Mas menor que o normal". Aqui a conversa fica mais parecida com a de DT e a longa discussão entre Yagool e Shagrat acerca das mensagens fica bem reduzida, mas as mensagens ainda são citadas praticamente da mesma forma; mas a de Minas Morghul começa com *Nazgûl de*

Dushgoi para Lugburz. Em outro breve trecho de rascunho ocorre o seguinte diálogo:

"Eu lhe digo, quase dois dias atrás, o Sentinela Noturno farejou alguma coisa, mas você acredita que passou quase outro dia até começarem a mandar uma mensagem para Lugburz?"

"Como é que eles fazem isso?", perguntou Shagrat. "Sempre me perguntei."

"Eu não sei e nem quero saber [...]"

O manuscrito de "As Escolhas do Mestre Samwise"[49] estava muito parecido em quase todos os aspectos com o capítulo em *As Duas Torres*. Muitos pontos em que inicialmente era distinto já foram observados, mas restam alguns. A seguinte descrição de Laracna foi rejeitada assim que escrita e substituída pela de DT (p. 1037):

Laracna não era como os dragões, não tinha ponto mole, exceto os olhos; as crias menores de Trevamata não eram como sua mãe, e seu couro antiquíssimo, com nós e buracos de corrupção, mas sempre tornado mais espesso com camadas e camadas por dentro, não podia ser perfurado por nenhuma lâmina da Terra-média, nem que um elfo ou anão a tivesse feito e que todas as runas estivessem escritas sobre ela ou que a mão de [*riscado:* Fingon a empunhasse, cujo] Beren ou de Túrin a empunhasse.

A resposta de Shagrat à zombaria inicial de Yagûl ("Cansado de espreitar lá em cima? Pensando em descer para lutar?") tinha esta forma:

"Cansado! Você é quem diz. Esperando por nada, só para virar carne de Laracna. Mas temos ordens também. O velho Shagram está numa correria. Culpa dos seus rapazes. Esses Homens-fantasmas de Dushgoi: mandando mensagens para Lugburz."

Isso foi rejeitado tão logo foi escrito, substituído por "Ordens para você. Estou no comando deste Passo. Então fale com jeito", e com isso se foi a última aparição do nome *Dushgoi* para Minas Morghul. Quem era o "velho Shagram" não fica claro, mas ele é evidentemente o "velho Nûzu" do rascunho original (p. 257), de quem também se diz que estava "numa correria", aparentemente porque a guarnição da Torre de Kirith Ungol tinha sido esvaziada. É possível que ele fosse o verdadeiro capitão da Torre até este ponto, quando Shagrat afirma estar no comando do passo; mas as palavras de Shagrat no rascunho citado na p. 261 — "Eles confiam em mim em Lugburz, Ele reconhece um Orque bom quando vê" — sugerem que ele já era comandante.

Por fim, as palavras da invocação élfica de Sam (DT, p. 1038) na luta contra a Aranha assumem, no rascunho desse trecho, a mesma forma que tinham nos versos originais entoados em Valfenda (VI. 487), e eles foram mantidos no manuscrito feito inicialmente, sendo que a única diferença era *lír* no lugar de *dir* no terceiro verso:[50]

> *O Elbereth Gilthoniel*
> *sir evrin pennar* óriel
> *lír avos-eithen míriel*

Isso foi alterado no manuscrito para o seguinte:

> *O Elbereth Gilthoniel*
> *silevrin pennar* óriel
> *hír avas-eithen míriel*
> *a tíro'men Gilthoniel!*

ᔕ

Muito tempo se passou até meu pai voltar para Frodo e Sam. Em outubro de 1944, ele retomou brevemente as histórias "a oeste do Anduin", do ponto onde as havia deixado quase dois anos antes, mas logo as abandonou (ver pp. 280–2).

Em 29 de novembro de 1944 (*Cartas* n. 91), quando estava me enviando os textos datilografados de "A Toca de Laracna" e "As Escolhas do Mestre Samwise", disse: "coloquei o herói em tal apuro que nem mesmo um autor será capaz de livrá-lo sem trabalho e dificuldade.". À essa altura, ele tinha concebido a estrutura de *O Senhor dos Anéis* como cinco "Livros", dos quais quatro estavam escritos (ver também sua carta para Stanley Unwin de março de 1945, *Cartas*, n. 98); e, nessa mesma carta de novembro de 1944, previu o que estava por vir:

> O Livro Cinco e Último começa com a cavalgada de Gandalf a Minas Tirith, com a qual A Palantir, último capítulo do Livro Três, terminou. Parte dele está escrita ou esboçada.[51] Então a

seguir deverá vir o rompimento do cerco de Minas Tirith pelo ataque dos Cavaleiros de Rohan, no qual o Rei Theoden tomba; a rechaça do inimigo, por Gandalf e Aragorn, até o Portão Negro; a negociação na qual Sauron apresenta vários objetos (tais como o colete de mithril) para provar que capturara Frodo, mas Gandalf recusa-se a negociar (ainda assim um terrível dilema, mesmo para um mago). Voltamos então para Frodo e seu resgate por Sam. De um local elevado eles veem todas as vastas reservas de Sauron lançadas através do Portão Negro, e então se apressam até o Monte da Perdição através de uma Mordor abandonada. Com a destruição do Anel, cuja exata maneira não está certa — todos esses últimos pedaços foram escritos há muito tempo, mas já não são adequados nos detalhes, nem na elevação (pois a coisa toda se tornou muito maior e mais imponente) —, Baraddur desmorona, e as forças de Gandalf invadem Mordor. Frodo e Sam, lutando com o último Nazgul em uma ilha de rocha cercada pelo fogo do Monte da Perdição em erupção, são resgatados pela águia de Gandalf; e assim o esclarecimento de todos os pontos soltos, incluindo até mesmo o pônei de Bill Samambaia,[52] deve acontecer. Muito desse trabalho será feito em um capítulo final em que Sam está lendo um livro enorme para seus filhos e respondendo a todas as perguntas deles sobre o que acontecera com todo mundo (tal parte fará a ligação com seu discurso sobre a natureza das histórias nas Escadarias de Kirith Ungol). Mas a cena final será a passagem de Bilbo, Elrond e Galadriel pelos bosques do Condado a caminho dos Portos Cinzentos. Frodo se unirá a eles e atravessará o Mar (fazendo a ligação com a visão que ele tivera de uma distante terra verde na casa de Tom Bombadil). Assim termina a Idade Média e o Domínio dos Homens começa, e Aragorn, lá longe no trono de Gondor, esforça-se para trazer uma certa ordem e preservar alguma memória de antigamente entre a confusão de homens que Sauron despejou no Oeste. Mas Elrond partiu, e todos os Altos Elfos. O que acontece aos Ents eu ainda não sei. Provavelmente isso se desenvolverá de modo muito diferente desse plano quando realmente for escrito, visto que a coisa parece escrever a si própria assim que começo, como se então a verdade surgisse, apenas imperfeitamente vislumbrada no esboço preliminar.

A julgar por uma carta para Stanley Unwin escrita em 21 de julho de 1946 (*Cartas*, n. 105) — mais de dois anos depois que as portas da entrada subterrânea da Torre de Kirith Ungol foram fechadas na cara de Sam, e quase dois desde que "os faróis [ardiam] em Anórien e Théoden [chegava] ao Vale Harg" — fica claro que ele não tinha feito mais nada. Na época, tinha esperança de que logo conseguiria recomeçar a escrever; e em outra carta para Stanley Unwin de 7 de dezembro de 1946 (*Cartas*, n. 107) ele estava "nos últimos capítulos".

NOTAS

[1] Esse texto, por sua vez, remontava a um esboço anterior, "A História Prevista a partir de Moria", VII. 249–50.

[2] Àquela época, *Kirith Ungol* era o nome do passo principal que adentrava Mordor.

[3] A primeira menção à Torre de Kirith Ungol.

[4] Como observei em VII. 308, as visões de Sam no Espelho de Galadriel, já na cópia manuscrita limpa de "Galadriel", eram praticamente iguais às de SA (p. 511); as palavras exatas usadas no manuscrito dessa versão eram: "e agora cria ver Frodo jazendo profundamente adormecido sob um grande penhasco escuro: seu rosto estava pálido". Quando meu pai escreveu isso, as palavras do esboço "A História Prevista a partir de Moria" (VII. 249–50) já tinham sido escritas: "Gollum faz com que as aranhas coloquem um encantamento de sono em Frodo. Sam as afugenta. Mas não consegue acordá-lo".

[5] É possível que a palavra ilegível seja "sorriso".

[6] A cópia manuscrita limpa, com algumas correções e acréscimos feitos no momento da composição, chega ao texto de DT (pp. 1004–10) em todos os aspectos, menos um: o trecho que descreve a arremetida de Frodo na direção da ponte ainda está ausente. O manuscrito diz aqui:

> [...] Frodo notou os sentidos cambaleando e os membros fraquejando.
>
> Sam apanhou o braço do seu patrão. "Aguente firme, Sr. Frodo!", sussurrou, mas sua respiração parecia dilacerar o ar como um apito. "Não vá por aí! Gollum diz para não ir por aí — valha-me! Dessa vez eu concordo com ele."
>
> Frodo se recompôs e desviou os olhos dali.

Portanto, o texto de DT, introduzido depois, em parte retorna ao esboço da p. 226.

[7] Em geral, não entro nos detalhes dos problemas textuais, mas este é um caso muito incomum, e a reconstrução da evolução da história depende, até certo ponto, da visão que se tem dela; portanto, falarei algo sobre isso.

A página 4 do manuscrito, em que o rascunho a lápis, apesar de ter sido escrito por cima, pode ser lido na maior parte, termina com as palavras "Então, viu que uma luz tênue manava através dos seus dedos e o guardou no peito". A página 5 também era continha rascunho rudimentar, contínuo e a lápis.

Umas 14 linhas no alto dessa página foram apagadas, e a narrativa *posterior* foi colocada nesse espaço (terminando em "e ali entrou de súbito por uma estreita abertura na rocha. Haviam chegado à primeira escadaria de que Gollum falara", DT, p. 1011). Perto do fim dessa breve seção, porém, nem tudo foi completamente apagado, e é possível ler o seguinte: "não era o odor de decomposição do vale lá embaixo . . . . . que os hobbits conseguiam reconhecer, um". Assim, a narrativa original era ali completamente diferente, pois em um breve lapso eles já haviam chegado à boca do túnel.

O estranho é que, a partir desse ponto, o rascunho original a lápis (continuando com "maligna e repulsiva mácula no ar"), que não foi apagado, *foi escrito por cima com a narrativa anterior* ("Versão 1"). Assim, da forma que o texto à tinta está na página, ele diz:

> [...] e ali entrou de súbito por uma estreita abertura na rocha. Haviam chegado à primeira escadaria de que Gollum falara [DT, p. 1011]. maligna e repulsiva mácula no ar.

O texto que prossegue depois de "de que Gollum falara" encontra-se em outra folha. A única explicação que consigo encontrar é que, por alguma razão, meu pai deixou as primeiras (aproximadamente) catorze linhas a lápis e só começou a escrever por cima à tinta em um ponto aleatório ("maligna e repulsiva mácula no ar"). A primeira parte da página, portanto, foi apagada e reutilizada quando a história posterior já tinha surgido, mas, a partir do ponto em que começa a ser escrita por cima à tinta, a história anterior (Versão 1) não poderia ser utilizada dessa forma e foi simplesmente excluída.

[8] Essa versão da frase encontra-se isolada em um retalho de papel, ligeiramente diferente da forma que se lê no rascunho a lápis (ver nota 7) e começando um pouco antes.

[9] Compare "à medida que o medo o deixava, ele começou a queimar" com o trecho que derivou desse em "A Toca de Laracna", DT, p. 1026: "à medida que seu poder aumentava e a esperança crescia na mente de Frodo, ele começou a queimar"; ver também "Como se seu espírito indômito tivesse posto em movimento a potência dele, o cristal se iluminou de repente" (DT, p. 1038).

[10] Esse segmento da "Versão 1" (riscado) foi preservado no manuscrito porque a página continha uma porção da história posterior também, como explicado na nota 7.

[11] A página "6/7" do manuscrito na Bodleiana, assim como a página "5", está escrita à tinta por cima do rascunho a lápis. Neste ponto há um adjetivo que descreve as teias e termina com *-nte*, e que meu pai não conseguiu ler; por isso, ele simplesmente deixou a palavra a lápis ali, sem escrever nada por cima.

[12] As palavras *segure o cristal-de-estrela atrás de mim* estão sublinhadas no original — possivelmente porque meu pai estava enfatizando para si mesmo que Frodo tinha entregado o frasco a Sam e, embora em DT (p. 1033) Sam não o devolva a Frodo, mais adiante nesta versão (p. 240), ele o pega da mão de Frodo durante a luta com Ungoliant.

Frodo sacou Ferroada: na página anterior do manuscrito, "5", Frodo já havia sacado a espada (p. 235), mas estou certo de que isso foi um mero descuido, e não levanta dúvidas quanto ao fato de que as duas páginas são consecutivas.

[13] Aqui está escrito, na margem: "Des. em um buraco lateral?", em que "Des." obviamente que dizer "Desaparece". Isso foi acrescentado depois, quando meu pai estava refletindo sobre a ideia de que Gollum na verdade desapareceu enquanto eles ainda estavam no túnel.

[14] No pé da página está escrito a lápis: "Fazer Gollum voltar relutantemente". Isso claramente faz parte do manuscrito a lápis subjacente; quando estava escrevendo por cima à tinta, meu pai colocou uma interrogação ao lado dessas palavras.

[15] A legenda do desenho, *Shelob's Lair* [A Toca de Laracna], foi acrescentada depois. Nessa época, o nome da Grande Aranha era Ungoliant (p. 238).

[16] No momento em que escrevo, a página 4/5 da "Versão 1" está nos Estados Unidos, a página 6/7, na Inglaterra, e a página 8/9 está na França.

[17] Essa é a primeira aparição da Grande Aranha única (em vez de muitas aranhas).

[18] Sobre o nome *Ungoliant(e)*, que deriva de *O Silmarillion*, ver as *Etimologias*, V. 483.

[19] Quando Sam girou conforme Gollum o agarrava por trás, em DT a mão de Gollum escorregou da boca de Sam, ao passo que, na Versão 1, foi a mão esquerda no pescoço de Sam que escorregou até a cintura dele. Assim, não se diz na Versão 1 que "todo o tempo a outra mão de Gollum apertava mais a garganta de Sam". Quando Sam se jogou para trás e caiu em cima de Gollum, este "soltou um chiado agudo e, por um segundo sem fôlego, o braço esquerdo que estava em volta da cintura de Sam relaxou" (em DT, "por um segundo a mão que tinha no pescoço de Sam afrouxou"). O segundo golpe de Sam, que atingiu Gollum nas costas, não partiu o cajado, e o terceiro golpe que Sam mirou foi com o cajado, e não com a espada.

[20] O cajado de Sam não se partiu com o segundo golpe, ao contrário de DT; ver notas 19 e 42.

[21] A letra está tão difícil que meu pai colocou glosas a lápis aqui e ali, nos lugares em que ele evidentemente ficou confuso com o que tinha escrito não muito tempo antes. Com rascunhos preliminares muito difíceis que só podem ser decifrados de fato recorrendo-se ao texto seguinte, com frequência não é possível dar essa solução para alguma palavra ou frase particularmente confusa: outra expressão aparece no lugar dela e, nesses casos, pode-se muitas vezes desconfiar que meu próprio pai não conseguiu entender a letra. Ver nota 11.

[22] À direita se vê a "Estrada-dos-espectros" de Minas Morghul subindo até o passo principal nessa região (p. 237).

[23] Os colchetes que fecham essa frase, como se vê na reprodução, foram colocados depois, e provavelmente a interrogação também. Sobre o túnel ter sido obra dos Orques, ver p. 261.

[24] Não consigo ler a palavra na parte inferior do plano de túneis, que também está escrita com caneta esferográfica azul, embora ele também possivelmente diga "trilha-órquica".

[25] Aqui aparece o nome Imlad Morghul (ver p. 213).

[26] Nas linhas 3–4 da folha reproduzida na p. 248 encontram-se as palavras "onde invernos olvidados nos Anos Sombrios haviam roído e esculpido as pedras sem sol". Em DT (p. 1014), as palavras "nos Anos Sombrios" estão ausentes. Sete linhas de baixo para cima, o texto diz: "ou assim lhe parecia pela sensação, e não pela razão", com uma correção a lápis para o texto de DT: "ou assim lhe parecia naquela escura hora de exaustão, ainda labutando nas sombras rochosas sob Kirith Ungol".

[27] As palavras ilegíveis parecem muito provavelmente "foge de volta". Se forem isso mesmo, então o sentido deve estar expresso de modo muito elíptico: Frodo foge e os olhos perseguem, mas, toda vez que ele vira com o frasco no alto, os olhos param.

[28] Um resquício do estágio em que havia uma "armadilha" ou "buraco" no chão do túnel, assim como uma bifurcação, encontra-se em um retalho de papel com rascunho muito desconjuntado:

> De súbito um pensamento chegou à cabeça de Frodo. Gollum, ele tinha ido adiante: onde ele estava? Tinha caído dentro daquele horrendo buraco escondido? "Gollum? Será que está tudo bem com ele", murmurou. "Smeagol!"
>
> Tateando no escuro, descobriram que a abertura, ou arco, à esquerda estava bloqueada alguns pés para dentro, ou assim parecia: não conseguiam entrar por ali, estava
>
> ele chamou, ou tentou chamar Smeagol! Mas sua voz falhou e
>
> Tentaram primeiro a abertura à esquerda, mas ela rapidamente se estreitava e se virava, subindo em degraus longos e rasos na direção da parede da montanha. "Não pode ser por aí", disse Frodo. "Precisamos tentar a outra."
>
> "Vamos pelo caminho mais largo", disse Frodo. "Qualquer passagem que vire para o lado . . . . ."

[29] O grito de Frodo aqui tem a forma *Alla Earendel Elenion Ankalima*, e *Alla* permaneceu por todos os textos seguintes, alterado para *Aiya* só depois de o livro ter sido composto tipograficamente.

[30] A palavra *flicked* [bateu de leve, agitou] em DT, p. 1028 é um erro, e a palavra deveria ser *flickered* [bruxuleou] ("mas em suas bordas bruxuleou um fogo azul"), erro esse que passou despercebido na prova do livro.*

[31] Talvez por nenhuma outra razão além do fato de que essa seção do manuscrito se tornara muito irregular por conta das emendas, e teria de ser substituída, bem antes desse ponto ela já se havia degenerado em escritos mal-acabados a lápis, tornando-se no fim um esboço muito difícil de ler.

---

*A palavra foi corrigida na edição de 2004 de *O Senhor dos Anéis* e, portanto, está correta na tradução brasileira. [N.T.]

[32] A referência é a *O Hobbit*, Capítulo 3, "Um Pouco de Descanso", em que Elrond, falando das espadas Glamdring e Orcrist que foram retiradas do tesouro dos trols, diz (no texto da edição original): "São espadas antigas, espadas muito antigas dos elfos que agora são chamados de Gnomos. Foram feitas em Gondolin para as Guerras-gobelins".*

[33] Essa frase ("Pois, ainda que uma vez, há muito tempo, ele a tivesse visto [...]") foi inicialmente mantida no manuscrito final passado a limpo, com o acréscimo: "e nem compreendia seu mestre".

[34] Está claramente escrito no estilo de uma "cópia limpa", mas com alguma repetição e outros elementos que indicam uma composição inicial, e foi corrigido a lápis depois; cito-o aqui conforme corrigido.

[35] Essas palavras também são empregadas na história de *As Duas Torres* (p. 1027), mas ali apenas Laracna sabe da teia no fim do túnel.

[36] Se essa parte do rascunho realmente pertencia à Versão 1, então não tinha havido encontro com a Aranha no túnel, de modo que, quando essa cena (a qual sobreviveu, é claro, em DT, pp. 1038–9) foi inicialmente escrita, era a primeira vez que ela era confrontada com a luz da estrela de Earendel no Frasco de Galadriel.

[37] As palavras "sórdida, mas já digna de pena" podem ser lidas em uma glosa subsequente que meu pai fez. Ele desistiu da palavra seguinte e colocou uma interrogação; talvez seja "corrida". As palavras "digna de pena" são notáveis. Em DT, não há vestígio da ideia de que Laracna, completamente odiosa e maligna, negadora da luz e da vida, poderia alguma vez ser "dina de pena", mesmo quando derrotada e hediondamente ferida.

[38] Isso remonta ao esboço original "A História Prevista a partir de Lórien" (p. 225), assim como a ideia de Sam de construir um teso de pedras e a frase seguinte nessa passagem: "uma beleza élfica, como de quem há muito tempo ultrapassou as sombras", que sobrevive em DT.

[39] Ver o esboço inicial, p. 231: "Vira-se para trás — decidido a jazer junto de Frodo até a morte chegar. Então, vê Gollum chegar e tocá-lo. Dispara e corre de volta. Mas os Orques chegam e Gollum foge rapidamente".

[40] A primeira ocorrência do nome *Laracna* (ver p. 222).

[41] Ver a frase acrescentada anteriormente neste rascunho, no ponto em que Sam coloca o Anel: "Sua mão pende para baixo, inútil".

[42] No relato original da luta de Sam com Gollum, seu cajado não se quebrou (notas 19 e 20); foi este o ponto — e o porquê — em que esse elemento entrou na história. As palavras "O cajado rachou e se partiu" foram acrescentadas à cópia limpa (DT, p. 1035).

[43] Isso está obscuro. Um nome próprio começando com B, possivelmente *Ballung* ou algo semelhante, está seguido de um sinal que poderia representar "e" ou "ou";

*Ver *O Hobbit Anotado*, p. 97, nota 11. [N.T.]

mas "e" significaria que as palavras *o líder* e *diz* foram um erro, e o correto seria *os líderes* e *dizem*. Mas, embora nessa escrita excessivamente rápida as palavras sejam com frequência defeituosas ou erradas, essa frase reaparece (p. 259) e nela as palavras são novamente *o líder* e *diz*. Talvez a intenção de meu pai fosse escrever "ou", e estava simplesmente hesitando entre dois nomes possíveis para o Orque.

[44] Nessa página de rascunho há um croqui apressado a lápis da aproximação final à Fenda, além de um pequeno plano do túnel. No croqui, o lugar onde Frodo caiu foi assinalado com um X na trilha e bem à esquerda dele, no paredão, está a abertura de onde Laracna saiu. É possível ver outra entrada à distância, no alto dos degraus que levam ao topo do passo, na base do penhasco onde fica a Torre.

O plano do túnel está reproduzido aqui. Ver-se-á que ele difere do elaborado plano anterior reproduzido na p. 244, pois mostra apenas uma passagem que sai para a esquerda do túnel principal na extremidade Leste e, fazendo uma curva, leva para a Torre.

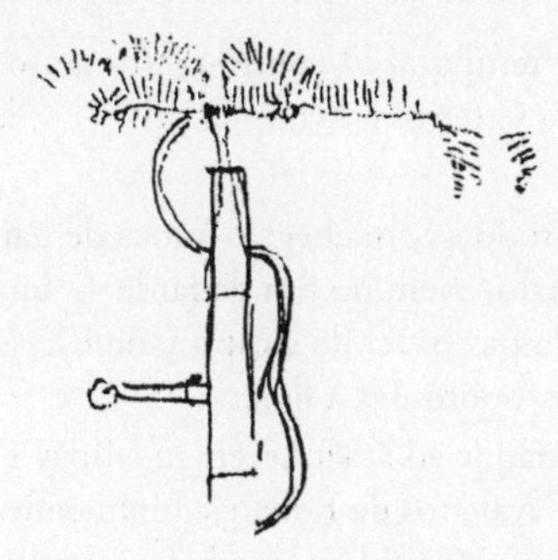

[45] Compare esse relato da origem dos túneis com o esboço que acompanha o plano (p. 242): "Esse túnel é obra-órquica (?) e tem as costumeiras passagens ramificadas". Ele sobreviveu na cópia limpa, onde foi subsequentemente substituído pelo trecho em DT (p. 1047).

[46] Os nomes dos líderes dos bandos-órquicos foram alterados de forma bem desnorteante nos rascunhos (e não é possível ler algumas formas transitórias). Inicialmente (p. 257), eram *Gazmog* (da Torre) e *Zaglûn* (de Minas Morghul) e, em outro breve rascunho de suas amigáveis saudações, eles se tornam *Yagûl* e *Uftak Zaglûn*, escrito dessa maneira, mas pode ser que a intenção fosse substituir *Uftak* por *Zaglûn*; por outro lado, encontra-se também o nome-órquico composto *Naglur-Danlo* (p. 257). O nome *Ufthak* foi subsequentemente atribuído ao Orque encontrado (e abandonado) por Shagrat e seus companheiros na despensa de Laracna, "bem acordado e de olhos arregalados" (DT, p. 1053). No presente texto, os nomes são inicialmente *Yagûl* (da Torre) e *Shagrat* (de Minas Morghul), mas foram invertidos no decorrer da escrita (e, em um rascunho seguinte, os nomes são novamente invertidos em certo momento, mas acho que não foi intencional). Nesse ponto em que o Orque de Morghul está falando, meu pai inicialmente escreveu *Shag*[*rat*], alterou para *Yagûl*, e depois

alterou outra vez para *Shagrat*. Ver nota 48. *Yagûl* foi substituído por *Gorbag* conforme a cópia limpa era escrita.

[47] *Dushgoi*: nome-órquico de Minas Morghul.

[48] O texto na verdade diz *Shagrat* aqui, mas deveria ter sido alterado para *Yagûl* (ver nota 46).

[49] A história da subida ao Passo de Kirith Ungol foi logo dividida em três capítulos, com títulos que nunca foram alterados; os números eram 38, 39 e 40. Ver as cartas de meu pai citadas em pp. 222–4.

[50] Depois dos versos, meu pai escreveu: "tais palavras no idioma noldorin que sua mente desperta não conhecia", riscando isso de pronto.

[51] Esse trabalho foi feito em outubro de 1944: ver p. 280.

[52] Ver VII. 527.

Nota sobre a Cronologia

O esquema temporal D continua um tanto além do ponto em que o Esquema C termina (ver p. 220):

Sexta 10 de fev.	Frodo e Sam chegam à toca de Laracna de manhã cedo. Saem no fim da tarde — quase no topo do passo. Frodo é capturado e levado para a torre-órquica à noite.
Sábado 11 de fev.	Ataque ao amanhecer em Minas Tirith cercada. Cavaleiros de Rohan subitamente chegam e fazem uma investida, rompendo o cerco.
Domingo 12 de fev.	Gandalf (Éomer e Aragorn e Faramir) avançam para Ithilien.

O esquema temporal S não passa de 8 de fevereiro.

Entradas a lápis foram acrescentadas a 11 de fevereiro no Esquema D: "Sam diante da Porta de Ferro primeiras horas de 11 de fev. Sam entra na torre-órquica. Resgata Frodo. Fogem e descem para Mordor"; e "Navios de Harad incendiados".

PARTE TRÊS

MINAS TIRITH

1

Adendo a "A Traição de Isengard"

Após a publicação de *A Traição de Isengard*, deparei-me com a seguinte página manuscrita. Ela foi parar em um maço de escritos muito posteriores relacionados aos eventos dos Livros V e VI, e, ao passar por esses papéis, acabei não notando sua importância. Na verdade, é a página que conclui o primeiro de dois esboços que chamei de "A História Prevista a partir de Fangorn", em VII. 511 e seguintes. Como representa o registro mais antigo das ideias de meu pai para os eventos no Livro V, este parece ser o melhor lugar para incluí-la. Primeiro, repito a conclusão da parte publicada no volume VII (pp. 514–5):

> Chegam notícias ao banquete [em Eodoras] ou na manhã seguinte do cerco de Minas Tirith pelos Haradwaith. [...] Os cavaleiros de Rohan vão para o Leste, com Gandalf, Aragorn, Gimli, Legolas, Merry e Pippin. Gandalf como Cavaleiro Branco. [...] Visão de Minas Tirith ao longe.

O texto começa na mesma tinta pálida empregada na parte inicial do esboço, mas logo passa a ser escrito a lápis. No alto da página foi escrito (posteriormente, e com tinta diferente): "Catálogo homérico. Forlong, o Gordo. O povo de Lebennin" (ver p. 342).

Batalha diante das muralhas. Surtidas da cidade. Aragorn afugenta os Haradwaith. Aragorn entra em Minas Tirith e se torna chefe deles. Recordação das palavras de profecia (conforme ditas por Boromir).

As forças de Minas Tirith e Rohan, sob o comando de Aragorn e Gandalf, cruzam o Anduin e retomam Elostirion. Os Nazgûl. Como Gandalf os rechaçou. Onde quer que a sombra dos

Nazgûl recaísse, havia uma escuridão cega. Os homens tombavam ou fugiam. Mas ao redor de Gandalf sempre havia uma luz — e onde ele cavalgava a sombra recuava.

As forças do Oeste derrotam Minas Morghul [*acrescentado acima:* Morgol] e rechaçam o inimigo para o Campo da Terra--de-Ninguém diante de Kirith Ungol. Aqui chega a embaixada de Sauron. Ele manda dizer que [*Aqui o texto à tinta acaba e prossegue a lápis, sendo que a palavra* "que" *foi riscada*] a Gandalf e Aragorn que ele mantém Frodo, o Portador-do-Anel, em cativeiro. (Consternação de Aragorn). O mensageiro de Sauron declara que Frodo implorou para ser libertado a qualquer preço. O preço de Sauron é a imediata retirada de todas as forças a oeste do Anduin — e, por fim, a entrega de todas as terras até o oeste das Montanhas Nevoentas (até o Isen). Como testemunho, o mensageiro de Sauron mostra Ferroada (ou algum outro objeto — o frasco?) tomado quando Frodo foi prisioneiro — precisa ser algo a que Sam não se atentou [*escrito na margem*: colete de mithril]. Mas Gandalf rejeita terminantemente os termos.

"Guarda teu cativo até que termine a batalha, Sauron! Pois, deveras, se eu ganhar o dia e não o encontrarmos ileso, as coisas hão de ficar muito ruins para ti. Não é só tu que tens poder. A mim também foi dado poder de retribuição, e parecer-te-á terribilíssimo. Mas, se tu ganhares o dia, então deves fazer o que quiseres com os que de nós sobreviverem. Isso é o que farias, deveras, de qualquer modo, seja lá que juramento ou trato faças agora."

Gandalf explica que Frodo provavelmente *não* foi capturado — pois, de todo modo, Sauron não está com o Anel. De outro modo ele não procuraria negociar.

A história precisa voltar para Sam e Frodo no momento em que Gandalf e Aragorn passam a cavalo por Minas Morghul. ?
E prosseguir até o momento em que o Anel é destruído.

Então, enquanto Gandalf rejeita os termos, há um grande jorro de chama e as forças de Sauron fogem. Aragorn e Gandalf e sua hoste arremetem para dentro de Gorgoroth.

Parte da Batalha poderia ser vista por Frodo de [? sua] torre quando está aprisionado.

Compare a parte final desse texto com a segunda parte do esboço em "A História Prevista a partir de Fangorn", VII. 515–6.

2

Livro Cinco: Iniciado e Abandonado

(i) Minas Tirith

Meu pai registrou anos depois (ver p. 98 e nota 19) que, antes da longa pausa na escrita de *O Senhor dos Anéis* em 1943–4, ele tinha escrito o começo dos Capítulos 1 e 3 do Livro V ("Minas Tirith" e "A Convocação de Rohan"); mas "ali, com os faróis ardendo em Anórien e com Théoden chegando ao Vale Harg, eu parei". Uma questão preliminar é se a abertura abandonada de "Minas Tirith" ainda existe e se pode ser identificada.

O que certamente é o mais antigo de muitos "começos" ("**A**") consiste, inicialmente, em algumas poucas linhas escritas de modo claro à tinta:

Pippin espiou dos braços de Gandalf. Embora estivesse acordado agora, sentia que ainda estava num sonho de rápido movimento. O mundo cinzento e verde ainda passava correndo e o sol nasceu e se pôs, e o vento cantava em seus ouvidos. Tentou calcular o tempo, mas não tinha certeza.

Desse ponto em diante, o texto continua em um rabisco apressado a lápis:

Foi dois dias atrás que ele viu o sol brilhando no telhado da grande casa do rei, e então ele dormira, vagamente cônscio do alvoroço e de um vaivém ao redor. Vinda do Nazgûl. Então, mais escuridão e vento, e de novo. Sim, essa devia ser a terceira cavalgada. As estrelas pareciam estar fugindo acima.

Remexeu-se. Onde estamos, perguntou.

Passando [? pela] terra de Anórien, que é [? um reino] de Gondor, disse Gandalf. Agora viramos para o sul. A aurora está chegando. Abra os olhos.

Faróis. Mensageiros indo para o Oeste.

Descrição de Minas Tirith e suas imensas muralhas concêntricas.

Chegam na presença de Denethor e ouvem notícias, as quais Gandalf complementa.

Gandalf permanece oculto, [? conversando] consigo mesmo. Pippin nas ameias. Os aliados entram. Faramir retorna. Guerra e cerco. Gondor derrotada. Navios de Harad. Nova força do Norte. Episódio da Palantír e Gandalf.

Nenhum sinal de Cavaleiros.

Essa continuação a lápis foi obviamente escrita de uma vez só, e foi escrita, portanto, *depois* de maio de 1944, quando Faramir, cujo retorno a Minas Tirith é mencionado aqui, entrou na história de *O Senhor dos Anéis*: é um trabalho novo na história depois de o Livro IV ter sido completado. Parece-me improvável a ponto de estar fora de cogitação que o breve trecho inicial à tinta ("Pippin espiou dos braços de Gandalf [...]") esteja separado de sua continuação a lápis por um longo intervalo. É muito mais provável que meu pai o abandonou porque havia mudado de ideia quanto à cavalgada de Gandalf durante o dia, e (como ele frequentemente fazia em tais casos) esboçou muito rapidamente depois a concepção alterada (ver a Nota sobre a Cronologia no fim deste capítulo).

Seguiu-se um outro rascunho da abertura ("**B**"), uma única página à tinta, escrita de modo rudimentar, que não vai além da cena dos mensageiros a cavalo apressando-se de Gondor para Edoras. Coloco esse texto na íntegra, ignorando algumas alterações subsequentes a lápis.

Pippin espiou do abrigo da capa de Gandalf. Agora estava acordado, mas estivera dormindo, embora se sentisse ainda em um sonho de rápido movimento. O mundo escuro ainda parecia passar correndo, e um vento cantava alto em seus ouvidos. Não podia ver nada senão as estrelas que rodopiavam e, à sua direita, vastas sombras diante do céu, onde as montanhas do sul marchavam avante. Sonolento, tentou calcular o tempo, mas não tinha certeza de sua memória. Era o começo da segunda noite de cavalgada desde que vira ao frio amanhecer o pálido brilho de ouro e chegara à grande casa vazia sobre o morro em Edoras. Lá dormira, só vagamente cônscio de muito vaivém e do grande tumulto quando o voador alado passara por cima. E desde então cavalgando, cavalgando pela noite.

Uma luz pálida chegou no céu, um lampejo de fogo amarelo foi aceso por trás de barreiras escuras. Por um momento teve medo, perguntando-se que coisa pavorosa estava à frente; esfregou os olhos, e então viu que era a lua nascendo cheia das sombras do leste. Então eles ... tinham por quatro horas desde o crepúsculo![1]

"Onde estamos, Gandalf?", perguntou.

"Anórien, o reino de Gondor ainda está passando", disse Gandalf.

"O que é aquilo?", exclamou Pippin, agarrando de repente a capa de Gandalf. "Fogo! Por um momento achei que pudesse ser um dragão. Sinto que tudo pode acontecer nesta terra. Veja, outro!"

"Avante, Scadufax!", gritou Gandalf. "Não podemos descansar esta noite. São os faróis de Gondor chamando ajuda. A guerra se inflamou. Veja, ali está a luz em Amon Thorn, e uma chama em Elenach; e veja, lá vão correndo para o oeste, Nardol, Penannon, Orodras e Mindor Uilas nos limites de Rohan. Rápido!

E Scadufax saltou adiante e, conforme disparava, relinchou, aguçando os ouvidos. O relinchar de cavalos veio em resposta e, como sombras voando num vento bravio, cavaleiros passaram por eles, trovejando na treva rumo ao oeste.

"São mensageiros", disse Gandalf, "cavalgando de posto em posto — levando notícias e convocações. A mensagem chegará a Edoras ao cair desta noite."[2]

Esse texto foi seguido por outra página única ("C"). Foi datilografada por meu pai no "tipo minúsculo" que usou nas cartas para mim a partir de 7 de julho de 1944 (ver o início da n. 75 em *Cartas*) e com frequência até outubro daquele ano; e, portanto, essa única folha conduz a história até o ponto em que Scadufax passa pelo estreito portão na muralha da Pelennor (RR, p. 1092) — o texto termina logo antes de o nome *Pelennor* aparecer (ver p. 331). O texto ficou agora muito parecido com o final. Os nomes de todos os faróis (agora sete, não seis) estão na forma final aqui: Amon Dîn, Eilenach, Nardol, Erelas, Minrimmon, Calenhad e Halifirien nos limites de Rohan. Há, contudo, algumas diferenças. Aqui, Gandalf diz que havia postos de mensagens "a cada cinquenta milhas ou perto disso, onde sempre havia cavaleiros prontos para levar mensagens para Rohan ou outros lugares" (em RR, p. 1090, não se menciona a distância, e Belfalas consta como outro destino de tais mensageiros). O trecho em que Pippin, ao adormecer, pensa em Frodo, diz o seguinte:

Perguntou-se onde estaria Frodo, se já estava em Mordor, pouco imaginando que, naquela mesma noite, Frodo viu de longe as neves brancas sob a lua; mas as chamas vermelhas dos faróis ele não viu, pois as névoas do Grande Rio cobriam toda a terra no meio.

Sobre isso, ver a Nota sobre a Cronologia no fim deste capítulo.[3] — o líder dos homens na Pelennor é aqui chamado de Cranthir, e não Ingold.

O estágio seguinte na evolução de "Minas Tirith" foi um rascunho completo, ou quase completo; é uma certeza que a página "C" veio antes dele e que não foi um começo abortivo de um texto datilografado (o nome do líder dos homens no muro, por exemplo, agora é Ingold).

Meu pai aqui causou um enigma muito curioso. O dado que temos é que (como ele disse) ele abandonou "Minas Tirith" por volta do fim de 1942, "com os faróis ardendo em Anórien": a história só foi "até a chegada em Gondor". Uma única página datilografada ("C") faz exatamente isso e, quando examinei esses papéis pela primeira vez, tive certeza de que ela era a "abertura abandonada"; mas está claro e óbvio que "C" se desenvolveu a partir de "B", o qual evoluiu de "A", e em "A" existe uma referência a Faramir, que só entrou na história em 1944. Além disso, "C" foi datilografado com um tipo especial que, aparentemente, meu pai só começou a usar em 1944. As palavras enfaticamente sublinhadas em A — "*Faróis. Mensageiros* indo para o Oeste" — com certeza sugerem que foi nesse ponto que tais ideias de fato surgiram; mas como poderia ter sido o caso, se os faróis estavam "ardendo em Anórien" já na abertura original de 1942? Portanto, fui forçado a concluir que essa abertura se perdeu.

Mas essa conclusão está incorreta; e há evidência muito clara de que meu pai se enganou na sua recordação. A solução está em um trecho de sua carta de quinta-feira, 12 de outubro de 1944, que citei antes (p. 123), mas não na íntegra:

> Comecei mais uma vez a tentar escrever (à beira do início do período letivo!) na terça, mas descobri um erro embaraçoso (um ou dois dias) na sincronização, m. importante neste estágio, dos movimentos de Frodo e dos outros, que custou trabalho e pensamento a respeito e exigirá pequenas alterações cansativas em muitos capítulos; *mas, de qualquer maneira, comecei de fato o Livro Cinco* (e último: cerca de 10 capítulos por "livro").

Tendo em vista o que ele afirmou anos depois, eu havia entendido que essas palavras que coloquei em itálico significavam que meu pai tinha começado "Minas Tirith" novamente, e supus que, nessa breve referência, ele simplesmente desconsiderou o fato de que o início do capítulo (e o início de "A Convocação de Rohan") já existia há muito tempo — ou então que o início anterior agora tinha sido rejeitado e posto de lado. Mas é muito mais natural entender que as palavras querem dizer o que elas efetivamente dizem: "comecei de fato o Livro Cinco" — em 10 de outubro de 1944, *ab initio*; e, se essas palavras forem entendidas dessa forma, o problema todo desaparece. A abertura abandonada não foi perdida e é, de fato, a curiosa página isolada "C" datilografada no "tipo minúsculo"; mas foi feita em 1944, e não 1942. A página "A", que precede "B" e "C", é de fato o lugar onde a ideia dos faróis e dos mensageiros indo para oeste surgiu pela primeira vez — e, como foi escrita em 1944, a aparição de Faramir não apresenta nenhuma dificuldade. Portanto, na carta de 29 de novembro de 1944 citada na p. 264, meu pai estava habilitado a dizer que "O Livro Cinco e Último começa com a cavalgada de Gandalf a Minas Tirith [...] *Parte dele está escrita ou esboçada*": tinha sido "escrito ou esboçado" no mês anterior.

A razão para esse erro, cometido anos depois, é fácil de ver: porque houve mesmo um longo hiato na escrita de "Minas Tirith" (e de "A Convocação de Rohan"). Mas esse hiato não caiu na longa pausa de 1943–4, entre o Livro III e o Livro IV: caiu na longa pausa entre outubro de 1944 e o verão de 1946 (ver pp. 265–6), depois de o Livro IV estar completo. Os esquemas temporais corroboram fortemente isso. Argumentei (p. 172) que os Esquemas C e D precederam os problemas cronológicos que surgiram em outubro de 1944, ao passo que o Esquema S representa a solução para eles. Contudo, todos os três lidam tanto com Frodo e Sam quanto com os eventos em Rohan e Gondor; e parece muito provável, portanto, que todos devem estar associados à nova abertura narrativa daquela época. Foi precisamente porque meu pai, na segunda metade de 1944, estava voltando para o "oeste do Anduin" pela primeira vez desde que terminara "A Palantír" que a necessidade de toda essa sincronização surgiu. Ver adiante a Nota sobre a Cronologia no fim deste capítulo.

O primeiro rascunho completo de "Minas Tirith" pertence, é claro, ao período final da escrita de *O Senhor dos Anéis*. Esse texto ficou para trás na Inglaterra; mas, com exceção dele, quase todo o material manuscrito do período final (Livros V e VI), incluindo esboços e rascunhos iniciais, foi para a Universidade Marquette na remessa original de papéis.

(ii) A Convocação de Rohan

O rascunho original da abertura de "A Convocação de Rohan", aqui chamado de "**A**", é um texto escrito rapidamente a lápis na letra mais difícil de meu pai, e parte dele resistiu a repetidas tentativas de decifrá-lo; coloco-o aqui da melhor maneira que consigo. O parágrafo de abertura foi rejeitado assim que escrito, mas não foi riscado. Antes de colocar o texto, pode-se mencionar que já era sabido há muito tempo que Théoden retornaria de Isengard pelas montanhas ao Fano-da-Colina: ver os esboços em pp. 89, 92 (escritos antes de a súbita partida de Gandalf para Minas Tirith entrar na história). No SdA, a jornada de Théoden, Aragorn e sua companhia a partir de Dol Baran está descrita em "A Passagem da Companhia Cinzenta", mas esse capítulo ainda não tinha sido escrito.

A manhã chegara outra vez, mas ainda escuro jazia o vale fundo em volta deles. Escuros e sombrios os grandes bosques de abetos subiam pelos flancos íngremes das colinas .... Parecia aos viajantes fazer muito tempo desde que tinham cavalgado de Isengard, mais ainda do que [? o] tempo de sua jornada exaustiva.[4]

O dia estava se esvaindo outra vez. Escuro jazia o vale alto em volta deles. A noite já chegara sob os grandes bosques de murmurantes abetos que revestiam os íngremes flancos das montanhas. Mas agora os viajantes desciam por uma trilha íngreme e, saindo da treva perfumosa e suspirante dos pinheiros, [? seguiram uma] … … viram-se no … onde entrava em um vale mais amplo. O comprido Vale Harg. Do lado direito assomava escura a vasta e enredada massa do Fano-da-Colina, seu grande pico agora fora de vista, pois estavam indo lentamente pela sua base. Luzes piscavam diante deles no lado oposto do vale, através do Riacho-de-Neve,[5] branco e fumegando nas pedras. Finalmente chegaram, ao cabo de muitos dias, aos antigos lares montanheses de uma gente esquecida — ao Forte do Fano-da-Colina. Parecia fazer muito tempo desde que partiram a cavalo de Isengard. [? Fazia] … dias desde que partiram de Isengard, mas parecia …, com pouca coisa além de exaustiva cavalgada. E assim o Rei Théoden voltou ao seu povo.

Conforme o crepúsculo descia, chegaram ao rio e às antigas pontes de pedra que [? lá havia]. Ali tocaram uma trompa. Outras trompas responderam alegres de cima. Subiram então por uma trilha sinuosa que os trouxe lentamente para um amplo campo de planalto, cravado na encosta dos grandes [? ossos do Fano-da-Colina. Paredões revestidos de árvores abraçavam-no pela metade].[6] Ali o Riacho-de-Neve emergia e caía com uma cachoeira. A rocha detrás era cheia de cavernas que haviam sido perfuradas e talhadas com grande labor nos paredões rochosos. Dizia a lenda que aqui era uma morada e um local [? sagrado] de homens esquecidos nos Anos Sombrios — [? ainda antes] de as naus chegarem a Belfalas ou de Gondor ser construída. O que aconteceu com eles? Desapareceram, foram embora, para se misturar com o povo da Terra Parda, ou a gente de Lebennin junto ao mar. Aqui os Eorlingas tinham construído uma fortaleza, mas não eram um povo montanhês e, conforme os dias melhoravam, enquanto Sauron estava longe, eles desceram o vale e construíram Edoras, a norte do Vale Harg. Mas sempre mantiveram o Forte do Fano-da-Colina como refúgio. Lá morava ainda uma gente que era contada entre os Rohir, e igual na fala, mas morena e de olhos cinzentos. O sangue dos homens esquecidos corria em suas veias.

Ora, por [? todo] o vale nas margens [? planas] do Riacho-de-Neve eles viram … e … de homens, fogos se inflamaram. O [? planalto] estava cheio [? também]. Trombetas soaram, alegre era o clamor dos homens para saudar Théoden.

Éowyn se adianta e saúda Théoden e Aragorn.

A mensagem de Gandalf diz a ela que se reúnam em assembleia no Fano-da-Colina.

Essa não é a Casa de Eorl. Mas [? aquela está vigiada]. Aqui [? faremos] o banquete de vitória há muito adiado e a [celebração >] celebração ...[7] de Háma e dos que tombaram.

O salão de pedra iluminado por tochas.

Merry sentou-se ao lado de Théoden, conforme prometido.[8]

Éowyn traz a taça para beberem.

Conforme Théoden a esvazia, o mensageiro chega.

Aragorn já havia chegado e saúda o Rei Théoden[9] lado a lado com Éowyn.

Halbarad, filho da irmã de Denethor.[10] Pede dez mil lanças de uma vez.

Os homens estão [? se reunindo] no Leste, além do Mar Interior de Nurnen, e no longínquo norte. Uma hora serão capazes de assolar o Eastemnet, mas essa hora ainda não estava para chegar. Agora os Orques passaram para o sul pelo passo de Nargil na Terra-do-Sul além do [? Rio] Harnen.[11]

Adiarei a discussão sobre a mais antiga concepção do Vale Harg e do Forte do Fano-da-Colina até o fim da versão seguinte. Essa versão, que chamarei de "**B**", começou como uma narrativa completamente articulada, escrita à tinta em uma escrita clara, mas rapidamente colapsou. O trecho de abertura foi muito corrigido tanto no momento da escrita quanto depois; coloco-o aqui conforme parece ter estado no momento em que meu pai o abandonou.

O dia estava se esvaindo. O vale alto ficava escuro em volta deles. A noite já chegara sob o murmurante bosque de abetos que revestia os íngremes flancos das montanhas. A trilha deles, dando a volta em uma protuberância pontuda de rocha, mergulhava na treva suspirante sob árvores escuras. Finalmente, saíram outra vez e viram que já anoitecia, e sua jornada estava quase no acabando. Haviam descido até a beirada do riacho da montanha, o qual tinham seguido por todo o dia conforme ele fendia, bem lá embaixo, o profundo leito entre paredões revestidos de árvores. E agora, por um portão estreito entre as montanhas, ele saía e corria para dentro de um vale mais amplo.

"Finalmente!", disse Éomer. "Chegamos

Aqui meu pai parou. Talvez de pronto, ele acrescentou a lápis "ao Vale Harg", e então riscou as palavras de Éomer e continuou o texto a lápis, que logo fica difícil de ler e, por fim, quase tão impossível quanto o texto A.

Eles o seguiram, e viram o Riacho-de-Neve, branco e fumegando nas pedras, descendo em sua jornada veloz rumo a Edoras nos pés das montanhas. Do lado direito, agora escuro e envolto em nuvem, erguia-se a vasta massa irregular do grande Fano-da-Colina, mas seu alto pico e seu cimo nevado não conseguiam ver, pois estavam indo lentamente sob a sombra dos seus joelhos. Do outro lado do vale diante deles havia luzes piscando.

"Parece que faz muito tempo desde que partimos de Isengard por volta dessa hora do dia", disse Théoden. "Viajamos no crepúsculo e à noite e durante o dia entre as colinas, e perdi a conta do tempo. Mas a lua não estava cheia na noite passada?"

"Sim", disse Aragorn. "[Cinco >] Quatro dias nós passamos na estrada, e agora restam seis até o dia que estabelecestes para a assembleia em Edoras."

"Então aqui, no Fano-da-Colina, talvez possamos descansar um pouco", disse o Rei.

Chegaram agora [? sob] o crepúsculo a uma ponte de pedra que cruzava o rio; e, quando a dianteira da [? sua] longa fileira havia passado, um homem tocou um alto chamado em [uma] trompa. Ele ecoou no vale, e trompa[s] responderam bem acima. Luzes se acenderam e homens adiantaram-se para encontrá-los. O Rei Théoden foi recebido de volta com júbilo, e cavalgou com Éomer e Aragorn e sua companhia subindo a trilha íngreme e sinuosa que levava ao Forte do Fano-da-Colina no joelho da montanha. Nenhum inimigo poderia subir por aquele caminho enquanto houvesse alguém defendendo-o de cima. [Olhando para trás,] Merry cavalgava agora em um pônei que lhe foi fornecido no Abismo de Helm. Com ele [? iam] Legolas e Gimli. Olharam para trás e, muito depois de terem subido alto, podiam divisar no crepúsculo cinzento abaixo a longa fileira serpenteante dos Cavaleiros de Rohan ainda cruzando a ponte. Muitos homens haviam seguido Théoden do Westfolde.

Por fim chegaram ao Forte — os lares montanheses de uma gente há muito esquecida. Agora apenas lendas obscuras lembravam-se deles. Aqui habitaram [e fizeram um templo sombrio um templo e local sagrado nos Anos Sombrios] com medo na escuridão dos Anos Sombrios, ainda antes que chegasse alguma nau a Belfalas ou de ser construída Gondor dos Reis. Foi no primeiro [? reinado] de Sauron, o [? Grande], quando Baraddur foi fundada pela primeira vez, mas eles tinham ... [? ele] e construído um refúgio . . . . . . [? que nenhum inimigo] poderia tomar. Havia um amplo [campo > ? clivo] de planalto, cravado na montanha — o colo do Fano-da-Colina. Os braços da montanha abraçavam[-no] exceto em um espaço no oeste. Aqui, a [? baía verde] caía em uma beirada escarpada no Vale Harg. Um caminho sinuoso levava para cima. Detrás dos paredões escarpados do vale havia . . . . . cavernas — feitas por uma arte antiga. [? Caía água em uma cachoeira sobre . . . . e corria ... no meio ...]

Quando os homens de Gondor chegaram [? ali], os homens desse lugar viveram por um tempo [? Sem ter] um senhor de Gondor. Mas o que foi feito deles, nenhuma lenda sabia. Desapareceram e foram embora para longe.

Conforme meu pai escrevia o fim desse texto, desenhou dois pequenos croquis do Forte do Fano-da-Colina, e essa página está reproduzida na p. 287 (ver também a nota 6). Esses croquis mostram muito claramente o seu mais antigo vislumbre do Forte: um "anfiteatro" natural, com cavernas no paredão de trás, e um riacho (que, no texto A, é identificado como o Riacho-de-Neve) caindo das alturas atrás e por cima da porta central, e de lá cruzando o espaço aberto ("o colo do Fano-da-Colina"), e caindo novamente penhasco abaixo, onde havia a trilha ascendente. É mais difícil ter certeza quanto à situação do Forte em relação ao Vale Harg. Quanto Théoden e sua companhia entram no vale, "a vasta massa irregular do grande Fano-da-Colina" está à direita; Fano-da-Colina é o nome da montanha (no Primeiro Mapa, IVE, VII. 376, "Fano--da-Colina" está escrito junto à montanha na ponta do grande vale que se estende para sudoeste a partir de Edoras). Eles cruzaram o Riacho-de-Neve por uma ponte de pedra; o caminho, íngreme e sinuoso, levou-os então para o Forte "no joelho da montanha"; e o "anfiteatro" se abria para o oeste. A interpretação mais natural é a

Fano-da-Colina

de que o Forte ficava no lado oposto (Leste) do Vale Harg, e perto da ponta do vale.

As referências em A ao Forte, que foi mantido como refúgio, e ao "salão de pedra iluminado por tochas", onde o banquete foi feito, são explicadas e expandidas em textos subsequentes.

O texto B foi seguido, sem dúvida imediatamente, por uma terceira versão ("**C**"), escrita à tinta de forma clara, mas que é interrompida no mesmo ponto outra vez. Aqui, a entrada dos Cavaleiros no Vale Harg é descrita de modo bem parecido com B:

Eles o seguiram [o riacho da montanha] e viram-no saltar num último pulo no Riacho-de-Neve que, branco e fumegante nas pedras, descia rápido em sua jornada veloz rumo a Edoras bem lá embaixo. Do lado direito, escuro e envolto em nuvem, erguia-se a vasta massa irregular do grande Fano-da-Colina, mas seu pico e seu cimo nevado não conseguiam ver, pois estavam indo lentamente sob a sombra dos seus joelhos. Do outro lado do vale, na encosta da montanha, havia luzes piscando.

Agora era Éomer, e não Aragorn, que respondia à pergunta de Théoden "Mas não era lua cheia na noite passada?", pois Aragorn não era mais membro da companhia do Rei.

"Não, na noite anterior", disse Éomer. "Cinco dias passamos na estada: temos ido lentamente desde que tomamos as trilhas da montanha; restam cinco dias até o dia que estabelecestes para a convocação em Edoras."

"Então aqui, no Fano-da-Colina, talvez possamos descansar um pouco", disse o Rei.

"Se aceitardes meu conselho, senhor", disse Éomer, "permaneceríeis aqui até que a guerra ameaçadora esteja terminada, perdida ou ganha. [*Riscado imediatamente:* Cavalgastes longe, e exigistes demais de vossa força na guerra com Saruman. A vitória será de pouco júbilo para mim, ou para vosso povo, a menos que possamos depositar nossas espadas aos vossos pés.]"

"Falemos disso depois", disse Théoden.

Continuaram a cavalgar. Merry olhou em volta. Estava cansado, pois cavalgava por si só agora, em um robusto pônei das colinas que lhe foi fornecido no Abismo de Helm; mas ele desfrutara da jornada em meio aos passos e vales elevados, os altos pinheirais e as brilhantes cascatas. Amava as montanhas, e o desejo de vê-las e conhecê-las o comovera fortemente quando ele e seus amigos planejaram partir com Frodo, lá longe, no Condado.

Cavalgava com a companhia do Rei, e com frequência trotava ao lado do próprio Théoden, contando-lhe sobre o Condado e os feitos do povo-hobbit. Deram-se bem juntos, ainda que muito do idioma de Merry fosse difícil para Théoden compreender. Mas, ainda assim, e apesar da honra, estava solitário, especialmente no fim do dia. Aragorn partira muito à frente com cavaleiros velozes, levando Legolas e Gimli; e sentia profunda falta de Pippin. A sociedade parecia agora completamente dispersa.

Chegaram então no crepúsculo a uma ponte de pedra que atravessava o Riacho-de-Neve [...]

Seria interessante saber por que — nesse estágio do desenvolvimento da narrativa, quando todos se reencontrariam no Fano-da-Colina — Aragorn, com Legolas, Gimli e outros, foram à frente (ver nota 9), mas não há nenhuma explicação.

O texto C então acompanha o B muito de perto, e é em grande parte idêntico a ele. A menção a Legolas e Gimli cavalgando com Merry foi evidentemente removida. Sobre os antigos homens do Fano-da-Colina, conta-se que "seu nome se perdeu", e que ali "tinham seu refúgio e fano escondido"; "aquele eram os dias em que Sauron foi senhor pela primeira vez, e Baraddur foi fundada; mas eles não o serviram, fazendo aqui um refúgio que inimigo nenhum podia tomar". O "amplo clivo de planalto" é novamente chamado de "o Colo do Fano-da-Colina", e outra vez se diz que ele se abre no oeste; "Havia ali uma beirada escarpada que caía algumas centenas de pés para o Riacho-de-Neve. A trilha sinuosa subia por ali. Do lado de dentro, o anfiteatro (?) era abraçado por paredões escarpados que se erguiam por trás em um grande precipício; e os paredões"

Aqui o texto C termina; não há, portanto, nenhuma menção ao riacho que cai, como em A (onde ele é, de fato, o Riacho-de-Neve) e B e que aparece em um dos croquis que acompanham, e nem da relação entre os homens do Fano-da-Colina e os de Gondor.

Um quarto texto ("**D**") se seguiu, e as palavras de abertura estão muito parecidas, na maior parte, com as de "A Convocação de

Rohan", mas esse texto não passa de uma única página, e termina com Merry "escutando o ruído da água, o sussurro das árvores escuras, o estalar das pedras e o vasto silêncio expectante que avultava por trás de todos os sons". A característica mais notável desse breve texto é a seguinte passagem:

Do lado direito, escuro e envolto em nuvem, erguia-se a vasta massa irregular do [*riscado imediatamente:* grande Fa] enorme Picorrijo, [*riscado:* a montanha sinistra,] mas seu cume escarpado e torcido eles não conseguiam ver, pois estavam indo lentamente sob a sombra dos seus joelhos. Do outro lado do vale, no colo da grande montanha, havia luzes piscando.

Fica claro que, nesse ponto, a grande montanha chamada "Fano-da-Colina" se tornou o Picorrijo, e embora o texto não avance o bastante para dar certeza, a última frase desse excerto sugere fortemente (especialmente por causa da palavra "colo") que o Forte do Fano-da-Colina, onde as luzes estavam piscando, situava-se nas encostas mais baixas do Picorrijo.

O estágio seguinte parece ter sido duas páginas de notas a lápis muito apressadas ("**E**"), e em uma parte, mas não tudo, meu pai escreveu por cima à tinta de forma clara, colocando interrogações junto de alguns nomes e palavras.

Quando os Eorlingas chegaram pela primeira vez ao Fano da Colina, acharam apenas um ancião vivendo em uma caverna, falando em uma língua estranha. Ninguém conseguia entendê-lo. Com frequência ele falava e parecia querer lhes contar algo, mas morreu antes que qualquer um pudesse interpretar suas palavras. Onde estava todo o restante da sua gente?

Aragorn e Éowyn encontram o Rei. Dizem que os Cavaleiros estão se reunindo no Fano da Colina — comando de Gandalf: ele passara por Edoras alguns dias atrás. Muitos já haviam chegado — e muitas pessoas estranhas. Não ... entendo como, mas uma convocação se espalhou há muito tempo. Vieram Caminheiros e Terrapardenses, e mensageiros dos Homens-da-floresta de Trevamata.

Dizem que, se não fosse a sombra da nova guerra, fariam um banquete de vitória. Mesmo assim, vão se banquetear e regozijar pelo retorno do Rei.

Salão de pedra iluminado por tochas.

Merry sentou-se ao lado de Théoden, como prometido.

O que se seguiu foi passado por cima à tinta, ao que parece apenas para esclarecer o texto a lápis (porções do qual podem ser interpretadas), e não para alterá-lo ou expandi-lo. Vários dos nomes têm interrogações no texto à tinta sobrejacente, e meu pai não conseguiu interpretar algumas das palavras a lápis.

Éowyn traz-lhe vinho, pedindo-lhe que beba e se alegre.

Conforme Théoden bebe da taça, o mensageiro de Minas Tirith chega. ? Barahir ? Halbarad.

Pede dez mil lanças de uma só vez! Os Tisnados chegaram. As forças de Sauron atravessaram o Passo de Nargul ? e recrutaram os homens de Harad e de ? Umbor. Uma frota partiu dos Portos de Umbor — outrora de Gondor, mas há muito perdidos — e navegou Anduin acima, e chegou em Anárion, ao mesmo tempo, mais inimigos cruzaram o rio e tomaram os vaus de Osgiliath outra vez — reconquistados com dificuldade no inverno. [*Na margem, tinta sobre lápis:*] Tisnados acabaram de se mover, e há alguma destruição preliminar de Lebennin. Espiões relatam uma grande frota ? [*palavras finais a lápis estavam ilegíveis*]

Théoden responde que isso é mais do que ele poderia ter convocado em um ? [*palavra a lápis estava ilegível*] na altura dele, e antes da guerra com Saruman.

Éowyn diz que as mulheres devem cavalgar agora, como fizeram em um tempo maligno semelhante nos dias de Brego, filho de [*marcação mostrando um nome omitido*] filho de Eorl, quando os homens selvagens do Leste vieram do Mar Interior, adentrando o Eastemnet.

[*Texto a lápis riscado sem nada escrito por cima:*] Théoden decide passar sobre o passo de [*riscado:* Rath] Scada para o vale da Raiz Negra, adentrando Lebennin e atacar o inimigo pela retaguarda.

[*Tinta sobre lápis:*] Aragorn [*na margem:* Éomer?] pede permissão para levar uma tropa pelo Passo de Scāda e atacar a retaguarda do inimigo. "Irei convosco em lugar de meu irmão", disse Éowyn [*acrescentado:* ao Rei Théoden].

[*Texto original à tinta:*] Como lhe fora prometido em Isengard, Merry se sentou ao lado [*escrito acima:* perto] do próprio Rei.

Em cada lado do Rei estavam Éowyn e Éomer, e Aragorn estava ao lado de Éowyn. Merry sentou-se com Legolas e Gimli, não muito longe do fogo, e conversaram — enquanto em toda a volta rolava a fala de Rohan.

[*Tinta sobre lápis:*] Haviam sido chamados à mesa do Rei, mas disseram que os senhores desejariam falar de assuntos elevados, e eles queriam conversar juntos. ? Legolas ? [*na margem:* Não, certamente o Rei?] conta a história do Fano-da-Colina: como os homens do Fano-da-Colina viviam no vale; como o Fano-da-Colina foi equipado; como os Reis da Marca outrora viveram ali — e ainda retornavam uma vez por ano, no outono. Mas Théoden não mantivera esse costume por muitos anos. O Salão-de-banquetes estivera silencioso por muito tempo [*texto a lápis:* Mas Théoden não o fizera por muitos anos].

Éowyn traz o vinho.

[*Texto original à tinta:*] Lembrando-se de sua promessa em Isengard, Théoden convocou Merry e o colocou do seu lado esquerdo na mesa alta sobre o estrado de pedra. À direita do Rei sentaram-se Éowyn[12] e Éomer e, na ponta da mesa, Aragorn. Legolas e Gimli sentaram-se ao lado de Merry. Os três companheiros conversaram muito em vozes brandas, enquanto em toda a volta deles a fala de Rohan rolava alta e clara.

Essas notas — em grande medida um registro de meu pai "pensando com a caneta" — têm vários elementos curiosos. A concepção do Forte do Fano-da-Colina como um grande reduto dos Reis da Marca, com um salão para banquetes em suas cavernas (de onde vinham as luzes piscando na encosta da montanha), reaparece do texto A, e surge o último sobrevivente do antigo povo do Fano-da-Colina.

Aragorn (com Gimli e Legolas) partiu na frente dos outros para o Fano-da-Colina, como no texto C (p. 241); e nessas notas está a primeira menção a um grupo de Caminheiros indo para o sul. A referência de Éowyn ao ataque a Rohan muito tempo antes, quando, nos dias de Brego, "os homens selvagens do Leste vieram do Mar Interior, adentrando o Eastemnet", é um sinal de que a história de Rohan estivera evoluindo às escondidas. No SdA (Apêndice A (II), "Os Reis da Marca"), Eorl, o Jovem, tombou em batalha com os Lestenses no Descampado de Rohan, e seu filho

Brego, que construiu o Paço Dourado, os expulsou. No esboço "A História Prevista a partir de Fangorn" (VII. 512) e em rascunhos de "O Rei do Paço Dourado" (VII. 524), Brego, construtor do paço, era filho de Brytta. Nas presentes notas, Brego é neto de Eorl, e um espaço em branco foi deixado para o nome de seu pai.

Em meio a outros nomes que aparecem aqui, não consigo explicar com segurança as interrogações que meu pai colocou na primeira ocorrência de *Umbor* e de (*Passo de*) *Nargul*.[13] Quanto a *Anárion* como nome de uma região de Gondor, ver VII. 364–5, 375, 376; tanto no Primeiro Mapa quanto no meu mapa de 1943, *Anárion* é atribuído não apenas a *Anórien* (a norte de Minas Tirith) como também à região ao sul de Minas Tirith. Em relação ao primeiro, *Anórien* já aparece no rascunho A da abertura de "Minas Tirith", p. 277. O *Passo de Scāda* que leva por sobre as montanhas até o Vale da Raiz Negra não é nomeado em nenhum mapa.[14] É aqui que aparece, pela primeira vez, a possibilidade de Aragorn (ou Éomer) liderar uma parte das tropas que se reuniam no Fano-da-Colina através das montanhas, em vez de cavalgar para Minas Tirith ao longo de suas beiradas setentrionais, tendo em vista as notícias trazidas pelo mensageiro de Gondor (ver adiante pp. 302–3). O nome proposto aqui para o mensageiro, *Halbarad* (além de *Barahir*), já apareceu no rascunho original A de "A Convocação de Rohan": ver p. 284 e nota 10.

Agora, uma nova versão da narrativa ("**F**") começou, escrita de modo claro desde o início, mas logo se degenera em garranchos; e essa história avança bem mais. No trecho de abertura, as luzes ainda piscam do outro lado do vale "no colo da grande montanha"; Éomer ainda diz a Théoden que a lua estava cheia duas noites antes, que levaram cinco dias na jornada e que ainda restavam cinco para a convocação em Edoras; e os Cavaleiros ainda cruzam o Riacho-de-Neve por uma ponte de pedra (não por um vau, como em RR), aqui descrita como "um arco simples, amplo e baixo, sem guarda-corpo ou parapeito". As trompas que soaram bem acima, respondendo ao toque dado conforme a companhia do Rei passava pela ponte, agora se tornam "um grande coro de trombetas muito do alto" que "soou desde algum local côncavo que as reunia em uma só grande voz e a enviava rolando e reverberando nas paredes de pedra". Quando isso foi escrito, como se verá em breve, o "local côncavo" era o interior do Forte do Fano-da-Colina — no sentido que meu pai originalmente pretendia com esse nome: o recuo em um anel de pedra, ou "anfiteatro", e as grandes cavernas no penhasco; mas a descrição sobreviveu em RR (com o acréscimo das palavras "ao que parecia" antes de "algum local côncavo"), quando o Forte do Fano-da-Colina foi usado para se referir ao Firienfeld, o amplo planalto a que se chegava pela estrada serpenteante, onde foram postos os acampamentos superiores. Não há menção (nesse ponto) à passagem de Gandalf por Edoras, e nem ao grande acampamento de Cavaleiros no Vale Harg (ver RR pp. 1150–1, e ver a nota 16); depois das palavras "Assim o Rei da Marca saiu do oeste para o Fano-da-Colina" o texto continua imediatamente com "Subindo do vale havia uma estrada feita por mãos em anos além do alcance das canções".

A descrição da estrada ascendente aqui chegou praticamente à versão de RR, e nesse momento aparecem os Homens-Púkel, descritos palavra por palavra como em RR, aparentemente sem nenhum rascunho anterior. Mas eram chamados pelos Cavaleiros de Rohan de *Homens-Hoker* (inglês antigo *hocor* "zombaria, arremedo, escárnio") — subsequentemente alterado para *Homens-Pookel*.[15]

Coloco na íntegra o restante do texto.

Depois de um tempo [Merry] olhou para trás e percebeu que já havia subido algumas centenas de pés acima do vale, mas ainda podia ver indistintamente, muito abaixo, uma fileira serpenteante de cavaleiros atravessando a ponte. Muitos homens haviam seguido Théoden do Westfolde para a convocação de Rohan.[16]

Por fim chegaram a uma beirada abrupta, e a estrada passou entre paredes rochosas e os levou para um amplo planalto: os homens o chamavam de Colo do Picorrijo, [subindo gentilmente além da parede escarpada do vale na direção de um grande contraforte setentrional da montanha >] um verde campo montês de relva e urze acima da parede escarpada do vale que se estendia até os pés de um alto contraforte setentrional da montanha. Quando chegava ali, entrava em um ponto formando um grande recuo, abraçado por paredes de rocha que se erguiam por trás em um alto precipício. Era mais do que um semicírculo no formato, [e sua entrada olhava para o oeste, um vão de umas cinquenta jardas de largura entre pináculos afiados de pedra >] sendo sua entrada um vão estreito entre pináculos afiados de rocha que se abria para o oeste. Duas longas fileiras de pedras não trabalhadas marchavam da beirada do penhasco [subindo a encosta até o Portão-do-forte >] na direção dela, e [no meio do Forte, uma pedra alta e pontuda erguia-se solitária >] no meio do anel rochoso cercando o chão, sob a sombra da montanha, um alto menir erguia-se solitário. [Mais adiante, na parede oriental >] Na parte de trás, sob o precipício oriental, uma porta imensa se abria, entalhada com sinais e figuras gastas pelo tempo que ninguém conseguia ler. Havia muitas outras portas menores de cada lado, e buracos para espiar bem acima nas paredes circundantes.

Esse era o Forte do Fano-da-Colina: obra de homens há muito esquecidos.[17] Nenhuma canção ou lenda se recordava deles, e seu nome se perdera. Para qual propósito haviam feito aquele lugar, como cidade, ou templo secreto, ou tumba de reis ocultos, ninguém sabia dizer. Ali habitaram sob a escuridão dos Anos Sombrios, ainda antes que chegasse alguma nau às fozes do Anduin ou que fosse construída Gondor dos Reis; e agora haviam desaparecido, e só restavam os velhos Homens-Hocker [*depois* > Homens-Pookel], ainda sentados nas curvas da estrada.

Conforme o Rei subia para [o Colo do Picorrijo >] o colo da montanha, e Snawmana passeava pela longa avenida de pedras, cavaleiros desceram para encontrá-lo e trombetas soaram outra vez. [*Riscado:* Agora Merry viu que foram tocadas dentro do Fano--da-Colina, e compreendeu o grande eco que fizeram.][18]

Ele olhou em volta e espantou-se, pois havia muitas luzes de cada lado da estrada. Tendas e cabanas agrupavam-se numerosas nas encostas e a fumaça de pequenas fogueiras espiralava no ar turvo. Então trombetas soaram outra vez, ecoando no côncavo do Forte, e cavaleiros vieram encontrá-lo [Théoden] conforme Snawmana passeava pela longa avenida de pedras.

Ao se aproximarem, Merry viu, para seu deleite, que Aragorn cavalgava na dianteira, e ao lado dele vinha uma mulher de longos cabelos trançados, porém estava trajada como uma guerreira da Marca e cingida com uma espada.

Muito alegre foi o encontro da senhora Éowyn com Théoden, o Rei, e com Éomer, seu irmão; mas Merry não esperou permissão, enquanto eles conversavam, adiantou-se.

"Troteiro, Troteiro", exclamou. "Que feliz estou em revê-lo. Pippin está aqui? Ou Legolas e Gimli?"

"Pippin não", disse Aragorn. "Gandalf não esteve aqui [*depois* > no Fano-da-Colina], mas Legolas e Gimli estão aqui. Vai encontrá-los no Fano-da-Colina [*depois* > Forte] se quiser ir até lá olhar, mas não vá entrando pelas portas se eles não estiverem ao ar livre. Sem um guia, vai se perder naquele lugar, e poderíamos passar dias procurando você". Merry cavalgou subindo a fileira de pedras, e Aragorn voltou-se para o Rei.

"Há notícias, Aragorn?", perguntou Théoden. "Só esta", disse Aragorn. "Os homens de Rohan estão se congregando aqui, como vedes. O Forte está cheio e os campos no entorno logo estarão cobertos. É feito de Gandalf. Parece que ele passou por Edoras indo para o Leste muitos dias atrás e deu ordem que nenhuma reunião grande de homens deveria ser feita nas beiras da planície, e que todos deveriam vir até aqui encontrar-vos. Muitos já vieram, e com eles muita gente estranha que não é de Rohan. Pois de algum modo o rumor da guerra espalhou-se há muito tempo, e homens de longe dizem que receberam convocações / notícia de que todos os que odeiam Mordor deveriam ir a Edoras ou a Minas Tirith. Há Terrapardenses aqui, até mesmo alguns dos Homens-da-floresta das fímbrias de Trevamata, e uma gente vagante das terras vazias; e até mesmo alguns dos Caminheiros do Norte, último remanescente da raça de Elendil: minha própria gente: vieram me procurar."

"E tu, Éowyn, como tens passado?"

"Bem, Théoden Rei", respondeu ela. "Foi uma estrada longa e extenuante para as pessoas virem de seus lares, e houve muitas palavras duras, mas nenhum feito de maldade. Depois, mal havíamos chegado ao Fano-da-Colina e nos arranjado quando novas chegaram da vossa vitória e da queda de Isengard. Houve grande júbilo, mas eu achava que o conto tinha aumentado no decorrer da estrada, até que Aragorn voltou, como prometeu.[19] Mas todos sentiram vossa falta, senhor, especialmente na hora da vitória. Ela foi toldada agora pelo medo, mas não completamente obscurecida. Nesta noite todos estão preparando o banquete. Pois vossa vinda não é inesperada. Aragorn disse a hora exata em que poderíamos ficar à vossa espera. E eis que viestes". Ela tomou sua mão. "Agora admitirei, Théoden, irmão de minha mãe, que isso está além de qualquer esperança que eu tinha quando partistes. Esta é uma hora alegre. Salve, Senhor da Marca, que eu nunca mais seja removida do vosso lado enquanto viverdes ainda e governardes os

Eorlingas. Sois pai para mim desde que Éothain meu pai tombou na longínqua Osgiliath.[20] Vinde agora — tudo foi preparado para vós. E embora o Fano-da-Colina seja um lugar escuro, repleto de triste sombra, nesta noite estará cheio de luzes."

Com isso eles prosseguiram, passando pelos pináculos do portão, e pelo lado da Pedra-do-meio e, apeando diante do portal escuro, entraram. A noite se avolumava do lado de fora.

Dentro do Fano-da-Colina havia uma grande caverna ampliada por muitas mãos [*acrescentado depois:* em diferentes épocas] até estar funda na montanha, um grande salão com pilares feitos na própria pedra. Na outra ponta, elevava-se em [? degraus curtos e inclinados] até uma plataforma de rocha que se erguia muito acima da luz de tochas. Não havia lareira ou lanternim visível para a fumaça; mas fogueiras feitas com pinheiro estavam acesas ao longo do centro, entre os pilares, e o ar estava cheio do aroma de pinheiro queimando, mas a fumaça subia e escapava por fissuras ou canais que não se podia ver. Tochas ardiam em parede e pilar. Três mil homens podiam ficar de pé ali quando o salão estava vazio; mas no banquete, quando todos os bancos e mesas foram arranjados, quinhentos se sentaram naquela noite no banquete do Rei.

Aqui esse texto termina e foi seguido, sem dúvida imediatamente, por uma segunda versão ("**G**") da última parte de F, começando com a descrição do Forte do Fano-da-Colina (p. 294) e terminando no mesmo ponto ("uns quinhentos se sentaram naquela noite no banquete do Rei").

Se, por um lado, a descrição do Forte se repetiu praticamente sem alterações a partir de F (conforme emendado) — os "Homens-Hoker" ou "Homens-Hocker" se tornam os "Homens-Pookel" —, por outro, a história que se segue foi reordenada e ampliada. Merry agora não diz nada a Aragorn quando ele aparece com Éowyn, e é a Éowyn que Théoden se dirige primeiro; em sua resposta, ela diz:

Houve palavras duras, pois faz muito tempo desde que a guerra nos expulsou da vida quieta das verdes colinas e campos; mas não houve feitos de maldade. Mal havíamos chegado ao Fano-da-Colina e tudo ainda estava tumultuado quando novas chegaram da vossa vitória no Abismo de Helm. Houve grande júbilo, e muitos de pronto voltaram para as planícies, sem cuidar dos rumores de perigos maiores que viriam. Impedi tantos quanto pude, pois pensei que o conto tinha aumentado conforme viajava — até que Aragorn voltou, na manhã de ontem, como disse que faria. Então soubemos da queda de Isengard e muitos outros acontecimentos estranhos. E sentimos vossa falta, senhor, desejando celebrar. [...]

O restante do texto é como F, mas ela não menciona mais seu pai. Depois da fala dela, o texto continua:

Prosseguiram cavalgando. Aragorn estava ao lado do Rei e Éowyn cavalgava ao lado do irmão, trocando muitas palavras alegres. Merry ia lentamente atrás, sentindo-se desolado: Aragorn sorrira para ele, mas não teve chance de conversar com ele, ou descobrir o que acontecera com Legolas ou Gimli, ou com Pippin.

"A propósito, conseguiste alguma notícia, Aragorn?", perguntou o Rei. "Por qual caminho vieste?"

"Margeando as colinas", disse Aragorn. "Sendo poucos, não tomamos as trilhas das montanhas, mas fomos a Edoras e depois subimos o Vale Harg. Nenhum inimigo esteve em Edoras, nem causou danos à vossa casa. Alguns homens foram deixados para que protegessem os muros e mandassem notícia caso algo de maligno fosse visto nas planícies. Mas os homens de Rohan estão se congregando aqui, como vedes. O Forte está cheio, e os planaltos no entorno estão cobertos com os acampamentos dos homens. É feito de Gandalf. Descobrimos que ele passou por Edoras antes de nós, cavalgando para o Leste, e ordenou em vosso nome que nenhuma reunião grande deveria ser feita nas beiras das planícies, e que todos deveriam vir até aqui encontrar-vos. A maioria estava bem desejosa. A sombra escura que vimos voando para Isengard foi vista lá também; e ela, ou outra semelhante, foi vista duas outras vezes, escurecendo as estrelas. Dizem que os homens se escondem de medo quando passa, homens que jamais temeram qualquer inimigo antes.

"Nem toda a gente que consegue vir já se congregou, pois o dia estabelecido foi o Último Quarto da Lua; mas a maior parte já chegou. E com eles veio também uma gente estranha que não é de Rohan. Pois de algum modo, o rumor da guerra parece ter se espalhado longe há muitos dias, e homens de regiões distantes ouviram falar que todos os que odeiam Mordor deveriam ir a Edoras ou

Minas Tirith. Há guerreiros altos da Terra Parda, alguns que lutaram contra vós, e alguns que nunca deram ouvidos a Saruman, odiando os Orques muito mais do que os Rohir! Há até mesmo Homens-da-floresta das fímbrias de Trevamata, e vagantes das terras vazias. Por último e menos numerosos, mas para mim não menos importantes, vieram sete Caminheiros do Norte, minha própria gente, remanescentes da raça de Elendil: vieram me procurar aqui."

"Quantas lanças e cavalos podemos reunir em súbita necessidade?", perguntou Théoden.

"Pouco menos de dez mil", respondeu Aragorn. "Mas coloco nessa conta apenas homens com cavalos aptos, completamente armados e com equipamento e provisão para irem a uma batalha distante, se necessário for. Há número igual de homens peões ou com pôneis, com espada e escudo, ou arqueiros e homens levemente armados dos vales: uma boa tropa para defender lugares fortificados, caso a guerra chegue à própria terra de Rohan. Se vossos Cavaleiros deixarem a terra, então, senhor, eu reuniria todos os criados de vossa casa em um, ou no máximo dois lugares fortificados."

"Meu propósito é proteger o Forte-da-Trombeta e o Fano-da--Colina", disse Théoden. "Deixei Erkenbrand e trezentos bons homens no Abismo de Helm, junto com muitos camponeses resolutos, e serviçais de Westfolde; e homens habilidosos nas montanhas hão de vigiar as trilhas e passos que vêm de lá até aqui. A guarda em Edoras eu hei de reforçar, ordenando que o protejam pelo tempo que puderem e defendam a entrada do Vale Harg. Mas aqui — onde agora está reunida a maior parte do meu povo que deseja deixar suas propriedades e buscar refúgio — deixarei a hoste principal dos meus homens que não partirá. Nenhum inimigo nos sobrepujará aqui enquanto restar uma migalha de comida.

"Não sem asas", disse Aragorn.

Passaram por fim os pináculos do portão, e a alta Pedra do Meio, e apearam diante dos portais escuros do Fano-da-Colina. O rei entrou, e eles o seguiram. A noite desceu do lado de fora.

A descrição do grande salão no Fano-da-Colina mal se alterou em relação ao texto F (p. 297). A plataforma de pedra na extremidade oposta era "alcançada por sete degraus rasos"; e "dois mil homens, talvez, podiam ficar de pé naquele lugar" sem as mesas e os bancos.

É interessante observar que o desenho feito com giz de cera do "Fano-da-Colina" em *Pictures by J.R.R. Tolkien* (1979), n. 29, reproduzido aqui na guarda, representa essa concepção original: a fenda escura para a qual conduz a fileira dupla de pedras fincadas é (acredito), o "portão do Forte", ao passo que o "Forte" em si e o "recuo" ou "anfiteatro", com portas e janelas no precipício atrás, estão invisíveis nesse desenho.

Por fim, há um texto datilografado ("**H**") feito no mesmo "tipo minúsculo" usado para o texto "C" de "Minas Tirith" (ver p. 280). Ele é só um pouco mais longo do que o outro, e os dois textos são tão parecidos em todos os aspectos que creio pertencerem certamente à mesma época — ou seja, o texto datilografado do capítulo em questão faz parte de todo o material original da abertura de "A Convocação de Rohan", composto antes de meu pai abandonar outra vez o trabalho em *O Senhor dos Anéis* perto do fim de 1944.

Portanto, é notável que, nesse texto datilografado (que em outros aspectos seguiu de perto a versão anterior F, pp. 293–5), meu pai já havia abandonado um elemento essencial na concepção que tinha. Nenhuma luz agora piscava no lado oposto do vale conforme o Rei e sua companhia chegaram ao Vale Harg; e, depois da descrição dos Homens-pukel (assim grafado) nas curvas da estrada ascendente, o texto diz o seguinte:

Por fim a companhia do rei chegou a uma beirada abrupta, e a estrada passou entre paredes rochosas e levou para um amplo planalto. Os homens o chamavam Firienfeld, um verde campo montês de relva e urze, muito acima da parede escarpada do vale. Mais além havia uma floresta escura que subia íngreme nas encostas de uma grande colina redonda; seu cimo desnudo e preto erguia-se acima das árvores e bem no alto sobre ela havia um único pináculo de pedra arruinada. Duas longas fileiras de pedras não trabalhadas marchavam da beirada do penhasco na direção dela, e desapareciam na treva das árvores. Os que seguiam aquela estrada chegavam na escuridão suspirante da Firienholt até um enorme portal na encosta da colina negra de Firien;[21] sobre ele havia sinais e figuras gastas pelo tempo que ninguém conseguia ler. Dentro havia vastas cavernas, assim diziam os homens, embora na memória vivente ninguém jamais ousara entrar. Assim era o obscuro Fano-da-Colina, obra de homens há muito esquecidos.

Segue-se o trecho citado do texto F, p. 295 ("Nenhuma canção ou lenda se recordava deles [...]"), que foi pouco alterado depois em RR (p. 1152); e o texto datilografado termina nas palavras "Conforme o rei subia para o campo de planalto".

Qual era a ideia por trás dessa alteração, segundo a qual o "obscuro Fano-da-Colina" agora ficava dentro "da colina negra de Firien", havia um pináculo de pedra no seu cimo desnudo e — longe de ser um local de banquetes dos senhores de Rohan — se tornou um lugar de temor tal que nenhum homem ousava entrar? Talvez meu pai sentisse que havia semelhança demais entre a concepção inicial do Fano-da-Colina e o Abismo de Helm: "No Abismo de Helm existem cavernas onde centenas podem se ocultar" (DT, p. 776), "Atrás de nós, nas cavernas do Abismo, estão três quartos do povo de Westfolde [...] também foi reunido ali grande estoque de comida e muitos animais e sua forragem" (DT, p. 778). Talvez também a ideia de que Aragorn passaria pelas montanhas pelo Passo de Scāda, como proposto nas notas E (p. 291), já tivesse levado a uma nova ideia, a de que essa estrada *atravessava* o Fano-da-Colina (ver o esboço V na seção seguinte, p. 314). Seja lá o que for, creio que foi aqui que meu pai deixou *O Senhor dos Anéis* de lado, pelo menos no que diz respeito à evolução da narrativa em si, por mais um ano e meio.

Resta uma diferença a se observar entre esse último texto e as versões que o precederam. À pergunta de Théoden, "Mas não era lua cheia na noite passada?", Éomer agora responde: "Não, senhor, a lua cheia nascerá nesta noite, quatro horas depois de escurecer. Amanhã, antes do anoitecer, chegareis a Edoras e encontrar-vos-á com vossos Cavaleiros".

(iii) Esboços do Livro Cinco

Coloco aqui inicialmente — é o lugar mais conveniente para isso — um breve texto de interesse especial e bastante isolado em relação aos esboços a seguir, que têm um escopo narrativo muito maior e se dedicam à elaboração de uma cronologia coerente para a história extremamente complexa que viria. O texto em questão se encontra em uma única página, cortada pela metade e preservada separadamente em meio aos manuscritos de "O Cerco de Gondor" na Universidade Marquette — a razão para isso é que meu pai mais tarde usou o verso de uma das metades da folha para rascunhar uma revisão da abertura do capítulo; mas o texto original é da época do trabalho inicial no Livro V que está sendo estudado aqui e, de fato, representa um estágio muito antigo desse trabalho. Foi escrito rapidamente a lápis e em alguns lugares está muito difícil de interpretar, mas a primeira parte dele (até "Reunião das tropas em Minas Tirith") foi sobrescrito com tinta e, até onde consigo ver, meu pai mal alterou o texto subjacente, e seu único propósito foi de elucidação. A página inteira foi riscada. No alto está escrito, a lápis, "250 milhas" [*c.* 402 km], o que provavelmente se refere à distância de Edoras a Minas Tirith.

Conselhos malignos para dias malignos.

Éomer parte cavalgando e o rei lamenta — pois a neve ainda está profunda e o vento sobre Scāda tem sido a morte para muitos homens.

Agora se deve contar que o Rei Théoden repousou um dia no Fano-da-Colina e depois cavalgou a Eodoras e saiu de lá com cinco ? mil cavaleiros, completamente armados e montados, e tomou a estrada para Minas Tirith. Outros haveriam de seguir.

Em ? cinco dias eles chegam à vista de Minas Tirith (15 de fev. ?).

Primeira visão de Merry de Minas Tirith ao longe.

A planície sob a colina completamente coberta com acampamentos.

Seria geograficamente melhor se o ataque principal viesse da direção de Kirith Ungol — e os Tisnados apenas uma distração, que quase faz a balança se inverter.

Reunião das tropas em Minas Tirith. [*Aqui termina o texto escrito à tinta por cima.*]

Chegam pessoas de Belfalas e Dol Amroth e das Cinco Torrentes de Lebennin em [? Anárion].[22] [? Vieram] Inram, o alto, do vale do . . . .[23] e Nosdiligand[24] e o povo do Delta, e Benrodir, príncipe de [? Anárion], e os remanescentes da gente de [? Ithilien] do outro lado do [?? vale], e . . . . . de Rhovanion . . . . . homens do Leste,[25] e Caminheiros do Norte vazio, e até mesmo alguns da gente da Terra Parda. [*Escrito na margem ao lado desse trecho:* Rei de Rohan Homens de Rohan vêm *depois* da assembleia. Somente Aragorn cavalgou . . . . lá.]

E o conselho de Denethor foi retomar os Vaus [*de Osgiliath*] e rechaçar os Orques. Assim, soaram suas trombetas e desfraldaram o estandarte vermelho na torre e cavalgaram ao encontro do inimigo. E o inimigo não pôde resistir às espadas de Gondor, e diante da espada de Elendil eles fugiam como ... Mas Gandalf estava postado na colina e [? observava de longe]. Depois vem a frota dos Tisnados [> Harns] subindo do Delta e os Tisnados vêm através de Ithilien.

Ficam à espera dos homens de Rohan que [? estão atrasados]. Homens de Rohan acampam por perto e atacam pela manhã. Então os Nazgûl chegam

Aqui o texto para abruptamente. Na abertura ("Éomer parte cavalgando [...]"), tem associação íntima com um trecho nas notas E da seção anterior, onde se encontra a única outra referência ao Passo de Scāda, que passa pelas montanhas até o Vale da Raiz Negra no lado meridional (ver pp. 291–3): "Aragorn [*na margem:* Éomer?] pede permissão para levar uma tropa pelo Passo de Scāda e atacar a retaguarda do inimigo". Portanto, o presente texto — segundo o qual Éomer é quem pega essa estrada — precedeu, nesse trecho de abertura, o surgimento definitivo da história de que Aragorn é quem "foi com seus caminheiros por sobre as montanhas" (ver esboço III na p. 311) ou "adentrou as montanhas com seus Caminheiros" (ver esboço V na p. 314). Por outro lado, nessa versão mais antiga do "catálogo"[26] dos povos de Gondor Meridional reunindo-se em Minas Tirith, também se faz menção aos homens de Rhovanion, e Terrapardenses, e "Caminheiros do Norte vazio" adentrando a cidade; ao passo que, nas notas E (p. 290), é ao Fano-da-Colina, e não a Minas Tirith, que foram "Caminheiros e Terrapardenses, e mensageiros dos Homens-da-floresta de Trevamata" (e, de modo semelhante, no relato de Aragorn a Théoden no Fano-da-Colina, no texto F, p. 296: "Há Terrapardenses aqui, até mesmo alguns dos Homens-da-floresta das fímbrias de Trevamata [...]").

O presente texto parece, portanto, evidência de um estágio efêmero em que algumas ideias narrativas importantes haviam surgido, mas num período em que sua potencial relevância para a estrutura toda do Livro V não fora percebida ainda. Da hoste que se congregava no Fano-da-Colina, com intenção de cavalgar a Minas Tirith pela estrada de Anórien, separou-se um destacamento que foi pelas montanhas para chegar rapidamente em Gondor Meridional (sobretudo por causa das notícias de uma grande frota se aproximando pelo Sul, cuja chegada já havia sido prevista há muito tempo e que parece ter sido originalmente a principal ameaça no ataque a Minas Tirith: ver VII. 512, 514). E Caminheiros saem do Norte. É claro que esses elementos eram essenciais para a história da "Companhia Cinzenta" e tudo o que emanava dela. Mas o destacamento da hoste principal dos Rohirrim é aqui liderado por Éomer, não Aragorn; e os Caminheiros não vão ao Fano-da-Colina, mas a Minas Tirith.

Mas, se for o caso, esse estágio foi certamente efêmero. Ao que parece, assim que escreveu esse breve texto, meu pai começou a se mover em uma nova direção. Os Orques na cidade fugiam "diante da espada de Elendil" — e isso só pode significar que foi Aragorn quem passou pelas montanhas e, assim, chegou a Minas Tirith antes da hoste principal de Rohan. A nota marginal ("Homens de Rohan vêm *depois* da assembleia. Somente Aragorn cavalgou . . . . lá", em que a palavra ilegível talvez seja "para", mas não parece ser) foi obviamente escrita em conjunto com o trecho adjacente, pois no esboço da guerra que se segue os Homens de Rohan claramente *não* estão presentes na "assembleia" em Minas Tirith.

Na conclusão do texto, parece não haver sugestão de que a cidade estava cercada. É claro que é muito fácil interpretar erroneamente esses esboços alusivos e elípticos, em que meu pai selecionava "momentos" proeminentes e passava em silêncio por outros igualmente essenciais para a narrativa; mas, embora o "cerco de Minas Tirith pelos Haradwaith" seja mencionado em "A História Prevista a partir de Fangorn" (VII. 514), penso que nenhum cerco é mencionado aqui porque nenhum existia, pelo menos não em uma forma importante para a narrativa. A força da observação "Seria geograficamente melhor se o ataque principal viesse da direção de Kirith Ungol — e os Tisnados apenas uma distração, que quase faz a balança se inverter" deve certamente ser que ele supunha até então que, na estratégia do Inimigo, o ataque vindo do Sul seria o maior golpe contra a cidade. No esboço dos eventos colocados aqui, o ataque vindo de Mordor é rechaçado com uma vitória rápida das tropas de Minas Tirith (que incluíam Aragorn), mas Gandalf "estava postado na colina" (da cidade) e (se interpretei corretamente), "observava de longe": "*depois* vem a frota dos Harns subindo do Delta e os Tisnados vêm através de Ithilien" — o que "quase faz a balança se inverter". Aqui, portanto, quando a investida dos Rohirrim pela manhã apareceu pela primeira vez (até onde está registrado), é contra o ataque do Sul que os cavaleiros investiram. Se a cidade estivera sob algum estado de sítio, certamente não estava mais sitiada quando eles chegaram.

Quanto aos nomes que aparecem neste texto, *Eodoras* não deve ser nada além de uma fortuita reversão à forma antiga. Sobre *Anárion* (?), ver nota 22. A referência às "Cinco Torrentes de Lebennin" é notável, visto que, no primeiro texto completo do capítulo "Minas Tirith", que deriva do período em que o trabalho no Livro V foi retomado, em 1946, Lebennin ainda é "a Terra dos Sete Rios" (ver p. 332). Até onde sei, nem *Harns* (presumivelmente = *Haradwaith*, *Haradrim*) e nem os nomes dos governantes em Gondor Meridional — Inram, o Alto, do Vale do Morthond ([?] ver nota 23), Benrodir, príncipe de Anárion (?), Nosdiligand do povo do Delta — jamais reapareceram.

Há meia dúzia de esboços do conteúdo do "Livro Cinco e Último" — nesse estágio, meu pai estava decidido que *O Senhor dos Anéis* só se estenderia por mais uma "parte"; conforme escreveu para Stanley Unwin em março de 1945 (*Cartas*, n. 98): "Ela está dividida em Cinco Partes de 10–12 capítulos cada (!). Quatro estão completas e a última iniciada.". Não é fácil determinar a ordem em que tais esboços foram escritos e, embora a sequência em que os coloco me pareça provável, outros arranjos são possíveis. Há, contudo, evidência bastante clara de que todos são da época das aberturas abandonadas de "Minas Tirith" e "A Convocação de Rohan", em outubro de 1944.

O esboço que coloco primeiro, numerando-o "**I**", é obviamente do período mais antigo, por causa da data em que Gandalf chega a Minas Tirith: "5 ou 6 de fev." (ver a Nota sobre a Cronologia no fim deste capítulo); e a data da chegada de Théoden no Fano-da--Colina, 8 de fevereiro, parece concordar com a terceira versão C e a quinta versão F da abertura de "A Convocação de Rohan". Uma parte desse texto, todo ele originalmente a lápis, foi sobrescrita à tinta, mas a parte que não foi está completamente ilegível em alguns pontos.

(I) Livro V

Gandalf chega com Pippin a Minas Tirith. 5 ou 6 de fev. [*depois* > 6].

Faramir. Os aliados chegam. Mensagens urgentes são enviadas a Théoden.

(Mensagens[27] precisam mandar que os Rohirrim se congreguem em Edoras assim que possível depois da Lua Cheia de 6 de fev. Théoden chega ao Fano-da-Colina em 8 de fev. Edoras 10 de fev. ...)[28]

Denethor só está disposto a proteger seus próprios muros. Sabendo da guerra que se aproximava, há muito mandou convocações a aliados. Estão chegando. Mas os mensageiros enviados a Théoden, seu principal aliado, ainda não retornaram. Gandalf fala da guerra de Théoden. Gandalf e Pippin nas ameias. Veem uma sombra quando os Nazgûl passam sobre o rio. Faramir chega na noite de [7 >] 8 de fev. Ao mesmo tempo [> No dia seguinte] chegam notícias de guerra em Osgiliath. Orques liderados por Nazgûl cruzaram o rio. Frota de Umbar está se aproximando das fozes do Anduin.

Faramir apoia a estratégia de ataque de Gandalf, com uma surtida *na planície*. A primeira batalha. Os montanheses rechaçam os orques e incendeiam navios. Mas os orques [? avançam]. Nazgûl. Tropas de Minas Tirith rechaçadas. Ainda assim, Gandalf . . . . [? nas] ameias.

Théoden parte de Edoras em 11 de fev. com Éomer e Éowyn. Ents repelem o ataque no norte de Rohan. Expulsam os orques do oeste de [? Anórien] e [*riscado:* 15 de fev. Último Quarto.] Chegam à batalha em 15 de fev.[29] Cerco rompido pelos Rohirrim e pelos aliados de Lebennin. Gandalf se adianta e o inimigo é repelido. Théoden é morto e Éowyn mata o Rei dos Nazgûl e é mortalmente ferida. São velados publicamente na torre branca.[30] Gandalf . . . . . [? Aragorn]. Atravessam o Rio em Osgiliath. Elfos e Ents rechaçam os Orques. chegam a Minas Morgul e avançam para Dagorlad. Negociação com Sauron.

Outro esboço, "**II**", coloca uma breve, e progressivamente mais breve, sinopse a lápis de cada um dos dez capítulos que constituiriam o Livro V e completariam *O Senhor dos Anéis*.

(II) Liv. V

1. Gandalf vai a Minas Tirith. Reunião de tropas. Irrompe a guerra. Gondor é rechaçada. Nenhum sinal dos Cavaleiros.
2. Théoden chega ao Fano-da-Colina. Faróis. Chegam mensageiros de Minas Tirith. Outros vindo de longe relatam orques do outro lado do rio no Descampado.

Théoden cavalga no entardecer de 8 de fev.[31] Éowyn vai com ele. Gamling fica no comando no Westfolde. O velho senescal de Edoras no Eastfolde (Fano-da-Colina).

Aragorn e Éomer cavalgam para repelir orques. Voltam e se juntam à tropa principal, informando que Ents e Elfos de Lórien rechaçaram a ofensiva do norte. Cavalgam para Minas Tirith.

3. Investida dos Cavaleiros de Rohan rompe o cerco. Morte de Théoden e Éowyn ao assassinarem o Rei Nazgûl. Gondor destrói navios de Harad e atravessa para Ithilien.
4. Saque de Minas Morgul. Vitorioso, Gandalf [? prossegue] para Dagorlad. Elfos de Lórien e Ents vêm do Norte. Negociação com Mor . .,[32] mensageiro de Sauron.
5. Frodo vê da torre alta a chegada das hostes do Oeste e a grande reunião do exército secreto de Sauron.[33]

   Resgate de Frodo por Sam.

   [? Esse exército] sai, conforme ele e Sam entram em Gorgor, tudo está imóvel e vazio e o barulho da guerra está longe.

   Gandalf é emboscado em Kirith Ungol e fica à beira da derrota.
6. Destruição do Anel. Queda de Baraddur. Aliados entram em Mordor. Resgate de Frodo por Águia.
7. Retorno a Gondor. Coroação de Aragorn. Funeral de Théoden e Éowyn.

   Os Hobbits partem para o norte. [*Riscado:* Passam por Lórien e] Queda de Sauron.

   Terra de Galadriel arruinada.[34]
8. Valfenda.
9. Condado.
10. Epílogo. Livro de Sam.

Não há indicação clara, nesta sinopse ou na sinopse I, de que Aragorn entrou em Gondor por uma rota diferente (de fato, em II §2, parece que o inverso está implícito).

Essa página também tem duas notas da mesma época que a sinopse dos capítulos. Uma delas diz:

> Gandalf se mantém afastado para não se revelar. Conforme o cerco aumenta e os exércitos de Gondor são pressionados a recuar, ele olha na Palantír. Tem um vislumbre de Frodo na torre e então Sauron aparece. Gandalf dá um grande grito e lança a

Pedra das ameias. Mata ? um capitão. Gandalf agora foi revelado. Ele cavalga adiante. Nazgûl vêm. [? Hoste] sai de Dagorlad.

Acima da terceira frase está escrito: "Sauron segurando o colete". — Compare essa nota com as palavras "Episódio da Palantír e Gandalf" no esboço A de "Minas Tirith", p. 277. Esse é o gérmen original da história de Denethor e da Palantír da Torre Branca, e talvez também a da revelação de Aragorn a Sauron no Forte-da-Trombeta.

A segunda nota diz:

A Firien (Firgen) [*acrescentado:* ou a Halifirien] é uma colina cercada por um escuro pinheiral (a Firienholt). Dentro dela há uma grande caverna, o Fano-da-Colina. Ninguém jamais esteve na caverna. Dizem que é um *haliern*,[35] e que contém alguma relíquia ancestral de dias antigos antes do Escuro. ?

São 22 milhas [*c.* 35 km] até o Vale Harg de Edoras.

Essa afirmação claramente concorda com a ideia do Fano-da-Colina que entrou no texto datilografado H (p. 300), em que a colina, coberta por uma floresta escura, mas com o cimo desnudo, é chamada *Firien*, e a floresta, *Firienholt*; e em que se diz que "na memória vivente ninguém jamais ousara entrar" no Fano-da-Colina. Talvez essa sinopse II e as notas que a acompanham tenham imediatamente precedido H.[36] Não é óbvio que o acréscimo "ou a Halifirien" seja posterior ao restante dessa nota sobre o Fano-da-Colina; presumo que tenha sido rejeitado imediatamente, pois no texto datilografado C de "Minas Tirith" os nomes de todos os faróis estão na forma final, terminando com "Halifirien nos limites de Rohan" (p. 279).

No mesmo pedaço de papel da sinopse II está um pequeno mapa rascunhado, muito apressadamente feito à tinta, e ele está reproduzido na p. 310. No alto está Edoras, na entrada do comprido Vale Harg, através do qual corre o Riacho-de-Neve, que nascer no Picorrijo, na extremidade do vale. A distância do Picorrijo a Edoras está marcada com 75 milhas [*c.* 120 km]; no Primeiro Mapa (IVE, VII. 376), em que o vale corre para sudoeste, a distância entre Edoras e a montanha ao lado da qual está escrito "Fano-da-Colina" também é de 75 milhas.[37] Mais ou menos na metade do vale, é possível ver a trilha tomada por Théoden e os Cavaleiros — seguindo o curso do riacho da montanha — descendo para o Vale Harg vindo do oeste; essa trilha cruza a torrente antes de se juntar ao Riacho-de-Neve (ao passo que, em todas as versões antigas da abertura de "A Convocação de Rohan", incluindo o texto datilografado H, a ponte de pedra passa sobre o próprio Riacho-de-Neve), e vira para o norte, na direção de Edoras, terminando em um lugar marcado com um pequeno círculo, mas sem nome. O círculo está entre duas linhas que formam um oval. É possível ver no original que a linha de baixo desse oval é o curso do Riacho-de-Neve conforme desenhado inicialmente, e que a linha de cima foi colocada com um traço adicional. Seja lá como essas marcações — e o traço em forma de meia-lua acima delas — devem ser interpretadas, não há dúvidas de que esse é o local do Fano-da-Colina; tanto porque a trilha leva até lá quanto por causa da afirmação no esquema D (p. 172): "Théoden sai do oeste e adentra o Vale Harg, *algumas milhas acima do Fano-da-Colina*, e chega ao Fano-da-Colina antes do cair da noite".

Quanto às distâncias, se o Picorrijo está a 75 milhas de Edoras, então o Fano-da-Colina neste mapa está a bem menos do que 22 milhas de Edoras (conforme afirmado na nota escrita na mesma página e citada anteriormente), mal ultrapassando metade dessa distância. Mas talvez essa discrepância se explique supondo que 22 milhas foram percorridas a pé por uma trilha sinuosa, enquanto as 75 milhas são uma distância linear entre dois pontos.

Uma explicação para esse curioso estágio na evolução da geografia do Vale Harg pode ser encontrada ao se combinar a evidência da sinopse II, do esquema temporal D e da abertura narrativa de "A Convocação de Rohan" no texto datilografado H. Ao abandonar a ideia de que o Fano-da-Colina era um forte cavernoso que se abria para o verde campo montês chamado de "Colo do Picorrijo" (p. 294) e que dentro dele havia um imenso salão-de-banquetes que seria usado naquela mesma noite para celebrar o retorno do Rei, meu pai ao mesmo tempo deslocou-o bem mais para baixo do vale, na direção de Edoras, e fez dele uma caverna, ou cavernas, em uma colina ("Firien"), a umas 50 milhas [*c.* 80,5 km] do Picorrijo.

Um terceiro esboço ("**III**") também dispõe um esquema para o Livro V por capítulo, mas não avança muito.

(III) Livro V

Cap. 1. Gandalf e Pippin chegam a Minas Tirith (6 de fev., manhã). Veem Denethor. Razões para os faróis: (a) notícias dos batedores

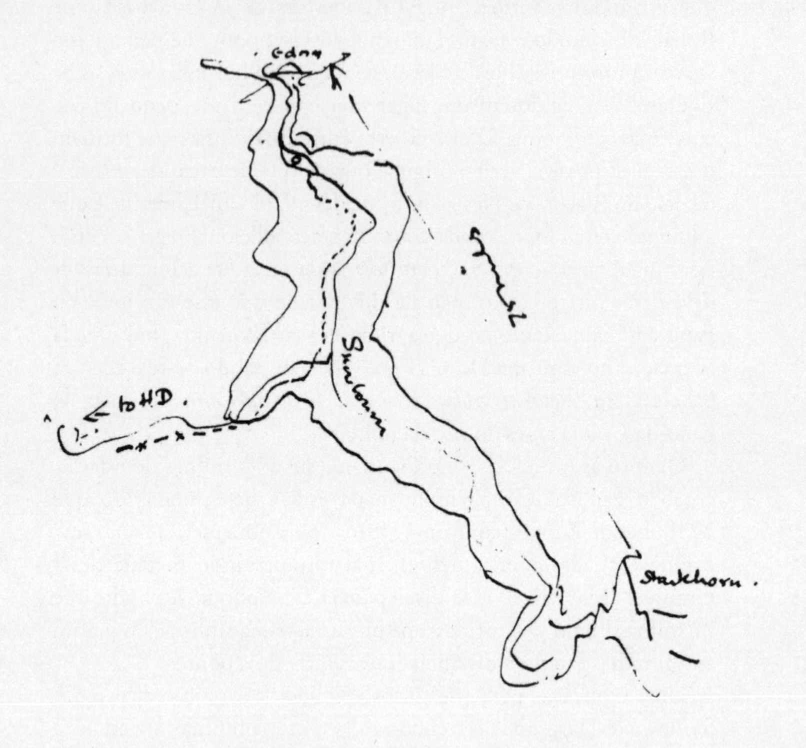

Gandalf keeps back, not to reveal himself.
~~[illegible]~~ As the siege grows and the armies of Gondor
are pressed back he looks in the Palantir. He
Sauron [illegible]
catches sight of Frodo in [illegible] and the Sauron [illegible]
in. Gandalf [illegible] [illegible] [illegible] [illegible] [illegible]
[illegible] [illegible] [illegible]. The [illegible] ? [illegible]
Gandalf is now revealed. He [illegible] forth. Nazgul
come. [illegible] [illegible] of Denethor.

Vale Harg

em Ithilien. (b) chegaram novas a Denethor em 5 de fev. que frotas dos Sulistas haviam zarpado. Gondor convoca suas tropas. Pippin vê a lua cheia nascendo e se pergunta onde Frodo está. Nenhum sinal de Rohan.

2. Théoden chega ao Fano-da-Colina. Homens Pukel. (6 [> 5] de fev.). Faróis e mensageiros [*acrescentado*: manhã de 6]. Notícias de invasões-órquicas ao Descampado. Théoden parte na noite de 8 [> 6] de fev. Éomer e Éowyn cavalgam com ele. Gamling fica no comando no Westfolde. O velho senescal de Edoras no Eastfolde. [Aragorn e Éomer cavalgam para o norte a fim de repelir orques. Eles voltam >] Éomer cavalga para o norte a fim de repelir orques. Ele volta e se junta à tropa principal, informando que Ents e Elfos de Lórien destruíram a diversão no norte. Todos cavalgavam para Minas Tirith. Onde está Aragorn? Foi com seus caminheiros por sobre as montanhas.
3. Grande Treva. Faramir retorna (8). Hoste de Morghul cruza o Rio (9). Frotas dos Sulistas assolam o sul de Gondor (10 [> 9]). Gondor derrotada e sitiada (10 [> 9]). Gandalf na Torre Branca não revela ainda seu poder ou . . . . . . [? nome].

   Ataque Final a Minas Tirith [*acrescentado:* [11 >] 10, noite]. Nazgûl aparecem. A muralha de Pelennor é tomada. Súbita investida de Rohan rompe o cerco. Théoden e Éowyn destroem Nazgûl e Théoden tomba [*riscado:* 12 de fev.]. Aragorn chega (tendo cruzado as montanhas com seus caminheiros, repeliu os Sulistas). Aragorn entra em Minas Tirith e encontra Denethor e Faramir.
4. [*Acrescentado:* 12] Gandalf, e Aragorn, e Éomer, e Faramir derrotam Mordor. Atravessam para Ithilien. Ents e Elfos chegam do Norte. Faramir cerca Morghul e a tropa principal chega ao Morannon. Negociação.

Nas notas E da p. 291 há uma sugestão de que Aragorn deveria cruzar as montanhas e entrar em Gondor; nessas notas também se encontra a primeira menção à vinda de Caminheiros do Norte, mencionadas também nas narrativas F e G (pp. 296, 299). Os Homens-Púkel entraram em F (p. 294), onde são chamados de *Homens-Hoker*, *Homens-Hocker*; em G, são chamados de *Homens--Pookel* (p. 297) e, no texto datilografado H, *Homens-pukel* (p. 300).

O texto que coloco a seguir, "**IV**", está reproduzido na p. 313. É uma página muito surrada[38] e muito interessante, pois contém o que é sem dúvida o desenho mais antigo de Minas Tirith, ao redor do qual há um esboço esmaecido a lápis. O traço que sobe à direita da Torre Branca indica a montanha atrás da cidade, com o nome *Mindolluin* escrito no topo. Não é possível dizer se meu pai já tinha concebido a "Colina da Guarda" que se juntava à massa montanhosa em uma plataforma.

O esboço diz o seguinte (com contrações desdobradas e alguma pontuação acrescentada):

(IV)

Gandalf e Pippin chegam a Minas Tirith ao amanhecer. Descrição de Minas Tirith e suas enormes muralhas "ciclópicas" concêntricas — é, na verdade, um forte e uma cidade do tamanho de uma pequena montanha. Tem 7 círculos com 7 – 6 – 5 – 4 – 3 – 2 – 1 portões antes de se chegar à Torre Branca.
São contestados nas fronteiras da Terra-citadina, Pelennor,[39] ao redor da qual corriam as ruínas de uma antiga muralha. Gandalf [? porta mensagens] de Rohan e diz alguma [? senha] e eles o deixam passar, espantados. Portanto, ele cavalga até o 6º pátio e desmonta. Ali, Pippin é . . . . . . Eles entram na Cidade Alta (Taurost) e chegam então diante de Denethor, que inicialmente não reconhece Gandalf.

Denethor vai para o seu [? trono]. Notícias. Denethor acendeu os faróis por causa o que seus espiões contam. Faramir. Boromir.

Trono vazio. Denethor tem um assento de frente. Ele entra depois de Gandalf chegar. Tem uma carta secreta de Faramir (falando sobre a morte de Boromir e o encontro com Frodo, mas não menciona o Anel abertamente).

Essa parece ter sido a primeira vez que meu pai colocou no papel sua concepção de Minas Tirith.

Os dois esboços seguintes ("**V**" e "**VI**") desenvolveram-se a partir de III, e têm relação muito próxima: foram certamente escritos ao mesmo tempo. Pela frase rejeitada em VI, "Tem uma secreta", vê-se que meu pai tinha o esboço IV diante de si, pois aquele texto diz "Tem uma carta secreta de Faramir". A referência rejeitada em V ao "Fano-da-Colina sob a Halifirien" conecta esse esboço à nota sobre o Fano-da-Colina em II (ver p. 308). Portanto, há boas razões para acreditar que V e VI são de 1944 e não de 1946, e é notável

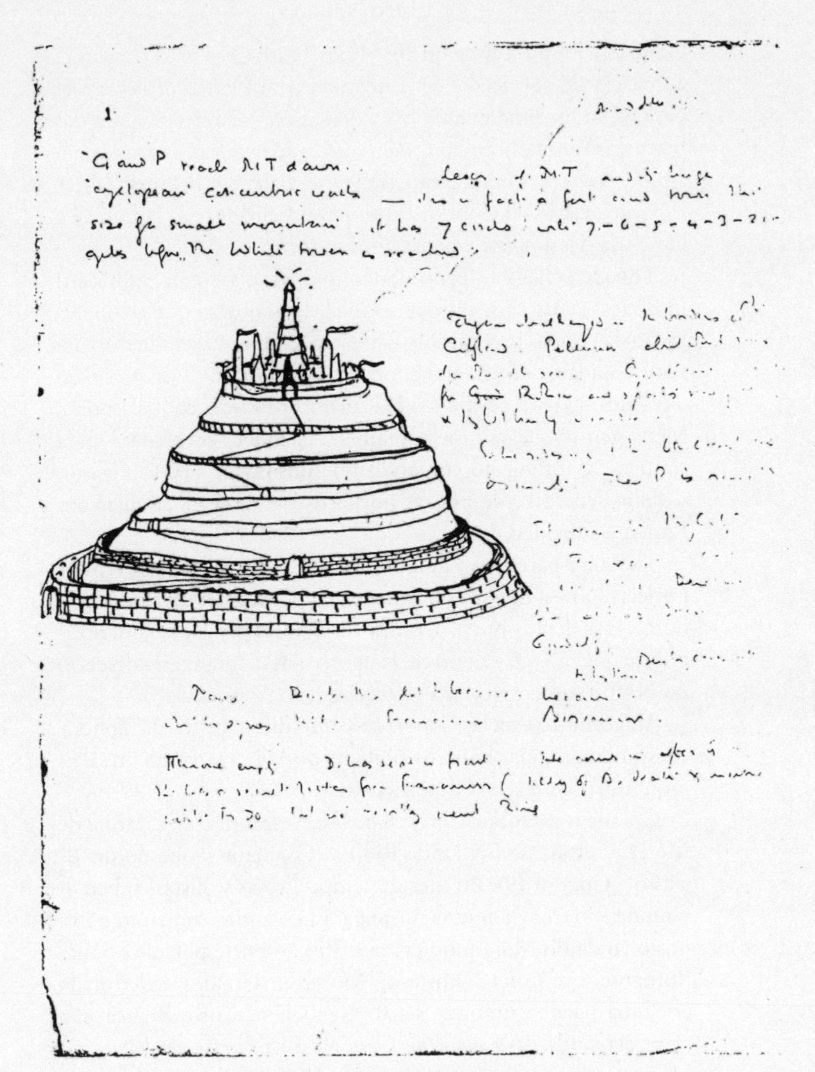

O croqui mais antigo de Minas Tirith

que em V apareça o primeiro vislumbre da história que viria à tona na passagem das Sendas dos Mortos.

(V) Livro V

Gandalf e Pippin cavalgam até Minas Tirith (3–4, 4–5 chegando ao nascer do sol no dia 6). Encontro com Denethor — razões para os faróis: uma grande frota do sul está se aproximando das fozes do Anduin. Também mensagens de batedores secretos em Ithilien relatam que "a tempestade está prestes a irromper".

Convocação de Gondor (Forlong, o Gordo etc.). Pippin vê a lua cheia das ameias; e pensa em Frodo.

Théoden chega ao Fano-da-Colina [*riscado:* sob a Halifirien] (5 de fev. anoitecer). Homens-Púkel. Descobrem que a congregação das tropas já começou, e não em Edoras. Caminheiros vieram! Gandalf estivera em Edoras e deu ordens: Nazgûl cruzou a planície (3–4 e no dia 4). Há relato dos faróis naquela noite. Mensageiros chegam pela manhã. Théoden se prepara para cavalgar. Gamling no comando no Abismo de Helm. Galdor, o velho senescal[40] de Edoras no Eastfolde. Éowyn cavalga com Éomer e Théoden.

Théoden parte no cair da noite (6). Em Edoras, ouvem as notícias sobre a invasão do Descampado. ? Éomer cavalga para o norte, mas depois junta-se outra vez à hoste principal com notícias de que os Ents saíram de Fangorn e destruíram essa diversão no N. Entram com toda a velocidade em Anórien.

Aragorn não está lá. Conversara com mensageiros de Gondor e, arranjando guias entre os homens do Vale Harg, adentrou as montanhas com seus Caminheiros.

Grande treva sobre a terra (8 de fev.). Faramir chega. Hoste de Morghul atravessa o Grande Rio em Osgiliath (noite do dia 8) e assola Gondor (9). Ao mesmo tempo, frotas s[ulistas] sobem o Grande Rio e enviam uma hoste para Lebennin, enquanto outra hoste vinda do Morannon cruza o Rio ao norte por uma ponte flutuante e se junta à hoste de Morghul. Gondor é derrotada em uma batalha noturna 9–10. Gandalf na Torre Branca não se revela ainda. [*Na margem:* Gandalf olha dentro da Palantír?] Hostes negras reúnem-se ao redor da muralha de Pelennor. Manhã do dia 10 Nazgûl são vistos: os homens fogem. Na alvorada do dia 10 há um som de trompas. Investida de Rohan. Debandada do inimigo. [*Rabiscado na margem:* Éomer ferido.]

Théoden é morto pelo Nazgûl; mas ele está sem cavalgadura[41] e o inimigo é desbaratado. [*Acrescentado:* Gandalf lidera o ataque de branco.] Théoden é velado em público em uma tumba de reis. [*Riscado:* Grande pesar de Merry. Encontro de Merry e Pippin.]

[*Acrescentado:* Chegam novas de que uma frota está subindo o Rio. . . . . .] Chegam novas do Sul de que um grande rei desceu das montanhas onde estivera sepultado e instilou tamanha flama nos homens que os montanheses (nos quais o sangue mais puro de Gondor sobrevivia?) e a gente de Lebennin desbarataram completamente os Sulistas, e incendiaram [> tomaram] seus navios. A frota subindo o Rio é aliada! Aragorn chega a Osgiliath de navio como um grande rei de outrora. (Visão de Frodo?)[42] Encontro de Gandalf e Aragorn e Faramir em Osgiliath, anoitecer de 10.

Intimamente relacionado a V é o seguinte texto ("**VI**"), que, inclino-me a pensar, foi escrito em segundo.

(VI)

Gandalf e Pippin cavalgam até Minas Tirith (3–4, 4–5, 5–6), chegando à Muralha Externa de Pelennor no raiar do dia e vendo o sol nascer sobre a Torre Branca na manhã de 6 de fev. Na noite de 5–6, eles veem os faróis se inflamando, e por eles passam mensageiros cavalgando a Rohan. Pippin vê a lua nascendo por volta das 9h da noite.

Descrição de Minas Tirith e suas 7 muralhas concêntricas e portões. Gandalf e Pippin vão à presença de Denethor. Trono vazio. Denethor tem um assento em frente. [*Riscado:* Tem uma secreta] Eles trocam notícias. Razões dos Faróis: notícias dos batedores em Ithilien de que a "tempestade está vindo"; Sulistas estão marchando; e principalmente uma grande frota do Sul está se aproximando das fozes do Anduin. Convocação de Rohan [*leia-se* Gondor] está em curso — catálogo.

(7) Grande Treva se espalha do Leste. Faramir retorna. Pippin nas ameias.

Théoden chega ao Fano-da-Colina (5, anoitecer). Merry vê Homens-Púkel. Descobrem que a Convocação já começou devido a instruções especiais de Gandalf, que permaneceu em Edoras no dia 4, e devido à passagem do Nazgûl. Caminheiros vieram! [*Riscado:* Aragorn e Éomer já estão lá?] Naquela noite, há relatos das luzes dos faróis. Pela manhã, mensageiros chegam de Gondor.

Théoden prepara-se para cavalgar. Éowyn e Éomer vão com ele. [*Riscado:* Mas Aragorn (depois de uma conversa secreta com Aragorn leva Merry]

Aqui o esboço VI termina, mas a metade de baixo está ocupada por um mapa, parcialmente redesenhado e discutido em uma nota no fim deste capítulo.

NOTAS

1 A palavra ilegível talvez seja *já* e, nesse caso, meu pai omitiu a palavra *cavalgado*. A palavra que coloquei como sendo *quatro* poderia ser interpretada como *cinco*.

2 As palavras *ao cair desta noite* estão perfeitamente claras, mas meu pai certamente pretendia dizer outra coisa, visto que nesse momento já haviam se passado várias horas desde o cair da noite. Nos esboços V e VI (pp. 314–5), os mensageiros de Minas Tirith chegam a Edoras na manhã seguinte (6 de fevereiro).

3 Assim como no texto B, a lua nasce "redonda e cheia das sombras do leste" ("já quase cheia" em RR). Nesse estágio, os faróis foram acesos na última noite da cavalgada de Gandalf; na versão final, foi na penúltima noite (a jornada levou quatro noites), de modo que, quando Pippin acordou no amanhecer ao lado do muro da Pelennor, "Outro dia escondido e uma noite de viagem haviam passado fugazes" (RR, p. 1091). Essa frase foi acrescentada muito depois ao texto do capítulo.

4 Isso possivelmente significa "mais tempo do que o que tinha levado de fato".

5 Aqui e subsequentemente, e outra vez no texto B, o nome do rio está grafado *Snowborn* [o Riacho-de-Neve], mas em duas das ocorrências em A, a letra *u* foi inserida [tornando-se *Snowbourn*].

6 Nesse ponto, meu pai desenhou no texto um croqui bem simples do "campo de planalto" na encosta da montanha, essencialmente igual ao croqui de baixo reproduzido na p. 287, mas sem o riacho caindo.

7 Meu pai escreveu primeiro "*ale of Háma*", ou seja, sua *funeral-ale*, o banquete fúnebre (compare com *bridal* [casamento], oriundo de *bride-ale*). Ele alterou isso para …*ale of Háma*, com a intenção de escrever alguma palavra composta com o mesmo sentido, mas que não consigo decifrar.*

8 Uma referência às palavras de Théoden para Merry e Pippin no fim de "A Estrada para Isengard": "Que voltemos a nos encontrar em minha casa! Ali vos sentareis ao meu lado […]".

*A palavra-chave aqui, *funeral-ale*, é a celebração fúnebre na qual se bebia *ale*, um tipo de cerveja. [N.T.]

[9] Isso contradiz a afirmação algumas linhas acima de que "Éowyn se adianta e saúda Théoden e Aragorn". A história de que Aragorn (com Legolas e Gimli) foram na frente e chegaram ao Fano-da-Colina antes de Théoden não está presente no texto B, que sem dúvida seguiu A; contudo, aparece nos esquemas temporais C e D (pp. 170–2).

[10] *Halbarad* apareceu pela primeira vez em *O Senhor dos Anéis* como nome de Scadufax: ver VII. 184; 457.

[11] O Mar de Nurnen, o Passo de Nargil e o Rio Harnen aparecem no Primeiro Mapa (Mapa III, VII. 364). O texto termina com uma referência a Umbar que não consigo decifrar.

[12] Éowyn foi riscado e na margem foi escrito *vinho!*, o que, segundo entendo, quer dizer que Éowyn não estava sentada, pois ela trazia o vinho.

[13] Pode ser que as interrogações signifiquem que meu pai não tinha certeza se a sua interpretação das formas a lápis estava correta (em um dos casos, poderia ser *Umbor* ou *Umbar*; no outro, a segunda vogal de *Nargil*, *Nargul* não pode agora ser lida debaixo da tinta). Mas isso não parece muito provável. Ambos os nomes aparecem no texto A (p. 284), em que *Nargil* está claro, embora *Umbar* possa ser lido *Umbor*. *Umbar* e *Porto de Umbar* aparecem no Primeiro Mapa (VII. 364) e no mapa que eu fiz em 1943; e, nesse último, o passo que atravessa as montanhas meridionais de Mordor se chama *Nargil* (no Primeiro Mapa, o nome foi inserido de modo rudimentar a lápis e está difícil de ler, mas aparentemente era *Narghil*, VII. 365).

[14] Conforme desenhado originalmente, o passo sobre as montanhas nesta região está definido claramente no Primeiro Mapa: ver Mapa IV^{A}, coordenada P 11 (VII. 369), conectando ao Mapa III, coordenada Q 11 (VII. 364). Aqui, o Raiz Negra emerge em um lago oval. Com a porção superposta, Mapa $\text{IV}^{\text{D–E}}$ (VII. 376) as conexões se tornam obscuras, especialmente porque uma convenção diferente foi usada na representação das montanhas, mas, de toda forma, não há nenhuma indicação clara de que havia um passo. O mapa de 1943 preserva o lago oval e o passo amplo, mas sua relação com o Primeiro Mapa é, neste ponto, difícil de interpretar (VII. 377). Talvez fosse a esse elemento que meu pai estava se referindo na sua nota àquele mapa (VII. 378, nota 1): "As Montanhas Brancas não estão de acordo com a história". Em mapas posteriores, como era de se esperar, nenhum passo interrompe a linha das montanhas.

[15] No *Guide to the Names in the Lord of the Rings* [Guia dos Nomes em O Senhor dos Anéis] (*A Tolkien Compass*, ed. Lobdell, p. 200), meu pai observou acerca do nome *Homens-Púkel*: "Representa o inglês antigo *púcel* (que sobrevive como *puckle*), uma das formas do radical *puk-* (difundido na Inglaterra, em Gales, na Irlanda, Noruega e Islândia) que se refere a um demônio ou a um espírito menor, como Puck, e é muitas vezes usado para pessoas feias e deformadas".

[16] No lugar disso, RR diz: "[...] uma fileira serpenteante de Cavaleiros que atravessavam o vau e se alinhavam ao longo da estrada que levava ao acampamento que lhes fora preparado. Somente o rei e sua guarda estavam subindo para o Forte".

[17] RR diz aqui: "Assim era o obscuro Fano-da-Colina, obra de homens há muito esquecidos"; ver o texto H, p. 300.

[18] Nesse ponto, a letra de meu pai subitamente fica muito mais rápida e mal-acabada.

[19] Ver "O Rei do Paço Dourado" em VII. 526–27, onde Aragorn diz: "Se eu viver, voltarei, Senhora Éowyn, e então quiçá cavalgaremos juntos".

[20] Acredito que Éowyn chamando seu pai de Éothain foi muito provavelmente um mero descuido, pois Éomund já estava estabelecido como pai de Éomer e Éowyn (VII. 461 etc.), e Éothain era o nome do escudeiro de Éomer (VII. 469–71); mas ver adiante, p. 415 e nota 13. No SdA, Apêndice A (II) conta-se que Éomund, principal Marechal da Marca, foi morto no ano 3002 perseguindo Orques nas beiras das Emyn Muil.

[21] Inglês antigo *fyrgen*, *firgen* "montanha"; a palavra *fyrgen-holt* "floresta da montanha", ocorre em *Beowulf*, verso 1393. Posteriormente, quando a Firien se tornara a Dwimorberg e a Firienholt se tornara a Dimholt, o Firienfeld permaneceu (RR, p. 1152).

[22] O nome sem dúvida começa com *An*, e a palavra anterior é quase com certeza "em"; com igual certeza, é o mesmo nome que aparece embaixo como sendo a terra do príncipe Benrodir. Não é possível interpretar as demais letras da maneira que estão, mas suas formas vagas não excluem "Anárion", e esse nome, encontrado no Primeiro Mapa (VII. 364) para a região ao sul de Minas Tirith, aparece nas notas E, p. 291: "Uma frota partiu [...] e navegou Anduin acima, e chegou em Anárion" (ver mais em p. 293).

[23] Essa lacuna está no ponto em que a página foi rasgada, cortando uma linha do texto. Talvez possa ser lida, mas com pouca certeza, como "do vale do Morthond e seus ... filhos, de cabelos escuros, olhos cinzentos".

[24] *Nosdiligand*: a segunda e a terceira letra do nome não estão perfeitamente claras, mas dificilmente seriam algo além de *os*. Sem riscar a primeira sílaba, meu pai escreveu outra forma acima, aparentemente *Northiligand*.

[25] As palavras ilegíveis poderiam ser, talvez, "fugitivos" e "representando".

[26] Meu pai o chamava de "catálogo": pp. 275, 315.

[27] Essas mensagens — evidentemente distintas das mensagens mencionadas logo antes — devem ter sido enviadas de Isengard ou do Abismo de Helm.

[28] A palavra ilegível talvez seja "amanhecer".

[29] Não está claro se "Chegam à batalha em 15 de fev." se refere aos Ents ou aos Rohirrim; mas, de toda forma, os Ents com certeza estavam presentes depois que o cerco de Minas Tirith foi rompido ("Elfos e Ents rechaçam os Orques"; ver também o esboço II §4: "Elfos de Lórien e Ents vêm do Norte", e igualmente no esboço III §4). Portanto, a ideia original de que os "gigantes-árvores" (ver VI. 506), ou Barbárvore (ver VII. 252, 255), tiveram papel no rompimento do cerco sobreviveu pelo menos na ideia de que os Ents estavam presentes no último estágio da guerra no Sul, embora essa ideia nunca tenha ganhado forma narrativa. Ver adiante pp. 406, 409–10, 427.

[30] Ver as notas em VII. 528: "Provavelmente Éowyn deve morrer para vingar ou salvar Théoden". Nessas notas também há a sugestão de que o amor recíproco entre Éowyn e Aragorn deveria ser removido.

[31] Essa é a data no esquema D (p. 221); ver a Nota sobre a Cronologia a seguir.

[32] As duas últimas letras desse nome talvez sejam *du*, ou seja, *Mordu*.

[33] Compare isso com o esboço "A História Prevista a partir de Fangorn" (VII. 515): "Depois, voltar para Frodo. Fazê-lo olhar na noite impenetrável. Então, usar o frasco [...] Com sua luz, ele vê as forças de libertação se aproximando e a hoste sombria saindo para encontrá-los"; também a p. 276 neste livro.

[34] Ver o esboço em VII. 527: "Dão a volta em Lórien" (na jornada de volta para casa), com o acréscimo posterior (VII. 530–31, nota 18): "Não. Eles descobrem (em Valfenda?) que os Nazgûl arrasaram Lórien [...]".

[35] Inglês antigo *haliern* (*hálig-ern* ou *-ærn*) "local sagrado, santuário". Ver a nota de meu pai acerca de *Dunharrow* [Fano-da-Colina] no *Guide to the Names in the Lord of the Rings* (*A Tolkien Compass*, ed. Lobdell, p. 183): "*Dunharrow*. Uma modernização de Rohan *Dūnhaerg* 'o fano pagão na encosta da colina', assim chamado porque esse refúgio dos Rohirrim na ponta do Vale Harg situava-se em um local sagrado dos antigos habitantes (que então eram os Mortos). O elemento *haerg* pode ser modernizado em inglês porque continua a ser um elemento em topônimos, notavelmente *Harrow (on the Hill)*".

[36] O esboço II foi escrito no mesmo papel fino e amarelado usado para o texto H de "A Convocação de Rohan" e o texto C de "Minas Tirith" (as duas páginas datilografadas no "tipo minúsculo"). Esse papel também foi usado para os esquemas temporais C, D e S. ver nota 38.

[37] No mapa posterior em larga escala que meu pai fez de Rohan, Gondor e Mordor (que serviu de base para o meu mapa publicado em RR), a distância de Edoras ao Fano-da-Colina (na ponta do Vale Harg) é 16 milhas [*c.*26 km], e de Edoras ao Picorrijo, 19 milhas [*c.* 30,5 km].

[38] O esboço IV foi escrito no mesmo papel mencionado na nota 36.

[39] *Pelennor*: ver p. 331.

[40] *Galdor* foi precedido por *Ealdor*.

[41] Nos esboços I, II e III se diz que Théoden e Éowyn (que não é mencionada aqui) "mataram", ou "assassinaram", ou "destruíram" o Rei dos Nazgûl.

[42] A visão de Frodo de um navio de velas negras e um estandarte com o emblema da árvore branca (SA, p. 513) foi acrescentada depois ao texto de "O Espelho de Galadriel".

Nota sobre o mapa que acompanha o esboço VI

Esse mapa, desenhado bem rapidamente a lápis (com os rios em giz azul), compreende as Montanhas Brancas e as terras ao sul delas; assim como o Primeiro Mapa, está disposto em quadrados com laterais de 2 cm. Em minha reelaboração, numerei a fileira horizontal superior de O 9 a O 14 seguindo o Primeiro Mapa, embora haja alguma discrepância, e continuei com essa numeração em todo o mapa, onde a discrepância se torna bem maior. Isso foi feito deliberadamente para enfatizar a natureza curiosamente anômala desse mapa entre os mapas mais tardios que meu pai fez para *O Senhor dos Anéis*. A comparação com o Primeiro Mapa (VII. 364, 376) e com aqueles publicados no SdA mostrarão mudanças substanciais nas relações geográficas: assim, Ethir Anduin fica mais para o leste, diretamente ao sul de Rauros, e os Portos de Umbar estão bem menos para o sul, e a leste de Tolfalas. Isso não acontece em nenhum outro mapa.

Tenho a forte suspeita de que, seja lá por que razão, meu pai fez esse mapa de cabeça, e que ele não teve nenhum papel adicional na evolução geográfica; e creio que seu ponto de partida e propósito primário era retratar a região (que está traçada com lápis mais forte do que outras porções do mapa) entre o Vale Harg e a nascente do Morthond: com o surgimento da história de que Aragorn passou *pelas* Montanhas adentrando Gondor, o mapa de *O Senhor dos Anéis* exigiu alterações para mostrar que não havia nenhum passo nessa região (ver nota 14 acima). Ver-se-á que os rios meridionais foram substancialmente alterados, mas não chegaram de modo algum à forma final: o Morthond do Primeiro Mapa agora se chama Ringlo, enquanto o novo Morthond corre para leste, desaguando no delta do Anduin. Erech está assinalada ao sul de onde o Morthond emerge, assim como Pelargir no Anduin (nenhum dos quais recebe menção em nenhum desses esboços).* O Vale Harg aparece correndo para sudeste, assim como no pequeno mapa reproduzido na p. 310.

O quadriculado original na página estendia-se por mais cinco colunas a leste de Osgiliath (ver VII. 364), mas esses quadrados foram aparentemente deixados em branco. Subsequentemente, meu pai anexou um retalho móvel de papel cobrindo as coordenadas O 13–14, P 13–15 e, ao mesmo tempo, desenhou de maneira muito rudimentar os contornos das montanhas ao redor de Mordor,

* Pelargir foi inicialmente colocado no alto do delta do Anduin. No Primeiro Mapa (VII. 364), um ponto a lápis dentro de um círculo foi posto ao lado do Anduin no ponto em que os rios desaguam do leste e do oeste em R 13: esse é obviamente Pelargir, e sem dúvida foi colocado nesse momento. Outro ponto a lápis dentro de um círculo foi colocado a leste do Morthond original no Primeiro Mapa Q 12 (bem à direita do *i* de *Enedwaith*), e esse ponto é evidentemente Erech.

que aqui formam uma muralha quase completa no leste, mais completa do que em qualquer outro mapa. A Torre Sombria aparece sobre uma "península" que se projeta para o sul das Montanhas de Cinza, com o Monte da Perdição a noroeste dela, bem parecido com o Segundo Mapa conforme desenhado originalmente (pp. 511, 514). Não tentei redesenhar essa porção acrescentada, pois o passo que adentra Mordor (aqui chamado de Kirith Gorgor) foi aparentemente deslocado para o leste da posição inicial, o que resultou em uma confusão de traços que não sou capaz de interpretar; e Osgiliath foi agora deslocada bastante para o norte, de modo a ficar a nordeste de Minas Tirith (como aparece no Segundo Mapa, p. 510, e no meu mapa em larga escala de Rohan, Gondor e Mordor publicado em RR, mas não no meu mapa geral que acompanha o SdA). Nessa porção anexada, os Pântanos Mortos são mencionados, mas as Terras-de-Ninguém não são; as corredeiras no Anduin ainda são chamadas de *Sarn Ruin*. O curso do Anduin abaixo de Rauros foi alterado na nova coordenada P 14 de modo a correr como no Primeiro Mapa (ver VII. 376), em uma curva ampla para o leste, e não em uma linha reta para sudeste (e, portanto, as fozes do Entágua precisaram ser deslocadas para o leste). Isso corrobora a minha sugestão de que o presente mapa foi feito de cabeça: nessa única área, ele foi corrigido com referência ao Primeiro Mapa.

Nota sobre a Cronologia

(i) Pippin e Frodo veem a Lua Cheia

Seria interessante saber exatamente qual foi o "erro embaraçoso [...] na sincronização [...] dos movimentos de Frodo e dos outros" que obstou o progresso de *O Senhor dos Anéis* em outubro de 1944 (ver p. 281). Parece-me com maior probabilidade que foram as "posições" relativas deles no momento da Lua Cheia em 6 de fevereiro.

Creio estar claro que os esquemas temporais C, D e S fazem parte do trabalho exposto neste capítulo e, de fato, que tinham relação íntima com o problema cronológico com que meu pai se deparou: ver pp. 172–4, 281–2. Segundo o esquema C (p. 171), Gandalf e Pippin chegaram a Minas Tirith ao pôr do sol em 5 de fev. Haviam deixado Dol Baran na noite de 3–4 de fev., passaram o dia 4 de fev. "escondidos" (presumivelmente em Edoras), cavalgaram a noite toda de 4–5 de fev. e, após um breve descanso, "abandonaram o

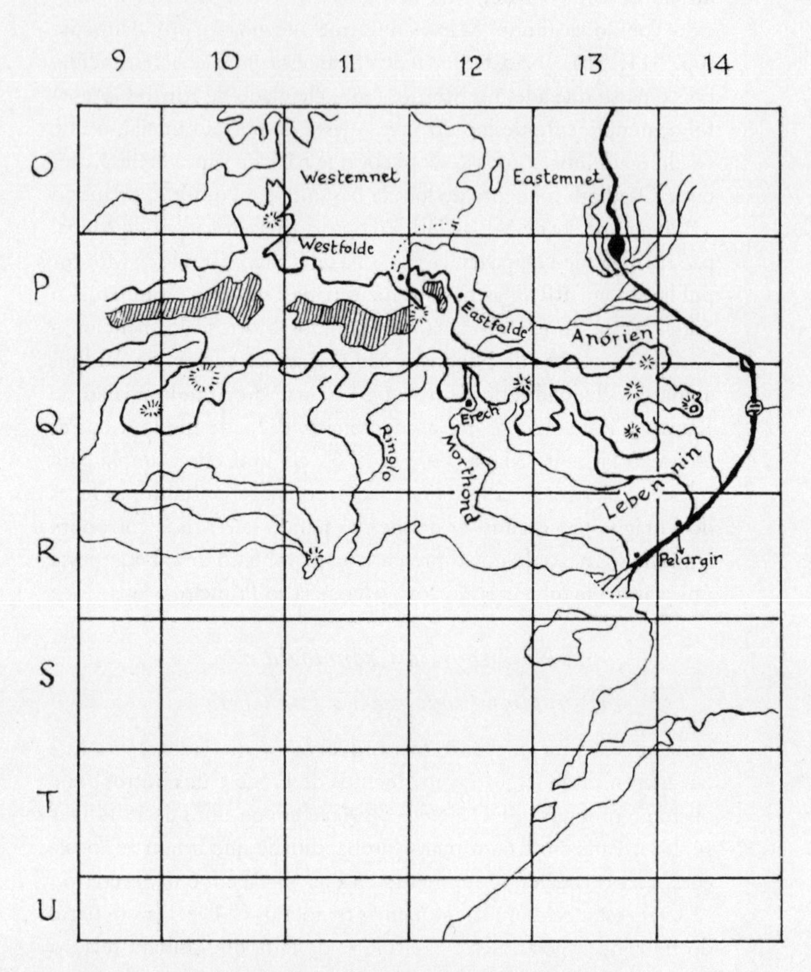

As Montanhas Brancas e Gondor Meridional

sigilo" e cavalgaram o dia seguinte inteiro (5 de fev.) para chegar à cidade ao pôr do sol. Parece provável que a breve narrativa original de abertura ("A") de "Minas Tirith" — em que, conforme cavalgavam, "o mundo cinzento e verde ainda passava correndo e o sol nasceu e se pôs" — estava associada a esse esquema e que foi abandonada porque meu pai decidiu que Gandalf na verdade não tinha cavalgado durante o dia (ver pp. 277–8). Na continuação a lápis dessa abertura (p. 277), a nova história havia entrado: está de noite, fazia dois dias desde que Pippin "viu o sol brilhando no telhado da grande casa do rei" e é a "terceira cavalgada", sendo, portanto, a noite de 5–6 de fev. Eles veem os faróis e os mensageiros indo para oeste, mas a lua não é mencionada; e é óbvio que nessa história eles chegarão ao muro da Pelennor pela manhã (6 de fev.). Essa é a história no esquema D (p. 172), mas ali os faróis e os mensageiros são vistos na segunda noite da cavalgada (4–5 de fev.). Naquele esquema, a Lua Cheia "nasce por volta de 9h20 da noite e se põe cerca de 6h30 da manhã em 7 de fev. Gandalf cavalga a noite toda de 5–6 e avista Minas Tirith ao amanhecer do dia 6".

Era um dado conhecido da jornada de Frodo que ele chegou diante do Portão Negro no amanhecer de 5 de fev., partindo ao cair da noite; e estava em Ithilien (o episódio do coelho ensopado) e foi levado por Faramir para Henneth Annûn em 6 de fev. (a noite de Lua Cheia, que Frodo viu nas primeiras horas de 7 de fev. se pondo por cima do Mindolluin). Na carta de meu pai de 16 de outubro de 1944, ele disse que, entre as alterações feitas para solucionar a "cronologia deslocada", acrescentou um dia na jornada desde o Morannon; essa alteração foi feita ao esquema D e estava presente no esquema S conforme escrito inicialmente (ver pp. 172–4). Mas a alteração foi feita adiantando um dia na jornada de Frodo, de modo que ele chegou diante do Morannon em 4 de fev.; ele continuava chegando a Henneth Annûn no dia 6. Portanto, quando ele olhou pela Janela do Oeste e viu a lua se pondo, Gandalf e Pippin já estavam em Minas Tirith; os esquemas temporais são explícitos (e presume-se que foi baseado nisso que, no esboço III, p. 309, Pippin em Minas Tirith, na noite do dia 6, "vê a lua cheia nascendo e se pergunta onde Frodo está"; o mesmo acontece no esboço V, p. 314, e também no esboço incluído no capítulo seguinte, p. 329).

No segundo rascunho (B) da abertura de "Minas Tirith" (p. 279), na noite de 5(–6) de fev., Pippin viu a lua cheia saindo das sombras do Leste conforme cavalgava com Gandalf; e no terceiro rascunho

(C, em "tipo minúsculo", p. 279), Pippin se pergunta onde Frodo estaria, "pouco imaginando que, naquela mesma noite, Frodo viu de longe as neves brancas sob a lua". Certamente a intenção de meu pai aqui era estabelecer uma relação entre o pensamento de Pippin com o de Frodo em Henneth Annûn (como acontece em RR); mas havia um dia de diferença. Era esse o problema cronológico?

À primeira vista, aparentemente não, pois as modificações feitas à cronologia não o corrigiram. Por outro lado, é possível perceber que meu pai estava preocupado justamente com essa questão por uma página isolada de notas sobre assuntos diversos, um dos quais lança uma luz bastante nebulosa sobre a questão:

> Todas as aventuras de Frodo e Sam precisam ser colocadas *um dia* para trás, para que Frodo veja o pôr da lua na manhã (primeiras horas) de 6 de fev., e Faramir chegue em Minas Tirith na noite do dia 7, e a Grande Treva comece no dia 7. (Isso é possível fazendo Frodo e Sam vagarem apenas 4 dias nas Emyn Muil). Na noite seguinte, Frodo veria de longe a lua cheia se pondo além de Gondor, e se perguntaria onde ele estava nas névoas do Oeste, e os faróis de guerra estariam ocultos dele na escuridão do mundo.

Isso é bastante difícil de entender. As aventuras de Frodo precisam ser adiantadas em um dia, e ele verá o pôr da lua (que ainda não está completamente cheia) de Henneth Annûn no fim da noite de 5–6 de fev., quando Pippin estava na última etapa para Minas Tirith e pensou nele. Mas então por que só na noite seguinte (6–7 de fev.) Frodo pensou em Pippin (caso "ele", em "onde ele estava", se refira a Pippin), e por que é nessa noite que os faróis de Gondor estavam ardendo?

(ii) Théoden chega ao Vale Harg

Na segunda versão (B) de "A Convocação de Rohan" (p. 285), Aragorn concorda com Théoden, conforme adentram o Vale Harg, que a lua estava cheia na noite anterior, e diz que estavam há quatro dias (uma alteração de "cinco") na estrada, de modo que ainda havia seis até o dia estabelecido para a convocação em Edoras. No esquema temporal C (p. 171), Théoden chega ao Abismo de Helm, vindo de Isengard, logo depois do amanhecer em 4 de fev. e parte do Abismo de Helm em 5 de fev. (quando, além disso, "Aragorn vai cavalgando à frente com Gimli e Legolas": isso aparece na terceira narrativa C, p. 289). Nada mais se diz sobre os movimentos de Théoden no esquema C; mas, se os dois textos forem combinados, temos a seguinte cronologia:

4 de fev.	Théoden chega ao Abismo de Helm logo depois do amanhecer
5 de fev.	Théoden parte do Abismo de Helm
6 de fev.	Lua cheia
7 de fev.	Théoden chega ao Vale Harg no crepúsculo
13 de fev.	Data estabelecida para a convocação

Se isso estiver correto, os "quatro dias na estrada" incluem o dia que passaram no Abismo de Helm.

Na terceira versão C (p. 288), Éomer diz que a lua estava cheia na noite anterior à última, que cinco dias se passaram na jornada, e que ainda restam cinco até a convocação; e tudo isso se repete na versão seguinte (F) em que o trecho aparece (pp. 293–4). Nessas versões, a jornada levou um dia a mais, ao que parece:

5 de fev.	Théoden parte do Abismo de Helm
6 de fev.	Lua cheia
7 de fev.	
8 de fev.	Théoden chega no Vale Harg no crepúsculo.

O esquema temporal D (pp. 172, 220) dispõe a seguinte cronologia (com a qual o esquema completamente "sinóptico" S concorda):

4–5 de fev.	Aragorn cavalga à noite até Edoras, chegando lá pela manhã, e sobe o Vale Harg
5 de fev.	Théoden parte do Abismo de Helm
6 de fev.	Lua Cheia nasce por volta de 9h20 da noite. Théoden chega ao Vale Harg antes do cair da noite
(7 de fev.	Théoden se prepara para cavalgar a Gondor. Mensageiros de Minas Tirith chegam
8 de fev.	Théoden cavalga de Edoras)

Essa é a cronologia do texto datilografado H (p. 300), pelo menos porque a lua está cheia (nascendo quatro horas depois de escurecer) na noite da chegada de Théoden ao Vale Harg: a jornada pelas montanhas agora levou apenas dois dias. Não é a cronologia do *Conto dos Anos* no SdA, segundo a qual Théoden partiu do Abismo de Helm em 6 de março, mas só chegou ao Fano-da--Colina em 9 de março.

A data marcada para a convocação em Edoras, deduzida acima pelas aberturas narrativas originais do capítulo, 13 de fev. (uma semana depois da lua cheia de 6 de fev.), deve, presume-se, ser associada com a alteração no segundo manuscrito de "A Estrada para Isengard" de "antes do minguar da lua" para "no último quarto da lua" (ver pp. 41, 57). No texto H (p. 301), Éomer diz ao Rei que "Amanhã, antes do anoitecer, chegareis a Edoras e encontrar--vos-á com vossos Cavaleiros"; isso talvez deva ser comparado ao esboço I (p. 306): "Mensagens precisam mandar que os Rohirrim se congreguem em Edoras assim que possível depois da Lua Cheia de 6 de fev."

3

Minas Tirith

"Espero após esta semana realmente poder... escrever", escreveu meu pai para Stanley Unwin em 21 de julho de 1946 (*Cartas*, n. 105); e fica claro que ele fez isso — pelo menos em 7 de dezembro daquele ano afirmou que estava "nos últimos capítulos" (seja lá o que ele quis dizer com isso). Outra sinopse do conteúdo proposto para o "Livro V" mostra bastante desenvolvimento adicional na narrativa dos capítulos de abertura, e inclino-me a pensar que ele é de 1946 e foi feito para servir de guia para o novo trabalho que agora se iniciava; portanto, coloco-o aqui, e não com os esboços que acredito serem de 1944 (p. 301 e seguintes). Meu pai agora havia reordenado capítulos anteriores e, portanto, numerou o primeiro do Livro V nesta sinopse com "44" (e não "41": ver p. 272, nota 49).[1] O texto foi escrito a lápis e depois sobrescrito à tinta: o texto subjacente era bem mais curto, mas mal está legível, exceto no fim, onde a porção à tinta termina.

Livro V

Cap. 44 (1). Gandalf (e Pippin) cavalga a Minas Tirith e vê Denethor. Pippin nas muralhas. Chegada dos últimos aliados. Grande Treva começa naquela noite.

45. Rei e Aragorn (com Merry, Legolas, Gimli) cavalgam até o Forte-da-Trombeta. Alcançados pelos Filhos de Elrond[2] e 30 Caminheiros em busca de Aragorn (provavelmente por causa de mensagens enviadas por Galadriel a Elrond). Rei cavalga ao Fano-da-Colina por estradas montanhesas. Aragorn (Legolas e Gimli) e Caminheiros vão pela estrada aberta. Aragorn revela que olhou dentro da Palantír, e busca as Sendas dos Mortos. Rei chega ao Fano-da-Colina no crepúsculo 2 dias depois[3] e descobre que Aragorn partiu para as Sendas dos Mortos. Cavaleiros de Gondor chegam portando mensagens. Convocação de Rohan se dá no Vale

Harg (por ordens de Gandalf), e não em Edoras, e o Rei parte na manhã seguinte para Edoras.

46. Pippin nas muralhas. Vários dias depois, quando a Hoste de Morghul sai vitoriosa. Chegam notícias de ataques pelos flancos a Lórien, e por Harad no Sul. Um grande exército atravessou e entrou no Descampado de Rohan. Temem que os Rohirrim não cheguem. A treva aumenta, mas, mesmo assim, os Nazgûl causam uma escuridão ainda maior. Gandalf brilha no campo. Pippin vê sua luz conforme ele e Faramir agrupam os homens. Mas, por fim, o inimigo chega aos portões, e os Nazgûl sobrevoam a cidade. Então, bem quando o portão está cedendo, eles ouvem as trompas de Rohan!

47. Voltar para Merry. Investida de Rohan. Orques e Cavaleiros Negros são repelidos do portão. Queda de Théoden ferido, mas ele é salvo por um guerreiro de sua casa que cai sobre seu corpo. Merry senta-se junto a eles. A surtida salva o Rei, que está gravemente ferido. Descobre-se que o guerreiro é Éowyn. As Hostes de Morghul se reagrupam e os empurram de volta para o portão. Nesse momento um vento se ergue, a treva recua. Navios negros são vistos. Desespero. Estandarte de Aragorn (e Elendil). Ira de Éomer. Morghul é apanhada entre 2 forças e derrotada. Éomer e Aragorn se encontram.

48. Gandalf e Denethor ficam sabendo do desbaratamento dos ataques nos flancos causado pela Hoste de Sombra[4] e pelos Ents. Atravessam vitoriosos o Anduin e sitiam Minas Morghul. Gandalf e Aragorn vão ao Morannon e negociam.

49. Retornar para Frodo e Sam.

Nesse ponto termina a parte à tinta — talvez porque meu pai viu que, nesse ritmo, ele teria dificuldades para completar a história no "Livro Cinco e Último" (p. 264). No texto subjacente a lápis, ele tinha a seguinte projeção para os sete últimos capítulos:

48. Gandalf chega ao Portão Negro.
49. Frodo e Sam chegam a Orodruin.
50. .... e retornam.
51. Banquete em Minas Tirith.
52. Funeral em Edoras.
53. Retorno a Valfenda. Encontro com Bilbo.
54. O Livro de Sam e o passar de todos os Contos.

Talvez tenha sido imediatamente antes de voltar a atenção para o capítulo "Minas Tirith" que meu pai escreveu outro esboço, muito preciso, que está a seguir (os números se referem, é claro, às datas no mês de fevereiro).

Gandalf e Pippin cavalgam até Minas Tirith (3/4, 4/5 chegando ao nascer do sol no dia 6). Passam os Vaus do Isen e chegam à boca da Garganta do Abismo por volta das 2h da manhã (4). Chegam a Edoras na aurora. Gandalf permanece ali durante o dia. 2[º] Nazgûl sobrevoa Rohan (saiu de Mordor por volta da meia-noite 3/4, mas espiona a planície e voa baixo sobre Edoras no início da manhã).[5] Gandalf cavalga outra vez na noite de 4/5 e entra em Anórien, onde fica escondido nas colinas enquanto está claro (5). Cavalgando na terceira noite (5/6), veem os faróis se inflamando, e por eles passam mensageiros em cavalos velozes apressando-se de Minas Tirith a Edoras. Chegam à Muralha da Pelennor no primeiro amanhecer e, depois de uma conversa com os guardas, passam e veem Minas Tirith ao nascer do sol (6). Passam subindo pelos 7 muros concêntricos e portões até a Torre Branca. Pippin vê casas brancas e domos nas encostas da montanha sobre a cidade. Gandalf explica que são as "casas dos reis" — isto é, tumbas dos mortos. (Diante do portão da Torre Branca, veem a ruína da Árvore, e Fonte?) São admitidos na câmara de audiência, e veem o trono. Denethor chega, e não se senta no trono, mas em uma cadeira menor, mais abaixo e defronte. Colóquio com Denethor e seu pesar diante das notícias sobre Boromir. Descobrem a razão para os faróis: uma grande frota foi vista vindo de Umbar até as fozes do Anduin. Além disso, mensagens de espiões etc. em Ithilien relatam que a "tempestade está prestes a irromper". Denethor está contrariado pois nenhuma ajuda veio de Rohan. Gandalf explica a situação. Também alerta Denethor que, mesmo agora, o auxílio pode demorar, pois quase certamente Rohan será atacada no flanco oriental a norte das Emyn Muil. Aconselha Denethor a reunir o que puder de pronto. "A convocação já começou", disse Denethor. (Forlong, o Gordo etc., mas muito poucos vêm de Lebennin devido à ameaça de ataque por mar).

Pippin nas ameias conversa com uma sentinela. Vê o nascer da lua na noite de 6 (por volta de 8h45 da noite) e pensa em Frodo.[6]

Aragorn leva Legolas e Gimli e Merry e propõe reunir o que restou da Comitiva. Diz que seu coração agora o urge a ter pressa, pois a hora de sua própria revelação se aproxima. Talvez tenham uma jornada difícil e perigosa, pois agora o assunto de verdade está começando, e em comparação a isso a batalha do Forte-da-Trombeta não passa de uma escaramuça no caminho. Eles concordam, e Aragorn e sua companhia deixam Dolbaran antes do rei, por volta da meia--noite. Merry cavalga com Aragorn, e Gimli, com Legolas. Vão rápido e chegam ao Westfolde no raiar do dia (4) e [*riscado imediatamente:* não se desviam e passam direto] veem o 2º Nazgûl voando.

Uma boa parte do início deriva diretamente de esboços anteriores, mas não tudo — é aqui que as grandes tumbas de Minas Tirith são mencionadas pela primeira vez, e é aqui que o amigo de Pippin da guarda da Cidadela, Beregond em RR, aparece. A porção que conclui o esboço, contudo, dizendo que Aragorn, com Merry, Legolas e Gimli, deixou Dol Baran antes do rei por volta da meia--noite, chegando ao Westfolde no amanhecer do dia seguinte e não muitas horas depois de Gandalf, é um desenvolvimento estranho e surpreendente.[7] Mas parece ter sido abandonado de pronto e sem outros desdobramentos.

Retomando a abertura do capítulo "Minas Tirith", meu pai acompanhou de perto a abertura abandonada (o texto C, datilografado com "tipo minúsculo") até onde ela alcança, e o novo texto ainda difere de RR, pp. 1089–92, nos pontos mencionados na p. 279, exceto que o líder dos homens na Muralha da Pelennor agora é Ingold, e não Cranthir.[8] Escrito na maior parte à tinta de modo apressado, mas geralmente legível, o rascunho se estende quase até o fim do capítulo; e, a partir do ponto na história em que C terminava (na conversa com os homens consertando o muro), para o qual meu pai tinha apenas notas muito preliminares, ele avançou com confiança pela descrição de Minas Tirith vista do outro lado das "propriedades rurais", a estrutura da cidade, a entrada de Gandalf e Pippin, a "audiência" com Denethor, e o encontro de Pippin e Beregond (que não receberia esse nome por um bom tempo). Esse rascunho passou por incontáveis mudanças depois, mas, desde que foi escrito pela primeira vez, todos os elementos essenciais da estrutura narrativa, da atmosfera e do tom estavam presentes. Nisto que vem a seguir, pode-se presumir que todas as características significativas nas descrições e diálogos do capítulo estavam presentes no rascunho, a menos que se diga algo em contrário. Por outro lado, não registro todos os retoques que foram inseridos posteriormente: por exemplo, no texto do rascunho, Denethor não pousou o bastão para erguer a trompa do colo; não se diz que Pippin recebeu a espada de volta e a embainhou; são trazidas cadeiras para Gandalf e Pippin, e não uma cadeira e um banco baixo; o aposento em que se hospedaram tinha apenas uma janela, não três; e assim por diante.

Como se observou anteriormente, o texto C para logo antes de Gandalf dizer a Cranthir/Ingold que "estás muito atrasado no conserto do muro da Pelennor" (p. 233; RR, p. 1092), de modo que esse nome acaba não aparecendo. No novo rascunho das palavras de Gandalf a Ingold, ele fala do "muro da Pelennor" — mas parece, imediatamente em seguida, que esse é o nome do próprio muro:

Agora Gandalf estava entrando no amplo espaço além da Pelennor. Assim os homens de Gondor chamavam o muro que fora construído há muito tempo, depois que Ithilien caíra nas mãos do Inimigo.

O nome aparece também em vários dos esboços que datei de 1944 e coloquei no capítulo anterior: "A muralha de Pelennor" (p. 311), "a muralha de Pelennor" (p. 314), "a Muralha Externa de Pelennor" (p. 315). Contudo, à luz do presente rascunho, essas referências são ambíguas; por outro lado, no esboço IV (p. 312), aparece a "Terra-citadina, Pelennor, ao redor da qual corriam as ruínas de uma antiga muralha", o que não é de modo algum ambíguo. Em face disso, meu pai mudou de ideia duas vezes quanto ao significado do nome; pois, em RR (p. 1093) a muralha é chamada de *Rammas Echor*, e a Pelennor é, outra vez, o nome das "belas e férteis propriedades rurais" de Minas Tirith (ver p. 343).

A descrição no rascunho continua:

Corria em um amplo círculo dos sopés das montanhas e voltava a eles, sempre a umas sete léguas de distância do Primeiro Portão da Cidade que dava para o leste. Assim, envolvia as belas e férteis propriedades rurais nas longas encostas verdes que desciam para o Rio e, no ponto mais oriental, de uma ribanceira carrancuda, vigiava as planícies pantanosas. Ali era seu ponto mais alto e mais bem guardado, pois em um passadiço murado a estrada vinda dos vaus de Osgiliath, a uma légua de distância, entrava por um grande portão entre duas torres. Mas poucos homens além de pastores e lavradores habitavam as propriedades rurais, pois a maior parte do povo de Gondor vivia nos sete círculos da cidade de Minas Tirith, ou nos vales fundos das bordas das montanhas; e lá para o sul, em Lebennin, a terra dos Sete Rios, habitava uma gente intrépida entre as montanhas e as fozes do Anduin e o Mar; e eram considerados homens de Gondor, porém tinham o sangue misto e, se era verdade o que diziam a sua estatura e seus rostos, vinham mormente dos homens que moravam nas colinas escuras nos Anos Sombrios antes da chegada dos reis.

Mas agora a luz do dia cresceu, e Pippin ergueu os olhos [...]

As propriedades rurais, portanto, foram concebidas de modo totalmente distinto no início, como um grande semicírculo cujo centro era a cidade e sempre a um raio de sete léguas de distância, ao passo que, em RR, a muralha circundante ficava a quatro léguas da cidade no ponto mais distante e, no mais próximo, a pouco mais de uma légua.[9] Nesse rascunho, não há menção às Emyn Arnen, ao Harlond, a Lossarnach, Belfalas, ou a Imrahil de Dol Amroth, e Lebennin continua sendo a "terra dos Sete Rios" (ver VII. 365–67, e pp. 302, 305 neste livro).

A primeira visão que Pippin tem de Minas Tirith e o encontro de Gandalf com os guardas no Grande Portão são bem parecidos com RR (p. 1094), exceto que o trecho entre colchetes, que aparece em RR, está ausente aqui:

> mas à direita, grandes montanhas erguiam suas cabeças, [vindas do Oeste até uma extremidade íngreme e súbita, como se na feitura da paisagem o Rio tivesse irrompido por uma grande barreira, escavando um enorme vale para ser uma terra de batalha e debate em tempos vindouros. E ali, onde chegavam ao fim as Montanhas Brancas de Ered Nimrais,] (e) ele viu, como Gandalf prometera, a massa escura do Monte Mindolluin [...]

Além disso, a Torre de Ecthelion é aqui chamada de Torre de Denethor (ver p. 336).

No texto rascunhado, a descrição de Minas Tirith é a seguinte:

Pois o modo de Minas Tirith era tal que fora construída em sete níveis, cada um deles esculpido na colina, e cada um tinha uma muralha, e em cada muralha havia um portão. Mas os portões não eram alinhados, pois o portão externo e mais baixo ficava no leste, mas o próximo dava meio para o sul, e o terceiro, meio para o norte, e assim por diante, de modo que o caminho calça[do] que ascendia sem interrupção ou escadaria virava-se primeiro para cá, e [depois] para lá, cruzando a face da colina, até que se chegava ao sétimo portão que levava para o grande pátio e cidadela no topo nivelado em volta da base da torre que o coroava. E esse portão também dava para o leste, erguendo-se setecentos pés acima da planície diante das muralhas, e a torre no topo tinha trezentos pés da base ao pináculo. Era deveras uma poderosa cidadela, e não podia ser tomada por uma hoste de homens enquanto houvesse dentro dela alguém capaz de portar armas; a não ser que algum inimigo viesse por trás e escalasse o Mindolluin, chegando assim até a plataforma que unia a Colina da Guarda à massa montanhosa. Mas essa plataforma, que se erguia à altura da quinta muralha, era murada [até] o precipício que se inclinava sobre ela, e ali ficavam os grandes túmulos abobadados de reis e senhores do passado, a um só tempo memoriais e fortalezas, se houvesse necessidade.

No croqui original e apressado de Minas Tirith reproduzido na p. 313, os portões parecem estar arranjados em duas fileiras que se encontram no nível mais alto, a primeira a partir do Grande Portão (1 – 3 – 5 – 7) e a outra a partir do segundo portão (2 – 4 – 6 – 7).[10] No texto que acabei de citar, a configuração descrita em RR está presente, com o Grande Portão olhando para o leste, o segundo, para sudeste, o terceiro, para nordeste e assim por diante até a entrada da Cidadela, outra vez dando para o leste. Nessa página de rascunho (reproduzida na p. 334), meu pai desenhou uma planta que mostra esse arranjo. A figura de cima na página é, na verdade, duas: a área menor acima e à esquerda (assinalada com "M.T." e "Summit of Mindolluin" [cume do Mindolluin]) foi feita primeiro, e riscada com três traços transversais. Ver-se-á que a "vasta projeção de pedra, cujo enorme volume estirado dividia ao meio todos os círculos da Cidade, exceto o primeiro" (RR, p. 1095), fazendo com que a estrada ascendente passasse por um túnel toda vez que passava a linha do Grande Portal até a Cidadela, ainda não estava presente.

A sensação de Pippin quanto à diminuição e decadência de Minas Tirith, com suas grandes casas silenciosas, é descrita no rascunho

6

passageways that lead up without break or stair was turned first this way and that way across the face of the hill, until the Seventh Gate was reached that lead to the great court and citadel on the levelled summit about the feet of the crowning tower. And that gate also looked due east, being ~~too~~ there seven hundred feet above the plain before the walls. and the tower ~~at~~ at the summit was three hundred feet from base to pinnacle. A strong citadel it was and not to be taken by a host of men if there were any within that could hold weapons, unless some enemy could come behind and scale Mindolluin and so come behind upon the shoulder that joined

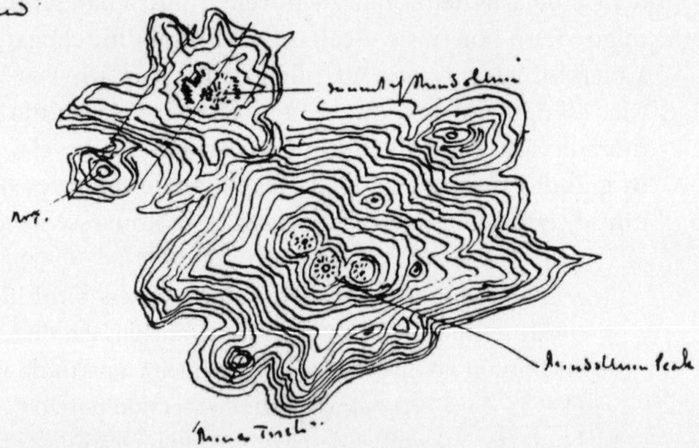

the Hill of Guard with the mountain mass. But that shoulder that was at the height of the fifth wall was walled up to the precipice that overhung it. And there stood the great domed tombs of bygone kings and lords, both those remembered and forgotten, for ever since friendship ... came.

Pippin gazed in wonder at the great stone city, that was ~~[illegible]~~ ~~[illegible]~~ greater and more splendid than anything he had dreamed of. Greater and stronger than Isengard, and far more beautiful. Yet it was

Minas Tirith e Mindolluin

em palavras bem semelhantes ao trecho em RR (p. 1096);[11] mas o uniforme dos guardas no Sétimo Portão é descrito assim:

> Os guardas do portão trajavam branco, e seus elmos eram de estranha forma, brilhando como prata, pois de fato eram de *mithril*, heranças da glória dos dias antigos, e em cada lateral foram postas asas de aves marinhas. Sobre o peito das sobrevestes estava bordada em branco uma árvore florindo como neve e, sobre ela, uma coroa de prata.

Aqui foi acrescentado que, além dos guardas da Cidadela, uma outra pessoa usava essa libré dos herdeiros de Elendil: "o guarda da porta do salão dos reis de antigamente, onde agora morava o Senhor Denethor"; e, à porta, há só um "guarda alto" ("guardas da porta, altos e silenciosos" em RR). Talvez a alteração na cor da libré, de branco para preto, se deveu à árvore branca bordada nas vestes.

A Árvore morta no pátio da Fonte, com as palavras de Gandalf recordadas por Pippin — *Sete estrelas e sete pedras, uma árvore branca, já vês* — e o alerta de Gandalf para que ele se portasse discretamente diante de Denethor sobreviveram no texto final com pouquíssima alteração; mas, sobre Denethor e Boromir, Gandalf diz apenas: "Ele o amava muitíssimo, talvez demais", sem acrescentar "e mais porque eles eram diferentes" (contudo, depois de deixarem a presença de Denethor ele diz algo parecido com RR: "Ele não é exatamente como outros homens, Pippin, e qualquer que seja sua ancestralidade, por algum acaso o sangue dos homens de Ociente corre puro nele, e também em seu outro filho, Faramir, porém não em Boromir, que ele mais amava. Eles têm visão longínqua"). E sobre Aragorn ele diz que "se ele vier, será de alguma maneira que ninguém espera. E Denethor, pelo menos, não o espera de maneira alguma, *pois não sabe que ele existe*".

O grande salão foi concebido desde o início quase exatamente como permaneceu em RR (pp. 1098–99): as grandes imagens entre os pilares, recordando Pippin dos "reis de Argonath",[12] o trono vazio, o ancião na cadeira de pedra olhando para o colo. Somente os capitéis esculpidos dos pilares não são mencionados; por outro lado, o piso do salão é descrito: "Mas o piso era de pedra brilhante, reluzindo em branco, adornado com mosaicos de muitas cores" (ver pp. 343–4). O nome do pai de Denethor, Ecthelion, entrou aqui, com uma única hesitação momentânea (anteriormente no rascunho a Torre Branca é chamada de Torre de Denethor, e não Torre de Ecthelion como em RR; ver p. 332).[13]

Quando Pippin gritou "essa é a trompa que Boromir sempre usava!", segue-se este diálogo no rascunho:

"Deveras", disse Denethor. "E eu a usei por minha vez, e também cada primogênito de nossa casa, remontando às névoas do tempo antes do malogro dos reis, desde que [Mardil >] Faragon, pai de Mardil, caçou o gado selvagem de Araw[14] nos longínquos campos de Rhûn. Mas nós a ouvimos tocando abafada no Norte doze dias atrás,[15] e agora ela não soará mais."

"Sim", disse Pippin. "Estive em pé ao seu lado quando ele a tocou, e ela sacudiu as matas; mas não veio ajuda. Só mais orques."

O relato que Pippin faz da morte de Boromir, a oferta de seu serviço para Denethor e o juramento em RR foram alcançados em grande medida já no rascunho,[16] exceto em um ponto notável: é Gandalf, e não Denethor, quem diz as palavras do juramento: "'Tome o punho', orientou Gandalf, 'e fale depois de mim'. O ancião depositou a espada no colo e Pippin pôs a mão no punho e disse devagar, seguindo Gandalf [...]". O juramento e a aceitação finais mal foram alterados em relação à formulação original no rascunho, exceto no fato de que Denethor não chama a si mesmo de "Regente do Alto Rei".

As palavras que Denethor e Gandalf trocam a seguir (RR, pp. 1102–03), e Pippin percebendo a tensão entre eles e o poder muito maior de Gandalf (apesar de velado), chegaram imediatamente à versão final em quase todos os pontos; mas a reflexão de Pippin sobre a idade e a natureza de Gandalf assumia a seguinte forma: "Donde vinha e o que era Gandalf? Quando e em que longínquo tempo e lugar [ele nascera >] ele viera ao mundo e será que algum dia morreria?". Seu pensamento fugaz "Barbárvore dissera algo sobre os magos, mas mesmo aí ele não pensara em Gandalf como um deles" não aparece; e não se diz que "foi Denethor o primeiro a desviar o olhar"; e Denethor diz somente "pois, apesar de as Pedras estarem perdidas [...]", sem acrescentar "ao que dizem".

Na margem da página que contém esse trecho, meu pai escreveu: "Pois a sabedoria dele não considerava Gandalf, ao passo que os conselhos de Denethor diziam respeito a si mesmo, ou a Gondor que, no seu pensamento, era parte de si mesmo". Não há indicação de onde isso deveria ser incluído, mas penso que essas palavras seguiriam "Pippin percebia que Gandalf tinha maior poder, mais profunda sabedoria e uma majestade que estava velada".

A conversa com Denethor terminava muito mais abruptamente no rascunho do que em RR (pp. 1103–04): às palavras de Denethor "Que corra para longe tua ira diante da loucura de um ancião e retorna para meu consolo!", segue-se apenas "'Retornarei assim que possível', disse Gandalf. 'Mas desejo falar-te a sós em algum momento'. E saiu caminhando do salão com Pippin correndo ao seu lado".

Depois de Gandalf ter deixado a casa em que estavam hospedados, Pippin encontrou um homem trajado de cinza e branco que chamou a si mesmo de Beren, filho de Turgon (Beregond, filho de Baranor, trajando preto e branco em RR). Na conversa inicial deles e nas visitas a Scadufax e à despensa, várias pequenas alterações e acréscimos foram feitos à narrativa posteriormente, mas todos são pontos menores: por exemplo, Beren diz a Pippin "Disseram que tu deves ser tratado como hóspede pelo menos no dia de hoje" e que "Os que fizeram serviço pesado — e os *hóspedes* — comem algo para refazer as forças na metade da manhã". Pippin não expressa decepção por não ver nenhuma taverna em Minas Tirith; e o curioso diálogo a seguir foi posteriormente removido (ver RR, p. 1109):

"[...] Pois agora posso dizer que sotaques estranhos não desfiguram a bela fala, e os hobbits são um povo bem-falante."

"Assim disse Denethor, digo, o alto Senhor."

"É mesmo?", disse Beren. "Então recebeste um sinal de estima tal como poucos hóspedes receberam dele."

O guarda da despensa chamava-se *Duilas* (?), com uma alteração posterior a lápis para *Garathon*.[17] Pippin diz a Beren: "Sou apenas um menino pela contagem de nosso povo, pois tenho apenas vinte anos de idade e não somos considerados crescidos, como dizemos no Condado, até termos uma dúzia a mais de anos".[18]

Conforme Beren e Pippin olham das muralhas, "Lá longe, no fundo do vale, a umas 7 léguas no salto da visão, o Grande Rio agora corria cinzento e reluzente, vindo do noroeste e fazendo uma curva para sudoeste até se perder de vista dando a volta nos contrafortes das montanhas em névoa e clarão" (ver p. 344), ao passo que, em RR (p. 1111), a distância é de "umas cinco léguas": sobre essa diferença, ver p. 332. Imediatamente depois disso, o rascunho original dá um salto em relação a RR de "muito além do qual estava o Mar, a cinquenta léguas de distância" até "'O que posso ver ali?', perguntou ele, apontando para o leste na direção do rio"; portanto, está ausente todo o trecho em que Pippin vê o tráfego de carroções atravessando a Pelennor e virando para o sul e Beregond explicando que estão tomando "a estrada para os vales de Tumladen e Lossarnach, para as aldeias montanhesas e depois até Lebennin". Mas a partir desse ponto a conversa de Beren/Beregond e Pippin até o fim, como se encontra em RR (pp. 1111–16), foi praticamente atingida, de modo bem rudimentar, é verdade, mas com quase nenhum detalhe significativo ausente e muitas vezes parecidíssima com o texto final: a treva no Leste,[19] a passagem do Nazgûl muito acima, o relato de Beren das batalhas pelas travessias em Osgiliath,[20] da visão longínqua de Denethor,[21] da aproximação da grande frota tripulada pelos corsários de Umbar,[22] de Faramir, e o seu convite para que Pippin se juntasse à sua companhia naquele dia.

Nesse ponto, a história do rascunho fica completamente diferente da de RR, e coloco o restante (escrito de modo muito rudimentar) desse primeiro texto na íntegra:

Gandalf não estava no alojamento, e Pippin partiu com Beren da Guarda, e foi apresentado aos demais da terceira companhia, que lhe deram boas-vindas, e divertiu-se com eles, fazendo sua refeição do meio-dia entre eles em um pequeno aposento próximo à muralha norte, e foi para lá e para cá com os demais até a refeição da noite, e a hora do fechamento e o arriamento dos estandartes. Então ele mesmo, à maneira de Gondor, logo foi se deitar. Gandalf não viera e nem deixara mensagem. Ele rolou para a cama e logo adormeceu. Durante a noite foi acordado por uma luz e viu Gandalf no aposento, fora da alcova. Caminhava de lá para cá. "Quando Faramir retornará?", ouviu-o murmurar enquanto espiava pela janela escura. Então Pippin adormeceu outra vez.

No dia seguinte, não vieram ordens de Denethor. "Ele está cheio de preocupações e ocupações", disse Gandalf, "e, por ora, você está fora de seu pensamento. Mas não para sempre! Ele não se esquece. Aproveite o seu ócio enquanto pode. Vá dar uma volta na Cidade."[23]

Beren estava em serviço, e Pippin ficou sozinho; mas aprendera o bastante para encontrar os alçapões no meio da manhã. No tempo restante, até o meio-dia, andou no sexto círculo e visitou Scadufax, levando-lhe alguns bocados que guardara e que Scadufax graciosamente aceitou. De tarde, Pippin desceu pelos caminhos da Cidade até o círculo mais baixo e o grande Portão Leste.

As pessoas o encaravam intensamente quando ele passava, e ouvia exclamações atrás de si, e os que estavam na rua chamavam os outros de dentro para que viessem ver o pequeno de Mithrandir; mas diante dele a maioria era cortês, saudando-o gravemente à maneira de Gondor, com a mão aberta e inclinando a cabeça. Pois agora já se alardeava por Minas Tirith quem ele era e muita coisa a seu respeito.

Por fim, chegou por vias tortuosas e muitas belas veredas e arcos aos círculos inferiores, onde [havia] muitas casas menores. E aqui e ali viu crianças — e ficou contente, pois aos seus olhos parecia que gente demais de Minas Tirith era idosa. Passou por uma casa maior, com uma varanda de colunas e degraus, e meninos brincavam ali. Assim que o viu, um deles saltou pelos degraus para a rua e se plantou diante de Pippin, olhando-o dos pés à cabeça.

"Salve", disse o rapaz. "Não és um estranho?"

"Eu era", disse Pippin. "Mas dizem que agora sou um homem de Gondor."

"Homem!", exclamou o menino. "Quantos anos tens, e qual é teu nome? Já tenho dez anos e logo terei cinco pés de altura. Vê, sou mais alto que tu. Mas claro que meu pai é soldado, um dos mais altos.[24] Serei soldado também. Quem é teu pai?"

"Qual pergunta devo responder primeiro?", disse Pippin. "Meu pai é como eu, um hobbit, não um homem, e é dono das terras e campos em torno de Poçalvo, perto de Tuqueburgo, nas beiras da Quarta Oeste do Condado. Tenho 21 anos,[25] de modo que aí estou à tua frente, mas tenho só quatro pés de altura, e isso é considerado uma boa altura na minha terra, e não tenho esperança de passar muito disso. Pois não crescerei muito mais até atingir a maioridade; mas talvez eu fique mais robusto e engorde um tanto, ou ficaria, se a comida fosse abundante para os viajantes nos lugares selvagens."

"Vinte e um", disse Gwinhir e assobiou. "Ora, tu és bem velho! Ainda assim, aposto que te poderia pôr de cabeça para baixo ou te deitar de costas."

"Quem sabe pudesses se eu te deixasse", disse Pippin com um riso. "Conhecemos um ou dois truques de luta livre em meu pequeno país. Mas não gosto muito de ficar de cabeça para baixo; e, se ficasse num beco sem saída e nada mais servisse, tenho uma espada, mestre Gwinhir."

"Uma espada, é mesmo?", disse Gwinhir. "Então deves ser um soldado. Embora não pareças."

"Sou e não pareço, de fato", disse Pippin. "Mas quanto tiveres mais 10 anos, se viveres o bastante, meu jovem amigo, e sobreviveres aos dias que estão por vir, aprenderás que as pessoas nem sempre são o que parecem. Ora, podes me tomar por um rapaz estrangeiro, gentil e tolo. Mas não sou. Sou um hobbit, um diabo de hobbit, companheiro de magos, amigo de Ents, membro da Comitiva dos Nove da qual teu senhor Boromir fazia parte, dos ... dos Nove, eu diria, e estive na batalha da Ponte de Moria e no saque de Isengard, e não estou querendo luta ou brincadeira brutal. Então deixa-me estar para que eu não morda."

"Ai, ai", disse Gwinhir. "Soas feroz mesmo, um furão em pele de coelho. Mas deixaste tuas botas para trás, mestre, talvez porque cresceste rápido demais para elas. Vem, furão bonzinho, morde se quiseres", e ele ... os punhos. Mas, naquele momento, um homem saiu da porta, correu para a rua e agarrou o rapaz pela parte de trás da túnica.

"O que é isso, Gwinhir, seu tolinho irritante", disse o homem. "Vais emboscar qualquer coisa na rua que pareça menor que tu? Não queres escolher algo maior? Que vergonha um filho meu se engalfinhando na frente das minhas portas como se fosse um pequeno orque."

"Não, não, não como um orque, Mestre Thalion, se for esse o teu nome", disse Pippin. "Já vi orques o suficiente e perto demais para me enganar. Não há nada aqui a não ser um rapaz belicoso querendo muito alguma coisa para fazer. Não o deixarias andar um pouco comigo e ser meu guia? Pois sou recém-chegado e há muita coisa para ver enquanto o sol brilha. ...."

"Já ouvi falar que os pequenos têm a fala cortês, se aquele que veio até aqui com Mithrandir for uma amostra", disse Thalion.[26] "Sim, deveras, o jovem rufião há de ir contigo, se desejares. Agora vai e guarda um bom linguajar na cabeça", disse a Gwinhir, dando-lhe uma palmada vigorosa no traseiro. "Mas faz com que ele volte antes da hora do fechamento e do crepúsculo."

"Eu queria uma disputa", disse Gwinhir a Pippin ao partirem. "Há poucos rapazes da minha idade nessa região, e os que há não são páreo para mim. Mas meu pai é severo, e eu estava prestes a levar uma surra agorinha. Quando ele diz 'orque', é mau agouro para o lombo. Mas tu me livraste muito bem, e te agradeço. O que hei de te mostrar?"

"Não sei", disse Pippin, "mas estou indo para o Portão Leste, e então veremos."

Conforme se aproximaram do Portão Leste, havia muito som de correria e alvoroço, e Pippin pensou ter ouvido trompas e trombetas tocando. Por um momento seu coração acelerou, pois pensou que poderia ser um sinal de que a guerra começara. Mas Gwinhir gritou. "Eles chegaram. Algumas das gentes de além das muralhas de que falavam os rumores. Apressa-te agora, eles vão [? entrar pelo] Portão Leste.

Aqui o rascunho termina e foi abandonado. Por qual motivo meu pai rejeitou essa história é algo que só se pode conjecturar; uma pista talvez esteja no ponto do texto em que Pippin, no fim do seu primeiro dia em Minas Tirith (6 de fevereiro, o qual passou na companhia de Beren e outros homens da Guarda), "à maneira de Gondor, logo foi se deitar" (p. 338). Aqui meu pai acrescentou uma nota a lápis no manuscrito como lembrete para ele mesmo olhar o que tinha dito sobre o tempo na história de Frodo e Sam em Ithilien, e dizendo que "se possível" o pôr do sol de 6 de fevereiro deveria ser "ominoso": "A Treva começou na amanhã seguinte, uma névoa flamejante". Quando escreveu isso, pode ser que ele pretendesse reescrever a história apenas para que Pippin visse o pôr do sol "ominoso" ao voltar para seu alojamento na primeira noite e, quando acordasse na manhã seguinte, o enorme manto teria se espalhado pelo céu: na escuridão que se aprofundava, ele desceria até o Grande Portão e encontraria o hostil Gwinhir. Mas pode ser que, ao escrever essa nota, ele estivesse decidido a alterar a estrutura da história e abandonou o rascunho. De toda forma, ele evidentemente decidiu que seria melhor comprimir a história toda do capítulo em um único dia, o qual terminava com o primeiro prenúncio da Treva que se aproximava e com pôr do sol ardente no fechamento dos portões, quando o último dos homens das Terras Estrangeiras tivesse adentrado a Cidade. Considerações cronológicas podem ter tido um papel nisso.

Ele então voltou para o ponto em que Beren convidou Pippin a se juntar à sua companhia naquele dia e recomeçou. Esse novo rascunho foi escrito com lápis macio e em grande velocidade, e seria realmente difícil de interpretar e completamente impossível muitas vezes caso o novo texto não fosse tão parecido com a forma final: a história fica igual à de RR em praticamente todos os pontos[27] e em grande parte nas mesmas palavras. Mas ele vai sumindo logo antes do fim do capítulo, nas palavras "Mas o sol poente inflamou tudo e Mindolluin se destacava negro diante de um clarão baço" (correspondente a RR, p. 1121).

Beren agora se torna *Barathil*, alterado no decorrer da escrita para *Barithil*; o nome do seu pai não aparece. Seu filho chamou-se Bergil desde o início. A Rua dos Lampioneiros tem o nome élfico *Rath a Chalardain* (*Rath Celerdain* em RR); e Pippin é chamado *Ernil a Pheriannath* (em RR, *i* no lugar de *a*).

O "catálogo homérico", como meu pai o chamou (p. 275), dos reforços que entraram em Minas Tirith[28] vindo das Terras Estrangeiras foi escrito duas vezes, na primeira vez de forma desordenada e obscura e, na segunda (começando depois da chegada de Forlong nas palavras "assim as companhias vinham, eram saudadas e aplaudidas" RR, p. 1121), ele se torna notavelmente parecido com a versão em RR. Tenho a forte impressão de que os novos nomes que aparecem aqui foram criados durante a composição do texto. No entanto, Forlong, o Gordo já havia aparecido várias vezes antes (pp. 275, 314, 329). Aqui se diz inicialmente, como em RR, que era "senhor do vale de Lossarnach",[29] mas *Lossarnach* foi riscado e substituído por "Ringlo, em Lebennin" (ver o Mapa III em VII. 364). Contudo, isso é imediatamente contradito em ambas as versões do texto, onde encontramos, assim como em RR, "os homens do Vale do Ringlo, atrás do filho de seu senhor, Dervorin, caminhando a pé: três centenas". Na primeira versão, o vale é chamado de Imlad-Ringlo. Duinhir e seus quinhentos arqueiros do Vale da Raiz Negra (Vale do Morthond e Imlad Morthond na primeira versão) é nomeado (mas os seus filhos não, Duilin e Derufin em RR). Depois deles vêm os homens de "Dor-Anfalas [*alterado de* Belfalas], a longínqua Praia-comprida": ver outra vez o Mapa III em VII. 364, em que "Belfalas (Praia-comprida)" é a região posteriormente chamada de Anfalas. O senhor deles é Asgil-Golamir (Golasgil em RR). Depois, os montanheses de Lamedon, um nome que aparece aqui pela primeira vez; os pescadores do Ethir; e Hirluin, o Alvo, das colinas verdes de Pinnath Gelin, que também ocorre aqui pela primeira vez (mas inicialmente se diz que ele é de Erech). O Príncipe de Dol Amroth, parente do Senhor de Minas Tirith, porta o símbolo da nau dourada e do cisne de prata, mas não recebe nenhum nome.

Nenhum outro rascunho inicial sobreviveu (exceto um retalho rudimentar a lápis com a conclusão revisada da conversa com Denethor, RR, pp. 1103–04). O primeiro texto completo é datilografado: creio ser praticamente certo que meu pai o fez antes de avançar muito, se é que avançara alguma coisa, na narrativa.

O título do capítulo conforme datilografado era: *Livro V Capítulo 44: Peregrin entra ao serviço do Senhor de Minas Tirith.* Na maior parte, as diferenças entre o rascunho original e RR mencionadas acima (pp.330–8 e notas) se mantêm nesse texto: algumas, mas nem de longe todas, foram alteradas a lápis no texto datilografado. Portanto, a cavalgada de Gandalf ainda levou três noites, e não quatro. A descrição das "propriedades rurais" de Minas Tirith permanece como era (pp. 331–2), com a única diferença de que a *Pelennor* agora se torna o nome das propriedades em si, e a muralha é chamada de *Ramas Coren* (alterado a lápis para *Rammas Ephel*).[30] Por outro lado, o trecho citado na p. 332 a respeito do Rio está agora presente como em RR, exceto pela frase "E ali, onde chegavam ao fim as Montanhas Brancas de Eredfain" (alterado no texto datilografado para Ered Nimrais). A Torre Branca continua sendo a Torre de Denethor; e a descrição de Minas Tirith permanece como era no rascunho, sem qualquer diferença material exceto que a Torre aqui tem duzentos, e não trezentos, pés de altura. Portanto, o grande bastião de rocha ainda estava ausente e não foi inserido neste texto. No verso da página anterior datilografada há uma planta da cidade, reproduzida na p. 346; aqui surgem os nomes *Rath Dínen* e também *Othram ou Muralha da Cidade* para a muralha do círculo mais externo, atravessado pelo Grande Portão.[31]

Quando se fala do grande salão, a descrição do piso se manteve igual à do rascunho e introduziu-se a dos capitéis, assim:

Monólitos de mármore negro, elas se erguiam até grandes capitéis esculpidos com muitas figuras estranhas de animais e folhas; e muito no alto, na sombra, a larga abóbada reluzia com ouro fosco. O piso era de pedra polida, brilhando branco, engastado com filigranas fluentes de muitas cores.

Isso se repetiu no texto datilografado seguinte; contudo, no texto datilografado final, a partir do qual RR foi impresso, a frase foi comprimida: "[...] reluzia com ouro fosco, engastad[a] com filigranas fluentes de muitas cores". Como não há indicação no segundo texto datilografado de que havia a intenção de se alterar isso, parece certamente tratar-se de um erro fortuito ocasionado por um "salto de linha" que fez com que as "filigranas fluentes" fossem atribuídas à abóbada.*

Denethor agora chama o pai de Mardil de *Orondil* (no rascunho *Faragon*, em RR, *Vorondil*). Ainda é Gandalf, e não Denethor, quem declara as palavras do juramento repetidas por Pippin; mas a conclusão da conversa entre Gandalf e Denethor (que também se encontra em rascunho preliminar, p. 343) agora está presente, e difere da versão em RR apenas porque depois das palavras de Gandalf "a não ser que o rei volte outra vez?", ele continua: "Seria uma conclusão estranha. Bem, esforcemo-nos por manter ainda algum reino para essa eventualidade!"

Barathil, *Barithil* do segundo rascunho (p. 342) agora é *Barithil*, tornando-se *Berithil* conforme esse texto era datilografado; ele é filho de Baranor, assim como Beregond em RR. O homem no alçapão da despensa agora é Targon, como em RR.

Na descrição da visão a leste das muralhas de Minas Tirith, o Anduin ainda fica a umas sete léguas e, conforme faz "uma enorme curva para o sul e outra vez para o oeste", ele ainda se perde de vista "*dando a volta nos contrafortes das montanhas* em névoa e clarão" (p. 338). As palavras em itálico foram posteriormente riscadas do texto datilografado; o motivo pode ser visto ao se comparar o Mapa III em VII. 364 com o mapa ampliado de Rohan, Gondor e Mordor em *O Retorno do Rei*, em que a visão do Grande Rio a partir de Minas Tirith não é impedida pela extremidade oriental das montanhas. O trecho em RR que estava ausente

*Esse erro foi corrigido na edição de 2004 de *O Senhor dos Anéis* utilizada para a tradução brasileira. [N.T.]

no rascunho, descrevendo o tráfego através da Pelennor, agora está presente e chega à forma final em todos os pontos, exceto que aqui Berithil diz: "Essa é a estrada para os vales de Tumladen e Glossarnach" (ver nota 29); mas isso foi alterado a lápis para *Lossarnach* e mais adiante no texto Forlong, o Gordo, é chamado de "senhor de Lossarnach".[32]

Quanto à parte do texto compreendida no segundo rascunho (pp. 341–2) há pouco a se observar, pois a versão final foi atingida em grande medida. No "catálogo" dos povos das Terras Estrangeiras, o senhor de Anfalas (assim chamado) é agora Golasgil, como em RR, mas o príncipe de Dol Amroth continua sem ser identificado. A conclusão do capítulo, que não se encontra no rascunho, é praticamente como em RR. Depois das palavras (RR, p. 1122) "O alojamento estava às escuras, exceto por um pequeno lampião posto sobre a mesa" meu pai inicialmente datilografou: "Ao lado dele havia uma nota rabiscada por Gandalf", mas ele excluiu isso imediatamente e colocou "Gandalf não estava lá". O capítulo termina com "Não, quando vier a convocação, não ao nascer do sol. Não haverá nascer do sol. A escuridão começou".

NOTAS

1 Livro V, Capítulo 1, "Minas Tirith", é o 44º capítulo em *O Senhor dos Anéis*. "A Partida de Boromir" tinha sido então separado de "Os Cavaleiros de Rohan", "Destroços e Arrojos" fora separado de "A Voz de Saruman" e "A Lagoa Proibida" de "Jornada para a Encruzilhada".

2 Essa é a primeira aparição dos Filhos de Elrond (ver VII. 197–98, e p. 353 neste livro).

3 De acordo com os esquemas temporais D e S (p. 325), Aragorn chegou a Edoras e subiu o Vale Harg na manhã de 5 de fevereiro, enquanto Théoden chegou ao Fano-da-Colina no cair da noite do dia 6.

4 Essa é a primeira referência ao papel desempenhado pelos Mortos do Fano-da-Colina. Para o primeiro indício dessa história, ver o esboço V na p. 315: "Chegam novas do Sul de que um grande rei desceu das montanhas onde estivera sepultado e instilou tamanha flama nos homens que os montanheses [...] e a gente de Lebennin desbarataram completamente os Sulistas, e incendiaram [> tomaram] seus navios".

5 Conforme a cronologia da época, esse era o Nazgûl enviado de Mordor depois de Pippin olhar dentro da *palantír* de Orthanc e que passou bem alto, sem ser visto, "cerca de uma hora após a meia-noite", quando não fazia muito tempo que Frodo, Sam e Gollum haviam saído dos morros de escória: ver pp. 145–6.

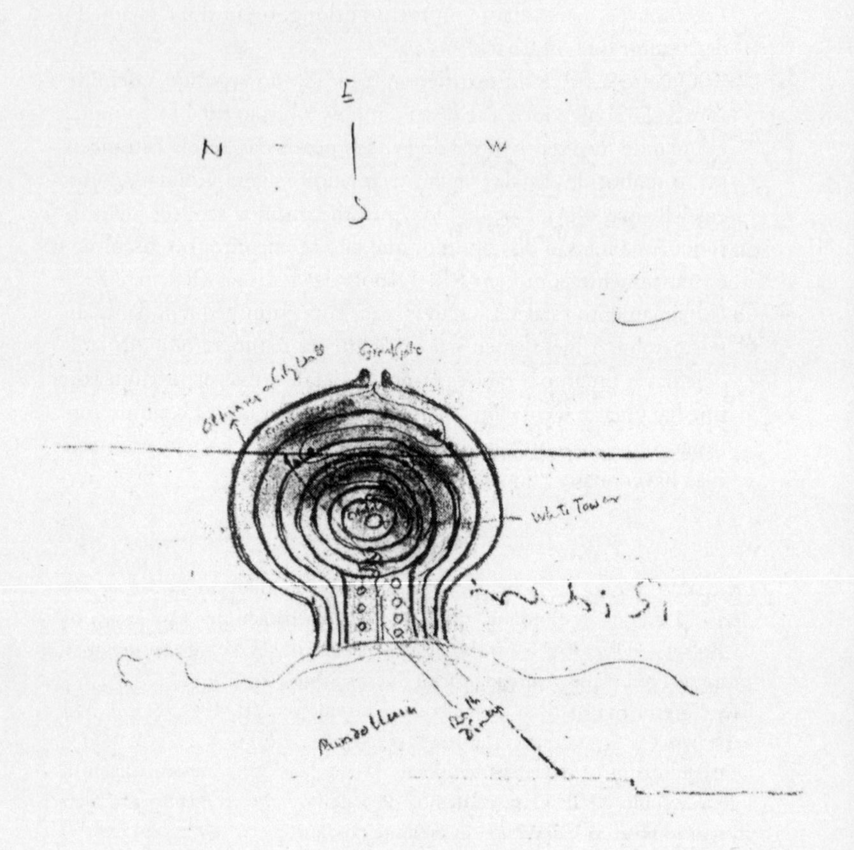

Planta de Minas Tirith

[6] *Pippin nas ameias* [...] vê o nascer da lua na noite de 6 [...] *e pensa em Frodo*: ver p. 323.

[7] Presumo que as palavras rejeitadas no fim do esboço, "não se desviam e passam direto", significam que eles passaram pela boca da Garganta do Abismo e não subiram para o Forte-da-Trombeta. De acordo com o esquema temporal D (p. 171), Gandalf chegou em Edoras no amanhecer de 4 de fevereiro, e ficou ali enquanto estava claro. Se Aragorn e seus companheiros estivessem cavalgando a toda velocidade na direção de Edoras, sem nenhuma parada longa, teriam-no alcançado!

[8] Portanto, o trecho em que Pippin pensa em Frodo permanece igual ao texto C, embora com uma diferença no palavreado: "pouco imaginando que Frodo veria de longe as neves brancas sob a mesma lua à medida que ela se punha além de Gondor". A jornada de Gandalf ainda leva três noites, e não quatro como em RR.

[9] No Primeiro Mapa (Mapa III em VII. 364), a distância de Minas Tirith a Osgiliath é de cerca de 70 milhas (mais do que 23 léguas [*c.* 111 km]); e, no mapa feito em outubro de 1944 que redesenhei na p. 322, continua sendo umas 50 milhas [*c.* 80,5 km] (visto que no presente rascunho os vaus de Osgiliath ficavam a uma légua da muralha da Pelennor, isso daria um raio de umas 15 léguas e meia [*c.* 75 km]). Na nota que meu pai escreveu acerca da minha versão do Primeiro Mapa feito em 1943 (ver VII. 378, nota 1), ele afirmou que "a distância através do vale do Anduin [deveria ser] *muito* reduzida, de modo que Minas Tirith ficasse perto de Osgiliath, e Osgiliath, mais perto de Minas Morgul"; e a distância da cidade à Rammas Echor na direção de Osgiliath é de 10 milhas [*c.* 48 km] no meu mapa publicado em RR (no mapa original que baseou o meu, são 12 milhas [*c.* 58 km], o que concorda com as "quatro léguas" no texto de RR, p. 1093).

[10] No desenho, o sétimo portão olha na mesma direção (nordeste?) do segundo, mas o desenho talvez esteja defeituoso: os portões 1 – 3 – 5 – 7 estão alinhados.

[11] No rascunho, quando Gandalf e Pippin chegaram ao Sétimo Portão, "o sol que brilhava sobre Ithilien e sobre Sam, ocupado com sua panela fervendo e ervas, luzia nos muros lisos e arcos e pilares marmóreos". Era a manhã de 6 de fevereiro, o dia em que Frodo e Sam encontraram Faramir e foram a Henneth Annûn. Em RR, a frase é diferente: "o sol morno que brilhava além do rio, quando Frodo caminhava nas clareiras de Ithilien [...]" — pois no dia em que Gandalf e Pippin chegaram em Minas Tirith (9 de março), Frodo e Sam chegaram à Estrada de Morgul no crepúsculo.

[12] Essa é a primeira aparição do nome Argonath (ver VII. 421–22, 424).

[13] No SdA (*O Conto dos Anos*) foi o Regente Ecthelion I quem reconstruiu a Torre Branca no ano 2698, mais de três séculos antes desse momento; o pai de Denethor, Ecthelion, foi o segundo Regente com esse nome (que deriva da lenda da Queda de Gondolin: ver a nota de rodapé em II. 255). "A torre de Denethor" foi mencionada no capítulo "A Palantír", p. 98.

[14] Em RR, p. 1100, *Vorondil, pai de Mardil*; e ver o SdA, Apêndice A (I, ii). Uma lacuna foi deixada para o nome do deus, aparentemente preenchida na hora, primeiro com *Ramr*, riscado antes de estar completo, depois com *Araw*. Sobre *Araw* como *Oromë*, ver as *Etimologias*, V. 460, radical ORÓM.

[15] *doze dias atrás* (em RR, *treze dias atrás*): ver p. 183 e nota 10. No *Conto dos Anos*, as datas são 26 de fevereiro (morte de Boromir) e 9 de março (Gandalf chega a Minas Tirith).

[16] Denethor fala sobre a espada de Pippin: "Certamente esta é uma adaga forjada por nosso próprio povo, no Norte, no passado remoto?", onde RR diz "lâmina" e "nossa própria gente". A palavra *sax* [na frase original] (inglês antigo *seax*, adaga, espada curta) foi a escolha final no rascunho, após a rejeição de "lâmina", "faca" e "punhal".

[17] Muitas outras alterações foram feitas nessa parte do manuscrito, principalmente para esclarecer a escrita, que aqui está bastante rudimentar. Entre elas, pode-se notar as seguintes: quando Pippin e Beren estavam sentados no banco ao lado da ameia, Beren dizia: "Pensamos que fosse um capricho de nosso senhor tomar um pajem", e isso foi alterado pelo acréscimo de "à maneira dos reis de outrora, que tinham anãos ao seu serviço, se as velhas histórias forem verdade".

[18] *apenas vinte anos de idade* foi alterado a lápis para *pouco mais de vinte anos de idade*. Em RR, Pippin diz a Beregond que "ainda levará quatro anos para eu 'atingir a maioridade', como dizemos no Condado".

[19] Da sombra no Leste, o rascunho diz: "Quem sabe fossem as montanhas erguendo-se como nuvens no limite da visão [...] a 100 milhas de distância"; compare com RR, p. 1112: "Quem sabe fossem as montanhas erguendo-se no limiar da visão, suas arestas recortadas suavizadas por cerca de vinte léguas de ar nebuloso".

[20] No ponto de RR (p. 1113) em que Beregond diz que os Cavaleiros Cruéis reconquistaram as travessias "há menos de um ano", e que depois de Boromir rechaçar o inimigo "ainda ocupamos a metade próxima de Osgiliath", no rascunho Beren diz: "E os Cavaleiros Cruéis há pouco tempo, [? dois] anos ou mais, reconquistaram as travessias e adentraram esta terra ocidental. Mas Boromir os rechaçou. E ainda temos controle das travessias".

[21] Como em RR, Beren diz que "alguns dizem que à noite, sentado a sós em seu alto recinto da Torre [...] ele consegue perscrutar, de alguma forma, até a mente do Inimigo"; mas não fala que se debatem, e nem acrescenta "E é por isso que está velho, desgastado antes do tempo".

[22] A chegada da grande frota do sul é mencionada em todos menos um dos esboços do último capítulo. No rascunho, Beren diz que os Corsários de Umbar "há muito tempo abandonaram a suserania de Gondor" (em RR, "Há muito tempo deixaram de temer o poder de Gondor"). E, sobre a frota, ele diz: "Agora isso desviará grande parte do auxílio que poderíamos esperar de Lebennin no sul, entre as montanhas e o Mar, onde o povo é numeroso".

Portanto, Belfalas não é mencionada, como é em RR ("de Lebennin e Belfalas", p. 1113). O nome *Belfalas* era originalmente aplicado às terras costeiras no oeste subsequentemente chamadas de *Anfalas* (*Praia-comprida*): essa alteração foi feita ao Primeiro Mapa e ao mapa de 1943 (VII. 364–65). Não está claro exatamente onde meu pai colocou Belfalas quando Anfalas a substituiu, mas sua nota corrigindo o mapa de 1943 (VII. 378, nota 1) diz "Lebennin deveria ser Belfalas". Talvez haja uma sugestão de que Belfalas ficava na região das Fozes do Anduin em um trecho que descreve a jornada do barco fúnebre em um rascunho de "A Partida de Boromir" (VII. 448): "e as vozes de mil aves marinhas lamentaram por ele nas praias de Belfalas"; mas parece que Belfalas manteve seu sentido original até esse momento, visto que foi substituído por Dor-Anfalas no rascunho do presente capítulo (p. 342). No Segundo Mapa (por meio de um acréscimo posterior), foi alocada assim como no mapa publicado no SdA (ver pp. 510, 513).

23 Neste ponto, meu pai rabiscou algumas notas muito apressadas a lápis, mas o parágrafo seguinte ("Beren estava em serviço [...]") foi escrito por cima delas, de modo que estão difíceis de ler: "menino rude dos Portões da Cidade senha *Gir.. edlothiand na ngalad melon i ni [? sevo] ni [? edran]*. Vê as hostes cavalgando de Lebennin".

24 Escrito na margem aqui: "Chama-se Thalion, e meu nome é Ramloth". Embaixo de *Ramloth* está escrito *Gwinhir* e, na primeira ocorrência do nome na narrativa, meu pai começou a escrever *Ram*, mudou para *Arad* e então escreveu *Gwinhir*. — *Thalion* "resoluto", era o "sobrenome" de Húrin.

25 *Tenho 21 anos*: ver nota 18.

26 Acrescentado aqui: "Mas não fales tão sombriamente". Não sei a que isso se refere. Talvez a conclusão de Pippin, uma frase com três ou quatro palavras completamente ilegíveis, fosse igualmente obscura para Thalion.

27 A saudação de Gondor continua sendo "com a mão aberta", e não com "as mãos sobre o peito"; e Pippin ainda diz que tem 21 anos (ver nota 25).

28 Para a versão mais antiga do "catálogo", que tem pouca relação com esta, ver p. 302. O nome Forlong, o Gordo, está escrito no manuscrito de "A História Prevista a partir de Fangorn", p. 275, mas ele obviamente não é contemporâneo desse esboço.

29 A letra *G* foi escrita antes de *Lossarnach*, mas riscada antes de *Lossarnach* entrar: ver p. 345.

30 Esse trecho foi posteriormente rejeitado e substituído por um adendo cuidadosamente escrito que introduz a descrição conforme se encontra em RR, p. 1093, com o nome Rammas Echor e a menção às Emyn Arnen, ao Harlond, Lossarnach, "Lebennin com seus cinco rios velozes", e Imrahil de Dol Amroth, "no grande feudo de Belfalas". Conforme escrito inicialmente, o adendo dizia "os cais e atracadouros de Lonnath-Ernin" em vez de "os cais e atracadouros de Harlond".

[31] Os dois traços horizontais, acima e abaixo da palavra espelhada "Rider" [Adendo] são visíveis do outro lado da página: esse é o adendo mencionado na nota 30. A referência ao sol que brilhava sobre "Sam, ocupado com sua panela fervendo e ervas" (ver nota 11) permaneceu, mas foi alterada a lápis para "o sol morno que brilhava além do Rio, quando Frodo, ao dizer adeus a Faramir, caminhava nas clareiras de Ithilien" (em RR, as palavras "ao dizer adeus a Faramir" estão ausentes). O texto alterado represente a sincronização discutida na Nota sobre a Cronologia abaixo, segundo a qual Frodo deixou Henneth Annûn na mesma manhã em que Gandalf chegou a Minas Tirith.

[32] Nesse texto, o tratamento dado a outros detalhes diferentes entre o rascunho original e RR pode ser mencionado aqui. A descrição da libré e do elmo dos guardas da Cidadela (p. 333) agora fica exatamente igual a RR; mas permanecem as palavras de Gandalf "E Denethor, pelo menos, não o espera de maneira alguma, pois não sabe que ele existe". Denethor ainda declara que ouviu a trompa soar nas divisas do norte doze dias atrás (nota 15) e ele ainda chama a espada de Pippin de *adaga* [no original, *sax*] (nota 16). Berithil ainda está trajado de cinza e branco, e a referência dele aos "reis de outrora, que tinham anãos ao seu serviço" permanece (nota 17). Pippin lhe diz "não passei muito dos vinte anos" (nota 18) e, depois, diz a Bergil que tem "quase vinte e um" (p. 339). Sobre as montanhas no Leste, diz-se que "suas arestas recortadas [eram] suavizadas por quase cem milhas de ar nebuloso" (nota 19). Berithil diz que "os Cavaleiros Cruéis há apenas dois anos reconquistaram as travessias" (nota 20); suas palavras sobre Denethor na Torre agora estão exatamente como em RR (nota 21); e ele diz que os Corsários de Umbar "há muito tempo abandonaram a amizade de Gondor" e outra vez não menciona Belfalas como fonte de auxílio para a cidade (nota 22).

Nota sobre a Cronologia

No capítulo "Jornada para a Encruzilhada" (p. 212 e seguintes), Frodo e Sam partiram de Henneth Annûn na manhã de 7 de fevereiro e chegaram à estrada de Osgiliath no crepúsculo daquele dia. Durante a noite de 7–8 de fevereiro, o ar se tornou pesado e nuvens escuras moveram-se do Leste durante a manhã do dia 8; eles chegaram à Encruzilhada no pôr do sol e viram o sol "encontrando afinal a orla do grande manto de nuvens que rolavam lentas".

No presente capítulo, Gandalf e Pippin chegaram em Minas Tirith ao nascer do sol em 6 de fevereiro e, na nota acrescentada ao rascunho original (ver p. 341), meu pai afirmou que o pôr do sol daquele dia deveria ser ominoso, com a Treva começando na manhã seguinte, dia 7. Portanto, há um dia de diferença entre "Jornada para a Encruzilhada" e "Minas Tirith". (Em esboços para o Livro V colocados no capítulo anterior, a Treva começa no dia 8 nos esboços III e IV, mas no dia 7 no VI).

Não consigo explicar isso com certeza. Presumo que meu pai introduzira uma mudança na cronologia dos movimentos de Frodo e Sam em Ithilien, ou pelo menos pretendia fazer isso, e pode ser que a nota bem obscura incluída na p. 324 tenha relação com isso: "Todas as aventuras de Frodo e Sam precisam ser colocadas *um dia* para trás, para que Frodo veja o pôr da lua na manhã (primeiras horas) de 6 de fev., e Faramir chegue em Minas Tirith na noite do dia 7, e a Grande Treva comece no dia 7". Isso resulta nas seguintes relações (e ver nota 31 acima):

6 de fev.	Frodo deixa Henneth Annûn; chega à estrada de Osgiliath no crepúsculo. Gandalf chega a Minas Tirith. Pôr do sol ominoso.
7 de fev.	Grande Treva começa. Frodo chega à Encruzilhada no pôr do sol.

Ver adiante a nota sobre a cronologia em p. 381. A sincronização final das histórias a leste e oeste do Anduin foi alcançada de modo diferente, com a extensão da cavalgada de Gandalf a Minas Tirith de três para quatro noites (p. 316, nota 3), e da jornada de Frodo de Henneth Annûn de dois para três dias (p. 220). Portanto, no *Conto dos Anos* do SdA:

8 de março	Frodo deixa Henneth Annûn.
9 de março	Gandalf chega a Minas Tirith. Ao crepúsculo Frodo chega à estrada de Morgul [= estrada de Osgiliath]. A treva começa a fluir vinda de Mordor.
10 de março	O Dia sem Amanhecer. Frodo passa pela Encruzilhada.

4

Muitas Estradas rumam ao Leste (i)

O rascunho original ("**A**") do Capítulo 45 (Livro V, Capítulo 2, posteriormente intitulado "A Passagem da Companhia Cinzenta") foi escrito por meu pai a lápis com sua letra mais mal-acabada, e avançava somente até as palavras de Théoden sobre os Caminheiros: "trinta homens assim serão uma força que não se pode contar em cabeças" (RR, p. 1127). Creio que, nesse estágio, ele escreveu um breve esboço para a porção seguinte do capítulo que começa no ponto alcançado em A.

A noite estava terminando e o Leste era cinzento quando finalmente chegaram ao Forte-da-Trombeta e lá repousaram.

Os Caminheiros dizem que mensagens os alcançaram por Valfenda. Supõem que foi Gandalf, ou Galadriel, ou ambos?

Merry sentou-se ao lado do rei no Forte-da-Trombeta, lamenta que Pippin estava longe.

Preparam-se para cavalgar por sendas secretas até o Fano-da--Colina. Aragorn não dorme, e fica inquieto. Leva a pedra de Orthanc à torre do Forte-da-Trombeta e olha dentro dela.

Sai do recinto parecendo exausto, e não se dispõe a dizer nada e vai dormir até o anoitecer.

"Tenho más notícias", disse ele. "A frota negra está se aproximando de Umbar [*sic*]. Isso perturbará os planos. Receio que devemos nos separar, Éomer. Para nos reencontrarmos depois. Mas não ainda. Quanto tempo levará até o Fano-da-Colina?" "Dois dias. Se cavalgarmos no dia 5, chegaremos lá ao anoitecer do 6."[1]

Aragorn ficou em silêncio. "Será o bastante", falou.

O verso dessa página é um mapa topográfico das Montanhas Brancas, dividido em quadrados com laterais de 2 cm, estendendo-se a umas 90 milhas [*c.* 145 km] a leste e oeste de Edoras, sem nenhum elemento (além dos picos das montanhas) assinalado exceto o Morthond e a Pedra de Erech no sul, e Edoras e o Riacho-de-Neve no norte. O Vale Harg aqui avança um pouco a partir do sudoeste, em contraste com o mapa redesenhado na p. 310, no qual ele avança do sudeste, e Erech está bem pouco a sudeste de Edoras (supondo que o mapa esteja orientado no eixo norte-sul). Uma nota a lápis junto à Pedra de Erech marca a distância: "62 milhas [*c.* 100 km] em linha reta do Fano-da-Colina" (o segundo dígito parece ter sido alterado para 3); e na margem está escrito: "Escala 4 vezes o mapa principal". Seja lá qual for o mapa a que meu pai estava se referindo[2] isso significa que 1 mm = 1,25 milha [*c.* 2 km]; e um pontinho a lápis colocado subsequentemente bem perto da extremidade do Vale Harg, obviamente representando o local do Fano-da-Colina, está a uma distância de 51 mm da Pedra de Erech (= 63,75 milhas [*c.* 102,5 km]).[3]

Ele então retornou para a abertura do capítulo e passou com tinta por cima do breve texto a lápis, de modo que o obliterou.[4]

O novo rascunho ("**B**") à tinta, até o ponto em que o texto a lápis subjacente termina, aproxima-se do texto de RR (pp. 1124–27) em quase todos os pontos. No parágrafo de abertura do capítulo, sobre as posses de Merry conta-se apenas que "tinha poucas coisas para embalar", o que foi posto entre colchetes; no alto da página, meu pai escreveu: "Perderam as mochilas-hobbit em Calembel? Reabastecidos em Isengard" (sobre *Calembel*, ver o Índice do volume VII, verbete *Calenbel*). Às palavras de Aragorn "Mas por que eles vêm e quantos são, Halbarad[5] há de nos contar", Halbarad responde: "Trinta nós somos, e os irmãos Elboron e Elbereth estão entre eles. Mal se pode encontrar outros de nós nestes dias minguantes, como bem sabes; e tivemos de nos reunir às pressas. Viemos porque nos convocaste. Não é verdade?", ao que Aragorn responde: "Não, exceto em desejo".[6]

A chegada dos filhos de Elrond com os Caminheiros é mencionada no esboço da p. 327. É interessante ver que os nomes que lhes foram dados inicialmente, *Elboron* e *Elbereth*, eram originalmente os dos jovens filhos de Dior, Herdeiro de Thingol, irmãos de Elwing que foram mortos pelos "homens malignos da hoste de Maidros" no ataque a Doriath pelos Fëanorianos (*Os Anais de*

Beleriand, em IV. 360, V. 170); eles eram, portanto, tios-avôs dos filhos de Elrond. Mas os nomes *Elboron* e *Elbereth* para os filhos de Dior haviam sido substituídos por *Elrûn* e *Eldûn* (IV. 382; V. 176, 423–5; VI. 89).

O novo rascunho B continua do ponto em que a abertura a lápis termina, mas o trecho logo em seguida em RR (em que Elrohir, filho de Elrond, passa a mensagem de seu pai a Aragorn a respeito das Sendas dos Mortos, e Aragorn pergunta a Halbarad o que ele estava trazendo) está completamente ausente. O texto continua (RR, p. 1127):

A noite estava terminando e o Leste era cinzento quando finalmente subiram pela Garganta do Abismo e retornaram ao Forte-da-Trombeta. Ali pretendiam deitar-se e repousar por um tempo e aconselhar-se.

Merry dormiu até ser acordado por Legolas e Gimli. "A sol está alta", disse [Gimli >] Legolas. "Todos os outros estão por aí atarefados. Vai e dá uma olhada. Aqui houve uma batalha há apenas três noites. Gostaria de lhe mostrar onde estava a floresta Huorn."

"Não há tempo de para visitar as Cavernas?", perguntou Gimli.

"Eu te dei minha palavra de que iria contigo", disse Legolas. "Mas deixa isso para depois e não estragues a maravilha com a pressa. É quase meio-dia e depois de comermos partiremos rapidamente, pelo que ouvi."

Merry suspirou; estava solitário sem Pippin e sentia que era apenas um fardo, enquanto todos estavam fazendo planos em um assunto do qual ele não entendia muito.

"Aragorn tem sua própria companhia agora", disse Gimli. "[Ele parece um tanto mudado e há nele alguma sombria preocupação. Mas parece mais um rei do que o próprio Théoden.][7] São homens robustos e nobres. Os Cavaleiros parecem quase meninos ao lado deles; pois são na maioria severos e gastos, assim como Aragorn era. Mas ele parece mudado: um homem régio como jamais se viu, embora esteja carregado com alguma sombria dúvida ou preocupação."

"Onde ele está?", perguntou Merry.

"Em um alto recinto na torre", disse Gimli. "Não descansou nem dormiu, eu creio. Foi para lá logo depois de chegarmos, dizendo que precisava refletir, e só seu parente Halbarad foi com ele."

Merry caminhou com Legolas e Gimli por algum tempo, enquanto falavam deste ou daquele episódio da batalha; e passaram pelo portão arruinado e pelos morros dos tomados, e postaram-se sobre o dique, olhando a Garganta. A Colina dos Mortos erguia-se negra e alta e rochosa em meio à relva pisoteada. Os Terrapardenses e outros homens da guarnição estavam ocupados aqui e ali, no dique e nos campos, ou nas muralhas danificadas. Por fim, retornaram e foram à refeição no salão do forte. Ali Merry foi chamado e colocado ao lado do Rei.

A conversa de Merry e Théoden que levou à oferta de seu serviço e à aceitação está praticamente igual à de RR (pp. 1129–30) e não precisa ser citada. Segue-se:

Conversaram por algum tempo. Então Éomer falou: "Está próxima a hora que acertamos para nossa partida. Devo pedir aos homens que soprem as trompas? E onde está Aragorn? Seu lugar está vazio e ele não comeu."

As trompas soaram e os homens aprestaram-se para cavalgar, os Cavaleiros de Rohan agora em uma grande companhia, pois o Rei estava deixando no Forte somente uma pequena guarnição, e todos os que podiam ser dispensados estavam rumando para se reunirem a ele. Mil lanceiros já haviam partido à noite para Edoras; e mesmo agora ainda havia uns trezentos ou mais que se congregaram vindo dos campos no entorno.

Em um grupo apartado estavam os Caminheiros. Estavam vestidos de cinza escuro e seus cavalos tinham o pelo áspero. Usavam capuzes sobre os elmos. [? Portavam] lança e arco e espada. Não havia nada refinado ou esplêndido em seus trajes, nenhum sinal ou brasão, salvo este: cada capa estava afixada no ombro esquerdo com um broche de prata em forma de estrela raiada.[8] Pareciam misteriosos e sombrios e altivos.

Logo Éomer saiu pelo portão do Forte, e com ele vieram Halbarad e Aragorn. Desceram a rampa e caminharam até os cavalos de prontidão. Merry, sentado em seu pônei junto ao Rei, ficou espantado com Aragorn. Parecia carrancudo, de rosto acinzentado, exausto, velho, e escorava-se um pouco em Halbarad.

"Tenho más notícias, senhor", disse ele, postando-se diante do Rei. "Um grave perigo inesperado ameaça Gondor. Uma grande frota se aproxima do sul, e vai interromper quase todo o auxílio que vem daquela região. Apenas de Rohan eles podem agora esperar grande auxílio. Mas devo tomar nova decisão. Receio, senhor, e Éomer, meu amigo, que devemos nos separar — para nos reencontrarmos, talvez, ou talvez não., Mas quanto tempo levarás para chegar ao Fano-da-Colina?"

"Agora passa uma hora do meio-dia", informou Éomer. "Ao anoitecer do segundo dia a contar deste deveremos chegar lá. Naquela noite, a lua nascerá cheia e a convocação que o Rei ordenou começará no dia seguinte."[9]

Aragorn ficou em silêncio, como se estivesse ponderando. "Dois dias", falou. "Não pode ser muito apressada. Bem, então com vossa vênia, senhor, abandonarei o sigilo. Esse tempo acabou para mim. Comerei agora e depois eu e meus caminheiros cavalgaremos tão rápido quanto pode um corcel diretamente a Edoras. Encontrar-nos-emos no Fano-da-Colina antes de nos separarmos. Adeus. Posso confiar meu amigo Meriadoc aos teus cuidados?"

"Não há necessidade", disse Théoden. "Ele prestou juramento e está a meu serviço. É meu escudeiro."

"Ótimo", disse Aragorn. "Tudo o que fazes é régio. Adeus."

"Até logo, Meriadoc," disse Gimli, "vamos com Aragorn. Parece que ele precisa de nós. Mas creio que nos reencontraremos. E, por ora, acho que a sua estrada é melhor. Trotando num bom pônei enquanto eu me seguro atrás de Legolas e tento acompanhar o ritmo desses Caminheiros!"

"Adeus", disse Merry pesaroso.

Uma trompa soou e os Cavaleiros partiram, e desceram pela Garganta e, voltando-se rapidamente para o oeste [*leia-se* leste], tomaram uma trilha que contornava os contrafortes por mais ou menos uma milha e depois voltava a entrar pelo meio das colinas e encostas e desaparecia.

Aragorn vigiou até os homens do Rei estarem bem avançados na Garganta. Voltou-se então para Halbarad. "Preciso comer", disse ele, "e então devemos partir às pressas. Vinde, Legolas e Gimli. Quero falar-vos enquanto como."

"Bem", disse Aragorn sentado à mesa do salão. "Olhei na Pedra, meus amigos. Pois meu coração [pressentia que] me dizia que havia muito a descobrir."

"Olhaste na Pedra!", exclamou Gimli, impressionado, atordoado e muito alarmado. "O que disseste a... ele?"

"O que disse a ele?" respondeu Aragorn gravemente, e seus olhos brilharam. "Que tinha aqui comigo um anão rebelde e tratante que eu gostaria de trocar por alguns bons orques, muito obrigado! Julguei que tinha a força, e a força eu tinha. Nada lhe disse, e arrebatei a Pedra dele para meu próprio propósito. Mas ele me viu, sim, e viu-me com outro aspecto, talvez, do que este com que me vês. Se fiz mal, está feito. Mas não creio que seja assim. Saber que eu vivia e caminhava na terra foi uma espécie de golpe em seu coração, e certamente agora ele apressará todos os seus ataques — mas eles estarão menos amadurecidos. E, ademais, fiquei sabendo de muitas coisas. Por exemplo, que ainda há outras Pedras. Uma está em Erech, e é para lá que estamos indo. [*Riscado:* Na Pedra de Erech os Homens ... será visto.][10] Halbarad traz esta mensagem:

> *Virão da montanha, ao encontro fiéis;*
> *na Pedra de Erech, com trompa a soar,*
> *se finda a esperança e se dormem os reis*
> *se no mundo lá embaixo há treva a turvar:*
> *Virão três senhores daquelas três gentes*
> *Das sendas dos mortos, do Norte eles vêm*
> *elfo, anão e senhor, cansados, dolentes,*
> *E um deles na fronte uma coroa tem.* [11,A]

E essa é uma antiga rima de Gondor que ninguém compreendeu; mas creio que agora percebo algo de seu sentido. Vamos para a Pedra de Erech pelas sendas dos Mortos!", exclamou se erguendo. "Quem virá comigo?"

Meu pai escreveu com tinta por cima das duas últimas frases a lápis, e o resto do texto consiste em observações à tinta e a lápis. Elas começam assim:

Assim, agora todas as estradas corriam juntas rumo ao Leste e à chegada da Guerra. E, ao mesmo tempo em que Pippin estava junto ao Portão e viu a entrada do Príncipe de Dol Amroth com seus estandartes na cidade, o Rei de Rohan desceu vindo das colinas.

Esse é o início de "A Convocação de Rohan" em RR.[12] É seguido por um croqui do Picorrijo, e depois por um rascunho rudimentar que desenvolve a conversa entre Théoden e Éomer ao chegarem no Vale Harg, deixando-a mais parecida com o texto em RR. Sobre a importância disso, ver pp. 364–5.

Esse rascunho foi seguido (julgo que de imediato) por outro ("**C**"), numerado "45", mas sem título, escrito de modo mais claro, mas sem avançar muito em relação ao anterior. No início do capítulo, Merry "tinha poucas coisas a levar, pois os hobbits perderam suas mochilas em Calembel (Calledin) e, embora Merry e Pippin tivessem encontrado novas em Isengard e apanhado alguns objetos úteis, fizeram apenas uma trouxa leve" (ver p. 353). Na conversa entre Legolas, Gimli e Merry no Forte-da-Trombeta (RR, pp. 1127–29), Legolas agora fala dos filhos de Elrond, ainda chamados Elboron e Elbereth (e só agora fica realmente claro quem eles são, ver p. 353): "Seu equipamento é sombrio como o dos demais, mas são belos e galantes como Senhores-élficos. E isso não é de se admirar, pois são filhos do próprio Elrond de Valfenda". À pergunta de Merry "Por que vieram? Vós ouvistes?", a conversa então continua como em RR, com Gimli citando a mensagem que chegou a Valfenda, atribuindo-a a Gandalf, e Legolas sugerindo que é mais provável ter vindo de Galadriel.[13] O cavalo de Aragorn, Roheryn, trazido pelos Caminheiros (RR, p. 1131) ainda não apareceu (ao partir para Edoras, ele ainda cavalgava em Hasufel), e o pônei de Merry (Stybba em RR) ainda não tem nome; mas os filhos de Elrond são descritos nas mesmas palavras de RR, com sua armadura de luzidia cota de malha sob capas de cinza-prateado (o que aparentemente contradiz a observação anterior de Legolas: "Seu equipamento é sombrio como o dos demais", onde RR diz "Seu equipamento é menos sombrio que o dos demais").

Quando Aragorn saiu do portão do Forte, o novo texto segue o anterior bem de perto (pp. 355–7), mas ele não nomeia o "grave perigo inesperado" que ameaça Gondor, e não diz mais "Encontrar-nos-emos no Fano-da-Colina antes de nos separarmos", mas sim "Terei partido antes de chegares lá, se meu propósito se mantiver". A descrição que faz de quando olhou na *palantír* de Orthanc desenvolve-se um pouco, embora seu sarcasmo para com Gimli permaneça; depois de suas palavras "Se fiz mal, está feito. Mas não creio que seja assim", esse texto continua:

"Saber que eu vivia e caminhava na terra foi um golpe em seu coração, assim julgo, pois ele não o sabia até agora. Mas não se esqueceu da espada de Isildur nem de sua mão mutilada e da dor que vive sempre consigo. Que na própria hora dos seus grandes desígnios o herdeiro de Isildur se revelem, e também a espada de Elendil — pois eu a mostrei para ele — perturbará seus planos. Certamente agora apressará seus ataques, mas o golpe apressado muitas vezes se desvia.

"E fiquei sabendo de muitas coisas. Por exemplo, que ainda há outras Pedras preservadas nesta terra antiga. Uma está em Erech. E é para lá que estamos indo. À Pedra de Erech, se pudermos encontrar e enfrentar as Sendas dos Mortos."

"As Sendas dos Mortos?", disse Gimli. "Têm um nome cruel! Onde ficam?"

"Não sei ainda", disse Aragorn. "Mas conheço muito do saber antigo destas terras, e aprendi muito por mim mesmo em muitas jornadas; e tenho uma suspeita. Para prová-la, cavalgaremos às pressas antes de o dia ter avançado muito. Mas ouvi, eis umas velhas rimas da minha gente, quase esquecidas. Não eram declamadas abertamente, mas Halbarad me diz que a mensagem que chegou de Valfenda terminava assim. 'Dizei a Aragorn que se lembre das sombrias palavras de outrora:

> *Virão da montanha, ao encontro fiéis;*
> *na Pedra de Erech, com trompas a soar* [...]'"[B]

As únicas diferenças nessa forma do poema em relação ao rascunho B anterior (p. 357) são: *trompas* em vez de *trompa* no verso 2; *perdida* em vez de *finda* no verso 3; *sombra* em vez de *treva* no verso 4 e *homem* no lugar de *senhor* no verso 7.

O texto C foi alterado muito substancialmente, com mudanças a lápis e com a substituição de páginas existentes por outras reescritas. Duvido que muito tempo tenha se passado, se é que algum tempo se passou, entre a execução inicial do manuscrito e essas alterações: minha impressão é que o texto conforme escrito inicialmente terminava nesse ponto, com as "sombrias palavras de outrora", quase no mesmo lugar em que o rascunho anterior B terminava (p. 357), e que meu pai começou imediatamente a desenvolvê-lo.

Os pontos em que B diferia de RR, mencionados na nota 6, foram então todos alterados para a forma final (exceto o nome *Dúnadan*, que ainda não surgira); e, enquanto *Elboron* permaneceu, *Elbereth* foi alterado para *Elrohir*. E continua completamente ausente o trecho (RR, p. 1127) em que Elrohir entrega a mensagem de Elrond para Aragorn e Halbarad declara a mensagem de Arwen que acompanha sua dádiva; contudo, depois da descrição dos Caminheiros (RR, p. 1131), foi inserido o seguinte:

Seu líder, Halbarad, trazia um bastão comprido, sobre o qual parecia haver um grande estandarte, mas estava bem enrolado e coberto com um pano negro atado com muitas tiras.

Uma reformulação importante[14] foi inserida no manuscrito C no ponto em que Aragorn saiu pelo portão do Forte; o texto fica bem mais parecido com o de RR, mas não idêntico, pois Aragorn procura saber mais sobre as Sendas dos Mortos, o que não acontece em RR (p. 1131).

"Tenho a mente inquieta, senhor", disse ele, de pé junto ao estribo do rei. "Ouvi estranhas palavras e vejo ao longe novos perigos. Por muito tempo labutei em pensamento e agora receio ter de mudar meu propósito. Mas conta-me, Théoden, o que se sabe nesta terra das Sendas dos Mortos?"

"As Sendas dos Mortos!", exclamou Théoden. "Por que falas delas?" Éomer voltou-se e encarou Aragorn, e a Merry pareceu que os rostos dos Cavaleiros que estavam ao alcance dessas palavras empalideceram diante delas, e perguntou-se o que poderiam significar.

"Porque gostaria de saber onde ficam", respondeu Aragorn.

"Não sei se tais sendas existem de fato", disse Théoden; "mas seu portão é no Fano-da-Colina, se for verdade o antigo saber que de raro se fala em voz alta."

"No Fano-da-Colina!", exclamou Aragorn. "E é para lá que cavalgas. Quanto tempo levarás para lá chegares?"

"Agora passa duas horas do meio-dia", falou Éomer. "Antes da noite do segundo dia a contar deste devemos chegar ao Forte. Naquela noite a lua nascerá cheia e a convocação que o rei ordenou começará no dia seguinte. Não podemos ser mais velozes se a força de Rohan tiver se ser reunida."

Por um momento, Aragorn ficou em silêncio. "Dois dias", murmurou, "e então a convocação de Rohan só terá começado. Mas vejo que agora ela não pode ser apressada". Olhou para cima, e pareceu que ele tinha tomado alguma decisão; seu rosto estava menos inquieto.

"Bem, com tua vênia, senhor, devo tomar nova decisão. Para mim e minha parentela agora não haverá mais sigilo. Para mim terminou o tempo da reserva. Cavalgarei pelo caminho reto e aberto com toda a velocidade para Edoras, e de lá para o Fano-da-Colina, e de lá... quem há de saber?"

"Faz como achares melhor", disse Théoden. "Teus inimigos são os meus, mas que cada um lute conforme sua sabedoria o guiar. Mas agora preciso tomar as estradas montanhesas e não me atrasar mais. Adeus!"

"Adeus, Aragorn!", disse Éomer. "É um pesar para mim que não cavalguemos juntos."

"E, no entanto, na batalha poderemos nos reencontrar, mesmo que todas as hostes de Mordor se ponham entre nós", disse Aragorn.

"Se buscas as Sendas dos Mortos", disse Éomer, "então é pouco provável que nos reencontremos entre homens viventes. Mas é tua sina, quem sabe, trilhar estranhas sendas que outros não ousam trilhar."

"Até logo, Aragorn!", disse Merry. "Não queria me separar do restante da nossa Comitiva, mas entrei para o serviço do Rei."

"Não te poderia desejar fortuna melhor", disse Aragorn.

"Até logo, meu rapaz", disse Gimli. "Desculpa-me, mas Legolas e eu juramos ir com Aragorn. Ele diz que precisa de nós. Tenhamos esperança de que a Comitiva se reunirá algum dia. E, no estágio seguinte, tua estrada é melhor. Ao trotares em teu pônei, pensa em mim segurando-me aqui enquanto Legolas compete a cavalo com os sinistros Caminheiros ali adiante."

"Até que nos reencontremos!", disse Legolas. "Mas seja lá que caminho escolhamos, vejo uma trilha sombria e difícil diante de cada um de nós antes do fim. Adeus!"

O texto então prossegue com o triste adeus de Merry e a partida dos Cavaleiros descendo a Garganta (que neste texto [em inglês] é grafado em toda parte como *Combe* [e não *Coomb*, grafia no SdA]), mas as palavras de Aragorn e Halbarad sobre Merry e a gente do

Condado estão ausentes. O relato de Aragorn sobre a Pedra-de--Orthanc foi então reescrito com muitas alterações menores trazendo o texto mais para perto da versão em RR (contudo, as palavras "Os olhos de Orthanc não enxergavam através da armadura de Théoden" não estão presentes: ver p. 98 e nota 17). Mas, respondendo à objeção de Gimli "Mas ainda assim ele comanda uma grande dominação e agora atacará mais depressa", nesta versão ele diz:

"O golpe apressado muitas vezes se extravia", comentou Aragorn. "E seus planos serão perturbados. Vede, meus amigos, quando dominei a Pedra fiquei sabendo de muitas coisas. Vi grave perigo chegando inesperadamente a Gondor, vindo do Sul, que desviará grande força da defesa de Minas Tirith. E há outras movimentações no Norte. Mas agora ele hesitará, em dúvida se o herdeiro de Isildur está com aquilo que Isildur tomou dele, e achando que deve ganhar ou perder tudo diante dos portões da Cidade. Se for o caso, então está bem, tão bem quanto pode estar um caso maligno.

"E uma coisa mais descobri. Ainda há outras Pedras preservadas nesta antiga terra. Uma está em Erech. É para lá que vou. À Pedra de Erech, se pudermos encontrar as Sendas dos Mortos."

"As Sendas dos Mortos!", exclamou Gimli. "É um nome cruel, e pouco do agrado dos homens de Rohan, como vi. Onde ficam, e por que devemos buscá-las?"

"Ainda não sei onde ficam", disse Aragorn. "Mas parece que no Fano-da-Colina talvez encontremos a resposta. Então é para o Fano-da-Colina que irei o mais rápido que puder."

"E gostarias que cavalgássemos contigo?", perguntou Legolas.

"Por livre vontade, gostaria", disse Aragorn. "Pois julgo que não é por acaso que nós três da Comitiva agora ficamos juntos. Temos algum papel a desempenhar juntos. Ouvi! Eis umas velhas rimas da minha gente, quase esquecidas, jamais compreendidas.

Dormem os reis nesses dias contados.
Crescem as sombras, o momento é de treva.
Eles vêm da Montanha; o encontro é guardado;
na Pedra de Erech, som de trompa se eleva.
Três senhores vejo daquelas três gentes:
de esquecidos paços nos montes além,
Elfo, Anão e um Homem, cansados, dolentes,
das Sendas dos Mortos, do Norte eles vêm![15,C]

Por que isso apontaria para nós, podeis perguntar. Creio serem demasiado adequadas para a hora para ser um acaso. No entanto, se ainda mais for necessário, os filhos de Elrond trazem estas palavras de seu pai em Valfenda: 'Dizei a Aragorn que se lembre das Sendas dos Mortos.'

"Então vinde!", Aragorn se levantou e sacou a espada, e ela reluziu na penumbra do salão do Forte. "À Pedra de Erech! Busco as Sendas dos Mortos! Venha comigo quem quiser!"

Legolas e Gimli nada responderam, mas ergueram-se também e seguiram Aragorn que saía do salão. No gramado esperavam em silêncio os Caminheiros encapuzados. Legolas e Gimli montaram. Aragorn saltou sobre Hasufel. Então Halbarad ergueu uma grande trompa e seu toque ecoou no Abismo de Helm; e partiram de um salto, cavalgando Garganta abaixo como trovão, enquanto todos os homens restantes no Dique e no Forte os olhavam com pasmo.

A última página do manuscrito contém as palavras a lápis no fim da versão B (p. 357): "Assim, agora todas as estradas corriam juntas rumo ao Leste [...]", o parágrafo que abre "A Convocação de Rohan" em *O Retorno do Rei*.

Nesse ponto meu pai datilografou uma cópia limpa, que chamarei de "**M**",[16] muito baseada no manuscrito C depois de revisado. Esse texto, numerado "45", tinha o título "Muitas Estradas Rumam ao Leste". Apenas alguns trechos precisam ser observados. Mencionei (pp. 361–2) que, depois da partida de Théoden do Forte-da-Trombeta, "as palavras de Aragorn e Halbarad sobre Merry e a gente do Condado estão ausentes" no manuscrito C revisado; mas o precursor desse trecho em RR (p. 1133) aparece agora:

Aragorn cavalgou até o Dique e vigiou até os homens do rei estarem bem avançados na Garganta. Voltou-se então para Halbarad. "Ali vão três que amo", disse ele, "e não menos o hobbit, Merry, o mais querido. Apesar de todo nosso amor e nossas sinas, Halbarad, e nossos feitos d'armas, ainda assim eles têm um grande valor, esse povo pequeno e determinado; e é por eles que batalhamos, assim como por qualquer glória de Gondor. E, contudo, o fado nos separa. Bem, assim é. Preciso comer alguma coisa, e depois também nós temos de partir às pressas [...]".[17]

Em segundo lugar, depois das palavras de Aragorn "Se for o caso, então está bem, tão bem quanto pode estar um caso maligno" (p. 362), ele agora prossegue:

"[...] Esses ataques fatais nos nossos flancos serão enfraquecidos. E temos um pouco de espaço para jogar.

"E uma coisa mais descobri. Há outra Pedra preservada na terra de Gondor *dentro da qual ele não olhou*. Está em Erech. Para lá eu irei. [...]"

E, por fim, Aragorn agora introduz as "velhas rimas" nestas palavras: "Ouvi! Eis aqui umas velhas rimas do saber entre minha gente, quase esquecidas, jamais compreendidas: apenas um fragmento das rimas de Malbeth, o último Vidente de nosso povo no norte" (ver nota 15). O poema difere da versão em C revisado (p. 362) nos versos 2–4, que aqui dizem:

Cresce a sombras, o momento é de treva.
Ele vem da Montanha; o encontro é guardado;
Na Pedra de Erech sua trompa se eleva.[D]

Do ponto em que "Aragorn saltou sobre Hasufel", o texto datilografado M continua assim:

[...] Então Halbarad ergueu uma grande trompa, e seu toque ecoou no Abismo de Helm, e com isso eles partiram de um salto, cavalgando Garganta abaixo como o trovão, enquanto todos os homens restantes no Dique e no Forte os olhavam com pasmo.

Assim, agora todas as estradas corriam juntas rumo ao Leste para se encontrarem com a chegada da guerra e o início da Sombra. E, ao mesmo tempo em que Pippin estava junto ao Portão da Cidade e viu a entrada do Príncipe de Dol Amroth com seus estandartes, o Rei de Rohan desceu vindo das colinas.

O dia estava terminando. Aos últimos raios de sol, os Cavaleiros lançavam longas sombras pontiagudas que avançavam diante deles. [...]

O parágrafo "Assim, agora todas as estradas corriam juntas rumo ao Leste [...]" tinha sido escrito no final dos textos B e C (pp. 357, 363), nos quais já estava claro que meu pai tinha em mente um capítulo que se dividiria em duas partes: primeiro, a história do retorno de Théoden e Aragorn ao Forte-da-Trombeta e de Aragorn olhando na *palantír* de Orthanc, seguida das partidas separadas de Théoden com seus Cavaleiros e Aragorn com os Caminheiros; e, segundo, a história de Théoden chegando ao Fano-da-Colina. O parágrafo "Assim, agora todas as estradas corriam juntas rumo ao Leste" foi pensado como elo entre os dois (e fornecia o título do capítulo no texto datilografado, o qual adotei aqui). Nos termos de RR, esse 45º capítulo de *O Senhor dos Anéis* consistia em "A Passagem da Companhia Cinzenta" (pp. 1124–36) e "A Convocação de Rohan" (p. 1147 e seguintes), mas toda a história de Aragorn e os Caminheiros depois de deixarem o Forte-da--Trombeta seria adiada.

Quando o texto datilografado M estava pronto, muito mais trabalho tinha sido feito nisso que é mais conveniente chamar pelo título posterior, "A Convocação de Rohan", expandindo-o a partir do ponto alcançado em outubro de 1944, conforme detalhado no Capítulo 2 ("Livro Cinco: Iniciado e Abandonado"). Portanto, deixo para o capítulo seguinte a segunda parte de "Muitas Estradas Rumam ao Leste"; mas a história subsequente da primeira parte, a do "Forte-da-Trombeta", pode ser brevemente colocada aqui. O texto datilografado M, renomeado "Fano-da-Colina", tornou-se o veículo para muito desenvolvimento posterior (sem dúvida em momentos diferentes) até a partida de Aragorn e dos Caminheiros do Forte-da-Trombeta, com alterações como *Parth Galen* no lugar de *Calembel* (e uma sugestão de nome *Calembrith*), *Elladan* no lugar de *Elboron*, a introdução do trecho (RR, p. 1127) em que Elrohir e Halbarad entregam mensagens de Elrond e Arwen ("a Senhora de Valfenda"), e do relato de Aragorn (RR, pp. 1135–36) acerca do juramento que os Homens das Montanhas descumpriram e das palavras de Isildur ao rei deles. Contudo, os versos de Malbeth não chegaram, nesse estágio, à versão aliterante de RR:

"[...] Ouvi! Estas são as palavras que os filhos de Elrond me trazem de seu pai em Valfenda, do mais sábio no saber: 'Dizei a Aragorn que se lembre das Sendas dos Mortos. Pois assim falou Malbeth, o Vidente:

Onde dormem os reis quando o chão é escuro
E longa se estende do Leste a Treva,
Hão de manter seu encontro os perjuros,
Na Pedra de Erech uma trompa se eleva:
Vem cumprir sua jura o povo esquecido.
De quem é a trompa? Quem convoca e sujeita?
Pois nada ali entra sem ser permitido.
O herdeiro daquele a quem a jura foi feita;
Do Norte a escura trilha pisará;
A Erech nas Sendas dos Mortos virá.'"[E]

No estágio posterior ao desenvolvimento desse texto datilografado, com seus acréscimos manuscritos, meu pai incluiu (conforme demonstrado pela paginação) — em uma continuação escrita de modo rudimentar, mas parecida com a versão em RR — a história da chegada da Companhia Cinzenta (que ainda não tinha esse nome) ao Fano-da-Colina e o encontro de Aragorn e Éowyn naquela noite e novamente ao amanhecer do dia seguinte (RR, pp. 1136–40).[18] Fica claro pela paginação que, nesse estágio, a convocação no Vale Harg ainda seria incluída nesse capítulo ("Fano-da-Colina"); e que o trecho das Sendas dos Mortos ainda não fora contado nessa porção da narrativa.

NOTAS

1 Uma nota na margem desse texto diz "Noite do 3, dia do 4", ou seja, eles chegaram ao Forte-da-Trombeta ao amanhecer de 4 de fevereiro. Presume-se que a cronologia vislumbrada aqui era a de que Théoden deixaria o Forte-da-Trombeta no início do dia 5. Ver nota 9.

2 No Primeiro Mapa, "Fano-da-Colina" era o nome da montanha que depois passou a se chamar Picorrijo (VII. 376 e p. 288 neste livro); a distância entre aquele "Fano-da-Colina" e o ponto acrescentado posteriormente para assinalar a posição da Pedra de Erech (p. 320, nota de rodapé) é 18,5 mm, ou 92,5 milhas [*c.* 149 km]. Exatamente o mesmo — embora eu ache que isso foi por acaso e não por planejamento — encontra-se no mapa anômalo redesenhado na p. 322 para a distância de Erech até o pequeno ponto no Vale Harg que provavelmente representa o Fano-da-Colina. O Segundo Mapa (p. 510) assinala (provavelmente) 45 milhas [*c.* 72 km]; e essa é também a distância no mapa em larga escala que meu pai fez de Rohan, Gondor e Mordor (e na minha reprodução dele, publicada em *O Retorno do Rei*).

3 Uma régua de madeira que meu pai talvez tenha usado nesse momento dá 50 mm = 62,5 milhas [*c.* 100,5 km].

[4] No entanto, Taum Santoski foi capaz de ler uma boa parte, especialmente na porção final do texto, que descreve a chegada dos Caminheiros: aqui não há qualquer diferença importante entre o rascunho original e o texto à tinta por cima. É possível interpretar menos coisas do trecho de abertura do capítulo, mas pode-se ver que Aragorn, em resposta à pergunta de Legolas "Aonde?" ("E depois aonde?" em RR), dizia: "Ainda não sei dizer. Iremos ao Forte do Fano-da-Colina, a Edoras, imagino, para a convocação que o Rei ordenou daqui a [três > ? quatro] noites a contar de agora. Mas isso pode acabar se mostrando tarde demais". Ele não parece ter dito nada equivalente a "Uma hora há muito preparada se avizinha" e, em resposta à sua pergunta "Quem irá comigo?", somente Merry responde "Eu irei. Embora tenha prometido me sentar ao lado do Rei quando ele voltar à sua casa para contar-lhe sobre o Condado". A isso, Aragorn responde: "Isso deve esperar, receio — [? deveras], creio que essa será uma das belas coisas que não darão flor nesta amarga primavera".

[5] Para aplicações anteriores do nome *Halbarad*, ver p. 284 e nota 10.

[6] Alguns outros detalhes em que o texto difere de RR podem ser mencionados. A resposta de Aragorn à observação de Merry sobre sua promessa a Théoden permanece igual (nota 4). No encontro com os Caminheiros, os pensamentos de Merry não são descritos; Halbarad não se intitula *Dúnadan*; e nem Aragorn nem Halbarad apeiam inicialmente: só depois do "reconhecimento" é que eles saltam dos cavalos.

[7] Os colchetes estão no original.

[8] Em *O Conto dos Anos* (SdA, Apêndice B), afirma-se no ano 1436 do Registro do Condado que o Rei Elessar, chegando à Ponte do Brandevin, dá a Estrela dos Dúnedain ao Mestre Samwise. Na minha nota 33 a *O Desastre dos Campos de Lis* em *Contos Inacabados* (p. 381), eu disse que não sabia dizer que estrela era essa. Este é um lugar conveniente para mencionar que, depois da publicação de *Contos Inacabados*, dois correspondentes, o Major Stephen M. Lott e a Sra. Joy Mercer, sugeriram de modo independente para mim que a Estrela dos Dúnedain muito provavelmente é a mesma do broche de prata usado pelos Caminheiros no presente trecho (RR, p. 1131); a Sra. Mercer também fez menção à estrela usada por Aragorn quando serviu em Gondor, conforme descreve o Apêndice A (I.iv, *Os Regentes*: "Os homens de Gondor o chamavam Thorongil, a Águia da Estrela, pois era veloz, de olhar aguçado e usava uma estrela de prata na capa". Essas sugestões claramente estão corretas.

[9] A cronologia agora está assim:

4 de fevereiro Théoden e Aragorn chegam ao Forte-da-Trombeta ao amanhecer. À tarde, Théoden e os Cavaleiros partem para o Fano-da-Colina, e logo depois Aragorn e os Caminheiros partem para Edoras.

No Forte-da-Colina, Éomer diz: "Ao anoitecer do segundo dia a contar deste deveremos chegar lá [no Fano-da-Colina]. Naquela noite, a lua nascerá cheia".

6 de fevereiro Lua cheia. Théoden chega ao Fano-da-Colina no crepúsculo.

[10] Em um texto posterior (ver p. 466), a negra Pedra de Erech, trazida de Númenor, não era uma *palantír*, mas havia uma *palantír* preservada na Torre de Erech. No presente texto (e nas revisões subsequentes, pp. 359, 362), por outro lado, a interpretação mais natural das palavras parece ser a de que a Pedra de Erech é ela mesma a *palantír*. Sobre as localizações das *palantíri* conforme originalmente concebidas, ver pp. 97–8. — Ao lado da fala de Aragorn, está escrito a lápis na margem: "Ele não esqueceu a espada de Isildur. Sem dúvida há de pensar que estou com o tesouro". Ver o texto subsequente (p. 362) "Mas agora ele hesitará, em dúvida se o herdeiro de Isildur está com aquilo que Isildur tomou dele".

[11] Pontuei o poema de acordo com a versão subsequente dele, que é quase idêntica. No quarto verso, meu pai escreveu *sobre a terra*, alterando *a terra* para *o mundo*, e eu substituí *sobre o* por *no*, como na versão seguinte. — *forwandréd* [no verso em inglês]: abatido e exausto de tanto vagar.

[12] Os textos originais da abertura abandonada de "A Convocação de Rohan" começavam com "O dia estava (se esvaindo) terminando"; o parágrafo citado ("Assim, agora todas as estradas corriam juntas rumo ao Leste [...]") precede "O dia estava terminando" em RR.

[13] Na mensagem que chegou a Valfenda, as palavras neste texto são: "O Senhor Aragorn precisa de sua parentela. Que os últimos dos Reis de Homens no Norte cavalguem para encontrá-lo em Rohan", onde RR diz "Que os Dúnedain cavalguem [...]". Em uma versão rejeitada desse trecho, que o precede no manuscrito, as palavras são: "Que todos os que restam dos [*riscado:* Tarkil] Reis de Homens cavalguem para encontrá-lo em Rohan".

A evidência de Legolas para corroborar sua opinião de que foi Galadriel quem mandou a mensagem, "Ela não falou através de Gandalf da cavalgada da Companhia Cinzenta vinda do Norte?" (RR, p. 1129), está ausente aqui. A referência é ao capítulo "O Cavaleiro Branco" (DT, p. 741) e aos versos de Galadriel dirigidos a Aragorn que Gandalf lhe disse em Fangorn:

Chega a hora em que surge a Perdida coorte
E a Companhia Cinzenta cavalga do Norte.
Mas negro é o caminho que te cabe trilhar:
Os Mortos vigiam a estrada pro Mar.[F]

Foi nesse estágio da evolução da história que a mensagem de Galadriel em verso para Aragorn foi alterada em relação à sua forma anterior e completamente diferente: ver VII. 508, 528.

Quando os três companheiros desceram dos portões rompidos, eles "passaram pelos novos morros dos tombados que foram erguidos na Nesga" ("no gramado" em RR, p. 1129); e "os Cavaleiros estavam se reunindo na Nesga" ("no gramado" em RR, p. 1130). Ver a descrição do Forte-da-Trombeta no capítulo "O Abismo de Helm" (DT, p. 775): "[O Riacho-do-Abismo] fazia uma curva em torno do sopé da Rocha-da-Trombeta e depois fluía em um sulco *pelo meio de uma larga nesga verde*"; e ver também o desenho do Abismo de Helm e do Forte-da-Trombeta em *Pictures by J.R.R. Tolkien*, n. 26.

[14] Um detalhe estranho pode ser mencionado aqui. Na conversa com Legolas e Merry, Gimli diz na versão C, conforme inicialmente escrita: "Joguei um jogo que ganhei por não mais do que um orque" (compare com RR, p. 1128). Isso foi então alterado para: "e aqui Legolas e eu jogamos um jogo que *perdi* por um único orque", e essa frase permaneceu no primeiro texto datilografado. Mas, no segundo manuscrito completo de "A Estrada para Isengard", escrito muito antes dessa época, o texto está precisamente como em DT, p. 793: "'Ultrapassaste minha contagem por um', respondeu Legolas".

[15] Uma versão rejeitada do poema também se encontra no manuscrito e nela os dois primeiros versos dizem:

Dormem os reis, tudo fica ensombrado.
A luz é pouca e o momento é de treva.[G]

O restante do poema é igual ao que está no texto. Embora Aragorn os descreva simplesmente como "umas velhas rimas da minha gente", as palavras "Três senhores vejo" talvez indiquem que são a profecia de um vidente; e, no texto seguinte (p. 364), Aragorn o atribui a "Malbeth, o último Vidente de nosso povo no Norte" (ver RR, p. 1135, em que ele declara que os versos, completamente diferentes, foram ditos por "Malbeth, o Vidente, nos dias de Arvedui, último rei em Fornost"). Em nenhum desses textos há qualquer indicação do que seria esse "encontro". No esboço em pp. 327–8, há menção à derrota dos Haradwaith pela "Hoste de Sombra".

[16] Como se verá em breve, o motivo para chamar esse texto datilografado de "M" é que ele cobre, em um único capítulo (45), tanto a história de Aragorn no Forte-da-Trombeta (precedida pelos textos A–C) quanto a história da Convocação de Rohan (precedida pelos textos A–L).

[17] Isso foi alterado no texto datilografado para: "'Ali vão três que amo', disse ele, 'e o Pequeno, Merry, o mais querido. [...] e também por eles batalhamos, não apenas pela glória de Gondor. E, contudo, o fado nos separa. [...]'".

[18] Nessa continuação, diz-se que Aragorn chegou a Edoras "no crepúsculo do dia seguinte" (5 de fevereiro), e que não se detiveram ali, mas subiram o Vale Harg e chegaram ao Fano-da-Colina "tarde da noite"; e Aragorn diz a Éowyn na manhã seguinte (6 de fevereiro) que Théoden e Éomer não retornarão "até que o dia esteja terminando". Ver nota 9.

5

Muitas Estradas rumam ao Leste (2)

Quando meu pai fez o texto datilografado (M) do longo capítulo "Muitas Estradas Rumam ao Leste", ele não tinha apenas escrito boa parte do que viria a se tornar "A Passagem da Companhia Cinzenta": também expandiu muito a história do que se tornou "A Convocação de Rohan" a partir da abertura abandonada em outubro de 1944. Um novo texto dessa última (sucedendo o último dos textos antigos, aquele em "tipo minúsculo" que chamei de H, p. 300) começa no ponto em que Éomer diz "Finalmente o Vale Harg!" (RR, p. 1149); chamarei esse texto de "**J**". Escrito de modo razoavelmente claro à tinta, ele avança apenas até o episódio em que Merry se espanta com a fileira de pedras fincadas no Firienfeld (RR, p. 1152), sendo que as últimas linhas foram escritas de maneira rudimentar a lápis, e então se degenera em um breve esboço; contudo, até o ponto que alcança, a primeira parte de "A Convocação de Rohan" em RR foi atingida quase palavra por palavra, salvo no ponto em que o texto é interrompido.[1] O texto termina assim:

Por fim chegaram a uma beirada abrupta, e a estrada ascendente entrou em um corte baixo entre paredes rochosas e subiu por uma encosta, saindo para um amplo planalto. Os homens o chamavam Firienfeld, um verde campo montês de relva e urze acima do vale fundamente escavado, no colo das grandes montanhas mais atrás: o Picorrijo ao sul, e ao oeste [*leia-se* norte][2] a massa de muitos picos de Iscamba[3] Serraferro [*escrito acima:* Serra-de-ferro], entre os quais ficava, mais baixa, mas íngreme e sombria, a muralha negra de Dwimorberg, que se erguia de densas encostas de abetos/pinheiros sombrios. Nessa direção, a partir da própria beirada da escadaria até o limite sombrio da floresta, marchava uma fileira uma dupla fileira [*sic*] de pedras fincadas. Gastas e negras, algumas se inclinavam, outras haviam caído, algumas estavam rachadas ou quebradas, elas pareciam dentes. No ponto em que desapareciam na floresta, havia uma abertura escura para uma caverna ou recuo no lado [? ocidental]. Um pouco para dentro, mal visível, erguia-se um alto pilar.

Merry fitou essa estranha fila de pedras e perguntou-se o que seriam. Ele

Éowyn diz que Aragorn foi pelas Sendas dos Mortos.

As cabanas e pavilhões do forte.

Chegam mensageiros de Gondor ao pavilhão do rei.

O rei promete 7 mil cavalos para partirem assim que possível. Ao mesmo [tempo], mensageiros vêm do Eastemnet dizendo que uma hoste-órquica atravessou o rio, abaixo do Limclaro.

É uma lúgubre refeição noturna.

A manhã chega sombria e nublada, e fica mais escuro.

Nessa página, que está reproduzida na p. 373, há dois croquis feitos apressadamente a lápis que ilustram amplamente a concepção final do Vale Harg e do Fano-da-Colina.

Deve-se lembrar que, nessa época, a história do que aconteceu depois com Aragorn e a Companhia Cinzenta — sua chegada ao Fano-da-Colina e a entrada no Portão dos Mortos — não estava presente na narrativa: era para o trecho em questão ser a primeira descrição da Dwimorberg, do Firienfeld, da fileira de pedras fincadas, da Dimholt, e do grande monólito diante da Porta Escura. Posteriormente, quando a estrutura da narrativa foi alterada, meu pai manteve muito dessa descrição no capítulo "A Convocação de Rohan" (RR, p. 1152): ele deu conta da chegada da Companhia Cinzenta ao Fano-da-Colina duas noites antes da chegada de Théoden em uma única frase ("[subiram] pelo vale e assim [alcançaram] o Fano-da-Colina ao cair da escuridão", RR, p. 1136) e não falou quase nada da cena — eles "se sentaram para jantar" com Éowyn, "quando Aragorn chegou à barraca onde devia se alojar com Legolas e Gimli, e seus companheiros tinham entrado, a Senhora Éowyn o seguiu e o chamou" e só. A chegada da Companhia à Porta Escura na manhã seguinte é descrita com uma brevidade misteriosa: a fileira dupla de pedras fincadas que atravessa o Firienfeld é mencionada de modo superficial, como se a existência dela já fosse conhecida do leitor: "Um temor os assolou, mesmo ao passarem entre as fileiras de antigas pedras, e assim chegaram à Dimholt" (RR, p. 1141).

Ao texto J seguiu-se outro, "**K**", começando no mesmo ponto ("Finalmente o Vale Harg!"); foi escrito de maneira clara à tinta até o ponto em que Éowyn diz a Théoden: "E vosso pavilhão está preparado para vós, senhor, pois tive plenas notícias vossas" (ver RR, p. 1153). Nesse texto, a descrição do Firienfeld diz o seguinte (o trecho aqui colocado entre asteriscos foi rejeitado, mas não está assinalado de nenhum modo no manuscrito):

Os homens o chamavam Firienfeld, um verde campo montês de relva e urze, muito acima do vale fundamente escavado [> curso fundamente escavado do Riacho-de-Neve], no colo das grandes montanhas mais atrás: o Picorrijo ao sul e à direita, e [ao oeste, na frente >] ao norte e à esquerda a massa de muitos picos de Serraferro, entre os quais se defrontavam, escura e carrancuda, com a sisuda muralha negra de Dwimorberg, que se erguia de densas encostas de pinheiros sombrios. *[Na direção dessa floresta >] Através do amplo campo, da beirada da escadaria até o limite sombrio da floresta, marchava uma dupla fileira de pedras fincadas, gastas e negras. Algumas se inclinavam, outras haviam caído, algumas estavam rachadas ou quebradas, pareciam fileiras de dentes velhos e famintos. No ponto em que desapareciam na floresta, havia uma [abertura escura >] trilha nas árvores: um pouco para dentro, mal visível, erguia-se um alto pilar e, além dele, a abertura escura de uma caverna ou de uma grande porta.* Dividindo em dois o planalto, marchava ali uma dupla fileira de pedras fincadas que minguavam na penumbra e desapareciam nas árvores. Os que seguissem aquela estrada chegavam a uma clareira sombria em meio à treva suspirante da Firienholt,[4] e ali, como uma sombra, erguia-se um único pilar de pedra e, mais além, um imenso portal na lateral do precipício negro. Sinais e figuras que ninguém conseguia ler estavam postos em volta dele, gastos pelos anos e ocultos da luz.[5] Até onde alcançava longa memória, ninguém ousara passar aquela porta. Assim era o obscuro Fano-da-Colina, obra de homens há muito esquecidos. [...]

O texto então continua bem parecido com RR (p. 1152), terminando com as palavras de Éowyn a Théoden "tive plenas notícias vossas", que não estão no pé da página. As palavras seguintes, "'Então Aragorn veio', disse Éomer" (RR, p. 1153) estão no alto de

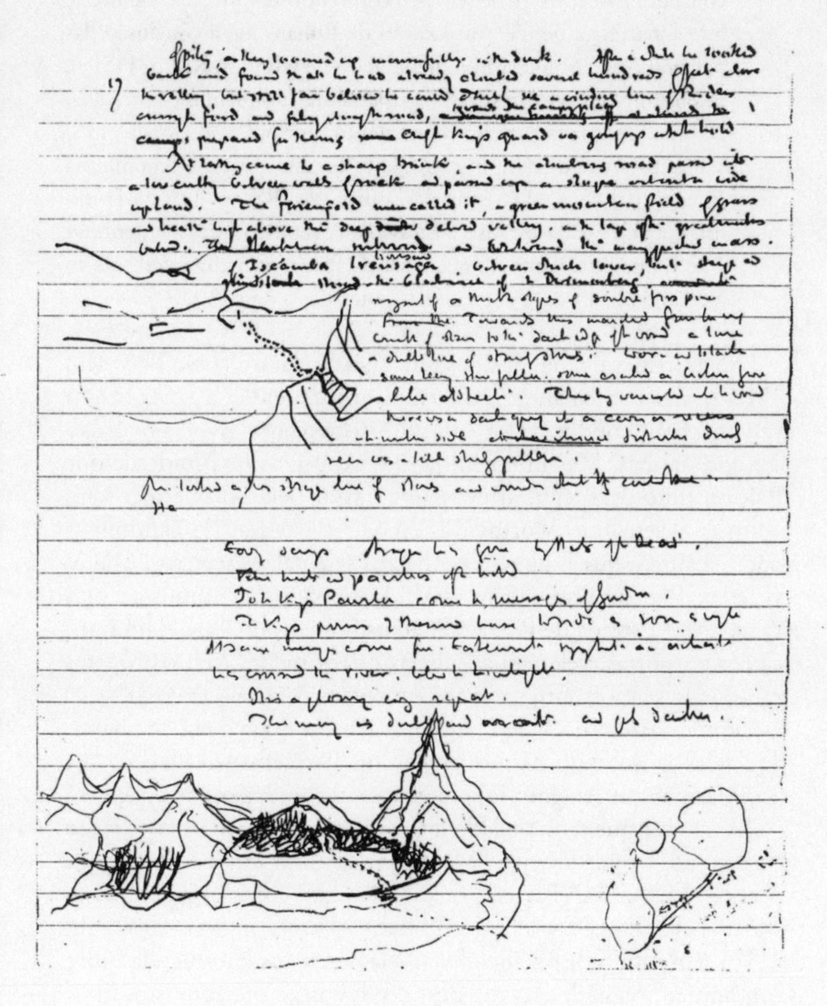

Picorrijo, Dwimorberg e Serraferro

uma nova página, e segue-se um manuscrito na letra mais impossível de meu pai, efetivamente indecifrável não fossem as pistas fornecidas por versões posteriores — que é majoritariamente o caso aqui, contudo. Esse texto pode ser visto como uma continuação de K. Ele leva a narrativa de "A Convocação de Rohan" até a conclusão das palavras de Théoden com o mensageiro de Gondor, RR, p. 1159; e se por um lado a expressão é naturalmente rudimentar e apressada, e ainda passaria por muito refinamento, por outro, o enredo em si esteve presente desde o início. Contudo, cito o trecho seguinte na íntegra, depois das palavras de Éomer (ver RR, p. 1155) "Pois a estrada pela qual subimos é o acesso da Porta. Acolá fica a Firienholt. Mas o que jaz adiante ninguém sabe". Para a primeira referência ao ancião do Fano-da-Colina, ver as notas ("E") na p. 290.

"Só as lendas de dias antigos têm algo a relatar", disse Théoden. "Mas se tais contos antigos dizem a verdade, então a Porta [? em] Dwimorberg conduz a um caminho secreto que passa por baixo das montanhas. Mas ninguém jamais ousou explorá-lo desde que Baldor, filho de Bregu, atreveu-se a passar pela Porta e não mais voltou. Dizem que Mortos dos Anos ... guardam o caminho e não permitem que ninguém venha aos seus salões secretos. Mas às vezes podem ser vistos [? apressa]ndo-se para fora como sombras descendo a Estrada de Pedra. Então os homens do Vale Harg trancam suas portas, velam suas janelas e têm medo. Mas os Mortos raramente se mostram, somente em temos de grande perigo."

"Porém dizem no Vale Harg", comentou Éowyn em voz baixa, "que eles apareceram nas noites sem lua [? recém-passadas]."

"Mas por que Aragorn foi por esse caminho?", perguntou Merry.

"A não ser que tenha falado a ti, seu amigo, então ouviste tanto quanto nós", disse Éowyn. "Mas achei-o muito mudado desde que o vi em Meduseld.[6] Pareceu-me condenado, como alguém que os Mortos chamam."

"Quem sabe", disse Théoden. "Mas meu coração me diz que é um homem régio de elevado destino. E consola-te com isto, filha, já que pareces precisar de consolo em teu pesar por esse hóspede passageiro. Dizem que, quando os Eorlingas saíram do Norte pela primeira vez e subiram pelo Riacho-de-Neve, buscando lugares fortes de refúgio em tempos de necessidade, Bregu e seu filho Baldor ascenderam a Escada do Forte e [? passaram] para a Porta;

e lá estava sentado um ancião, velho além da conta dos anos, murcho como pedra antiga. Era bem parecido com os Homens-Púkel, sentado na soleira da Porta escura.

"Nada disse até que tentaram passar por ele e entrar, e então saiu dele uma voz como se saísse de uma pedra e, para espanto deles, falou na sua própria língua. 'O caminho está fechado.'

"Então detiveram-se e olharam para o ancião que [? o rei] inicialmente tomara por [?? uma imagem] como as que estão postadas nas curvas da Escada. Mas ele não os olhou. 'O caminho está fechado', disse sua voz outra vez. 'Foi feito pelos que estão Mortos e [?? para que] os Mortos guardem até chegar a hora.'

"'E quando será isso?', perguntou Baldor.

"Mas jamais obteve resposta. Pois o ancião morreu naquela hora e caiu de rosto no chão, e [? nosso] povo nunca soube de outras [?? palavras] dos antigos moradores das montanhas. Mas quem sabe tenha chegado a hora e Aragorn passe."

"E se a hora [? chegou] ou não", disse Éomer, "ninguém pode descobrir a não ser aventurando-se pela porta. Um homem de coração verdadeiro era Aragorn, e contra a esperança ainda espero ver seu rosto outra vez. Mas nossas estradas jazem" E então fez uma pausa, pois houve um ruído do lado de fora de vozes de homens e de interpelações da guarda do rei.

Então, Dúnhere entrou e anunciou a chegada do mensageiro (ou mensageiros)[7] de Gondor. Em suas palavras iniciais, Dirgon, como é chamado aqui (Hirgon em RR), diz: "Muitas vezes nos auxiliastes, mas agora o Senhor Denethor implora por toda a vossa força e toda a vossa presteza para que Gondor não caia. Nesse caso, a maré arrebataria os campos de Calenardon".[8] A partir das palavras de Théoden "Mas ele sabe que somos um povo disperso e é preciso tempo para reunirmos nossos cavaleiros", o texto prossegue de modo bem mais conciso do que em RR até o fim da sua fala ao mensageiro. Dirgon não diz mais nada e Théoden menciona apenas — e brevemente — a guerra com Saruman e o número menor de Cavaleiros que é capaz de enviar, concluindo com "No entanto, tudo está mais adiantado do que eu esperava. Poderemos cavalgar no [? terceiro] dia a contar deste".

Um outro texto a lápis ("**L**") tão medonhamente garranchoso quanto K, ou ainda mais, começa depois de uma breve lacuna sem rascunho com as palavras de Merry: "Não serei deixado para trás para ser apanhado na volta" (RR, p. 1159). É curioso que esse texto esteja numerado "46" (sem título), ao passo que o texto datilografado M, que obviamente se desenvolveu a partir de L, coloca essa história da partida dos Cavaleiros do Vale Harg como sendo a conclusão de "45: Muitas Estradas Rumam ao Leste". Só posso supor que meu pai teve a breve intenção de começar um novo capítulo com as palavras de Merry, mas mudou de ideia.

A abertura do texto L é muito parecida com RR, pp. 1160–62. A escuridão que se espalhou do Leste e chegou longe no céu ocidental é descrita nas mesmas palavras; o primeiro mensageiro de Gondor agora se chama Hirgon e o segundo (jamais nomeado) está presente — mas da escuridão ele diz apenas "Vem de Mordor, senhor. Começou ontem à tarde, ao pôr do sol, e agora a grande nuvem jaz sobre toda a [? terra] entre esta e as Montanhas de Sombra, e está ficando mais intensa. Pelos sinais de fogo, a guerra já começou". A isso, Théoden responde: "Então o dado está lançado. Não há mais necessidade ou vantagem em nos escondermos. Reunir-nos-emos de imediato e não esperaremos. Os que não estão aqui devem ficar para trás ou nos seguir. [...]".

A história de Merry nesse ponto era um tanto diferente em relação à versão de RR. Após sua objeção a Théoden ("Então amarrai-me a um deles, ou deixai-me suspenso em um estribo [...]"), o texto, atirado no papel, continua assim:

Théoden sorriu. "Cavalgarás à minha frente em Snawmana [? em vez de vagar a esmo nas planícies] de Rohan. Agora vai e vê o que os armeiros prepararam para ti."

"Foi o único pedido que Aragorn fez", disse Éowyn. "E foi concedido."

Com isso, ela o levou do pavilhão até uma barraca a certa distância, entre os alojamentos da guarda do rei, e ali um homem trouxe a ela um pequeno elmo e uma cota de malha e um escudo como o que fora dado a Gimli.[9] "Não tínhamos malha que te servisse, nem tempo para que fosse forjada tal cota",[10] disse ela, "mas aqui há um gibão curto de couro e um escudo e uma lança [? curta]. Leva-os e porta-os a um bom destino. Mas agora tenho . . . . para tomar conta. Adeus. Mas havemos de nos reencontrar, meu coração prediz, tu e eu, Meriadoc."

Assim foi que, em meio à escuridão crescente, o Rei da Marca partiu. Não se passaram muitas horas e agora, na meia-luz, ao lado da torrente cinzenta do Riacho-de-Neve, ele se sentou altivamente em seu cavalo branco, e cinco [e] cinquenta centenas de Cavaleiros, além de homens . . . . . com cavalos de reserva levando cargas leves, [? foram agrupados]. Eles [? iriam descer cavalgando] até Edoras e [? de lá partir para longe] pela estrada bem pisada rumo ao leste, passar pelas beiradas das colina[s] até [? Anórien] e as muralhas de Minas Tirith. Merry estava sentado no pônei que o levaria pelo vale [? de pedra], e depois cavalgaria com o rei ou alguém de sua companhia.

Uma trombeta soou. O rei ergueu a mão e, sem nenhum som de voz, silenciosamente, sem clamor ou canção, a grande cavalgada começou. O rei passou pelas fileiras seguido por Merry e Éomer e os mensageiros de Gondor e Dúnhere, e depois sua guarda de doze seletos lanceiros. Dissera adeus a Éowyn no Forte lá em cima.

A julgar pelas palavras de Théoden "Cavalgarás à minha frente em Snawmana em vez de vagar a esmo nas planícies de Rohan. Agora vai e vê o que os armeiros prepararam para ti" e por "Merry estava sentado no pônei que o levaria pelo vale de pedra, e depois cavalgaria com o rei ou alguém de sua companhia", fica claro que, nesse estágio, Merry iria abertamente com os Rohirrim até Minas Tirith, com a concordância de Théoden e sem qualquer assistência de Éowyn. Isso não significa, é claro, que Éowyn não estivesse presente disfarçada entre os Cavaleiros, embora não seja feita nenhuma referência oculta a ela nesse relato original da partida do Vale Harg; e, na verdade, sua morte diante de Minas Tirith já tinha sido prevista há muito tempo (ver VII. 528; também o esboço na p. 307 e especialmente na p. 328). De toda forma, um outro rascunho da história da partida se segue no texto L:

Primeiro foram doze dos homens da casa do rei [? e] da guarda, seletos lanceiros. A Merry pareceram altos e severos e um entre eles, menos alto e largo que os outros, olhou de relance ao hobbit quando passou, e Merry percebeu o brilho de olhos límpidos e cinzentos. Teve um pequeno calafrio, pois lhe pareceu que o rosto era o de alguém que vai consciente rumo à morte. O rei seguia com Éomer à direita e Dúnhere à esquerda. Dissera adeus a Éowyn no

Forte lá em cima. Merry seguiu com os mensageiros de Gondor, e atrás vinham mais doze da guarda. Então, em fileiras [? ordenadas], as companhias dos cavaleiros se viraram e os seguiram conforme estipulado. Desceram pela estrada ao lado do Riacho-de-Neve, e atravessaram os vilarejos de Sobrerriacho e Sototemplo, onde muitos tristes rostos espiavam pelas portas escuras. E assim começou a grande cavalgada para o Leste de que depois as canções de Rohan se ocuparam por muitas longas vidas humanas.

Aqui o texto L termina, e aqui também o texto datilografado M termina.

Nessa segunda parte do capítulo "Muitas Estradas Rumam ao Leste", o texto datilografado mostra grande refinamento nos detalhes em relação a esses rascunhos extremamente rudimentares e obviamente primários, mas não há textos que façam a ponte entre eles; e parece possível que a versão desenvolvida em M tenha sido alcançada na máquina de escrever (de fato, há muitos trechos que poderiam sugerir isso). O texto de RR em "A Convocação de Rohan" estava agora presente em grande medida; mas algumas diferenças permaneciam e, entre elas, observo as seguintes.[11]

A respeito da aparição dos Mortos (ver p. 375), Éowyn agora diz: "Porém dizem no Vale Harg que eles apareceram outra vez nas noites sem lua, pouco tempo atrás, uma grande hoste estranhamente ataviada, e ninguém os viu retornar, segundo dizem". O ancião ao lado da Porta Escura ainda é descrito como semelhante aos Homens-Púkel.[12] Na dianteira do elmo de Hirgon "estava lavrada, como emblema, uma pequena coroa de prata" ("estrela" em RR). Sobre a escuridão que se espalhava de Mordor, o segundo mensageiro de Gondor, sem nome, aqui diz: "Da minha estação junto ao farol de Minrimmon eu a vi subindo", ao passo que, em RR, ele diz "Das colinas do Eastfolde em vosso reino eu a vi subindo". Notavelmente, a conversa entre Merry e Théoden agora assume a seguinte forma:

Théoden sorriu. "Antes, eu te levarei comigo em Snawmana", disse ele. "Adivinhei tuas palavras antes de as dizeres. Mas ao menos cavalgarás comigo até Edoras e contemplarás Meduseld, pois é por ali que irei. Até lá Stybba poderá carregar-te: a grande corrida só começará quando alcançarmos as planícies."

"E sobre as planícies convosco até o fim da estrada vosso escudeiro cavalgará", disse Éowyn. "Isso sabeis em vosso coração, e outros também o previram. Vamos, Meriadoc, vou mostrar-te o equipamento que está preparado para ti. Foi o único pedido que Aragorn, filho de Arathorn, fez a nós aqui antes de partir."

Com isso, levou o hobbit do pavilhão do rei a uma barraca entre os alojamentos da guarda do rei lá perto; e ali um homem trouxe a ela um pequeno elmo e uma lança e um escudo redondo, e outras peças.

A descrição da partida segue a do texto L (p. 377); o Cavaleiro que olhou para Merry ao passar ainda estava entre os doze da casa do rei que foram à frente da hoste, "menos alto e encorpado que os demais"; e nada se diz quanto ao que fora arranjado para Merry depois que a hoste partisse de Edoras.

O capítulo "Muitas Estradas Rumam ao Leste" terminava, tanto no manuscrito quanto no texto datilografado, na cavalgada dos Rohirrim descendo o Vale Harg: "E assim começou a grande cavalgada para o Leste, de que depois as canções de Rohan se ocuparam por muitas longas vidas humanas" (p. 378; RR, p. 1163). A conclusão de "A Convocação de Rohan", da maneira que está em RR, foi acrescentada depois, mas não muito depois (pelo menos não em termos de progressão narrativa: não parece possível dizer quais pausas, e quão longas, houve no decorrer da escrita dos Livros V e VI); na realidade, essa conclusão apareceu pela primeira vez como a abertura do Capítulo 47, "A Cavalgada dos Rohirrim", e eu a adiarei até lá (p. 414).

NOTAS

[1] Contudo, em uma página manuscrita rejeitada, Théoden expressa algum espanto na cena no Vale Harg: "O rei olhou com surpresa à sua volta, pois havia um grande ajuntamento de homens ... 'O que significa isto?', perguntou o rei. 'A convocação não estava marcada para começar amanhã em Edoras?'". Depois, um homem não identificado explica que isso se deve a Gandalf, e segue-se uma nota: "Gandalf, ao partir, precisa dizer ao rei que ordenará a convocação no Fano-da-Colina e a apressará. Isso exigirá notas de alteração quanto à lua cheia" (ver a Nota sobre a Cronologia adiante). Essa página rejeitada então conclui com um breve trecho que depende da nota: "Assim, viram que Gandalf devia mesmo ter feito o que prometera. A convocação se deu ali, e não em Edoras, e a maior parte dos homens de Rohan já estava congregada."

As palavras "Gandalf, ao partir, precisa dizer ao rei" só podem se referir à sua partida de Dol Baran em Scadufax depois da passagem do Nazgûl; mas nenhuma mudança nesse sentido foi efetivamente introduzida naquele lugar.

No pé da página rejeitada está escrito: "Éowyn conta sobre a vinda e a partida de Aragorn. As Sendas dos Mortos. A estrada de Monólitos".

2 *ao oeste* foi, creio eu, apenas um deslize. Foi repetido no texto seguinte (p. 372), mas corrigido provavelmente na mesma hora.

3 *Iscamba*: inglês antigo *camb* (inglês moderno *comb*), crista (como de um galo, de um elmo etc.)

4 Para o nome *Firienholt* da posterior *Dimholt*, ver p. 300 e nota 21.

5 Para a origem dessa frase, ver p. 295. Ela reaparece, alterada, em "A Passagem da Companhia Cinzenta" em RR (p. 1141), quando a Companhia se deteve diante da Porta Escura: "Sinais e figuras estavam entalhados acima de seu largo arco, demasiado indistintos para serem lidos, e o medo fluía de dentro dela como um vapor cinzento".

6 A primeira parte do nome do Paço Dourado está tão garranchosa que poderia ser lida de praticamente qualquer jeito, mas claramente não é *Wínseld*, o nome anterior, e é quase certamente a primeira ocorrência de *Meduseld*.

7 Aparentemente, havia dois mensageiros, pois se por um lado a escrita é tão veloz que nenhum detalhe das letras é completamente certo, por outro, meu pai parece ter escrito "Há homens aqui, senhor, mensageiros de Gondor". A resposta de Théoden poderia ser lida tanto como "Que venha" quanto "Que venham". Mas apenas um homem entra. — A flecha de guerra que ele porta tem as penas verdes (negras em RR).

8 O nome *Calenard(h)on* surgiu no decorrer da escrita do capítulo "Faramir": ver pp. 189–91, com as notas 18 e 22.

9 A referência é a "O Rei do Paço Dourado" (DT, p. 767): "Mas [Gimli] escolheu um capacete de ferro e couro que se ajustava bem à sua cabeça redonda; e também levou um pequeno escudo. Este trazia o cavalo correndo, branco sobre fundo verde, que era o emblema da Casa de Eorl". Esse trecho, que também descreve Aragorn e Legolas paramentados em "reluzentes cotas de malha", foi acrescentado em um adendo à cópia manuscrita limpa de "O Rei do Paço Dourado".

10 Portanto, o fornecimento de uma cota de malha para Merry, mencionado na frase anterior, foi imediatamente negada.

11 Os seguintes nomes e variantes no texto datilografado podem ser mencionados. A *Firienholt* permanece no lugar da posterior *Dimholt*. *Brego* agora é outra vez grafado assim, e não *Bregu*, mas o nome do seu filho aqui é *Bealdor* (alterado para *Baldor* no texto datilografado): ambas as formas são variantes em inglês antigo. A trilha que desce da Porta Escura ("a estrada de Monólitos", nota 1) é novamente chamada de "a Estrada de Pedra", com letra maiúscula, como no texto K (p. 374). Hirgon fala dos *Harad*, onde RR ele diz *os Haradrim*.

[12] Em RR (p. 1156), o ancião murcho é descrito como tendo sido um dia "alto e régio". Ver *O Senhor dos Anéis*, Apêndice F (*Dos Homens*): "[Os Terrapardenses] eram o resto dos povos que tinham morado nos vales das Montanhas Brancas em eras passadas. Os Mortos do Fano-da-Colina eram seus parentes".

Nota sobre a Cronologia

No último dos textos (H) da abertura abandonada de "A Convocação de Rohan", Théoden perguntava se a lua não estivera cheia na noite anterior, e Éomer responde que, pelo contrário, a lua estaria cheia naquela noite (pp. 301, 324–6). No primeiro dos textos posteriores (J), o próprio Théoden diz "Esta noite a lua estará cheia e pela manhã hei de cavalgar a Edoras para a congregação de Rohan", e isso permaneceu no texto datilografado M.

Em "A Estrada para Isengard", a data da convocação de Edoras foi alterada repetidas vezes de acordo com as mudanças na cronologia. Para os textos mais antigos, ver p. 41 e nota 6; a segunda cópia limpa daquele capítulo dizia "antes do minguar da lua", alterado para "no último quarto da lua". Isso foi mantido no texto datilografado seguinte, mas subsequentemente alterado para "no primeiro dia após a lua cheia", que é a data nos presentes textos. (Em "A Estrada para Isengard" em DT, p. 795, a data da convocação seria "no segundo dia após a lua cheia" e, portanto, no início de "A Convocação de Rohan" em RR, p. 1149, Théoden diz: "Na noite passada a lua estava cheia, e pela manhã hei de cavalgar a Edoras para a congregação da Marca").

Na nota ao texto J (ver nota 1 acima), afirma-se que "Gandalf, ao partir [de Dol Baran], precisa dizer ao rei que ordenará a convocação no Fano-da-Colina e a apressará", o que "exigirá notas de alteração quanto à lua cheia". Não consigo entender isso. Se meu pai estava se referindo ao trecho em "A Estrada para Isengard", quando a data da convocação foi marcada, isso parece não ter relevância: pois Gandalf estava propondo, em face da chegada do Nazgûl, *alterar* o que fora combinado e "apressar" a convocação.

Todos esses textos posteriores de "A Convocação de Rohan" concordam que a lua estava cheia na noite em que Théoden chegou ao Vale Harg (6 de fevereiro); ver p. 356 e nota 9. Essa foi a noite depois do dia em que Gandalf e Pippin chegaram a Minas Tirith ao nascer do sol; o pôr do sol daquele dia foi "ominoso" e a Treva começou em 7 de fevereiro (p. 351). Os presentes textos estão de acordo com isso: o segundo mensageiro de Gondor, chegando na manhã do dia 7, afirma que a Treva "começou ontem à tarde, ao pôr do sol" (p. 376) e a partida dos Cavaleiros do Fano-da-Colina se dá conforme a treva se aprofunda. É interessante ver que, no texto K, quando Merry estava sozinho em sua barraca no Firienfeld, "Lentamente a noite chegou, e as cabeças meio visíveis das montanhas a Oeste estavam coroadas de pequenas estrelas, mas o Leste estava escuro e sombrio, e *a lua não apareceu até tarde da noite*", ao passo que, no texto datilografado M (onde ainda era noite de lua cheia) a lua não é mencionada. A suposição natural é a de que ela estava oculta pela vasta nuvem que se espalhava de Mordor.

Não está claro para mim como é que meu pai, nesse estágio, estava fazendo a relação entre a lua cheia de 6 de fevereiro e os movimentos de Frodo. Em *O Conto dos Anos* no SdA, a lua cheia foi em 7 de março (pois Frodo deixou Henneth Annûn em 8 de março e viu a lua cheia se pondo antes da manhã de sua partida: "A Lagoa Proibida", DT, pp. 977–78), e Théoden chegou ao Fano-da-Colina ao anoitecer de 9 de março; mas as palavras do rei em "A Convocação de Rohan" (RR, p. 1149) "Na noite passada a lua estava cheia" não estão de acordo com isso, e deveriam ser "Duas noites atrás". Isso, por sua vez, exigiria a alteração da data marcada para a congregação em "A Estrada para Isengard" (ver acima).*

*Ambos os erros foram corrigidos na reimpressão de 2005 de *O Senhor dos Anéis* e as datas estão, portanto, corretas na tradução brasileira: "no terceiro dia após a lua cheia" (DT, p. 795) e "Duas noites atrás a lua estava cheia" (RR, p. 1149). [N.T.]

6

O Cerco de Gondor

O início do trabalho de meu pai nesse capítulo foi um texto ("**A**") breve e rudimentar a lápis por cima do qual escreveu à tinta e, por isso, grande parte se perdeu, especialmente da porção final; mas Taum Santoski conseguiu recuperar o bastante para demonstrar que o texto escrito por cima ("**B**") acompanhou-o bem de perto na maior parte. Descreverei aqui o texto B em vez do A, fazendo menção subsequente a trechos em que A difere significativamente.

O texto B (sem número e sem título) começa como o Capítulo 4 em *O Retorno do Rei* com "Pippin foi acordado por Gandalf" e avança até o parágrafo que começa com "Esteve escuro e indistinto o dia todo" (RR, p. 1168). Depois da pergunta de Pippin "Por que você me trouxe aqui?", o texto fica diferente de RR.

"Porque não era seguro deixá-lo para trás", respondeu o mago. "Não era seguro para os outros, quero dizer. Este lugar não é seguro para você, nem para ninguém, como provavelmente descobrirá em breve. Mas foi você mesmo que causou isso". Pippin não disse mais nada.

Pouco tempo depois estava outra vez caminhando com Gandalf, descendo de volta pela longa e fria passagem que levava às portas do Salão da Torre. Ali dentro Denethor estava sentado em uma treva cinzenta, como uma aranha velha e paciente, pensou Pippin, e parecia não ter se mexido desde que dispensara seu novo escudeiro no dia anterior. Fez um sinal para que Gandalf se sentasse, mas Pippin foi deixado de pé, sem atenção, por alguns momentos. Logo o ancião se voltou para ele com um sorriso frio que Pippin não sabia dizer se era de zombaria ou de boas-vindas.

"E por que vieste, Peregrin, filho de Paladin?", perguntou.

"Disseram-me que me queríeis aqui, senhor", disse Pippin, "para... bem, saber dos meus novos deveres."

"Ah, sim", disse Denethor. "É de se esperar que tenhas passado o dia de ontem bem e de modo agradável, ainda que comendo [*riscado:* e dormindo] menos do que talvez desejasses. Hoje hás de cumprir teu turno servindo-me. Tenho pouco mais a fazer agora até que meu filho Faramir retorne com notícias. E, se não chegarem más notícias e os grandes" (ele olhou para Gandalf) "não ocuparem todo o meu ócio, hás de conversar comigo. Sabes cantar?"

A fala de Pippin em tom de desculpas acerca das canções que conhecia e seu horror diante da perspectiva de cantar uma canção cômica do Condado para o sisudo Regente de Minas Tirith está como em RR, assim como a discussão de Denethor com Gandalf e a cena da paramentação e ataviamento de Pippin,[1] e a treva sobre a cidade, até a frase "como se todo o Vale do Anduin esperasse por uma tempestade ruinosa". E então prossegue:

Achou seus deveres aborrecidos e maçantes, tanto que até receberia de bom grado uma oportunidade de cantar uma de suas canções cômicas. Mas não lhe pediram para cantar e, de fato, poucos sequer lhe falaram.

Aqui o texto B escrito por cima termina. No texto A subjacente, a discussão entre Gandalf e Denethor não dizia respeito a Rohan, mas sim à estratégia imediata: ainda que pouca coisa possa ser interpretada, é possível ler a frase "Gandalf já vinha instando o Regente" e o nome "Osgiliath do Oeste". Depois de Pippin retornar do arsenal, conta-se que passou o dia ocioso, "pois Denethor passou a maior parte do tempo sentado detrás de portas fechadas"; e em algum momento do dia "Houve um clamor na cidade. Faramir retornara. Pippin testemunha a saudação de Denethor e Faramir".

O texto a lápis e o que foi escrito por cima terminam no mesmo ponto da página, muito embora divirjam em termos de substância.

Meu pai evidentemente teve dúvidas se o início do capítulo dessa maneira estava correto, pois no alto da primeira página desse texto "duplicado" ele escreveu a lápis: "? Começar com Pippin e Berethil[2] conversando outra vez na muralha ao anoitecer do dia 9. ...". Essa nota foi na verdade sobrescrita por uma parte do texto B à tinta, então algumas palavras adicionais não podem ser lidas; portanto, presumo que meu pai tivesse abandonado (apenas temporariamente) a ideia de que o capítulo poderia começar de modo diferente.

No fim do texto "duplicado", as seguintes notas foram escritas a lápis.

? Pôr do sol — um brilho ao longe. Gandalf diz que ainda há esperança no Oeste.

No dia seguinte há um conselho e logo Faramir parte. Pippin conversa mais com Berethil e ouve que Faramir foi para Osgiliath. O tempo passa devagar. Más notícias chegam em 11 de março (o dia seguinte), dizendo que há um Capitão Cruel no lado do inimigo. Ele tomou as Travessias e Faramir foi empurrado para Ramas Coren.[3] A treva continua a crescer. É como uma doença vagarosa, pensou Pippin.

Em algum momento do dia 9, Pippin deve olhar pelas muralhas e ver Nazgûl (6 ou 7) sobrevoando Pelennor, e vê-los perseguindo alguns cavaleiros. Mas Gandalf sai cavalgando — e os salva. É Faramir! Bem a tempo. Grande júbilo na Cidade. Faramir vê Pippin ao subir para a Cidadela, e fica admirado.

Nessas notas está a primeira aparição do calendário final, em que o mês é março e não fevereiro. Não é possível dizer se isso entrou nesse exato momento ou um pouco antes: mas a última data encontrada nos textos foi 5–6 de fevereiro, no esboço de uma parte de "Muitas Estradas Rumam ao Leste", p. 352, de forma que a mudança não foi feita muito depois. A ideia do mês "perdido" em Lórien agora tinha sido abandonada: ver VII. 430–33. As datas relativas, contudo, não foram alteradas: na nota que sugere uma forma diferente de começar o capítulo, Pippin e Berethil estão conversando na muralha da cidade "ao anoitecer do dia 9", que corresponderia a 7 de fevereiro na cronologia anterior (ver a Nota sobre a Cronologia no fim deste capítulo).

Meu pai então retornou à ideia de uma abertura diferente, e começou um novo rascunho ("**C**"), no qual a matéria tratada no início que já estava escrito foi omitida ou comprimida e mencionada apenas em retrospecto. Esse rascunho foi escrito com lápis macio e grosso, tinta sobre lápis, e à tinta com correções e esclarecimentos a lápis, e por toda a extensão é um manuscrito formidavelmente difícil. Não tenho dúvidas de que tudo foi feito ao mesmo tempo e em um mesmo impulso.

Esse novo texto está numerado "46", sem título; começa com as palavras "Estivera escuro o dia todo; do amanhecer sem sol até o entardecer, a pesada treva se intensificara [...]" e prossegue essencialmente como em RR, pp. 1168–69, até "agora era um pequeno soldado em uma cidade que se preparava para um grande ataque, trajado à maneira austera e sombria da Torre de Guarda"; mas não se faz referência à missão de Berethil (Beregond) por sobre a Pelennor, e nem ao último lampejo do sol que escapou do manto de nuvens (ver abaixo). E então continua:

Pois pela manhã Denethor o convocara e ordenara que assumisse suas funções como escudeiro do senhor; e ele fora enviado diretamente aos arsenais onde já havia vestes e equipamentos preparados para ele por ordens de Denethor.

Em algum outro tempo e lugar ele poderia ter-se agradado de sua nova vestimenta, mas agora sabia muito claramente que esse era um assunto seríssimo, e não uma mascarada com plumeiros emprestados. A pequena cota de malha negra parecia pesada e desconfortável, e o elmo com asas lhe pesava na cabeça. Negra também era a túnica ou sobreveste que agora usava por cima da malha, exceto onde, no peito, estava bordado em branco o emblema da Árvore. Permitiram-lhe ficar com a capa cinzenta de Lórien [*acrescentado:* quando não estivesse em serviço], mas ela estava agora jogada no assento ao seu lado, pois o ar estava abafado. Desviou o olhar da planície obscura lá embaixo e bocejou, e depois deu um suspiro.

Com o protesto de Pippin a Berethil e as palavras deles acerca da Escuridão, com a incapacidade de Faramir de voltar atravessando o Rio e a ansiedade de Gandalf, e o súbito grito dos Nazgûl, o rascunho chega ao texto de RR, pp. 1168–70, quase palavra por palavra (exceto que Pippin não diz que o Príncipe de Dol Amroth estava presente nas deliberações com Denethor, e diz que Gandalf deixou o conselho antes da refeição noturna, onde RR diz "refeição do meio-dia"); mas, quando Pippin subiu no assento para espiar, aparece a descrição do último lampejo de sol que também brilhava sobre a cabeça do rei tombado na Encruzilhada, omitida no lugar em que está em RR (acerca da sincronização, ver a nota no fim deste capítulo). Então o rascunho novamente alcança o texto final em praticamente todos os detalhes de expressão com a descrição dos Nazgûl mergulhando sobre os cavaleiros, o som distante da trompa de Faramir e a radiância do Cavaleiro Branco acelerando na direção deles, até o grito incontido de Pippin "como um espectador de uma grande corrida que estimula um corredor que está muito além do incentivo". Nesse ponto, meu pai parou e escreveu um breve esboço.

Gandalf salva Faramir. Faramir vê Pippin no portão da Cidadela e fica admirado — Gandalf os apresenta e leva Pippin junto para o conselho de Denethor. Portanto, Pippin ouve muita coisa e ouve Faramir aceitando as ordens de ir para Osgiliath. Denethor e Faramir ficam maravilhados diante do poder de Gandalf sobre os Nazgûl. Gandalf diz que as coisas ainda não estão muito ruins — porque o Rei M[ago] ainda não apareceu. Ele revela que é um renegado de sua própria ordem ... [? de] Númenor. "Até agora só escapei dele voando — por muitas eras jazeu oculto ou adormecido enquanto o poder de seu mestre minguava. Mas agora ele ficou mais cruel do que nunca. E, no entanto, foi previsto que ele haveria de ser derrotado no fim por alguém jovem e valente. Mas talvez isso esteja em um futuro distante."

Ouve falar de Frodo e Sam. E também como Faramir atravessou desde Tol Varad (a Ilha Defendida) [> Men Falros] com três companheiros e chegou a cavalo. O restante da "força-tarefa" ele despachara para o Portão de Pelennor.

A segunda metade do capítulo precisa dar conta da situação depois da tomada de Pelennor, a batalha de Pelennor e a queda do Portão.[4]

O rascunho continua com "E agora as sombras escuras em mergulho estavam cônscias do recém-chegado" (RR, p. 1171) e, mais uma vez, fica muito parecido com a versão final, ainda que mais rudimentar e menos completo na expressão, até a chegada de Faramir com Gandalf à Cidadela, seu assombro ao ver Pippin e a história que contou no aposento privado de Denethor. Apenas a comoção de Pippin ao ver Faramir pela primeira vez era, nesse ponto, diferente de RR (p. 1172): o trecho "Aí estava alguém com ar de alta nobreza, como Aragorn revelava às vezes [...]" está ausente (e continua ausente no manuscrito seguinte passado a limpo).

A partir do ponto em que Faramir chega à história de seu encontro com Frodo e Sam, coloco o rascunho na íntegra, pois, ainda que em vários aspectos ele se aproxime muito de RR, ainda há muitas diferenças, algumas das quais bem notáveis.

À medida que se desdobrava seu relato do encontro com Frodo e Sam, Pippin deu-se conta de que as mãos de Gandalf tremiam ao agarrar a madeira esculpida; agora pareciam brancas e muito velhas, e, enquanto as olhava, ele soube de repente, com um frêmito de temor, que Gandalf — o próprio Gandalf estava com medo, dominando um grande pavor, e sem ousar falar ainda. Por fim, quando Faramir falou sobre como se despedira dos viajantes, e que eles resolveram tomar a estrada para Kirith Ungol, sua voz minguou e ele balançou a cabeça e suspirou. Mas Gandalf se ergueu com um salto. "Kirith Ungol e o Vale Morghul!", exclamou. "O tempo, Faramir. Quando mesmo foi isso? Diz, diz. Quando vos separastes? Quando é que eles chegariam ao Vale Morghul? Quando esta escuridão começou? Não vês... que ela talvez seja um sinal de que tudo está deveras perdido?"

"Falei com eles na manhã de ontem",[5] disse Faramir. "São aproximadamente [20 >] 7 léguas de Henneth Annûn até a estrada que leva de M[inas Morghul] a Osgiliath, [e do ponto mais próximo nessa estrada a oeste [*sic*] do nosso desembarcadouro, são umas 5 ou 6 léguas até o Vale de Horror >] e se eles tiverem rumado direto para o sul, então encontrariam a estrada a umas 5 ou 6 léguas a oeste do Vale de Horror. Mas a escuridão chegou logo; creio que [? disfarçada] naquela mesma noite, muito antes que eles pudessem ter chegado ao vale. Deveras vejo o que temes; mas para mim está claro que o Inimigo está planejando esta guerra há muito tempo e que a hora já fora determinada, e nada tem a ver com a missão dos viajantes."

Gandalf andava para lá e para cá. "Na manhã de ontem?", falou. "Então foste veloz. A que distância daqui fica o lugar onde vos separastes?"

"Talvez 75 léguas[6] a voo de pássaro", respondeu Faramir. "Mas eu *sou* veloz. Ontem à tardinha estava parado em Men Falros, a ilha ao norte do Rio que defendemos, e mantemos cavalos na margem de cá. Quando a escuridão se prolongou, vi que era necessário pressa. Assim, cavalguei até aqui com os quatro homens que poderiam receber montarias, e mandei o restante de minha companhia reforçar a guarda nos vaus de Osgiliath. Fiz mal?

"Mal!", exclamou Denethor, e seus olhos se acenderam de súbito. "Por que perguntas? Precisas do meu julgamento? Tua atitude é humilde, como é adequado, mas faz tempo que não te desvias de teu próprio caminho a conselho meu. Falaste com habilidade e discrição, mas não vi teus olhos fixos em Mithrandir, buscando saber quanto deverias falar? Ele tem teu coração em seu poder.

"Meu filho, teu pai é velho, mas ainda não caduco. Posso ver e ouvir, assim como costumava, e não muito daquilo que deixaste sem dizer, ou disseste pela metade, está oculto agora. Conheço a resposta para as palavras enigmáticas e para outros enigmas ademais. Agora compreendo o ...[7] de Boromir e sua [? morte]."

"Se tu [estás] zangado, pai", disse Faramir, "diz que outros caminhos gostarias que eu tivesse tomado."

"Fizeste o que eu esperava, pois te conheço bem", disse Denethor. "Teu desejo é sempre ser nobre e generoso como um rei de outrora — gracioso e gentil. E isso serve bem aos homens de alta linhagem que se assentam no poder em paz. Mas nestas negras horas a gentileza pode ser paga com a morte."

"Assim seja", disse Faramir.

"Assim seja", disse Denethor; "mas não apenas com a tua morte. Também com a morte de teu pai e de todo o teu povo que será teu papel governar em breve... agora que Boromir se foi". Ele fez uma pausa, agarrando o [? bastão].

"Então desejas", disse Faramir, "que nossos lugares tivessem sido trocados?"

"Sim, deveras o desejo", afirmou Denethor. "Ou não", e então sacudiu a cabeça; e, erguendo-se subitamente, pousou a mão no ombro do filho. "Não me julgues tão severamente, meu filho", falou, "nem penses que sou severo. O amor não é cego. Também conhecia teu irmão. Só desejaria que ele estivesse no teu lugar se eu tivesse certeza de uma coisa."

"E que coisa é essa, pai?"

"Que ele fosse tão forte de coração como tu és, e tão confiável. Que, tendo tomado esse objeto, ele o tivesse trazido para mim, e não caído em servidão. Pois Faramir, e tu, Mithrandir, em meio a teus abrangentes planos, há outro caminho que não é nem o teu e nem o de Boromir. Uma coisa é tomar e usar este poder para a própria vitória — tu, Mithrandir, podes pensar o que quiseres de mim..."

"O que eu penso de ti é pelo menos uma parte da minha mente que aparentemente não leste", disse Gandalf.

"Como quiseres, mas nisto tenho tanta sabedoria quanto tu", disse Denethor. "Não o usaria. Por outro lado, enviar nesta hora o portador — e um como esse — desamparado até a própria Mordor, ou fazer como meu filho e deixá-lo ir com esse fardo a Kirith Ungol, isso também me parece uma tolice óbvia."

"Então qual é tua sabedoria?", indagou Gandalf.

"Não fazer nenhuma dessas coisas", respondeu Denethor. "Certamente não arriscar que o seu criador o recupere, para nossa derradeira ruína. Guardá-lo — oculto, oculto em um lugar profundo, mas não usado — oculto para além do alcance dele até que, por fim, [? ou] ele vence tudo pela guerra e nós morremos.[8] Queria eu ter esse objeto agora: nas câmaras profundas desta cidadela, e então não estaríamos tremendo de pavor [...]"

O restante da conversa entre Gandalf e Denethor chega efetivamente à versão de RR, p. 1177, (mas Gandalf diz: "se tivesses tomado esse objeto por força ou intimidação, não terias escapado", onde RR diz: "se tivesses recebido esse objeto, ele te teria derrotado"). O episódio termina assim no rascunho:

Voltou-se para Faramir. "Quais as notícias da guarnição em Osgiliath?"

"Mandei a companhia de Ithilien reforçá-la, como disse", respondeu Faramir. "É lá, creio, que cairá o primeiro ataque."

Levantou-se e, de súbito, cambaleou e apoiou-se no pai. "Estás cansado, meu filho", disse Denethor. "Não falaste da tua cavalgada desde Men Falros — e das asas horrendas."

"Não desejo falar", disse Faramir.

"Então não fales", assentiu Denethor. "Agora vai dormir, e pensa que tais coisas não hão de chegar aqui dentro do alcance dos nossos arcos — não nesta noite, pelo menos. O amanhã necessitará de novos planos."

A conversa de Gandalf com Pippin depois de retornarem ao alojamento é aqui bem parecida com RR (pp. 1178–79),[9] e cito apenas um breve trecho:

"[...] Porém, na verdade, creio que há mais esperança nas notícias que Faramir trouxe do que parecia no início. Pois se Frodo ainda estava tão longe na manhã de ontem, então aquilo que era minha esperança talvez seja o que provavelmente ocorreu. O Inimigo fez a guerra às pressas *sem* o Anel, achando que ele está conosco. E, mesmo se tudo correr como ele planeja — o que não ocorrerá, se eu puder evitar — ele terá os olhos postos em muitos lugares, longe de sua própria terra. Há um lampejo de esperança aí. Assim falei para Aragorn quando cavalgamos até Rohan.[10] Mas, ainda assim, eu não esperava a guerra tão cedo. Aconteceu algo a mais que o instigou."

O rascunho agora acelera cada vez mais ilegível rumo à sua conclusão. Alguns trechos foram acrescentados à tinta, e esses eu incluo indicando-os como tais, visto que claramente são da mesma época. A última seção começa com "O dia seguinte veio como uma penumbra parda" (RR, p. 1179) e continua parecido com o texto final até a partida de Faramir a Osgiliath e o burburinho contra Denethor.

"O Senhor exige demais do filho, e agora ele precisa fazer também o serviço do que está morto." [*Acrescentado à tinta:* Mas, na verdade, Faramir partiu por escolha própria, e foi ele quem mais persuadiu o conselho dos capitães.][11] O conselho do Senhor julgara que, por causa da ameaça no Sul, seu exército era demasiado fraco para desferir algum golpe de guerra por iniciativa própria. Deviam ocupar as defesas e esperar. Contudo, Faramir sempre instara que as defesas exteriores não deveriam ser abandonadas, e que o Inimigo precisaria pagar caro pelo Rio. Não era possível atravessá-lo com uma grande hoste a norte de Men Falros por causa dos pântanos, e lá para o sul, em Lebennin, ele ficava largo demais se não houvesse muitos barcos. Assim ele partiu de novo, levando consigo os poucos homens que Denethor pôde dispensar para fortalecer a tropa que protegia as ruínas ocidentais de Osgiliath. [*Acrescentado à tinta:* "Mas não permaneças tempo demais tão longe", disse Denethor conforme ele saía. "Por mais que mates dez vezes o número das suas forças na travessia, o Inimigo tem de sobra. E tua retirada será arriscada. E não te esqueças de que ... perigo no Norte. Mais de um exército será enviado neste momento do Portão Negro."]

Mal ele tinha partido quando um cavaleiro chegou, relatando que uma hoste se aproximava e ... alcançara Osgiliath do Leste. [*Acrescentado à tinta:* E um Capitão Negro de grande terror

[? chegou] ali vindo de Minas Morghul.] Com aquelas notícias de mau agouro terminou o terceiro dia de Pippin na Torre.

No dia seguinte a escuridão estava ainda mais pesada nas mentes dos homens, ainda que talvez pouco, e parecia que o medo lentamente crescia. No fim do dia, más notícias foram trazidas por cavaleiros. A travessia do Anduin fora conquistada. Faramir recuava para a Muralha de Pelennor e os forte[s] que guardavam a entrada do passadiço até as propriedades rurais; mas não conseguiria contê-los por muito tempo. Estava em número muito menor e havia 4 léguas ou mais de campo aberto para atravessar, com poucas defesas quando tivesse de recuar outra vez.

"O auxílio de Mithrandir agora faltou", diziam alguns. Pois Gandalf descera para Osgiliath ao lado de Faramir.[12] Mas outros diziam "Não, ele jamais deu qualquer auxílio, não desse tipo. Não é um capitão de guerra."

Contudo, tarde naquela noite ele cavalgou de volta com as últimas carroças repletas de homens feridos. "Pagaram caro pelo passadiço", falou, "embora tenham preparado tudo muito bem. Andaram construindo barcaças e barcos em segredo em Osgiliath do Leste, arruinando as árvores de Ithilien. Mas o rio está agora semiobstruído com elas. Mas veio aquele que eu temia". "Não o Senhor Sombrio?", exclamou Pippin. "Não, ele não virá senão em triunfo", disse Gandalf. "Ele faz dos outros suas armas. Falo de alguém que você já conheceu. O Rei Mago, capitão desses que você chama de Cavaleiros Negros. O mais cruel de todos os serviçais da Torre Sombria. Mas ele [*riscado (?):* ainda] não tomou montaria alada. [Não sou superado por ele e, no entanto, estamos equiparados, pois era um membro de nossa ordem antes de o mal arrebatá-lo.][13] Agora sua fúria e malícia cresceram ao máximo, e os homens fogem diante dele. [*Escrito à tinta no alto da página:* Mas o Rei Mago não se revelou. Bem atrás, ele manipula um grande medo que impele seus soldados para onde ele quer, até mesmo a se atirarem no Rio para que outros [? possam] andar sobre seus corpos. Mas ele ainda há de se mostrar.]"

A tempestade então desabou por fim.

No dia seguinte, os forte[s] do passadiço caíram, e Faramir começou sua retirada desesperada através da Pelennor, [à tinta, substituindo um trecho a lápis: com o inimigo se derramando através da muralha atrás e assolando o … retaguarda. Era possível ver fogos ardendo rubros na névoa ao longe, e uma vez mais [um] lampejo vermelho e, depois, um estrondo abafado lentamente vinha rolando pelos campos obscurecidos. Os ... estavam destruindo a muralha e estourando grandes brechas nela para que pudessem entrar em qualquer ponto. Logo a maré da guerra [? atravessaria]. Era possível ver as companhias de Gondor [? apressando-se] de volta. E com isso, saindo do][14] E então os Nazgûl [? mergulharam outra vez] e a retirada se transformou em debandada, e [? muitos] homens atiraram longe lança e escudo e espada e correram aos gritos, ou atiraram-se ao chão e foram pisoteados.

Houve então uma surtida da cidade liderada pelo Príncipe de Dol Amroth, parente de Faramir e sua gente, e Gandalf ao seu lado. No momento [? exato] eles chegaram, e rechaçaram o inimigo a [? duas] milhas da cidade com grande matança, pois a cavalaria do inimigo era [? escassa] e [? diminuta] ...; os Nazgûl [? (não) resistiriam] ao ataque de Gandalf, pois seu Capitão não estava com eles.

Assim, agora a Cidade se preparava para um último cerco. A muralha de Pelennor foi abandonada, e tudo o que podia [? foi recolhido] para trás dos portões. Orques e [? cavaleiros selvagens] perambula[vam] pelas propriedades rurais, iluminando a noite negra com fogos, e os mais arrojados cavalgavam no alcance da voz dos vigias nas muralhas, gritando com vozes horríveis, e muitos traziam nas lanças as cabeças de homens que haviam assassinado e decapitado.

Aqui o rascunho C termina. Foi seguido por um manuscrito passado a limpo ("**D**") em que o texto de RR foi atingido em grande parte: mas ainda precisou de bastante trabalho para se chegar à versão final. Pode-se considerar esse manuscrito como sendo mais ou menos dividido na parte que se baseou em C e na parte que avançou do ponto em que C termina. Assim como o rascunho, está numerado "46", mas não tem título; e o capítulo outra vez começa com as palavras "Estivera escuro o dia todo".

Na primeira parte, é notável que, apesar de meu pai ter feito grandes esforços quanto aos detalhes de expressão, com a clara intenção de que permanecessem, em todos os trechos em que Denethor se mostrava menos friamente empedernido e hostil a Faramir em relação ao que se tornou em *O Retorno do Rei*, o rascunho original foi seguido de perto. A repentina suavização diante da pergunta de Faramir "Então desejas que nossos lugares tivessem sido trocados?" (p. 389) permanece:

"Sim, deveras o desejo", afirmou Denethor. "Ou não". E então sacudiu a cabeça e, erguendo-se rapidamente, pousou a mão na cabeça curvada do filho. "Não me julgues severamente, meu filho", falou em voz baixa, "nem me creias mais severo do que sou. Também conhecia bem o teu irmão. O amor não é cego. Eu só seria capaz de desejar que Boromir estivesse em Henneth Annûn quando esse objeto ali chegou caso tivesse certeza de uma coisa."

"Certeza de quê, pai?"

"Que ele fosse tão forte de coração e abnegado como tu és, meu filho. Que, tendo tomado esse objeto, ele o tivesse trazido até aqui e o entregado, e não caído rapidamente na servidão dele. Pois Faramir — e tu, Mithrandir, em meio a tuas amplas redes e planos — há um terceiro caminho, que não é nem a tolice dos magos e nem a cobiça dos guerreiros. [...]"

É certo que não havia nenhum elemento de amargurada provocação nas palavras "Que ele fosse tão forte de coração e abnegado como tu és, meu filho". Denethor foi friamente cauteloso como sempre era quanto àqueles com quem falava, mas expressou o que verdadeiramente se passava em sua cabeça. Seu boa-noite mais brando a Faramir, com indício de uma palavra de conforto (p. 390) permanece; e nesse breve trecho é possível ver que a severidade de Denethor para com Faramir ganhou força em revisões posteriores com retoques mínimos: como na passagem de "Estás cansado, meu filho" para "Estás cansado, vejo".

Novamente, no debate que se deu no dia seguinte (p. 391), ainda é Faramir quem argumenta que se deve fazer uma tentativa de proteger as defesas exteriores na linha do Anduin (mas o novo escrito avança tanto em direção às palavras de RR (pp. 1179–80) que, quando meu pai revisou o trecho, teve de fazer pouco mais do que atribuir as falas a personagens diferentes). Nessa versão, a fala do Príncipe Imrahil (RR, p. 1180) alertando sobre outra hoste que poderia sair de Mordor é dada a Gandalf, e é Faramir quem insiste e conclui o debate com as palavras que, depois, foram atribuídas ao seu pai:

"Muita coisa precisa ser arriscada na guerra", disse Faramir. "Mas não cederei o Rio e os campos de Pelennor sem combate, a menos que meu pai comande sem possibilidade de recusa."

"Não comando", disse Denethor. "Adeus, e que teu juízo se prove justo: pelo menos para que eu te possa ver outra vez. Adeus!"

Quando rejeitou esse relato do que aconteceu na reunião do conselho, meu pai escreveu na margem da página: "Isso precisa ser alterado para fazer com que Faramir só parta para agradar o pai, contra sua própria vontade e para 'assumir o lugar de Boromir'". E, em um retalho de papel, escreveu uma breve declaração de como e por que motivo era necessário alterar a representação que existia das relações entre Denethor e Faramir:

A conversa anterior de Faramir com seu pai e os motivos precisam ser alterados. Denethor deve ser *severo*. Deve dizer que desejava que Boromir estivesse em Henneth Annûn, pois ele *teria* sido leal ao pai e lhe trazido o Anel. (Gandalf pode corrigir isso). Faramir pesaroso, mas paciente. Então, Denethor deve apoiar completamente a defesa de Osgiliath "como Boromir fez", enquanto Faramir (e Gandalf?) são contra isso, usando os argumentos anteriormente atribuídos a Denethor. Por fim, em submissão, mas altivamente, para agradar ao pai e mostrar a ele que não apenas Boromir era valente, aceita o comando em Osgiliath. Os homens da Cidade não gostam disso.

Isso não apenas será mais verdadeiro em relação à situação anterior, mas também explicará o transtorno de Denethor quando Faramir é trazido de volta *morrendo*, ao que parece.

A primeira parte dessa passagem foi riscada, até "Faramir pesaroso, mas paciente", e a segunda permaneceu; mas depois ela também foi rejeitada. Por fim, tudo foi marcado com um tique quando meu pai por fim decidiu que era assim mesmo que deveria ser.

Também nesse recorte de papel há uma nota escrita de modo independente: "Algo deve ser dito entre Gandalf e Pippin sobre a cena entre Faramir e o pai", mas essa sugestão não foi incorporada.

Não apenas nesses trechos, mas em quase todos os pontos em que o rascunho C diferia de RR, o manuscrito D, da maneira que meu pai o escreveu inicialmente, manteve suas primeiras ideias.[15] Não sei dizer com certeza quando (em relação a desenvolvimentos posteriores da narrativa) foram feitas tais alterações muito substanciais a esta parte do capítulo em D; mas, nesse estágio, meu pai ainda não tinha certeza se adotava ou não a "abertura mais comprida", como a chamava, em que o capítulo começava com Gandalf acordando Pippin no alojamento (ver pp. 384–6).[16]

Os rascunhos da parte final do capítulo não são tão coerentes e contínuos quanto os da parte inicial. Minha impressão é a de que, tendo feito a cópia manuscrita limpa D com base no rascunho C até onde ele alcançava — ou até o ponto em que era útil —, meu pai simplesmente continuou a escrever nela, rascunhando trechos ao mesmo tempo em que progredia na cópia limpa, e em alguns lugares ela mesma era a composição primária. Não há como saber por quanto tempo todo esse trabalho se estendeu.

A última parte de C — começando com "No dia seguinte a escuridão estava ainda mais pesada nas mentes dos homens, ainda que talvez pouco" (p. 392), onde o texto rascunhado se tornou muito descuidado e apressado — desenvolveu-se para a forma de RR (p. 1181 e seguintes): Gandalf agora não cavalga para Osgiliath com Faramir, e o relato da construção de barcaças em Osgiliath do Leste e o terror diante do Capitão Negro é atribuído ao mensageiro; só depois de ouvir essas notícias é que Gandalf deixa a Cidade, voltando no meio da manhã do dia seguinte com as carroças trazendo os feridos, e segue-se a conversa que tem com Denethor (RR, pp. 1182–84), aqui "em um alto recinto perto do cume da Torre Branca". Nessa parte, tudo está praticamente como na versão final, mas Denethor, ao revelar a cota de malha que vestia sob a longa capa, não diz nada sobre ela (não revela que a veste dia e noite) e, assim como no rascunho (p. 369), Gandalf recorda Pippin da identidade do Capitão Negro: "Você o conheceu, Peregrin, filho de Paladin, embora na época ele estivesse longe de casa, velado aos seus olhos, quando perseguiu o Portador-do-Anel. Agora ele se revelou em poder outra vez, crescendo à medida que seu Mestre cresce". Gandalf agora diz que ele foi "Rei de Angmar muito tempo atrás", e essa é a primeira vez que a concepção do Reino de Angmar aparece nos textos de *O Senhor dos Anéis*. Às palavras de Denethor "Ou será possível que te retiraste porque foste assoberbado?" (palavras que fazem Pippin temer que "Gandalf fosse provocado a uma ira repentina"), Gandalf responde "brandamente" ("suavemente" em RR) e, depois de "Mas nossa prova de força ainda não chegou", ele recorda uma profecia acerca do Senhor dos Nazgûl que difere da que aparece no breve esboço da p. 387:

"[...] E, se forem verdadeiras as palavras ditas outrora, ele não está fadado a cair diante de guerreiro ou sábio [> homens de guerra ou de sabedoria]; mas a ser derrotado, na hora de sua vitória, por alguém que jamais abateu um homem [> por alguém que jamais abateu ser vivente]. [...]"

Em RR, isso se torna: "ele não cairá pela mão de um homem, e está oculta dos Sábios a sina que o espera" (ver RR, p. 1215). No fim da conversa, Denethor diz: "Alguns te acusaram injustamente, Mithrandir, de te deleitares em trazer más notícias"; antes de "injustamente", meu pai escreveu "sem dúvida", mas depois removeu ambas as qualificações.

Há rascunhos preliminares de toda a história da surtida, do resgate de Faramir e das companhias exteriores, e da organização do cerco, e neles praticamente todos os elementos da narrativa final já estavam presentes.[17] Na cópia limpa há um acréscimo notável a lápis inserido à descrição dos Nazgûl voando em círculos sobre a Cidade no primeiro dia do cerco:

Os Nazgûl vieram uma vez mais, escravos dos Nove Anéis, e para cada um deles — visto que agora estavam completamente sujeitos à sua vontade — seu Senhor devolveu o anel de poder que eles usaram outrora.

Isso sobreviveu no primeiro texto datilografado, onde foi posteriormente substituído pelas palavras em RR (p. 1189): "Os Nazgûl voltaram, e, à medida que seu Senhor Sombrio crescia e avançava seu poderio, as suas vozes, que só lhe expressavam a vontade e a malícia, ficaram repletas de mal e horror".

Em rascunhos iniciais para a última parte do capítulo, é possível ver a história central da loucura que acometeu Denethor emergindo conforme meu pai escrevia (de maneira torrencial, com letras disformes).

E Faramir jazeu no seu recinto, vagando em febre, morrendo, como se disse, enquanto seu pai sentava-se junto dele e pouca atenção dava à ruptura da defesa. Parecia a Pippin, que frequentemente vigiava ao seu lado ou à porta, que algo finalmente rompera na vontade altiva de Denethor: fosse o pesar pelas palavras severas ditas a Faramir antes de ele partir,[18] ou o pensamento amargo de que, não importava o que aconteceria agora na guerra, sua linhagem também estava chegando ao fim, e a própria Casa dos Regentes haveria de fracassar e uma casa menor governaria o último resquício dos reis de homens.

Assim foi que, sem palavra falada ou licença do Senhor, Gandalf assumiu o comando da defesa. Onde ele chegava, os corações dos homens se animavam e as sombras aladas saíam da lembrança. Ele ia incansável da Cidadela ao Portão, do norte ao sul pela muralha e, no entanto, depois que passava as sombras pareciam se abater outra vez sobre os homens, e parecia vão resistir, esperar ali por espada fria ou fome cruel [*sic*].

E assim passaram de um dia turvo de temor para a sombra de uma noite desesperada. O fogo já ardia no círculo mais baixo da Cidade. A guarnição nas muralhas já estava praticamente isolada, aqueles que já não tinham de fato fugido. E então, no meio da noite, o assalto foi desencadeado.

[Mensageiros subiram à torre alta e Denethor olhou para eles. "O círculo [? exterior] está em chamas, senhor", disseram eles, "os homens fogem das muralhas". "Por quê?", indagou Denethor. "Melhor queimar antes do que depois. Agora irei à minha própria pira. Adeus, Peregrin, filho de Paladin, teu serviço foi breve. Dispenso-te dele, a menos que ainda queiras usar tua espada na defesa do que está perdido. Vai agora, se quiseres, àquele que te trouxe até aqui, à tua morte."

Levantou-se e, ordenando que os homens erguessem o leito de Faramir e o seguissem, deixou a Torre Branca e caminhou devagar, pausando só por um momento na árvore ..., saiu da Cidadela e foi deitar-se na casa das tumbas sob a sombra do Mindolluin, com Pippin ao seu lado.]

O trecho que coloquei entre colchetes foi um acréscimo ao manuscrito, mas é possível ver claramente que meu pai o inseriu ali quando estava na verdade escrevendo a descrição do cavaleiro negro e a destruição do Portão. Uma nota posterior rabiscada ao lado do trecho diz: "Pippin segue o cortejo até entrar nas tumbas e depois desce em disparada à procura de Gandalf. Encontra Berithil e vão juntos pela cidade. Pippin chega a tempo de ver Gandalf e o Rei Feiticeiro".

A vanguarda atravessou por caminhos estreitos entre as trincheiras e sofreram perdas onde elas se conectavam, mas pouquíssimos arqueiros foram deixados nas muralhas. [? Fronte de guerra] não é no norte e nem no sul, mas um grande peso recai no portão. O chão está obstruído com corpos, mas ainda assim eles avançavam.

Ali estava Gandalf. E então, no monte, à luz do fogo veio um enorme Cavaleiro Negro. Por um momento ele ... parou, ameaçador, e ergueu uma grande ... espada, vermelha até o cabo. O medo caiu sobre todos .... Então, grandes aríetes foram adiante, mas o aço só chacoalhou e estrondeou. O Capitão Negro ..... ergueu outra vez a mão, gritando com uma voz horrenda. Em alguma língua olvidada falou, gritando palavras de poder e terror. Três vezes os aríetes bateram. Três vezes ele gritou e subitamente o portão, como se fosse atingido por uma explosão, [? desfez-se], e houve um grande lampejo como se de um relâmpago, rompeu-se e caiu, e para dentro cavalgou o Senhor dos Nazgûl. Mas ali, ainda esperando diante do portão, assentava-se Gandalf e Scadufax, único dentre os cavalos livres da terra, não [? vacilou], mas ficou firme como uma imagem de mármore cinzento.

"Não podes passar", disse Gandalf. "Volta para o abismo negro preparado para ti, e cai no nada que há de cair sobre teu Mestre."

O Cavaleiro Negro [? atira *leia-se* atirou] para trás o capuz e ..... coroa que não estava posta sobre nenhuma cabeça visível exceto pela luz dos olhos pálidos.[19] Um riso mortífero [? ressoou].

"Velho tolo", disse ele. "Velho tolo. Não conheces a morte quando a vês? Morre agora e impreca em vão. Esta é a hora da minha vitória". E com essas palavras ergueu a grande espada. [*Acrescentado:* E então, subitamente, sua mão tremulou e caiu, e pareceu que ele encolhia.] E [> Pois] naquele mesmo momento, muito atrás, em algum pátio da cidade, um galo cantou. Seu canto era estridente e nítido, não se importando com feitiçaria nem guerra, apenas dando boas-vindas à manhã que, muito acima das sombras da morte, chegava outra vez.

E, como que em resposta, de muito longe veio outra nota. Trompas, trompas, trompas, grandes trompas do norte soando incontidas. Os cavaleiros de Rohan haviam chegado enfim.

A partir de trechos curtos de rascunho adicional, separados ou feitos a lápis no próprio manuscrito passado a limpo e então escritos por cima, a versão final da história foi amplamente alcançada, e não há nada a se observar nesse desenvolvimento. Mas, da maneira que a cópia limpa foi deixada, restaram algumas diferenças em relação a RR. A descrição de Pippin, observando entre Denethor e Faramir, permaneceu essencialmente como estava no rascunho inicial (ver p. 397), em que o próprio Denethor não fala, e a causa de sua aflição é expressa como uma suposição de Pippin: "Talvez o pesar tivesse produzido isso: o pesar pelas palavras severas que disse quando Faramir retornou [> remorso pelas palavras severas que disse e que mandaram Faramir para o perigo desnecessário],[20] e pelo pensamento amargo de que, não importava o que aconteceria agora na guerra, ruína ou vitória além da esperança, sua linhagem também estava chegando ao fim [...]".

A descrição da caminhada daqueles que portavam Faramir, com Denethor e Pippin, depois de terem passado pelos portões da Cidadela, começa assim (ver RR, pp. 1193–94):

Virando para oeste, chegaram finalmente a uma porta escura, usada apenas pelo Senhor da Cidade, pois se abria para um caminho tortuoso que descia, fazendo muitas curvas, até o terreno estreito sob a sombra do precipício do Mindolluin onde ficavam as tumbas dos Reis e de seus Regentes.

Mas, a partir desse ponto, o texto efetivamente chega ao de RR na descrição da descida pela Rath Dínen, a Rua Silente.[21] O trecho que acabei de citar reaparece no primeiro texto datilografado do capítulo, com o acréscimo de que a porta ficava "no muro traseiro do sexto círculo"; mas o texto final foi inserido no texto datilografado por um adendo, e aqui o nome da porta aparece: "*Fenn Fornen*, pois era sempre mantida fechada, exceto em tempos de cortejos fúnebres".[22]

O encontro de Pippin com Berithil ao fugir daquela cena horrível em Rath Dínen começa diferente em relação a RR (p. 1195):

"Aonde corres, Mestre Peregrin?", indagou ele.

"Encontrar Mithrandir", respondeu Pippin.

"Então deixaste o serviço do Senhor tão cedo? Asseveramos que é o dever daqueles que usam negro e prata permanecer na Cidadela de Gondor por qualquer causa, até que a morte os libere."[23]

"Ou o Senhor", disse Pippin.

"Então ele te enviou em alguma missão que não posso impedir. Mas conta-me, se puderes, o que acontece? [...]"

O texto prossegue como em RR; mas, nesse momento fatídico, permite-se que Pippin se expresse mais à maneira do Condado: "Tem algo de errado com ele", diz sobre Denethor (onde em RR ele diz: "Parece condenado e é perigoso"), e diz a Berithil: "Não te preocupes com 'ordens' e tudo o mais!".

Por fim, vale a pena mencionar que a importância do Príncipe de Dol Amroth cresceu conforme o capítulo evoluía. No rascunho C, Pippin não o menciona entre as "grandes pessoas" presentes no conselho que se deu antes de Faramir voltar de Henneth Annûn (p. 387), e continua sem ser mencionado na cópia limpa D. A intervenção do Príncipe nas deliberações antes de Faramir ir para Osgiliath está ausente na primeira versão de D (p. 395): ela entra na revisão (onde ele é chamado de "Dol Amroth"). O momento em que traz Faramir de volta para a Torre Branca nunca foi acrescentado a D (nota 17). E, no rascunho para a parte final de D, não se diz que ele acompanha Gandalf em sua incansável perambulação pela Cidade (p. 398) — o trecho em que ele foi introduzido aqui (RR, p. 1191), com a menção ao "sangue-élfico nas veias dessa gente, pois o povo de Nimrodel já habitou naquela terra muito tempo atrás", foi na verdade inserido no manuscrito D como uma ideia ocorrida logo depois de meu pai ter passado desse ponto. Nesse estágio, o nome *Imrahil* ainda não tinha surgido (ver pp. 342, 345).

NOTAS

1 A descrição da libré de Pippin está idêntica à de RR, exceto em um ponto: a estrela de prata no aro do elmo não é mencionada.

2 *Berethil* está escrito claramente, mas a forma é *Berithil* no primeiro texto datilografado de "Minas Tirith", p. 344; após outras ocorrências de *Berethil*, contudo, *Berithil* reaparece.

3 *Ramas Coren*: nome anterior da Muralha em volta da Pelennor (p. 343).

4 Eu inverti a ordem dos dois últimos parágrafos desse esboço.

5 Sobre essa e as outras referências aos dias e às horas, ver a Nota sobre a Cronologia abaixo.

6 75 léguas [*c.* 362 km] de Henneth Annûn a Minas Tirith: 25 léguas [*c.* 121 km] em RR. A distância no mapa em larga escala que meu pai fez de

Rohan, Gondor e Mordor e que eu redesenhei em *O Retorno do Rei* é de umas 23 léguas [*c.* 111 km]. O número 75 no presente texto, contudo, está perfeitamente claro, embora o texto seguinte, D, baseado diretamente nesse rascunho, diga 25. No Primeiro Mapa, a distância pode ser calculada muito grosseiramente como algo nessas 75 milhas, e suponho que meu pai, trabalhando muito rápido, simplesmente escreveu "léguas" em vez de "milhas".

[7] A palavra ilegível parece começar com *d* e poderia ser *duty* [dever], mas a escrita está tão obscura que poderia ser *dealings* [comportamento, conduta], ou alguma outra palavra. No texto seguinte — em que Denethor ainda diz que conhece "a resposta para as palavras enigmáticas" —, a frase foi substituída por "Pobre Boromir!" > "Ai de Boromir!"

[8] A palavra que coloquei como "[? ou]" é, na verdade, difícil de interpretar de qualquer outra maneira. É possível que a frase tenha ficado incompleta. O texto seguinte é igual a RR (p. 1176): "senão por uma vitória tão final que, quando ocorresse, não nos incomodaria, os mortos [> já que estaríamos mortos]".

[9] Pippin diz sobre Frodo: "Pense, ele estava vivo pelo menos até esta hora de ontem, e não estava tão longe do outro lado do Rio!". Não sei por que Pippin diria "pelo menos até esta hora", visto que Faramir tinha dito que se despediu de Frodo e Sam "na manhã de ontem". O texto seguinte diz: "ele estava vivo e conversando com Faramir ontem mesmo". — No cálculo que Gandalf faz do tempo, ele diz: "Deixe-me ver, uns quatro dias atrás ele teria descoberto que derrubamos Saruman… e pegamos a Pedra", onde RR diz "cinco dias". Ver a Nota sobre a Cronologia abaixo.

[10] O texto seguinte diz: "Assim falei para Aragorn, no dia em que nos reencontramos em Fangorn e cavalgamos até Rohan". A referência é a "O Cavaleiro Branco", DT, p. 733: "Pois imaginando a guerra, ele desencadeou a guerra, crendo não ter tempo a desperdiçar […] Assim, está agora pondo em movimento as forças que há muito vem preparando, mais cedo do que pretendia".

[11] Ver o esboço original na p. 387: "Pippin […] ouve Faramir aceitando as ordens de ir para Osgiliath".

[12] Em RR (p. 1182), Gandalf não deixa a cidade até ouvir a notícia do recuo de Faramir em direção à muralha da Pelennor.

[13] Os colchetes estão no original.

[14] Aqui o trecho à tinta é interrompido; a frase teria continuado com a surtida do Portão.

[15] Observo aqui alguns detalhes. Todas as referências às datas permanecem como no rascunho. A distância de Henneth Annûn a Minas Tirith se torna 25 léguas (ver nota 6). O amigo de Peregrin é Berithil (ver nota 2; Beregond entrou somente num estágio tardio). A ilha no Anduin recebe momentaneamente o nome *Cairros*, alterado imediatamente para *Andros* (e depois para *Cair Andros*).

[16] Isso aparece em uma nota escrita num retalho de papel no qual a abertura existente do capítulo (ver p. 385) foi reescrita. Nessa revisão introduziu-se

o fato de que Berithil acabara de retornar de uma missão na Pelennor "até *Bered Ondrath*, as torres de guarda na entrada do passadiço". Esse nome depois se perdeu.

[17] Observo aqui dois elementos em que a narrativa era diferente da de RR, e alguns outros detalhes. A descrição do Príncipe Imrahil levando Faramir a Denethor na Torre Branca e a luz que foi vista piscando no alto recinto (RR, pp. 1186–87) estão ausentes não apenas no rascunho inicial como também na cópia limpa D; e no rascunho não se diz que os últimos homens a entrarem na Cidade antes de o Portão ser fechado (RR, p. 1187), relatando "incontáveis companhias de homens de nova espécie" que ocuparam a estrada para o norte ou adentraram Anórien, eram liderados por Ingold.

Tanto no rascunho quanto na cópia limpa, os "selvagens homens Sulistas" de RR (p. 1185) são "selvagens lestenses". A muralha da Pelennor ainda é chamada de Ramas Coren em ambos os textos, onde RR diz "o Rammas" (p. 1183), com "(? Corramas)" acrescentado no momento da escrita. Na frase (RR, p. 1186) "E [o Príncipe] trazia nos braços, diante de si no cavalo, o corpo de seu parente Faramir, filho de Denethor", há uma palavra escrita acima de "parente", no rascunho, que parece ser "primo"; isso parece ter sido riscado. A genealogia da casa de Dol Amroth está no SdA, Apêndice A (I, iv): Denethor casou-se (tarde) com Finduilas, filha de Adrahil de Dol Amroth. Em outro lugar está registrado (ver *Contos Inacabados*, p. 337) que Adrahil era pai de Imrahil, de modo que Imrahil (irmão de Finduilas) era tio de Faramir.

[18] Isso é curioso porque, no manuscrito D conforme escrito inicialmente (quando era Faramir quem impunha sua própria vontade no conselho, exigindo liderar uma tropa até Osgiliath), Denethor (conforme o relato) não dizia palavras severas a Faramir e, na verdade, disse adeus com as palavras "que teu juízo se prove justo: pelo menos para que eu te possa ver outra vez" (p. 395). Isso talvez sugira que a versão posterior desse episódio já existia, em que Denethor dizia: "Mas não cederei o Rio e os campos da Pelennor sem combate — não se houver um capitão que faça minha vontade e não vacile" (ver RR, p. 1180).

[19] A letra aqui é tal que muitas palavras não poderiam ser interpretadas de modo algum isoladamente, sem contexto ou outras pistas, mas "exceto pela luz dos olhos pálidos" parece claro o bastante. Ver p. 431.

[20] Ver nota 18.

[21] O nome *Rath Dínen* aparece na planta da cidade reproduzida na p. 346, presente no primeiro texto datilografado do capítulo "Minas Tirith", onde, contudo, a concepção acerca dela era definitivamente diferente.

[22] Outros nomes estão escritos ao lado desse adendo: *Fenn Forn, a Porta Fechada; Fenn uiforn, a Sempre Fechada*, também *Uidavnen* e a palavra *davnan*.

[23] Essas palavras, ligeiramente modificadas, foram ditas depois por Gandalf a Pippin no início do capítulo "A Pira de Denethor" (RR, p. 1227).

Nota sobre a Cronologia

O novo "calendário" (ou seja, com as datas em março, e não em fevereiro, ver p. 385) pode ser equiparado ao antigo pela data do primeiro dia da Treva, o segundo dia de Pippin em Minas Tirith, que era 7 de fevereiro e agora é 9 de março. Presumo que meu pai tenha feito esse cálculo com base na premissa de que agora todos os meses tinham trinta dias. Portanto, a partir de 26 de dezembro = 26 de janeiro, o dia da fuga de Frodo (ver VII. 431), temos as seguintes equações: 31 de dezembro = 1 de fevereiro; 1 de janeiro = 2 de fevereiro; 29 de janeiro = 30 de fevereiro; 30 de janeiro = 1 de março; 31 de janeiro = 2 de março; 1 de fevereiro = 3 de março.

Contudo, a cronologia ainda não é igual à do SdA (ver *O Conto dos Anos*). Nesse estágio, Faramir diz (em 9 de março) que se despediu de Frodo e Sam em Henneth Annûn na manhã do dia anterior ("pela manhã, dois dias atrás" em RR, p. 1174), e diz que a Treva começou a chegar no decorrer daquela noite ("ontem ao anoitecer" em RR). A relação entre as duas cronologias pode ser disposta assim:

	A cronologia aqui	*A cronologia no SdA*
7 de março	Frodo é levado por Faramir a Henneth Annûn.	Frodo é levado por Faramir a Henneth Annûn.
8 de março	Frodo deixa Henneth Annûn. Gandalf chega a Minas Tirith.	Frodo deixa Henneth Annûn.
9 de março	O Dia sem Amanhecer. Faramir é resgatado na Pelennor. Frodo chega à Encruzilhada.	Gandalf chega a Minas Tirith.
10 de março	Faramir vai para Osgiliath.	O Dia sem Amanhecer. Faramir é resgatado na Pelennor. Frodo chega à Encruzilhada.
11 de março	Faramir recua para os Fortes do Passadiço.	Faramir vai para Osgiliath.

Portanto, as trompas dos Rohirrim são ouvidas ao cantar do galo em 14 de março na cronologia dos textos aqui, mas em 15 de março no SdA. Nesse estágio, Frodo ainda levava dois dias, e não três, de Henneth Annûn até a Encruzilhada (ver p. 220), e Gandalf leva três noites, e não quatro, de Dol Baran até Minas Tirith (ver p. 316, nota 3).

Ao falar com Pippin na noite de 9 de março, Gandalf calcula que fazia quatro dias desde que Sauron descobriu "que derrubamos Saruman... e pegamos a Pedra" (nota 9), enquanto em RR (p. 1178), em 10 de março, ele calcula cinco dias. Está se referindo a 5 de março (= 3 de fevereiro), e a diferença é mais uma vez devida ao tempo maior que levou na cavalgada.

7

A Cavalgada dos Rohirrim

Uma única página manuscrita ("**A**") fornece um esboço da narrativa deste capítulo. Foi escrito à tinta sobre um texto a lápis — o que, nesse estágio, havia novamente e infelizmente se tornado o método frequente de composição de meu pai. Os números que introduzem cada parágrafo são, evidentemente, as datas do mês de março.

(9) Théoden deixa o Fano-da-Colina no dia 9. Cavalga 25 milhas [*c.* 40 km] até Edoras. Depois de uma pausa ali e de inspecionar a guarnição, parte para o Leste. Inicialmente vão devagar para conservar as forças. Merry recebe permissão de ir à guerra e é designado a cavalgar com um membro da guarda do rei: o que parece jovem e leve e, portanto, menos carga para a montaria. Ele é calado e jamais fala. Param não muito longe de onde o Riacho-de--Neve corre para o Entágua a 25 milhas de Edoras — eles acampam temporariamente em uma densa mata de salgueiros.

(10) Cavalgam ininterruptamente e pausam agora a umas 100 milhas [*c.* 161 km] de Edoras.

(11) Cavalgam outra vez. Depois de passadas umas 125 milhas [*c.* 201 km], por volta do meio-dia, fugitivos e cavaleiros retardatários trazem novas de ataques no Norte e de tropas cruzando acima de Sarn Gebir,[1] adentrando o Descampado de Rohan. Théoden decide que deixou guarnição o bastante (ou o que foi possível) nas suas fortalezas e precisa prosseguir: logo os pântanos da foz do Entágua cobrirão seu flanco. Eles adentram Anórien (de Gondor) e acampam sob Halifirien (160 [milhas] [*c.* 257,5 km]). Ouvem--se tambores misteriosos nas matas e colinas. Théoden resolve cavalgar com cautela, e envia batedores.

(12) Eles pausam depois de terem cavalgado 230 milhas [*c.* 370 km], no crepúsculo (64 milhas [*c.* 103 km], ou um dia de

jornada de Pelennor). Acampam nas beiras da Floresta de Eilenach, da qual se ergue o Farol de Eilenach. Batedores retornam com mensageiros a cavalo de Minas Tirith (que haviam cavalgado na frente, mas encontraram a entrada fechada). Há um grande acampamento do inimigo sob [Amon Dîn >] Min Rimmon, a cerca de [25 >] 50 milhas [*c.* 80,5 km] a oeste da Pelennor, ou cerca de [40 >] 14 milhas [*c.* 22,5 km] adiante:[2] há Orques vagando pela estrada. Homens obscuros de Eilenach chegam. Eles decidem prosseguir à noite. Subitamente veem fogos adiante e ouvem gritos. Ouvem um estrondoso *huum-hom*. Ents! Barbárvore grita Merry. O acampamento inimigo está em desordem. Homens obscuros de Eilenach o atacaram e, subitamente, chegando do Norte após uma vitória sobre os Orques no Descampado ([250 >] 225 milhas [*c.* 362 km]), Barbárvore e uma companhia de Ents. Os Rohirrim dão a volta por trás [e] rechaçam os remanescentes para NO na direção dos pântanos. Param sob Min Rimmon e fazem um conselho de guerra.

(13) Manhã do dia 13. Batedores relatam que o cerco agora está [? apertado] e grandes fogueiras e máquinas estão ao redor das muralhas. Cavalgam cerca de 20 milhas [*c.* 32 km] e [? escondem-se] nas matas e colinas de Amon Dîn, prontos para se moverem de noite e atacarem ao amanhecer.

(14) Ao amanhecer eles investem. Rammas foi destruído nesse ponto.

No pé da página, a lápis, há uma lista de distâncias: *Eilenach* 215 (escrito abaixo: 219); *Min Rimmon* 245 (escrito abaixo: 246); *Amon Dîn* 270; *Rammas* 294; *Minas Tirith* 306.[3] Ao lado dessa lista há uma nota: "Acampam logo a oeste de Min Rimmon (243 milhas) na noite do dia 12".*

Os nomes dos faróis nas suas formas finais e na sua ordem final (que conto a partir de Edoras na direção leste) haviam aparecido muito antes, na abertura abandonada C de "Minas Tirith" (p. 280; repetidas no primeiro texto do capítulo), mas agora a ordem foi alterada:

*Essas milhas correspondem respectivamente a cerca de 346; 352; 394; 396; 434,5; 473; 492 e 391 km. [N.T.]

Textos antigos de "Minas Tirith" e SdA	*O presente texto*
1 Halifirien	1 Halifirien
2 Calenhad	2 Calenhad
3 Min Rimmon	3 Erelas
4 Erelas	4 Nardol
5 Nardol	5 Eilenach
6 Eilenach	6 Min Rimmon
7 Amon Dîn	7 Amon Dîn

Não consigo dar nenhuma explicação para isso além da óbvia, mas não de todo convincente, justificativa de que meu pai recordou incorretamente a ordem que estava no texto de "Minas Tirith" e depois, revendo os papéis, voltou à ordem anterior.

Portanto, no esboço A, os Rohirrim acamparam na noite de 12 de março "nas beiras da Floresta de Eilenach, da qual se ergue o Farol de Eilenach" e aqui entram na história os "Homens obscuros de Eilenach", precursores dos Woses ou "Homens Selvagens das Matas", embora nada se diga deles além do fato de que atacaram o acampamento inimigo (contudo, no acampamento sob Halifirien na noite anterior, 11 de março, ouvem-se os tambores nas colinas). Assim, a Floresta de Eilenach é a precursora da Floresta Druadan, mas o Farol de Eilenach é o quinto e depois dele ainda estão Min Rimmon e Amon Dîn.

Barbárvore e os Ents reaparecem, vindo para o sul "após uma vitória sobre os Orques no Descampado", e eles claramente desempenham um papel no ataque ao acampamento (entendo que, nesse ponto, o texto quer dizer "Homens obscuros de Eilenach o atacaram e também Barbárvore e uma companhia de Ents chegando subitamente do Norte"). Nos esboços antigos do Livro V há muitas referências à marcha para o sul dos Ents após a destruição dos Orques no Descampado (ver p. 306 e nota 29), mas todas elas são especificamente sobre a chegada deles (junto com Elfos de Lórien) *depois* do rompimento do cerco de Minas Tirith: não há sugestão de que eles apareceram anteriormente em Anórien.

Aqui Merry "recebe permissão de ir à guerra e é designado a cavalgar com um membro da guarda do rei: o que parece jovem e leve e, portanto, menos carga para a montaria". Presume-se que essa seja a história que meu pai tinha em mente no fim de "Muitas

Estradas Rumam ao Leste" (ver p. 377), onde havia um cavaleiro em meio à guarda, de compleição notavelmente menor (que certamente era Éowyn), olhando para Merry quando a cavalgada começou no Fano-da-Colina: esse Cavaleiro fora *designado* a levar o hobbit.

Há duas páginas de texto a lápis difíceis de alocar, pois estão majoritariamente ilegíveis devido à escrita subsequente à tinta por cima; mas são muito notáveis, visto que, pelo pouco que se pode ler, percebe-se que meu pai estava aqui desenvolvendo a história da chegada dos Ents em Anórien a partir do esboço acima. A narrativa vislumbrada claramente deparava-se com dificuldades, e foi abandonada definitivamente sem repercussões no desenvolvimento do capítulo; por essa razão, parece mais provável que elas devem ser colocadas aqui. O texto sobrescrito à tinta que tanto o obliterou não tem relação com o texto subjacente a lápis.[4]

Em uma dessas páginas (que julgo ser a primeira, pois nela está a chegada de Barbárvore, ao passo que na outra ele já está presente), ouve-se o clamor de Barbárvore — *huum-hom* ou algo similar; "Merry levantou-se de um salto. 'Barbárvore!', gritou. Barbárvore vem com boas notícias. Os Ents e os Huorns tinham . . . . . os invasores no Descampado e os empurrado para o Rio." Fragmentos da frase seguinte fazem referência ao rumor acerca dos Rohirrim que chegou aos Ents e à grande marcha deles para o sul em auxílio do rei. "Amizade e recompensa o rei ofereceu. Mas ele pediu apenas permissão, quando a guerra terminasse, para retornar a Fangorn e ali . . . ser perturbado por . . . . . Por recompensa ele tomaria . . . ."

Não é possível discernir mais do que fragmentos entrecortados no restante dessa página, mas eles sugerem uma incerteza na direção: "Eles planejam se dividir em três. Os Ents chegariam ao acampamento pelo norte primeiro, enquanto a hoste principal . . ."; "e assim descer para a planície [? um tanto] atrás do acampamento entre ela e o cerco da cidade"; "Ou remover a hoste de homens-órquicos"; e depois: "Nesse caso, os homens selvagens matam os orques, mas também se voltam contra o rei. Mas os cavaleiros os rechaçam para o lado e chegam em Amon Dîn . . ."

A outra página começa assim: "Mas os homens selvagens agora não estavam visíveis em lugar nenhum. Ao verem os Ents pela primeira vez, deram gritos de temor e fugiram de volta, desaparecendo nas colinas . . . . . que lendas sombrias e distantes dos dias [? antigos] sujeitaram suas mentes, ninguém sabia dizer. Mas

Barbárvore logo descobriu sozinho o que precisava . . . . uma [? lagoa] sob a encosta de Amon Dîn alimentada por uma nascente [? acima]. Postou-se ali e [? banhou-se] enquanto o rei e seus capitães faziam um conselho sob as árvores". Depois de "'Tanto ... quanto guerreiros são necessários, senhor', disse Éomer", segue-se: "Uns poucos pelo menos devem ter escapado para o Leste para alertar sobre nossa aproximação". Isso se refere aos Homens Selvagens?

Do restante da página quase nada de útil se pode depreender, mas a frase "Os homens selvagens os conduzem novamente pelas trilhas das colinas" está clara; o que é intrigante, pois não parece haver texto o bastante no meio para explicar a inversão da história que acabou de aparecer.

Nada mais se encontra em qualquer outro lugar a respeito da aparição dos Ents em Anórien, e só há como especular a razão para seu desaparecimento. Parece-me possível que alguma coisa como a seguinte aconteceu. Os vastos exércitos à disposição de Mordor davam a certeza de que uma hoste seria despachada além de Minas Tirith para Anórien, de modo a bloquear qualquer tentativa de Rohan de vir em auxílio da cidade: pode-se dizer que esse é um dado concreto da história. Mas um ataque ao acampamento-órquico constituiria necessariamente um episódio importante, e meu pai não queria um episódio assim mais do que os Rohirrim queriam. Os Homens Selvagens — que (assim como os "homens obscuros de Eilenach") entraram no esboço A como hostis ao acampamento-órquico — acharam seu papel na condução dos Rohirrim por estradas esquecidas pelas colinas, caminhos que só eles conheciam, de modo que conseguiram dar toda a volta no acampamento-órquico. Os Ents, portanto, ficaram sem uma função clara. Evidentemente, isso é pura especulação; não há notas que dizem respeito à questão. Mas, de todo modo, a explicação não pode ser a de que meu pai começou a achar (independentemente da história imediata que surgia aqui) que Barbárvore não deveria aparecer novamente até que a Comitiva reunida o reencontrasse na jornada de volta: ver p. 427.

Meu pai teve grande dificuldade com o modo pelo qual Merry foi para Minas Tirith e, na verdade, teve dificuldade para encontrar uma abertura satisfatória para o capítulo. O capítulo anterior na sequência narrativa ("Muitas Estradas Rumam ao Leste") terminava com a hoste dos Rohirrim descendo o Vale Harg; agora, era necessário dizer algo da parada em Edoras, mas, ao mesmo tempo, ele preferiria passar direto pelos primeiros dias sem acontecimentos da cavalgada e começar o capítulo em um momento posterior.

Sua primeira solução, em um texto muito curto e muito rudimentar ("**B**"), foi começar com os Cavaleiros estacionados na terceira noite (11 de março) sob a Halifirien, onde, como no esboço A, ouvem misteriosos tambores nas colinas, e introduzir a parada em Edoras como um retrospecto de Merry quando reflete sobre sua situação debaixo das árvores na escuridão.

Estava tão escuro que Merry nada podia ver, deitado e enrolado em seus cobertores; mas, apesar de a noite estar isenta de ar e de vento, em toda a sua volta havia o suspiro baixinho de infinitas árvores escuras. Ergueu a cabeça. Ali estava outra vez: um som como o de tambores débeis nas colinas e degraus montanheses cobertos de matas no sul, tambores que cessavam e pareciam obter resposta de outros lugares. Perguntou-se se os vigias os escutavam. Embora não pudesse vê-los, sabia que em toda a volta dele havia companhias e mais companhias dos Cavaleiros. Podia sentir o cheiro dos cavalos no escuro, e ouvir de vez em quando seu pisoteio e seu movimento no chão coberto de agulhas de pinheiro. Estavam temporariamente acampados nos pinheirais que se agrupavam em torno da escura Halifirien: a grande colina de cimo plano que se destacava da cordilheira [? principal] ao lado da estrada de Edoras nas fronteiras de Anórien.

Estava cansado, mas não conseguia dormir. Já cavalgara por três dias desde a manhã escura da convocação no Fano-da-Colina, e a cada parada a escuridão parecia se aprofundar e seu coração e seu ânimo pareciam se abater. Agora não havia canção ou conversa no caminho em toda a grande hoste de Rohan. Haviam parado em Edoras por um tempo e então, por fim, obteve do rei permissão para ir à batalha com ele. Agora perguntava-se por quê. Ficou combinado que ele cavalgaria na frente de alguém da guarda do rei, e parecia que o jovem que ele havia notado o reivindicara, pois tinha a compleição mais leve que a dos demais, então seu corcel ficaria menos sobrecarregado. De todo modo, conforme partiam de Edoras afinal, ajudaram Merry a subir no assento desse homem e ali ele se [? sentou] ... enquanto os homens cavalgavam, mas seu companheiro em nenhum momento disse palavra, ao montar ou desmontar, e nem no caminho.

> Toda a parte final (depois de "Haviam parado em Edoras [...]") foi riscada, e o seguinte entrou no lugar: "e ele já se perguntava por que estivera tão determinado a vir contra o [? próprio] comando do rei. Desde o primeiro dia, nenhuma palavra Grímhelm dissera, [? fosse] ao montar ou desmontar, e nem na estrada".
>
> Meu pai chegara à conclusão de que Merry *não* recebeu permissão de Théoden para ir com a hoste de Rohan a Minas Tirith; e decidiu também — talvez por essa razão — que era melhor relatar a parada em Edoras como narrativa direta. Começou, portanto, uma nova abertura do capítulo em outro manuscrito extremamente mal-acabado ("**C**") intitulado "A Cavalgada dos Rohirrim":

O rei chegou a Edoras na escuridão que se avolumava, apesar de ainda ser meio-dia. Ali parou e disse adeus ao seu paço dourado e às pessoas de sua casa. Merry implorou para não ser separado dele.

"Esta não é jornada para Stybba", disse Théoden. "Cavalgamos para a guerra, e em batalha tal como pretendemos fazer, o que farias tu, Mestre Holbytla, apesar de seres escudeiro ajuramentado, e maior de coração que de ...?"

"Quanto a isso, quem pode dizer?", respondeu Merry. "E por que me tomastes como escudeiro se era para eu ser deixado para trás enquanto meu senhor cavalga para a guerra?"

"Se a batalha fosse aqui, veríamos como te portavas", disse Théoden, "mas são 100 léguas ou mais até Mundbeorg[5] onde Denethor é o senhor. E a primeira coisa que meu escudeiro deve fazer é dar ouvidos aos comandos do seu senhor."

Merry afastou-se infeliz e fitou as fileiras de cavalos. As companhias já começavam a se organizar para a partida. De repente, um Cavaleiro aproximou-se dele e falou baixinho, num sussurro. "Quando a vontade é bastante, uma trilha se abre", disse ele. "Isso eu mesmo descobri". Merry [? olhou] ... cavaleiro da guarda do rei que notara antes. "Tu queres ir aonde vai o senhor dos Eorlingas?"

"Quero", afirmou Merry. "Então hás de cavalgar na minha frente", disse o Cavaleiro. "Tão boa vontade não será desperdiçada. Não digas mais nada, mas vem."

"Deveras obrigado, obrigado, senhor... não sei o teu nome."

"Não sabes?", disse o Cavaleiro baixinho. "Então chama-me [Cyneferth >] Grímhelm."[6]

(9) Foi assim que, quando o rei partiu outra vez, diante de Grímhelm estava sentado Meriadoc, o hobbit, e sua grande montaria cinzenta pouco se importou com a carga, pois Grímhelm era de compleição menor que a maioria da guarda, apesar de ágil e bem-feito de corpo. Naquele [? anoitecer], acamparam nas matas de salgueiro onde o Riacho-de-Neve ... no Entágua, 12 léguas ou mais a leste de Edoras.

O texto então vai se degenerando em notas rabiscadas e parcialmente ilegíveis sobre os dois dias seguintes de jornada: no terceiro dia, com a data de 11 de março (ver o esboço A, p. 406), "homens cavalgaram, juntando-se tarde à convocação, e trouxeram rumores de guerra no Norte e de Orques adentrando o Descampado acima de Sarn Gebir", ao que Éomer diz: "Tarde demais para voltarmos ou nos desviarmos".

Foi nesse momento, como demonstra o nome Grímhelm, que a conclusão do texto B, com a história de que Merry partiu com a permissão do rei, foi rejeitada (p. 412).[7]

Meu pai evidentemente decidiu nesse momento (como eu sugeri, provavelmente porque não queria tratar de cada um dos dias de cavalgada a partir de Edoras em narrativa consecutiva) que esse trecho em que o rei nega o pedido de Merry e Grímhelm se prontifica em segredo a ajudar ficaria melhor se posicionado no fim de "Muitas Estradas Rumam ao Leste" ("A Convocação de Rohan"); e o texto seguinte, ("**D**") foi assinalado com "Colocar isso no fim do Capítulo 2 do Livro V". A canção aliterante *Do Fano-da-Colina na fria manhã* ainda não havia surgido. O "jovem cavaleiro da guarda" ainda chama a si mesmo de Grímhelm, mas com um nome alternativo *Derning*, e *Dernhelm* como sugestão subsequente. A conclusão do trecho em RR (p. 1165, o fim de "A Convocação de Rohan") agora está presente, com menção ao Folde e a Fenmark, mas se em RR quatro faróis são nomeados depois de Halifirien (Calenhad, Min-Rimmon, Erelas, Nardol) aqui só há três: Calenhad, Erelas e Nardol, omitindo-se Min-Rimmon (ver p. 408).

Existem trabalhos rudimentares para *Do Fano-da-Colina na fria manhã*, e a canção foi incorporada em um outro texto ("**E**")[9] ("a ser acrescentada no Capítulo 2 do Livro V"). O Cavaleiro que carrega

Merry ainda se chama Grímhelm (com "Dernhelm?" escrito ao lado); e quatro colinas dos faróis são nomeadas agora, mas Min-Rimmon ainda é omitida: Calenhad, Erelas, Nardol, Eilenach (porque, quando isso foi escrito, já haviam ultrapassado Eilenach no ponto em que começa a história de "A Cavalgada dos Rohirrim").

Por fim, a canção aliterante com o texto que se segue a ela foi copiada em um belo manuscrito e anexada ao texto datilografado M de "Muitas Estradas Rumam ao Leste": aqui a canção está praticamente na forma final.[10] Já não resta nenhuma diferença em relação a RR na conclusão do capítulo anterior, exceto que Dernhelm continua sendo "um jovem cavaleiro da guarda".[11]

O desenvolvimento da nova abertura de "A Cavalgada dos Rohirrim" (ou seja, quando a história da parada em Edoras tinha sido removida) é particularmente difícil de analisar. Não há aqui nenhum texto primário contínuo sucedido por uma segunda versão contínua: meu pai escreveu em uma série de estágios sobrepostos e parcialmente descontínuos, alguns dos quais estão a lápis sobrescritos à tinta. Não tentarei aqui descrever em detalhes esse complexo, especialmente porque muita coisa se repetia à medida que meu pai tentava encontrar um modo satisfatório de articular os elementos existentes na história.

No breve texto mais antigo desse novo começo do capítulo (a lápis, mas bastante legível, apesar da escrita por cima) a hoste dos Rohirrim estava "temporariamente acampada nos pinheirais que se agrupavam em torno do Farol de Minrimmon". Merry escuta um som como o de tambores débeis nas colinas cobertas de árvores. Vinham cavalgando há quatro dias, e agora estavam a menos de um dia de cavalgada dos muros da Pelennor. Batedores haviam retornado com os mensageiros de Gondor, e relataram que Minas Tirith estava sitiada, que outra hoste estava bloqueando o acesso à Cidade e que uma parte dessa tropa estava marchando para o Oeste, ao longo da estrada. "De repente, Merry escutou o sussurro de Dernhelm outra vez. Não dissera uma única palavra desde Edoras, fosse ao montar, ao desmontar, ou no caminho. 'Vem!', disse ele. 'Cavalgaremos outra vez de noite. A batalha está vindo ao nosso encontro.'" Aqui esse texto termina. Fica claro que o "Farol de Minrimmon" agora substituiu o "Farol de Eilenach" do esboço A (p. 406);[12] e, no texto à tinta escrito por cima (com o número "47"), o Farol de Min Rimmon era "uma alta colina que se erguia das longas cristas da floresta de Taur-rimmon".

Em um segundo texto a lápis, mais uma vez sobrescrito, mas em grande parte legível, os batedores relatam que a hoste inimiga estava acampada na estrada "entre Amon Dîn e os muros". Dernhelm agora está mais comunicativo, pois, quando começa a cavalgada noturna, Merry se arrisca a fazer uma pergunta e obtém resposta. "Tambores, Dernhelm. Consegues ouvir, ou estou sonhando? É o inimigo?" Dernhelm responde algo parecido com o que Elfhelm, o Marechal, responde em RR (pp. 1200–01) depois de tropeçar em Merry no escuro, embora com mais brevidade: "São os homens selvagens das colinas. Vivem secretamente em muitos vales florestados, mas principalmente nesta região, resquícios dos Anos Sombrios. Não vão à guerra com Gondor nem com a Marca, e nada pedem a não ser viver de modo selvagem. Mas agora estão perturbados pela escuridão e pela vinda dos orques: temem que estejam voltando os Anos Sombrios. Sejamos gratos. Pois ofereceram serviço a Théoden. Agora são nossos guias". Aqui, por sua vez, esse texto termina.

O texto escrito por cima à tinta faz a história progredir: Éothain, "capitão da guarda"[13] tropeça em Merry, que está deitado no chão, e é ele quem fala o significado dos tambores para Merry: "Não são tambores-órquicos. Ouves os homens selvagens das colinas: assim eles conversam. Em muitos vales florestados destas regiões eles vivem em pequeno número e em segredo". Éothain não faz menção ao uso de flechas envenenadas pelos Homens Selvagens, e nada se diz aqui de qualquer colóquio com um deles. O texto termina assim (a partir do fim das palavras de Éothain a Merry):

"[...] Sejamos gratos; pois ofereceram serviço a Théoden. Espiaram o inimigo e nos guiarão, dizem, por trilhas habilidosas."

"Para onde?", perguntou Merry.

"Isso descobriremos em breve, não duvido", disse Éothain. "Mas preciso me apressar. A guarda conduzirá uma manobra de flanco, e logo devo estar a postos". Desapareceu no escuro e, naquele momento, "Vem", disse a voz suave de Dernhelm no ouvido de Merry. "Cavalgaremos novamente. Estou pronto."

Logo Merry se viu cavalgando outra vez, devagar, com cautela. A guarda os conduzia, mas ao lado de cada cavalo caminhavam a passos largos estranhos vultos de homens, mal visíveis na treva e, contudo, de algum modo Merry se lembrou dos Homens-Púkel do Fano-da-Colina. Guiados por esses amigos inesperados, viraram para o sul na direção das colinas, enfileirados entre as árvores e depois, virando-se outra vez, moveram-se adiante ao longo de trilhas ocultas por vales estreitos e por sobre os contrafortes das colinas escuras.

Não se disse palavra. Horas pareciam ter passado e, no entanto, a noite persistia.

Um novo rascunho à tinta (aquele que foi escrito por cima e, portanto, obliterou o texto a lápis a respeito dos Ents e dos Homens Selvagens, p. 409) recomeça do ponto em que o capitão da guarda (aqui sem nome e referido como "X") tropeça em Merry. Ele lhe diz que os Homens Selvagens das Matas "ainda assombram a Floresta Rimmon, ao que dizem"; não faz menção às flechas envenenadas deles, mas diz que "agora mesmo um dos seus chefes está sendo conduzido ao rei". A partir desse ponto, a história se move com confiança para a conversa do rei e Éomer com o chefe Ghân-buri-Ghân (que recebeu esse nome sem hesitação desde que apareceu pela primeira vez), e perto do fim dela esse texto termina. Já nesse rascunho, a versão final é alcançada em grande medida, com os nomes de Ghân-buri-Ghân para os orques (*gorgûn*) e para Minas Tirith (*Casas-de-pedra*).[14] Da antiga estrada feita pelos homens de Gondor através das colinas, ele diz o seguinte:

"[...] Foram para Eilenach com grandes carroças. Esquecida agora, mas não pelos homens selvagens. Trilhas nos morros e por trás dos morros. Estrada longa ainda corre embaixo de árvore e capim, atrás de Rimmon descendo para Dîn e depois voltando para estrada dos homens-dos-cavalos."

Deve-se lembrar que, nesse estágio, os Rohirrim estavam acampados na floresta de Taur-rimmon, de onde se erguia a alta colina do Farol de Min Rimmon, e que a ordem dos três últimos faróis era Eilenach, Min Rimmon e Amon Dîn (ver p. 407). Portanto, é natural que Ghân-buri-Ghân fale da velha estrada de carroças até Eilenach "atrás de Rimmon e descendo para Dîn" (ver adiante).

Voltando-me agora para o primeiro texto completo, esse manuscrito começa como uma cópia passada a limpo do trabalho rascunhado já descrito, mas, na última parte do capítulo (a partir do fim da conversa com Ghân-buri-Ghân), ele se baseia ora no texto escrito por cima do lápis, ora em trechos independentes de rascunhos preliminares à tinta. Nesse manuscrito, o capítulo que aparece em RR foi em grande medida alcançado, e só há questões relativamente menores para mencionar. Está numerado "47" e intitulado "(i) A Cavalgada dos Rohirrim"; ao lado, meu pai posteriormente escreveu "e a Batalha do Campo de Pelennor", e então riscou isso.

Os Rohirrim ainda estão acampados na "Floresta de Taur-rimmon", da qual se ergue o farol de Min Rimmon. Ghân-buri-Ghân fala das carroças que iam para Eilenach "através de Rimmon", claramente querendo dizer "a floresta de Rimmon"; e assim como no rascunho ele ainda fala da estrada perdida que fica "ali atrás de Rimmon, descendo para Dîn". Alterações feitas ao manuscrito nesses trechos resultaram no texto de RR (pp. 1199–1200, 1202–03), mas esse desenvolvimento é bem intrigante. A hoste agora está na Floresta Druadan de onde se ergue o Farol de Eilenach; e Ghân-buri-Ghân agora diz que as carroças "atravessaram Druadan para Rimmon"; mas suas palavras quanto à antiga estrada permanecem inalteradas do rascunho, "ali atrás de Rimmon, descendo para Dîn". Se supusermos que, uma vez alterada a ordem dos faróis, a antiga estrada de carroças ia até Min Rimmon (e a alteração de "Atravessaram Rimmon para Eilenach" para "Atravessaram Druadan para Rimmon" não foi fortuita: meu pai escreveu *Rimmon* duas vezes e duas vezes o riscou até decidir-se pelo nome), ainda assim parece estranho que Ghân-buri-Ghân, na Floresta Druadan, diga "ali atrás de Rimmon", pois Min Rimmon agora era o terceiro farol, e não o sexto, e ficava a umas setenta e cinco milhas [*c.* 120 km] a oeste de Eilenach.*

O Cavaleiro que tropeça em Merry chama-se outra vez Éothain (ver p. 415), mas ele agora é "capitão da companhia (éored) de

*Christina Scull e Wayne G. Hammond, responsáveis pela edição de 2004 de *O Senhor dos Anéis*, afirmam que, em face do mapa em larga escala de Rohan, Gondor e Mordor, é possível que ambas as ocorrências de "Rimmon" estejam incorretas, e que as frases em *O Retorno do Rei* (p. 1203) "Atravessaram Drúadan para Rimmon [...] ali atrás de Rimmon" talvez devessem ser "Atravessaram Drúadan para Nardol [...] ali atrás de Eilenach". Contudo, como a intenção de Tolkien é incerta, eles decidiram não alterar o texto, o qual, portanto, também permanece na tradução brasileira. (*The Lord of the Rings: A Reader's Companion*, London: HarperCollins, 2008, p. 558). [N.T.]

Éomer". Depois de correção subsequente, ele se torna "Déorwin, chefe dos cavaleiros do rei desde a morte de Háma", e fala a Merry sobre "os Druedain, Homens Selvagens das Matas" que "ainda assombram a Floresta Druadan, ao que dizem". O nome *Druedain* não aparece no SdA publicado (no presente manuscrito, foi substituído por *Woses*), mas reaparece em *Contos Inacabados*. Em um estágio posterior, o Cavaleiro que tropeça em Merry e maldiz a raiz da árvore se torna Elfhelm, enquanto Déorwin (Déorwine) continuou na história, ainda como chefe dos cavaleiros do rei, e foi morto na Batalha dos Campos de Pelennor, e seu nome é lembrado na canção dos Morros de Mundburg (RR, pp. 1219, 1225). Elfhelm aparece pela primeira vez em uma correção ao presente manuscrito, assumindo a fala de Éomer "Não precisamos mais de guias [...]" (RR, p. 1206): aqui, ele é descrito como "um dos capitães". Nos textos datilografados do capítulo, onde se torna o Cavaleiro que tropeça no lugar de Déorwine, é chamado de "capitão da companhia com a qual ele [Merry] estava cavalgando"; a alteração para "Elfhelm, o Marechal" foi feita quando o livro já estava na fase de prova.

Depois do conselho de Éomer de que os Rohirrim deveriam repousar e partir à noite, e das palavras "Com isso o rei assentiu, e os capitães partiram" (RR, pp. 1206–07), meu pai escreveu um pequeno esboço:

Na trilha gramada, encontram o corpo de Hirgon e o cavalo morto — virado para o oeste. Estão se aproximando do Rammas quando encontram um fugitivo no escuro e tomam-no como cativo; mas ele acaba se mostrando um soldado de Gondor que, escapando por uma porta traseira, evadiu o cerco e correu 14 milhas. Cai moribundo por causa dos ferimentos e da exaustão. "Chegastes tarde demais!", exclamou. "O primeiro círculo está em chamas e foi abandonado. O Senhor não dá atenção à defesa. Grande cerco, torres e máquinas. Estão trazendo um enorme Aríete para os Portões."

Então, subitamente, ao olhar para as chamas lá longe, avolumou-se o coração em Théoden, como alguém que está fadado, e sem mais conselho tomou uma grande trompa e a tocou, e todas as trompas da hoste se juntaram ao desafio. Então, sem mais debate, os Rohirrim se derramaram pelos campos de Gondor como uma grande torrente.

Esse trecho foi riscado; e a partir desse ponto o desenvolvimento se torna por um trecho completamente obscuro, um mosaico de repetições e sobrescritos que leva ao texto final; mas ele não foi alcançado até depois de o manuscrito estar completo: a numeração mostra que aqui foi acrescentada uma página posteriormente. Antes disso, a história ainda era a de que Dernhelm cavalgou como membro da guarda do rei, no primeiro *éored* (ver nota 17); com o acréscimo, na página adicional, da afirmação (RR, p. 1207) de que "A companhia de Elfhelm vinha a seguir, e agora Merry notou que Dernhelm deixara seu lugar e, na escuridão, movia-se continuamente para a frente, até finalmente cavalgar logo atrás da guarda do rei", vê-se que essa história foi abandonada: Dernhelm agora tinha vindo cavalgando desde Edoras no segundo *éored.*

Há um pequeno mapa na página adicional. Ele assinala a Floresta Druadan e o Vale das Carroças-de-Pedra, a estrada de Anórien, Eilenach (na posição final de sexto farol) e Amon Dîn, as "Matas Cinzentas" a sudeste de Amon Dîn, Mindolluin, Minas Tirith e Osgiliath. A ilha de Cair Andros aparece, embora sem nome, e o mais notável é que agora o Anduin faz uma curva acentuada para oeste abaixo de Osgiliath, de forma que a muralha da Pelennor corre junto da margem por certa extensão e depois o rio vira ainda mais acentuadamente para o sul (mas as colinas de Emyn Arnen não aparecem): sobre isso, ver p. 514. Em apenas um aspecto esse mapa difere do mapa em larga escala de Rohan, Gondor e Mordor: na relação entre Minas Tirith e Osgiliah.[15] Aqui, a estrada que atravessa a Pelennor corre para o leste até os Fortes do Passadiço (assinalados com pequenos círculos), e Osgiliath fica a leste da cidade, ao passo que, no mapa em larga escala, Osgiliath fica a nordeste, e a estrada corre na mesma direção; ver o Segundo Mapa, pp. 510, 514.

No restante de "A Cavalgada dos Rohirrim", chegou-se à versão final neste manuscrito quase palavra por palavra:[16] a fala de Wídfara acerca da mudança no vento, a disposição das companhias dos Rohirrim,[17] o temor de Merry de que o rei fosse titubear e ir embora, seu grande clamor (com ecos do *Völuspá* nórdico antigo): "À carga, à carga, Cavaleiros de Théoden [...]", e a comparação de Théoden a "Oromë, o Grande, na batalha dos Valar, quando o mundo era jovem".

Por fim, devo mencionar o interessante nome *Forannest.* Notas isoladas mostram meu pai trabalhando nesse nome, sem dar indicação de sua referência.[18] Em uma página dos rascunhos mais antigos do capítulo, escrito acima e talvez em associação à frase "Estavam a menos de um dia de cavalgada do Rammas", o nome *Forannest* reaparece, seguido das palavras "Entrada Norte [? para]". A certeza de que *Forannest* — seja lá o que o nome significa de fato — era o "portão norte do Rammas" (RR, p. 1209) vem por meio de um recorte isolado[19] que dá as distâncias (a leste de Edoras) do Ribeirão Mering e dos sete faróis; pois aqui, depois de Amon Dîn, aparece *Forannest (Rammas Echor)*.

NOTAS

1 *Sarn Gebir:* as corredeiras no Anduin.

2 No texto a lápis, o acampamento do inimigo fica perto de Amon Dîn, e as distâncias são maiores: 245 ou 250 milhas [*c.* 394–402 km] até a pausa na Floresta de Eilenach, 285 [*c.* 458,5 km] até Amon Dîn.

3 A distância do Rammas a Minas Tirith fornecida aqui (12 milhas, ou 4 léguas [*c.* 19 km]) obviamente se refere à distância da cidade até o ponto na muralha em que os Rohirrim entraram (onde a Estrada Norte de Anórien corria para as propriedades rurais); e, enquanto em RR (p. 1093) a cidade ficava a quatro léguas da muralha no ponto mais largo da Pelennor (na direção de Osgiliath) e o portão norte do Rammas a bem menos ("talvez a dez milhas ou mais", RR, p. 1209), meu pai agora abandonara a concepção original de que a Pelennor tinha em todos os pontos um raio de sete léguas (ver pp. 331–2, 342). Ver também o rascunho de "O Cerco de Gondor" (p. 392), onde se diz que, quando Faramir foi forçado a abandonar os Fortes do Passadiço, ele tinha "4 léguas ou mais de campo aberto para atravessar", ou seja, através da Pelennor.

No Segundo Mapa, uma linha de cinco pontos (mostrada na minha reelaboração, p. 510) corre a noroeste de Minas Tirith. Eles parecem estar demasiadamente ao norte das montanhas para representarem os faróis, mas percebe-se que de fato os representam porque a distância medida em linha reta de Edoras até o que fica mais perto de Minas Tirith é 270 milhas, e 245 milhas até o seguinte e 218 milhas até o seguinte. É virtualmente o mesmo que as distâncias fornecidas aqui de Edoras até Amon Dîn, Min Rimmon e Eilenach. Por outro lado, a distância no Segundo Mapa de Edoras ao Rammas é de cerca de 285 milhas [*c.* 458 km] e, até Minas Tirith, cerca de 295 [*c.* 474 km].

4 As minhas referências e citações dos textos subjacentes a lápis aqui e subsequentemente são em grandíssima medida baseadas no trabalho de Taum Santoski.

5 No texto seguinte desse trecho, a distância de Edoras a Minas Tirith se torna "cento e uma léguas", alterado imediatamente para "cento e duas léguas", como em RR, p. 1164. No mapa em larga escala de Rohan, Gondor e Mordor feito por meu pai, a distância em linha reta é de 302 milhas [*c.* 486 km],

mas ele anotou, em uma linha a lápis que conecta os dois pontos, "304" [*c.* 489 km]. — Sobre a forma *Mundbeorg* "colina de proteção", no lugar de *Mundburg* no SdA, ver VII. 529, nota 7.

[6] *Cyneferth* contém o elemento muito comum em nomes do inglês antigo *cyne-* "real, régio"; *Grímhelm* significa "elmo com viseira", compare com *gríma* "máscara", o nome de Língua-de-Cobra.

[7] Na metade rasgada de uma página, subsequentemente usada para outros escritos no verso, estão os resquícios de um esquema temporal que é difícil tanto de ler quanto de colocar em sequência, especialmente porque algumas datas se perderam e só é possível deduzi-las a partir do que restou. Parece que, aqui, Théoden permanece um dia inteiro no Fano-da-Colina antes de partir em 10 de março e, no dia 11, depois de chegarem notícias de uma hoste-órquica entrando em Rohan pelo norte das Emyn Muil, Éomer deixa a hoste, reunindo-se a ela no dia 12. Ao lado de 10 de março (?) está escrito: "Merry insiste em ir para a guerra e é apanhado por [Grim >] Dúnhere, que cavalga com o Rei, Éowyn e Éomer". É difícil saber o que depreender disso. Uma possibilidade é a de que meu pai temporariamente decidiu abandonar a história do "jovem cavaleiro da guarda" (Éowyn), pois Éowyn agora iria abertamente a Minas Tirith, ao passo que Merry, igualmente às claras, é levado por Dúnhere, chefe dos homens do Fano-da-Colina. Corroborando essa hipótese está o nome abandonado *Grim-* (que seria *Grímhelm*?), e talvez a ênfase no nome Éowyn. Mas isso me parece muito improvável. O mais provável, aparentemente, é que esse texto represente ideias *anteriores* para esse elemento na história: Merry não apenas recebe permissão de ir com a hoste, como Éowyn também cavalga de fato (e, nesse caso, o nome *Grim-* não tem importância, pois *Grímhelm* ainda não tinha surgido). Essa hipótese é corroborada pelo desvio de Éomer rumo ao norte, mencionado em vários dos antigos esboços do Livro V, mas não depois.

[8] Esse texto era, na verdade, "duplicado", com tinta sobre lápis; mas muito do texto a lápis permaneceu legível e não mostra diferenças significativas em relação ao texto à tinta.

[9] Na primeira versão finalizada de *Do Fano-da-Colina na fria manhã*, o verso 2 dizia (assim como nos primeiros trabalhos) "sai o filho de Fengel e o fado combate", com *Thengel?* escrito a lápis na margem (em RR, "com fidalgo e alferes sai o filho de Thengel"). Tanto *fengel* quanto *þengel* eram palavras poéticas em inglês antigo para "rei, príncipe" e, como *Thengel* aparece como nome do pai de Théoden em textos antigos de "Os Cavaleiros de Rohan" e "O Rei do Paço Dourado" (VII. 468, 471, 519), a ocorrência de *Fengel* pode ter sido inadvertida.

O verso 8 diz "onde longo era o sorvo até a sombra vir", alterado para "onde tanto habitou até o termo da luz". No verso 10, antes de "Fica fiel" havia "impele-o a fé". No verso 12, onde os trabalhos originais diziam "cinco noites e dias", alterado para "São quatro noites e dias", a segunda alternativa é mantida (em RR, *cinco*). O verso 14 diz "pelo Folde e Fenmark, do Firien o Veio passam": o *Veio do Firien* é claramente um rio, e talvez por isso seja o nome original do Ribeirão Mering que corria pela Floresta Firien. No verso 16, Minas Tirith é "Mundberg" (ver nota 5; *berg* e *beorg*, "colina, montanha", eram variantes em inglês antigo).

[10] O texto ainda diz "São quatro noites e dias" em vez de "cinco", e "Mundburg" ainda é "Mundberg" (ver nota 9).

[11] Isso foi alterado subsequentemente no manuscrito. Presumo que meu pai imaginou que, se Éowyn estivesse disfarçada como membro da própria guarda do rei, e diferente dos outros por sua compleição mais esguia, sua presença seria obviamente detectada com mais facilidade; mas ver p. 436.

[12] Ver a nota no fim do esboço A (p. 408): "Acampam logo a oeste de Min Rimmon na noite do dia 12". — a frase "temporariamente acampada nos pinheirais que se agrupavam em torno do Farol de Minrimmon" foi inicialmente usada para Halifirien (p. 411). Na versão final, seria usada para Eilenach, quando se tornou outra vez o sexto farol (RR, p. 1199).

[13] O nome Éothain aparece agora em uma terceira aplicação (ver p. 297 e nota 20), pois o Éothain em questão, capitão da guarda, dificilmente seria o mesmo Cavaleiro que o escudeiro de Éomer em "Os Cavaleiros de Rohan" (ver p. 318, nota 20).

[14] A aparência e a vestimenta de Ghân-buri-Ghân não são descritas: "Ali estavam sentados Théoden e Éomer e, diante [deles], no chão, estava um estranho vulto humano atarracado. Merry sentiu que o vira antes, e subitamente se lembrou: os Homens-Púkel do Fano-da-Colina. Quase parecia que ali estava algum deles que adquirira vida. Olhando em volta, viu que em uma roda bem onde a luz terminava acocoravam-se outros vultos semelhantes, enquanto Cavaleiros de guarda postavam-se em um círculo atrás". Ghân-buri-Ghân "se expressava em uma variedade da fala comum conforme o modo de Gondor". No ponto em que esse rascunho termina, ele responde à oferta de recompensa e amizade do rei assim: "Não precisa. Ghân-buri-Ghân vai ele mesmo com você, [? senhor]. Se ele conduzir para armadilha, vocês vão matá-lo. Se ele conduzir bem, então diremos adeus e pediremos apenas que nos deixem nas matas."

[15] Enquanto no mapa grande o Anduin se curva para o sul depois de Cair Andros e passa por Osgiliath correndo de norte a sul, nesse mapa ele continua para sudeste depois de Cair Andros e então faz uma curva para sudoeste na direção de Osgiliath. Não há outros elementos aqui além do curso do próprio Rio.

[16] Há um texto a lápis por baixo da cópia limpa que Taum Santoski conseguiu ler, na maior parte. Vê-se que já estava bem parecido com a versão final do texto.

[17] Depois de "O primeiro éored dispôs-se atrás dele [Théoden] e em volta dele, de ambos os lados" (RR, p. 1209), esse texto continua: "Elfhelm estava mais longe, à direita": portanto, as palavras "Dernhelm ficou próximo ao rei, *apesar de* (a companhia de Elfhelm estar mais longe, à direita)" estão ausentes. Isso deixa implícito que Dernhelm cavalgava como membro do primeiro éored, com os homens da casa do rei (RR, p. 1208), e não com a companhia de Elfhelm; ver p. 419.

[18] Formas rejeitadas nessas notas são *fornest*, *Anfornest*, junto com as palavras *nesta*, *nethra*, *nest*, a última com os significados (aparentemente, pois a escrita é muito obscura) de "coração, cerne".

[19] O verso desse recorte (que é a metade inferior de uma página rasgada) diz o seguinte:

A guerra . . . inútil, desastrosa . . . . algo mais simples, menor e mais desesperado.

"Vejo que tens algo em mente", disse Thorin. "O que é?"

"Bem, isto primeiro", respondi: "terás de ir nessa tua busca *secretamente*, e isso quer dizer que deves ir sozinho, sem mensageiros ou embaixadas, e só com alguns parentes ou seguidores da tua casa. Mas precisarás de algo mais. Há uma peça faltando no plano.

Pois eu precisava pensar. A história de Thorin despertara memórias em minha mente. Muitos anos antes eu estive em Dol Guldur, como sabem. Entenderão o que estou falando, pois conhecem a história de Bilbo. Lembrei-me do infeliz anão morrendo nos poços de Dol Guldur e do mapa surrado e da velha chave. Tirando o fato de que era do povo de Durin de Erebor (como o mapa mostrava), não tinha ideia de quem ele era. Talvez tivesse alguma importância, pois portava um Anel, embora pudesse ter chegado a ele de muitas maneiras. Ninguém além dos Anãos, e só alguns deles, sabe quem eram os donos dos seus grandes anéis. Mas eu tinha outros negócios muito mais perigosos à mão e, depois de escapar de Dol Guldur, muitas preocupações urgentes. Guardei os objetos até que o tempo talvez mostrasse o significado deles. E isso então aconteceu. Percebi que [tinha] ouvido as últimas palavras erráticas de Thráin II, filho de Thrór, apesar de ele não conseguir falar seu próprio nome e nem o do filho. Com que resistência obstinada ele manteve esses pequenos objetos escondidos em seus tormentos, isso não sei. Mas creio que

Uma comparação com "A Demanda de Erebor" em *Contos Inacabados* mostrará que esses trechos são os precursores de dois outros ali (ver p. 440 para o primeiro e p. 429 para o segundo). Meu pai afirmou (*Contos Inacabados*, p. 26) que esse relato de Gandalf "era para ter sido inserido durante uma conversa de recordações em Minas Tirith"; o presente texto talvez possa ser atribuído, portanto, a uma época em que *O Senhor dos Anéis* estava se aproximando do fim, se já não estivesse finalizado; e isso é corroborado pela referência a Thráin II (ver VII. 193). Visto que as notas sobre as distâncias são obviamente um uso secundário que a página teve, infere-se que o nome *Forannest* não foi abandonado, mas que simplesmente não foi empregado na obra publicada.

É estranho que Gandalf diga aqui, acerca do Anão desconhecido em Dol Guldur, que ele "talvez tivesse alguma importância, pois *portava um Anel*, embora pudesse ter chegado a ele de muitas maneiras"; e a frase seguinte

"Ninguém além dos Anãos, e só alguns deles, sabe quem eram os donos dos seus grandes anéis" deve implicar que esse era um dos Sete Anéis dos Anãos. Mas a história de que o anel de Thráin foi tirado dele nas masmorras de Sauron remonta ao esboço mais antigo de "O Conselho de Elrond": "Mas Thráin outrora tinha um que lhe viera de seus ancestrais. Não sabemos agora onde está. Achamos que foi tirado dele, antes de o encontrares nas masmorras há muito tempo" (VI. 491). É certamente incrível que neste estágio meu pai aventaria a hipótese de que Thráin conseguiu ficar com seu anel em Dol Guldur. Portanto, só posso supor — ainda que não seja uma interpretação natural das palavras "portava um Anel" — que a intenção dele foi dizer que Thráin contou a Gandalf que *tinha sido* o portador de um dos Sete Anéis dos Anãos, muito embora estivesse tão perdido a ponto de "não conseguir falar seu próprio nome e nem o do filho". Na versão posterior desse trecho em "A Demanda de Erebor", Gandalf não descobriu em Dol Guldur quem era o Anão, mas descobriu que tinha possuído um grande Anel: "Quase todos os seus delírios eram sobre isso. 'O último dos Sete', ele dizia e repetia".

8

A História Prevista a partir do Forannest

Chamei este esboço de "A História Prevista a Partir do Forannest" (o portão norte na Muralha da Pelennor) porque ele começa no ponto da narrativa em que os Rohirrim se espalharam pelas muralhas exteriores de Minas Tirith naquele lugar. Mas ver-se-á que foi previsto para Denethor um papel que não está em consonância de maneira alguma com a história de sua loucura e suicídio, e, portanto, este esboço deve ser anterior à escrita da segunda metade, pelo menos, de "O Cerco de Gondor", em que tal história entrou no decorrer do rascunho original (pp. 397–8).

Há uma versão mais breve e mais rudimentar desse esboço que avança apenas até a chegada da Hoste do Oeste diante do Morannon. Meu pai rejeitou tal versão imediatamente e começou o esboço mais completo que está a seguir. Observo nas notas algumas diferenças com relação à primeira versão.

A segunda versão do esboço recebeu o título "Gandalf, Rohan e Aragorn"; isso foi acrescentado subsequentemente ao texto.

15 [de março]. Trompas de Rohan são ouvidas pela manhã. Grande investida dos Rohirrim por uma brecha no norte de Ramas-Coren. Rohirrim chegam ao campo diante do Grande Portão e os homens de Minas Tirith rechaçam o inimigo. Mas o Rei Mago ascende ao ar e se torna um Nazgûl,[1] reagrupa a hoste de Morghul e ataca o rei. Théoden cai do cavalo, muito ferido; é salvo por Merry e Éowyn, mas a surtida do Portão não chega até eles a tempo, antes de Éowyn ser morta.[2] Pesar e ira de Éomer.

Éomer lidera os Rohirrim em uma segunda investida, inconsequente; mas, naquela hora, ouve-se um grito da cidade. Veem uma frota negra chegando a Haramon.[3] Há homens desembarcando. Então, conforme assoma o desespero final e os Rohirrim recuam, o vento [oeste >] sul faz a nuvem recuar, e o sol do meio-dia brilha através. Aragorn desfralda seu grande estandarte no alto do navio. A coroa e as estrelas de Sol e Lua reluzem.[4] Os homens gritam que Elendil voltou à vida ou Nume. . . .[5]

Éomer ataca novamente e o inimigo foge em debandada, e assim Éomer e Aragorn se reencontram no campo, "mesmo que todas as hostes de Mordor estivessem entre eles".[6]

No entardecer do dia 15 [*a lápis* > 14], sob um sol vermelho-sangue, a vitória se completa. Todo o inimigo é empurrado para dentro do Rio ou de volta por cima dele. Aragorn exibe seu pavilhão e seu estandarte do lado de fora do portão, mas ainda não se dispõe a entrar na cidade. Denethor desce para saudar os vitoriosos. Théoden morre. Diz adeus a Gandalf, Aragorn, Éomer e Merry. Théoden e Éowyn são postos por um tempo nas tumbas reais.

Palavras de Aragorn e Denethor. Denethor não cederá a Regência ainda: não até que a guerra esteja ganha ou perdida, e tudo se esclareça. Ele está frio, desconfiado e ? finge cortesia. Aragorn está grave e silencioso. Mas Denethor diz que provavelmente a Regência se esvairá de toda forma, pois é provável que perca ambos os filhos. Faramir está enfermo devido aos ferimentos. Se ele morrer, Gondor pode tomar qualquer novo senhor que queira. Aragorn diz que ele não será "tomado" e, sim, que tomará, mas pede para ver Faramir. Faramir é trazido e Aragorn cuida dele por toda a noite, e o amor surge entre eles.[7]

Aragorn e Gandalf aconselham ação imediata. Gandalf não tem esperança de conquistar Mordor ou sobrepujar Sauron e sua torre. "Nem nestes dias recentes, nem nunca mais por força de armas". Mas as armas têm seu lugar; e a indolência agora pode ser ruinosa. Gandalf aconselha pelo menos a tomada e destruição de Minas Morghul.[8]

[N.B. Sauron já está atribulado com as notícias da vitória dos Ents em 11 de março — Ents são outro detalhe que ficou de fora dos seus planos — ouve falar de Frodo pela primeira vez em 15 de março e, ao mesmo tempo, pelos Nazgûl, da derrota em Pelennor e da vinda de Aragorn. Está irado e temeroso, mas confuso, especialmente pelas notícias de Frodo. Manda Nazgûl para Kirith Ungol buscar Frodo, mas pensa principalmente na sua guerra e, suspeitando que Gondor levará a vitória adiante, planeja um contra-ataque e direciona todas as suas tropas para o Morannon e Kirith Gorgor.]

As hostes, todas as que estão ilesas, de Rohan e Gondor, com Caminheiros, partem no dia 16 [*a lápis* > 17] e cruzam o Anduin, e encontram Osgiliath vazia. No dia 17, marcham para Minas Morghul e a vanguarda (Cavaleiros de Rohan, Caminheiros e Gandalf) chegam lá no dia 18 [*a lápis* > 19], ao meio-dia, e encontram-na escura e deserta. Queimam os campos e Gandalf destrói sua magia.[9] Agora planejam marchar até o Morannon. Uma guarda é posta na Estrada, para que nenhum exército venha do Sul ou que Sauron permita uma surtida através de Kirith Ungol (nenhuma tropa muito grande poderia vir apressada por aquele caminho). Contudo, agora precisam ir mais lentamente, e manter a hoste toda unida, movendo-se na velocidade de infantaria. Os peões chegam no dia 19. No dia 20, partem para o Morannon (120 [*a lápis* > 100] milhas pela estrada [*c.* 161 km]). Marcham sem serem atacados por terras vazias nos dias 20, 21, 22, 23 e 34, e chegam ao Morannon — bem quando Frodo [começa a subida de Orodruin > está atravessando Kirith Gorgor >] aproxima-se de Orodruin. Ali, para júbilo e surpresa, os Ents se reúnem a eles, com novas forças (vindas do Norte, incluindo Elfos de Lórien).

[Ents obtiveram a vitória em 11 de março. Parece que as Águias enviadas por Galadriel contaram a Barbárvore do ataque a Lórien e da travessia da hoste para o Descampado de Rohan no dia 7. Barbárvore e muitos Ents partem imediatamente com grande velocidade e percorrem mais de 200 milhas [*c.* 322 km], abatendo-se sobre o acampamento inimigo na extremidade sul das Colinas no Eastemnet em 11 de março; destruíram muitos e debandaram o restante de volta por cima do Anduin, onde tinham feito pontes de barcos acima de Sarn Gebir (mais ou menos onde Legolas abateu o Nazgûl) — mas, em tamanha desordem, não conseguiram destruir os pontões. Foi assim que os Ents atravessaram. Aqui os Elfos de Lórien se juntam a Barbárvore. Perseguem o inimigo dando a volta a norte e leste das Emyn Muil e descem para o terreno firme de Dagor-lad (mais de 300 milhas [*c.* 483 km] da extremidade das colinas até o Morannon por essa rota): movem-se com velocidade, mas principalmente à noite, pois nessa distância a Treva não cobre o céu, vê-se apenas um grande negrume no Sul, estendendo-se de Rauros até Linhir.[10] Chegam ao mesmo tempo que Gandalf.]

Segue-se a Negociação [*acrescentado:* no dia 25]. Aragorn e Éomer tocam as trompas diante do Morannon, e conclamam Sauron a aparecer. De início não há resposta, mas Sauron já tinha feito planos e uma embaixada já estava indo ao Portão Negro. O Rei Mago? Ele leva o colete de Mithril e diz que Sauron já capturou o mensageiro[11] — um *hobbit*. Como Sauron sabe? Ele, é claro, desconfiaria pelas visitas anteriores de Gollum que um mensageiro pequeno poderia ser um *hobbit*. Mas é provável que Frodo *tenha falado durante seu sono entorpecido* — não do Anel, mas o seu nome e a sua terra; e que Gorbag tenha enviado notícias. O mensageiro escarnece de Gandalf por ter mandado um espião fraco para a terra em que ele mesmo não ousa entrar, visto que sua magia não é páreo para o Mestre. Agora Sauron está com o mensageiro e o que acontecerá com ele depende de Gandalf e Aragorn. Vê seus rostos empalidecerem. E zomba outra vez. "Bem!", diz ele — "Ele te era caro, ou sua missão era vital? Pior para vós. Pois agora ele há de sofrer o lento tormento dos anos, e então ser liberado quando estiver quebrado, a não ser que aceites os termos de Sauron".

"Dize os termos", respondeu Gandalf, e havia lágrimas nos olhos, e todos imaginaram que ele estava derrotado e que aceitaria — e, é claro, seria enganado.

Os termos são que as Hostes de Gondor e de Rohan hão de se retirar de imediato para a outra margem do Anduin. Todas as terras a leste do Anduin hão de pertencer a Sauron para sempre, unicamente; e as terras a oeste do Anduin, até as Montanhas Nevoentas, hão de ser tributárias de Mordor e deverão jurar vassalagem: Gondor e Rohan: até o rio Isen. Os Ents hão de ajudar na reconstrução de Isengard e serão sujeitos ao senhor de lá — não Saruman, mas alguém mais confiável!

Gandalf responde: "Sim, e que garantia temos de que Sauron manterá sua parte? Que ele entregue primeiro o prisioneiro". (Isso é desconcertante, pois o embaixador, e nem mesmo o próprio Sauron, não está com ele! Mas ele ri). "Aceita-os ou rejeita-os", disse ele.

"Aceitaremos isto", disse Gandalf, "este colete de mithril de recordação. Mas quanto a teus termos, rejeitamo-los por completo". Caso estejam presentes, Pippin e Merry horrorizados? "Pois não os manterias, de toda maneira. Faz como quiseres. E que o medo te coma o coração — pois se cravares um espinho que seja na carne de Frodo, arrepender-te-ás". O embaixador ri e solta um grito medonho. Lançando fora as vestes, ele desaparece; mas com aquele grito a hoste que estava a postos em uma emboscada sai repentinamente de cada lado das montanhas, e dos Dentes, e arremetem para fora do Portão. A hoste de Gondor, pega desprevenida, vacila e os líderes são cercados. [*Acrescentado a lápis:* Todos os Nove Nazgûl remontados[12] mergulham; mas as Águias chegam para batalhar.]

Naquele momento (25), o Anel entra na Fenda da Perdição e a montanha vomita, e Baraddur colapsa, e todas as coisas feitas por Sauron vêm abaixo, os Portões Negros desmoronam. A Hoste de Mordor se apavora e foge para Kirith Gorgor procurando refúgio. A hoste vitoriosa de Gondor e Rohan arremetem para dentro perseguindo-os.

[*O restante do texto está a lápis:*] Gandalf sabe que o Anel deve ter chegado ao fogo. Repentinamente Sauron toma ciência do Anel e seu perigo. Vê Frodo ao longe. Em uma última tentativa desesperada, tira a atenção da Batalha (de modo que seus homens vacilam outra vez e são empurrados para trás) e tenta deter Frodo. Ao mesmo tempo, manda o Rei Mago como Nazgûl[13] para a Montanha. Toda a trama fica clara para ele. ? Ele destrói a Pedra, de modo que, naquele momento, a Pedra-de-Orthanc explode: teria matado Aragorn se estivesse com ela na mão?

Gandalf pede que Gwaihir voe rápido para Orodruin.

Esse relato da Negociação diante do Portão Negro pode ser comparado ao que está em "A História Prevista a Partir de Fangorn", escrita anos antes (pp. 275–6).

Como eu disse, esse texto certamente veio antes pelo menos da segunda metade de "O Cerco de Gondor", tendo em vista o que se diz de Denethor aqui. Por outro lado, é igualmente claro que veio depois do rascunho inicial de "A Cavalgada dos Rohirrim", pois os Ents aqui cruzaram o Anduin a norte das Emyn Muil depois de saírem vitoriosos no Descampado de Rohan e chegaram ao sul do Morannon pelas terras a leste do Rio: sua presença em Anórien já tinha sido rejeitada.[14] Se, por um lado, necessariamente tratei esses capítulos como entidades narrativas separadas, cujo desenvolvimento do rascunho inicial até praticamente a versão final se deu sem interrupção, por outro lado penso ser na verdade muito provável que meu pai ia e voltava entre eles.

NOTAS

[1] *Mas o Rei Mago ascende ao ar e se torna um Nazgûl.* Essas palavras só podem significar que "Nazgûl" refere-se especificamente aos Espectros-do-Anel *quando estão nas "montarias aladas"*. Mas essa não pode ter sido a intenção de meu pai. Presumo que, como nessa parte de *O Senhor dos Anéis* os Espectros-do-Anel

estavam "alados", e seu poder e importância para a história residem justamente no fato de estarem "alados", ele acabou fazendo essa equação e, assim, cometeu um deslize ao dizer que, quando o próprio Capitão Negro (Senhor dos Nazgûl) tomou como montaria uma dessas aves monstruosas, ele "se tornou um Nazgûl". Isso ocorre outra vez no fim do esboço.

[2] Sobre a morte de Éowyn, ver p. 377.

[3] No ponto correspondente da primeira versão do esboço, há uma nota na margem: "O muro da Pelennor aqui está a apenas 10 milhas [*c.* 16 km] e a muralha está bem acima do rio que dá a volta nas Colinas de Haramon". *Haramon*, o nome original das Emyn Arnen, aparece no Segundo Mapa: ver pp. 419; 510, 514.

[4] A primeira versão do esboço diz: "A luz do sol brilha na [Árvore >] Coroa e nas estrelas de Sol e Lua".

[5] As primeiras quatro letras do nome estão claras, mas ele dificilmente seria *Númenor*; a interpretação mais provável seria *Numerion*.

[6] A primeira versão do esboço diz aqui: "O inimigo é apanhado entre Aragorn e os Dúnedain e Éomer, e assim Éomer e Aragorn se encontram". Essa é a primeira vez que o nome *Dúnedain* aparece nos textos *ab initio*.

[7] Desse trecho, a partir de "Aragorn exibe seu pavilhão e seu estandarte do lado de fora do portão", há pouquíssima coisa na primeira versão do esboço: "Denethor desce para dar boas-vindas a Aragorn; mas não se dispõe a ceder a Regência, até que tudo seja provado e a guerra esteja ganha ou perdida. Aragorn concorda". E então segue-se: "Aragorn e Gandalf aconselham ação imediata".

[8] Esse trecho é o primeiro gérmen de "O Último Debate".

[9] A primeira versão do esboço diz "Queimam os campos envenenados"; há distâncias: "Minas Tirith a Osgiliath 26 milhas [*c.* 42 km]. Fronteira oeste de Osgiliath a Minas Morghul [50 >] 60 milhas? [*c.* 96,5 km]" (com 55 escrito acima de 60).

[10] Essa é a primeira referência a Linhir (ver p. 512).

[11] É curioso e confuso que o mensageiro de Sauron se refira a Frodo como "mensageiro".

[12] Anteriormente nesse esboço meu pai questionou se o embaixador não era o próprio Rei Mago, e ele aparece outra vez no fim, despachado por Sauron para Orodruin (portanto, seu destino nos campos de Pelennor ainda não tinha sido decidido). Visto que no fim da negociação ele joga fora as vestes e desaparece, o embaixador certamente era um Espectro-do-Anel. Seria esse o sentido de "Todos os Nove Nazgûl remontados"?

[13] Acerca da implicação em "manda o Rei Mago como Nazgûl" — isto é, que *Nazgûl* significa especificamente os Espectros alados — ver nota 1. Por outro lado, "Todos os Nove Nazgûl remontados" (nota 12) traz a implicação inversa.

[14] Na verdade, não é possível demonstrar que a história da vinda de Barbárvore e dos Ents para Anórien não seguiu, e suplantou, sua aparição diante do Portão Negro. Mas isso parece extremamente improvável.

9

A Batalha dos Campos de Pelennor

Coloco primeiro um notável escrito intitulado *A Queda de Théoden na Batalha de Osgiliath*. Está escrito com clareza à tinta, com apenas algumas alterações feitas no momento da escrita; há também um pequeno número de correções a lápis que deixarei assinaladas.

Então Théoden emitiu um grande clamor de "Avante, Eorlingas!" e esporeou Snawmana, que empinou nas profundezas da grande sombra. Mas poucos o seguiram; pois seus homens vacilaram e nausearam-se naquela sombra medonha, e muitos caíram ao chão. A luz do seu escudo dourado embaçou-se. Ainda assim, continuou a cavalgar, e setas voavam aos montes ao seu redor. Muitos caíram diante de sua lança, e quase havia chegado ao estandarte dos Haradoth [> Haradhoth] quando subitamente deu um grande grito e caiu. Uma seta negra transpassara-lhe o coração. E na mesma hora Snawmana embicou para frente e jazeu imóvel. A grande sombra desceu. Lentamente, o enorme vulto em forma de abutre [> Lentamente, como uma nuvem que se assenta, ele] desceu, ergueu as asas e, com um grito crocitante e rouco, pousou no corpo do rei tombado, cravando-lhe as garras e inclinando o longo pescoço [*acrescentado:* desprotegido]. No lombo estava sentado um vulto. Estava vestido de negro e acima das vestes havia uma coroa de aço que não estava sustentada por nenhuma cabeça visível, exceto que, entre a coroa e o manto, havia um brilho pálido e mortífero, como se fossem olhos.[1] Mas Théoden não estava sozinho. Alguém o seguira: Éowyn, filha de Éomund, e todos haviam temido a luz de seu rosto, evitando-lhe como as aves noturnas se escondem do dia. Ela então saltou do cavalo e ficou de pé diante da sombra, a espada em punho.

"Não te postes entre o Nazgûl e sua presa", disse uma voz fria, "ou ele te levará para as casas do lamento, além de toda a treva onde tua carne há de ser devorada e tua mirrada mente, deixada nua."

Ela se manteve firme e não titubeou. "Não tenho medo de ti, Sombra", falou. "Nem daquele que te devorou. Volta para ele e diz-lhe que suas sombras e abantesmas[2] não têm poder nem para assustar mulheres". A grande ave bateu as asas e saltou no ar, deixando o corpo do rei e mergulhando sobre ela com o bico e as garras. Como um feixe de luz crestante, uma espada pálida e fria como gelo se ergueu acima da cabeça dela.

Levantou o escudo e, com um golpe rápido e repentino, decepou a cabeça da ave. Ela caiu com as vastas asas estendidas, amarrotada e desamparada na terra. Em volta de Éowyn a luz do dia recaiu brilhante e nítida. Com um clamor de desespero, as hostes de Harad se viraram e fugiram, e pelo solo um ser sem cabeça rastejou para longe, rosnando e choramingando, rasgando o manto. Logo o manto negro também jazeu disforme e imóvel, e um lamento longo e estridente rasgou o ar e desapareceu na distância.

Éowyn foi até o rei. "Ai de vós, Théoden, filho de Thengel",[3] disse ela. "Mas mudastes a maré. Vede, eles fogem. O inimigo está alquebrado pelo medo. Jamais um velho Senhor de Homens morreu de melhor maneira. Dormireis bem, e nenhuma Sombra ou ser imundo afligirá vosso leito."

Ouviu-se o som de uma grande ...[4] e os homens de Minas Tirith e da Marca, libertados da Sombra, ergueram-se, e a luz renascida brilhava forte nas suas espadas e lanças. Empurraram o inimigo para o Rio. Alguns ficaram junto ao rei.

Creio que meu pai escreveu isso bem antes do período da composição a que chegamos agora, e eu estaria inclinado a associar esse texto (de modo muito tentativo) aos esboços do Livro V, em que o evento descrito aqui é mencionado várias vezes, em particular nos Esboços III e V. Neles, em contraste com o que se diz em I e II (p. 307), não há menção ao ferimento ou morte de Éowyn: "Théoden e Éowyn destroem Nazgûl e Théoden tomba" (esboço III, p. 311); "Théoden é morto pelo Nazgûl; mas ele está sem cavalgadura e o inimigo é desbaratado" (esboço V, p. 315). Embora o silêncio nos esboços narrativos de meu pai não seja um bom guia, é possível que essas breves afirmações estejam, ainda assim, associadas ao que é certamente uma característica notável do presente texto: a ausência de sugestão de que Éowyn foi de algum modo ferida no encontro com o Senhor dos Nazgûl ou depois (ao passo que Théoden tomba e morre sem falar nada). Um empecilho nessa hipótese é que, no Esboço V, o Rei dos Nazgûl "está sem cavalgadura", enquanto em "A Queda de Théoden na Batalha de Osgiliath" a descida dele no "enorme vulto em forma de abutre" está no centro da história. Como os "abutres" são referidos como "montarias aladas", é possível que a expressão "sem cavalgadura" tenha sido usada com esse sentido, embora não pareça muito provável.

Fica evidente que não havia nenhum papel previsto para Merry no grande acontecimento; e — em forte contraste com a história final, RR, p. 1216 — foi a decapitação da grande ave que, por si só, acarretou a derrota e a fuga do Senhor dos Nazgûl, privado de sua montaria.

Seja qual for sua datação relativa, esse texto certamente dá a impressão de ter sido composto separadamente, um rascunho para uma cena que meu pai enxergava nitidamente antes de chegar a esse ponto quando se pôs realmente a escrever a história. Quando o fez, ele evidentemente tinha esse texto diante de si, como sugerem as palavras do Senhor dos Nazgûl (ver RR, p. 1214).

Quando meu pai veio a escrever a história da Batalha dos Campos de Pelennor, ele praticamente chegou à versão que está em *O Retorno do Rei* num único manuscrito ("**A**"). Adotou aqui o método de ir construindo a narrativa completa por meio de correções e interpolações abundantes no texto inicial; e a maior parte, se não a totalidade, desse trabalho é claramente do mesmo período. Contudo, sob a escrita à tinta na primeira página desse manuscrito há um texto a lápis que acrescenta ao assunto de Théoden e o Senhor dos Nazgûl.

Esse texto subjacente está em grande parte ilegível devido à escrita por cima, que é muito apertada, mas do que se pode depreender não parece ter sido muito diferente (o parágrafo de abertura do capítulo, majoritariamente legível, é muito parecido com a versão à tinta por cima) até o trecho em que o escudo dourado de Théoden se embaça, os cavalos empinam e relincham, e os homens caem dos cavalos e jazem no chão. Depois disso, contudo, está escrito: "E através das fileiras do inimigo, abriu-se um largo corredor". O resto do texto a lápis perdeu-se quase por completo, mas é possível interpretar palavras e frases isoladas: "Por ali veio cavalgando . . . . . um grande . . . . . [*riscado:* O Capitão Negro] . . . . . ficou . . . . . o Capitão Negro trajado . . . . . e acima das vestes havia uma coroa . . . . .". Isso dificilmente significaria outra coisa além do fato de que o Senhor dos Nazgûl *não* desceu para a batalha carregado no lombo de um grande abutre.

Muitas afirmações foram feitas acerca desse assunto, começando com a aquela no Esboço V, citada acima, de que o Nazgûl estava "sem cavalgadura". No rascunho mal-acabado de "O Cerco de Gondor" (p. 392), Gandalf, ao falar com Pippin sobre o Rei Mago, diz que "ele [*riscado (?):* ainda] não tomou montaria alada"; no esboço "A História Prevista a Partir do Forannest" (p. 425), "o Rei Mago ascende ao ar e se torna um Nazgûl"; e, é claro, há a evidência contida em "A Queda de Théoden na Batalha de Osgiliath". É com certeza surpreendente que, nesse estágio, meu pai tenha abandonado, ainda que brevemente, a história do Nazgûl Alado descendo sobre Théoden; mas parece claro que ele fez justamente isso.

O primeiro manuscrito, A, não tem título e foi paginado continuamente a partir de "A Cavalgada dos Rohirrim"; uma cópia manuscrita limpa subsequente ("**B**") recebeu depois o número e o título "48 A Batalha dos Campos de Pelennor". A abertura em A é diferente da versão em RR:

Mas não era um chefe-órquico nem um bandido quem liderava o ataque a Gondor. Quem sabe seu próprio Mestre havia fixado uma data para a treva, planejando a queda da Cidade para aquela mesma hora e precisando de luz para a caçada dos que fugiam, ou quem sabe a sorte o traíra e o mundo se voltara contra ele? Ninguém pode dizer. Talvez tenha ficado temeroso, arrancado da vitória no mesmo momento em que a agarrava. Arrancado, mas ainda não destituído dela. Ainda estava no comando, exercendo grande poder, o Senhor dos Nazgûl. Tinha muitas armas. Abandonou o Portão e desapareceu.

Não há menção a Dernhelm no trecho "[Théoden] reduziu um pouco sua velocidade, buscando novos inimigos, e seus cavaleiros vieram atrás dele. Os homens de Elfhelm estavam no meio das máquinas-de-cerco [...]", onde RR diz "e seus cavaleiros vieram em seu redor, e Dernhelm estava com eles". Isso mostra, creio, que ainda havia a concepção de que Dernhelm viera com os cavaleiros do rei por toda a jornada de Edoras.[5]

Quando o Senhor dos Nazgûl diz a Éowyn[6] "Nenhum homem vivente pode impedir-me!", ela responde, conforme inicialmente escrito no texto: "Não sou homem vivente. Contemplas uma mulher. Éowyn eu sou, filha de Éomund. Puseste-te entre mim e meu parente. Vai-te! Pois embora não tenha abatido ser vivente, ainda assim abaterei os mortos [> ainda assim abaterei os Mortos--vivos]". Isso se baseia na versão anterior da profecia sobre o Senhor dos Nazgûl: "ele não está fadado a cair diante de homens de guerra ou de sabedoria; mas a ser derrotado, na hora de sua vitória, por alguém que jamais abateu ser vivente" (pp. 396–7). Isso foi alterado no manuscrito para: "Vai-te, se não és imortal! Pois, sejas vivente ou obscuro morto-vivo, eu te abaterei se me tocares".

No trecho que se segue, os cabelos de Éowyn são descritos como "cortados até o pescoço", e isso sobreviveu na cópia limpa B e no primeiro texto datilografado, quando foi alterado para o texto de RR (p. 1215): "seus cabelos luzidios, libertados das amarras". E o pensamento de Merry é expresso em discurso direto: "Preciso fazer alguma coisa. Se eu conseguisse desviar daqueles olhos!"

Depois de um grande grito do Senhor dos Nazgûl ao partir, segue-se: "E muito acima [? os] Nazgûl, ouvindo aquele grito, encheram-se de grande terror e fugiram para Baraddur portando más notícias". Isso não foi incorporado à cópia passada a limpo (B).[7]

A morte de Théoden aqui é contada mais brevemente, e não se faz referência ao estandarte tomado das mãos do portador morto ou ao sinal do rei para que fosse entregue a Éomer: "Pesar e desespero se abateram sobre Éomer quando saltou da sela e ficou parado ao lado do rei. Lentamente o ancião abriu os olhos outra vez. 'Salve, Rei da Marca!', disse ele. [...]". Na cópia limpa B, o porta--estandarte é chamado Guthwin (Guthláf em RR).

Quanto à espada de Merry, dizia-se inicialmente nesse texto: "Assim desapareceu a espada das Colinas-dos-túmulos, obra de Ociente. Ficaria contente em lhe conhecer a sina aquele que lentamente a forjara muito tempo atrás, pois conhecia o rei-feiticeiro e o reino horrendo de Angmar no antigo Norte, odiando todos os seus feitos". O texto em RR (p. 1219), "que lentamente a forjara muito tempo atrás, no Reino-do-Norte, quando os Dúnedain eram jovens [...]" veio em substituição, provavelmente de imediato.[8]

O trecho (RR, p. 1220) que fala do fim que se deu à carcaça da grande besta e do sepultamento de Snawmana, com o epitáfio ao cavalo, está ausente, assim como a grande chuva que veio do mar ("parecia que todas as coisas pranteavam Théoden e Éowyn", lembrando o pesar pelo deus nórdico Baldr), que foi acrescentada apenas no primeiro texto datilografado. Uma página do manuscrito (A) descrevendo o encontro do Príncipe de Dol Amroth com os que carregavam Théoden e Éowyn e sua descoberta de que Éowyn ainda estava viva foi rejeitada e imediatamente reescrita; na versão rejeitada estão as palavras do Príncipe (que continuava sem qualquer outro nome) com os carregadores:

"Levai-o à Cidade", disse ele. "O portão está escancarado e por sua própria façanha o caminho até lá foi liberado". Então levantou-se, olhou para Éowyn e se admirou. "Eis aqui uma mulher!", disse ele. "As próprias mulheres de Rohan vêm à guerra em nosso auxílio?", perguntou.

"É a Senhora Éowyn, irmã do Rei Éomer", responderam. "E não sabemos como ela chegou até aqui, mas parece que tomou o lugar de um dos seus cavaleiros. [*Rejeitado imediatamente:* Dernhelm ... um jovem parente do rei.] É para nós um pesar que não pode ser expresso em palavras."

Esse é o único vestígio da ideia de que Éowyn passou despercebida ao se colocar no lugar de um jovem Cavaleiro do Rei cujo nome seria mesmo Dernhelm. Sem dúvida essa ideia surgiu aqui e aqui foi abandonada; provavelmente por causa do significado do nome (*derne* "oculto, secreto"; ver o nome anterior com o qual Éowyn cavalgaria, *Grímhelm*, p. 421, nota 6).

Na versão reescrita desse trecho o texto de RR foi atingido, e aqui, por fim, surge o nome *Imrahil* do Príncipe de Dol Amroth, que entrou aparentemente sem hesitação quanto à forma.

Entre os cavaleiros de Gondor (RR, p. 1221) aparece Húrin, o Alto, "Guardião da Cidade", alterado de pronto para "Guardião das Chaves". Em uma versão rejeitada imediatamente do trecho que descreve as novas hostes saindo de Osgiliath, dizia-se sobre o Capitão Negro: "Ele se fora, e os Nazgûl, com medo, haviam fugido de volta para Mordor portando más notícias" (ver nota 7); mas isso se perdeu na reelaboração do trecho, quando aparecem Gothmog, lugar-tenente de Morghul,[9] os Variags de Khand (ambos os nomes escritos sem quaisquer formas precedentes) e os "meio-trols" negros do Extremo Harad.[10]

O curso do Anduin, conforme visto das muralhas pelos vigias quando a frota negra se aproximava (RR, p. 1222), era inicialmente descrito assim:

Pois lá para o sul, o rio fazia uma curva em torno da projeção das colinas das Emyn Arnen no baixo de Ithilien,[11] e o Anduin então virava-se para dentro, rumo à Pelennor, de modo que o muro externo fora ali erguido bem na margem, e no ponto mais próximo ele não estava a mais do que [cinco >] quatro milhas dos Portões; [*acrescentado:* e cais e atracadouros foram feitos ali para embarcações que viessem rio acima das Terras Estrangeiras;] mas de lá o rio corria para sudeste por três léguas, e toda essa extensão podia ser divisada em linha reta por homens de visão longínqua postados no alto. E, olhando adiante, gritaram de desespero, pois eis que subindo o braço de Arnen uma frota negra podia ser vista [...]

Ao riscar esse trecho, meu pai observou ao lado da primeira parte: "Isso já está relatado em 44" (ou seja, o capítulo "Minas Tirith"). Ele estava se referindo a um adendo introduzido no primeiro texto datilografado daquele capítulo (ver p. 349, nota 30), que reformulou por completo a descrição original da Pelennor e das Terras Estrangeiras (pp. 332, 342) até chegar à versão de RR (p. 1093), em que aparece a curva do Anduin em volta das Emyn Arnen. Esse adendo já existia, como se vê pelo nome dos atracadouros, *Lonnath-ernin*, subsequentemente alterado (presumo que nessa conjuntura) para *Harlond*. No presente texto, o trecho citado acima foi removido de imediato, e a passagem muito mais breve no lugar correspondente de RR (p. 1222) a segue no manuscrito, com o nome *Harlond*.[12]

O grande estandarte de Aragorn é descrito nas mesmas palavras de RR (p. 1223), exceto que, na frase "pois foram feitas de gemas *por Arwen, filha de Elrond*", as palavras em itálico estão ausentes. Na cópia manuscrita limpa (B), foi acrescentado na margem "por Finduilas, filha de Elrond",[13] alterado depois para "Arwen, filha de Elrond". Aragorn é chamado de "Elessar, herdeiro de Isildur"; e, quando os homens saltam das naus para os cais, "Ali vieram Legolas e Gimli, empunhando o machado, e Halbarad com o estandarte, e Elboron e Elrohir com estrelas na testa, e os Dúnedain de duras mãos, Caminheiros do Norte; e na mão de Aragorn Branding era como fogo recém-inflamado, Narsil reforjada[14] tão mortífera como outrora, e cingindo o elmo havia uma régia coroa". Portanto, *Elboron* continuava no lugar de *Elladan* (ver pp. 353, 360); a alteração foi feita na cópia limpa. *Branding* no lugar de *Andúril, a Chama do Oeste*, permaneceu até ser alterado no primeiro texto datilografado; ao passo que "e cingindo o elmo havia uma régia coroa" não foi substituído por "e em sua testa estava a Estrela de Elendil" até o livro estar na fase de provas.

No fim do capítulo, conforme escrito inicialmente, Duinhir de Morthond aparece entre os caídos, ao passo que em RR seus filhos, "Duilin e seu irmão" (Derufin), é que foram pisoteados pelos *mûmakil.*[15] Grimbold de Grimslade não é nomeado (embora ele tenha aparecido em "A Cavalgada dos Rohirrim") e a frase em que ele é mencionado em RR diz aqui: "Nem Hirluin, o belo, retornaria às suas colinas verdes, nem Elfhelm ao Eastfolde [*escrito acima:* Westfolde],[16] nem Halbarad às Terras do Norte, o Caminheiro de duras mãos".

Na canção aliterante "Os Morros de Mundburg" (ainda sem esse título), houve muita variação no registro daqueles que tombaram na Batalha dos Campos de Pelennor. A primeira versão completa da canção, ainda muito rudimentar, diz:

Como muito tempo depois um bardo[17] de Rohan disse em sua canção:

Os cornos que cantam escuta nas colinas,[18]
Retinem cimitarras na Terra-do-Sul:
montados vão à batalha na Petroterra
como aragem na aurora, raia a guerra.
Lá Théoden tomba, Thengling possante,
vida e comando há muito ele tinha
Rei grande e gris, Grimbold e Harding,
Dúnhere e [*Elfhelm* >] *Marculf, Déorwin, o marechal.*
Nem Hirluin, o belo, aos cabeços da costa,
nem o grande Forlong às flores nos vales,
inda a Arnach, à área amada,

tornam em vitória; nem o formidável arqueiro,
Duinhir, intrépido, às turvas águas
amadas de Morthond, dos montes sob a sombra.
A morte na madrugada e na meta do dia
amos ceifa e servos. Seu sono é longo
sob a grama de Gondor junto ao Grande Rio.
Rubro correu, e rubro era o ocaso;
nos montes sob o firmamento há um manto de neve
e rúbeo incêndio. Há sangue no chão
no Campo de Mundberg, na remota terra.[A]

Outro texto rudimentar que se aproxima da versão final em alguns versos, mas que vai sumindo antes da conclusão, diz — no verso correspondente ao oitavo na versão acima — *Dúnhere e [Elfhelm >] Guthwin, Déorwin, o marechal.* Guthwin era porta--estandarte do rei (ver p. 435). O primeiro texto bem-acabado chega à versão final (com o nome Rammas Echor no último verso) em tudo, exceto nos nomes dos Cavaleiros mortos:

Harding e Guthwin,
Dúnhere e Marculf, Déorwin e Grimbold,
Herufare e Herubrand, Horn e Fastred,
vão à carga, à queda em campos distantes:
nos morros de Mundberg sob o musgo repousam
unidos aos companheiros, senhores de Gondor.[19,B]

NOTAS

1 Ver o rascunho inicial do fim de "O Cerco de Gondor" (p. 399): "[...] coroa que não estava posta sobre nenhuma cabeça visível exceto pela luz dos olhos pálidos".

2 *dwimorlakes* [abantesmas]: "ilusões, fantasmas". Em inglês antigo *(ge)dwimor, -er*; ver o nome *Dwimordene* que Língua-de-Cobra dá para Lórien em "O Rei do Paço Dourado" (DT, p. 755), e *Dwimorberg*. No capítulo em RR (p. 1214), Éowyn chama o Senhor dos Nazgûl de "foul dwimmer-laik" [imundo abantesma], sendo que *-laik* é a terminação *-leikr* do nórdico antigo que corresponde ao inglês antigo *-lāc*, aqui "modernizado" na forma *-lake*.

3 *Théoden, filho de Thengel*: ver p. 421, nota 9.

4 A interpretação mais natural dessa palavra seria "som" e, nesse caso, meu pai inadvertidamente a repetiu em vez de escrever a palavra que tinha em mente, como "cavalgada", por exemplo.

[5] A afirmação em "A Cavalgada dos Rohirrim" de que "Dernhelm deixara seu lugar e, na escuridão, movia-se continuamente para a frente, até finalmente cavalgar logo atrás da guarda do rei" (p. 419) foi acrescentada depois de esse trecho ter sido escrito; ver também p. 422, nota 17.

[6] Éowyn chama o Senhor dos Nazgûl de "foul dwimmerlake" [imundo abantesma], e a terminação *-lake* foi subsequentemente alterada para *-lord* [senhor]. Ver nota 2.

[7] Ver "A História Prevista a Partir do Forannest", p. 426, em que se diz que Sauron ouviu pelos Nazgûl da derrota na Pelennor e da chegada de Aragorn.

[8] Para a primeira ocorrência de *Angmar*, ver p. 396, e de *Dúnedain*, p. 430, nota 6.

[9] O nome *Gothmog* é um dos nomes originais da tradição que remonta ao *Livro dos Contos Perdidos*; Senhor dos Balrogs, matador de Fëanor e Fingon.

[10] *Khand, Harad Próximo* e *Extremo Harad* foram inseridos apressadamente no Segundo Mapa.

[11] *Emyn Arnen* substituiu *Haramon* (ver p. 425 e a nota 3). Sobre a origem da grande curva do Anduin ao redor das colinas de Emyn Arnen, ver p. 514.

[12] Conforme inicialmente escrito, aqueles que viram as velas negras gritaram: "Os Corsários de Umbar! Vede! Os Corsários estão vindo. Devastaram Amroth, e Belfalas e Lebennin estão destruídas!"

[13] Na Primeira Era, *Finduilas* era filha de Orodreth, Rei de Nargothrond; ela desempenha um papel importante na *Saga de Túrin*.

[14] *Narsil reforjada*: embora já tenha sido afirmado que Aragorn deu o nome de *Branding* para a Espada de Elendil depois de reforjada (ver VII. 323 e nota 19), seu nome antigo não tinha sido falado até agora.

[15] Na descrição (p. 342) dos homens das Terras Estrangeiras que entraram em Minas Tirith, Duinhir é mencionado, mas não os seus filhos.

[16] No SdA, Elfhelm não foi morto da Batalha dos Campos de Pelennor, mas sobreviveu para comandar os três mil Cavaleiros de Rohan enviados para "emboscar a Estrada do Oeste contra o inimigo que estava em Anórien" (RR, p. 1268; o líder dessa tropa não é nomeado na Primeira Edição, mas Elfhelm é citado em ambas as edições como estando diante dos portões de Minas Tirith quando os Capitães do Oeste retornaram, RR, p. 1380).

[17] *maker* [no original]: palavra usada na acepção há muito perdida de "poeta", "bardo".

[18] *Escuta os cornos que cantam nas colinas* é uma variante inserida nesse texto e no seguinte no momento da escrita.

[19] *Gutwhin* foi posteriormente alterado para *Guthlaf* nesse manuscrito (ver p. 435). *Herufare* está escrito assim (em vez de *-fara*, que seria o esperado) tanto aqui quanto (aparentemente) em um recorte de rascunho mal-acabado do trecho; em RR, *Herefara*.

10

A Pira de Denethor

O breve rascunho original deste capítulo ("**A**"), misericordiosamente escrito de modo bastante legível à tinta e não por cima de um texto a lápis, vai de "Quando a sombra obscura se retirou do Portão" até "Não havia guarda no portão da Cidadela. 'Então Berithil foi', disse Pippin" (RR, p. 1228). O texto final naturalmente não foi atingido em todas as características de expressão ou em todos os detalhes, mas, exceto pela ausência do encontro com o Príncipe Imrahil conforme Gandalf e Pippin subiam desde o Portão em Scadufax, não há nenhuma diferença narrativa de qualquer importância.[1] Nesse ponto, meu pai parou e escreveu um breve esboço ("**B**").

? Porteiro morto junto à Porta Fechada. ? Veem fogo e fumaça lá embaixo ao descerem apressados pela estrada serpenteante. Berithil se rebelou e, juntando alguns da guarda, lutou contra os homens da casa. Antes de conseguirem entrar na tumba, um deles se evadiu e pôs uma tocha na lenha. Mas Berithil chegou bem a tempo de salvar Faramir. Mas Denethor saltou de volta nas chamas e agora estava morto. Gandalf fechou a porta. "Isso finda um capítulo!", exclamou. "Que os Regentes ardam — seus dias terminaram". A luz está aumentando depressa. Faramir é levado para a casa onde havia mulheres que permaneceram na cidade para cuidar dos enfermos.

Uma grande interrogação foi posta na primeira parte desse esboço, e ele foi evidentemente rejeitado assim que escrito e substituído pelo seguinte:

? Berithil e a guarda tinham partido e interromperam o fogo. Gandalf argumenta com Denethor. "Eu vi", diz Denethor, "navios subindo o Anduin: não me inclinarei para um oportunista — mesmo que sua reivindicação fosse válida para a linhagem mais nova: sou Regente dos filhos de Anárion, não de Isildur — mais do que [para o] meu adversário sombrio."

É difícil ter certeza quanto ao desenvolvimento a partir desse ponto, mas tenho quase certeza de que o passo seguinte foi este esboço ("**C**"), escrito à tinta ao redor e através (mas não por cima) de um esboço muito mais mal-acabado, também à tinta (mais curto, mas essencialmente igual, fazendo menção à *palantír*):

Gandalf e Pippin ouvem choque de armas ao descerem apressados pela estrada serpenteante até Rath Dínen. Quando chegam às Tumbas, encontram Berithil protegendo a porta sozinho contra os homens da casa, que desejam obedecer às ordens de Denethor e atear fogo à pira. Lá de dentro chega a voz de Denethor ordenando que Berithil honre seus juramentos e os deixe entrar.

Gandalf afasta para o lado os homens e entra. Repreende Denethor, mas Denethor ri dele. Denethor tem uma *palantír*! Viu a chegada de Aragorn. Mas também viu as vastas tropas ainda reunidas em Mordor e diz que a vitória pelas armas não é mais possível. Ele *não* vai ceder a Regência para "um oportunista da linhagem mais nova: sou Regente dos filhos de Anárion". Quer que as coisas fiquem do jeito que estavam — ou de nenhum jeito.

Gandalf exige a libertação de Faramir e, quando Denethor tenta matá-lo ("ele não há de viver para se curvar!"), Gandalf derruba a espada de sua mão e subitamente revela seu poder, de modo que até Denethor titubeia. Gandalf ordena que os homens ergam Faramir e o levem do recinto.

Denethor diz "Pelo menos até agora permanece a minha autoridade de poder determinar minha própria morte". Ateia fogo à lenha que está encharcada de óleo. Então, salta no leito de pedra. Quebra o bastão de sua Regência e deposita os pedaços no colo, e deita-se segurando a Pedra entre as mãos. Então, Gandalf o deixa. Fecha a porta e as chamas rugem lá dentro. Ouvem Denethor dar um grande grito, e então cessa. "Assim finda a Regência de Gondor!", disse Gandalf. Dizem que depois, se alguém olhasse para dentro daquela Pedra, a não ser que tivesse grande força de vontade, só via duas mãos envelhecidas murchando nas chamas.

[*Acrescentado:* Gandalf ordena que Berithil e os homens da casa não se enlutem — nem fiquem demasiado abatidos. Os dois lados tentaram cumprir seu dever.]

Levam então Faramir à casa dos enfermos. Conforme Gandalf e Pippin sobem de volta pela estrada, ouvem o último guincho do Nazgûl no ar. Gandalf fica um momento parado. "Algum mal aconteceu!", ele diz, "que eu poderia ter evitado não fosse pela loucura de Denethor. Tão longo se tornou o alcance do Inimigo. Mas sabemos como sua vontade entrou na Torre Branca. *Pela Pedra*. Ainda que ele não pudesse intimidar Denethor ou escravizá-lo, podia enchê-lo de desespero, desconfiança e tolice". Quando Faramir é posto sob cuidados, tendo Berithil por guarda, eles encontram o cortejo fúnebre. Onde está Merry? Pippin se voluntaria para tentar encontrar Merry.

A maior parte das ideias essenciais do capítulo estavam presentes aí — e uma que foi rejeitada: Denethor sabia quem estava a bordo da frota negra e o que a chegada dele significava (ver pp. 446–7). Esse conhecimento vinha da *palantír*; e, como também está presente no breve esboço B que o precedeu, a existência da *palantír* na Torre Branca também deve estar subentendida ali.[2]

Creio que, nesse estágio, meu pai começou um novo texto do capítulo ("**D**") que vai até as palavras de Gandalf sobre "os reis pagãos" (RR, p. 1231). O texto aqui fica bem parecido com a versão final[3] até perto do fim (que está muito mal-acabado e tem muitas variantes):

Então Gandalf, revelando agora uma força incrível, saltou sobre os feixes e, erguendo o enfermo, tirou-o da casa mortífera; e, ao ser movido, Faramir gemeu e disse o nome do pai.

Então Denethor deu um passo adiante e a chama morreu em seus olhos, e chorou e disse: "Não me tires meu filho. Ele me chama."

"Ele te chama", disse Gandalf. "Mas não podes vir ter com ele, exceto de uma maneira. Deves sair para a batalha da tua Cidade, rechaçando o desespero e arriscando a morte no campo; e ele deve lutar pela vida desafiando a esperança nas vias escuras de sua febre. Então quem sabe podereis vos reencontrar. / Pois a não ser que saias para a batalha da tua Cidade, rechaçando o desespero e arriscando a morte no campo, jamais falarás com ele outra vez no mundo desperto."

"Ele não despertará de novo", disse Denethor. "Sua casa está desmoronando. Deixa que morramos juntos." / "Pelo menos podemos ir rumo à morte lado a lado", disse Denethor. "Isso não cabe à vontade do Senhor desta Cidade ou de qualquer outra", disse Gandalf. "Pois não estás morto ainda. E assim fazem os reis pagãos sob o domínio do Senhor Sombrio, matar-se em orgulho e desespero, ou assassinar seus familiares para aliviar sua própria morte."

Em RR, isso é seguido por "Então, atravessando a porta, tirou Faramir da casa mortífera e o deitou no féretro onde fora trazido e que agora fora posto no alpendre. Denethor o seguiu [...]"; pois fica claro que Gandalf, carregando Faramir, havia parado ao ouvir as palavras de Denethor "Não me tires meu filho!", e só nesse momento ele atravessou a porta. Mas no texto acima afirma-se que Gandalf tirou Faramir "da casa mortífera" assim que o ergueu da pira.

Talvez tenha sido nesse estágio que meu pai escreveu uma única página desconexa ("**E**") que começa com as palavras "Gandalf agora leva Faramir". Aqui, como em RR, Denethor o segue; mas nenhuma palavra se segue até que, depois de longa hesitação ao olhar para Faramir, ele declara que governará seu próprio fim, e sua morte se segue de imediato. É curioso que aqui se diga que Denethor morreu agarrado à *palantír*, embora não haja rascunho da cena em que ele revela possuí-la.

Gandalf agora leva Faramir.

Denethor então o seguiu até a porta. E estremeceu, olhando ansioso para o filho e hesitando. Mas, no fim, seu orgulho e obstinação o dominaram e ficou tresvariado outra vez. "Pelo menos nisto não hás de desafiar meu poder e tomá-lo de mim", disse ele. E, dando um súbito passo para frente, arrancou uma tocha da mão de um dos seus serviçais e, movendo-se de volta, empurrou-a para o meio da lenha que, estando encharcada em óleo, inflamou-se imediatamente com um rugido e uma fumaça negra encheu a casa. Então Denethor saltou outra vez para cima da mesa no meio do fogo e da fumaça e, quebrando o bastão de sua regência no joelho, lançou-o nas chamas e deitou-se na almofada abraçando a *palantír* no peito com ambas as mãos.

Com tristeza e horror, Gandalf desviou o rosto e, adiantando-se, fechou a porta. Por algum tempo ficou parado pensativo, silencioso no degrau mais alto. E ouviram o rugido e o crepitar das chamas lá dentro; e então Denethor deu um grande grito e não falou mais depois disso, nem foi visto outra vez por homens mortais.

"Assim finda a Regência de Gondor!", disse Gandalf. E voltou-se para Berithil e os serviçais do senhor. "Não vos enluteis demasiadamente", falou. "Pois os velhos dias estão terminados, pelo bem ou pelo mal. E não vos aflijais por vossos próprios feitos. Pois todos aqui, pelo que vejo, esforçaram-se por fazer o que julgaram correto, seja obedecendo e observando os votos, seja transgredindo-os. Pois vós, serviçais do Senhor, devíeis obediência apenas ao vosso Senhor, mas Berithil também devia lealdade primeiro ao Senhor Faramir, o capitão da guarda. Então que agora todo o ódio ou cólera que resta entre vós se apouquem e sejam esquecidos. Levai embora os que tombaram neste lugar infeliz. E nós levaremos Faramir a um local onde possa morrer em paz, se for essa sua sina, ou encontrar a cura."

E então Gandalf e Berithil, apanhando o féretro que ainda estava no alpendre diante das portas, deitaram Faramir nele e lentamente o levaram para as casas dos enfermos, e os serviçais foram atrás, levando seus companheiros. E quando passaram por fim pela porta fechada, Gandalf ordenou que Berithil, que estava com a chave, a trancasse. E ao chegarem aos círculos superiores da Cidade, ouviu-se no ar o grito do Senhor dos Nazgûl conforme subia e passava para sempre. E ficaram por um momento tomados de pasmo.

Isso foi seguido (novamente há alguma dúvida sobre a sequência) por outra página desconexa ("**F**") que começa no meio da resposta de Gandalf quando Denethor diz "Não me tires meu filho! Ele me chama":

"[...] Mas agora ele deve lutar pela vida nas vias escuras de sua febre, buscando a cura; e tu deves sair para a batalha da tua cidade, arriscando a morte, se necessário, no campo. Isso tu bem sabes em teu coração."

Mas Denethor riu. E, voltando à mesa, ergueu dela a almofada em que estivera deitado. E eis! tinha na mão uma *palantír*. "Orgulho e desespero!", exclamou. "Pensaste que [os] olhos da Torre Branca eram cegos?", indagou. [*Acrescentado a lápis, sem indicação de onde deveria ser inserido:* Esta, a Pedra de Minas Tirith, permaneceu sempre sob a guarda secreta dos Regentes no recinto mais alto.] Não, não, vi mais do que tu sabes, Tolo Cinzento [...]"[4]

A página então continua bem parecida com o texto final (RR, pp. 1231–32), exceto pelo ponto de vista quanto ao conhecimento que Denethor tinha de Aragorn e da frota negra. Em RR, como prova cabal de que o poder agrupado contra Minas Tirith era grande demais para se resistir, Denethor declara a Gandalf que "agora mesmo o vento de tua esperança te ilude e sopra Anduin acima uma frota de negras velas". Portanto, ele não sabe quem está a bordo. Mas (depois da resposta de Gandalf "Tais conselhos tornarão deveras certa a vitória do Inimigo") ele prossegue acusando-o de ter mandado Pippin "ficar em silêncio" e de plantá-lo como espião no aposento dele; "E, no entanto, em nossa conversa, fiquei sabendo dos nomes e das intenções de todos os teus companheiros. Ora! Com a mão esquerda querias usar-me por algum tempo como escudo contra Mordor, e com a direita, trazer esse Caminheiro do Norte para me suplantar". Da maneira em que o texto se encontra em RR, não fica claro o que Denethor quis dizer "com a [mão] direita", pois ele não sabe que é o "oportunista" Aragorn que está chegando pelo Grande Rio.

Contudo, o texto em questão, F, esclarece o que Denethor originalmente quis dizer com "a mão direita". Aqui, ele não faz menção à frota negra na primeira dessas falas e, na segunda, não faz qualquer menção a Pippin — portanto não foi por meio de Pippin que ficou sabendo da vinda de Aragorn. Mas então continua: "Mas conheço tua mente e as tramas dela. Não vejo as frotas subindo agora mesmo o Anduin? Então, com a mão esquerda usar-me-ias como escudo contra Mordor e, com a direita, trarias esse Caminheiro do Norte para tomar meu lugar". Aqui é óbvio que ele sabe quem está a bordo (é de se supor que, com a mão esquerda, ele gesticula na direção de Osgiliath e, com a direita, na direção de Pelargir); e ele sabia disso por ter usado a *palantír*, como está explícito no esboço C (p. 442): "Denethor tem uma *palantír*! Viu a chegada de Aragorn".

Esse texto (F) termina assim:

"Mas quem disse que o Regente que entrega fielmente seu encargo será diminuído em amor e honra? E, por fim, não hás de privar teu filho da sua escolha, matando-o em tua perversidade orgulhosa enquanto a cura ainda está em dúvida. Isso não farás. Entrega-me Faramir agora!"

É difícil saber qual a implicação dessas últimas palavras pois, neste ponto, Gandalf já devia ter erguido Faramir da mesa de pedra e caminhado até a porta. Parece possível que tenha se perdido algum rascunho que deixaria mais clara a evolução da estrutura final do capítulo.

De todo modo, meu pai então começou outro texto ("**G**"), para o qual usou as páginas iniciais de D (p. 443), mas logo se desviou para um novo manuscrito, feito de maneira rudimentar e, no entanto, dessa vez completando o capítulo; e aqui o conteúdo e a estrutura de RR foram atingidos com poucas diferenças. Originalmente, o manuscrito não tinha título, mas a certa altura ele escreveu "48 A Pira de Denethor": nesse estágio, presumo que estivesse tratando "A Cavalgada dos Rohirrim" e "A Batalha dos Campos de Pelennor" como um único capítulo (ver pp. 417, 434). "48" foi subsequentemente alterado para "49" e "V.6".[5]

Conforme escrito inicialmente, a visão diferente sobre o conhecimento que Denethor tinha acerca de Aragorn e da frota negra foi mantida, ainda que alterada depois no manuscrito para a forma final (sobre isso, ver pp. 459–60). Gandalf ainda dizia "Assim finda a Regência de Gondor" em vez de "Assim finda Denethor, filho de Ecthelion"; e na fala dirigida a Berithil e aos serviçais de Denethor ali perto, ele dizia: "Mas Berithil da guarda devia lealdade primeiro ao seu capitão, Faramir, para socorrê-lo enquanto vivesse" (ver p. 445). Isso foi alterado no manuscrito para:

"[...] Pois vós, serviçais do Senhor, devíeis obediência somente a ele. E aquele que diz 'meu mestre está fora de si e não sabe o que ordena; não cumprirei' está em perigo, a menos que tenha conhecimento e sabedoria. Mas para Berithil da guarda tal discernimento era um dever, visto que[6] também devia lealdade primeiro ao seu capitão, Faramir, para socorrê-lo enquanto vivesse."

Isso foi preservado na cópia limpa ("**H**") que se seguiu, e a versão de RR (p. 1233) só foi atingida no estágio datilografado. No fim dessa passagem, meu pai escreveu, assim como em D, que Gandalf e Berithil levaram Faramir para "as casas dos enfermos", mas alterou isso para "as Casas de Cura", com o nome élfico *Berin a Nestad*, alterado imediatamente para *Bair Nestedriu*, ambos os quais foram riscados; mas um pouco adiante no capítulo ("Então finalmente alcançaram os altos círculos da Cidade e, à luz da manhã, tomaram o rumo das casas que ficavam apartadas para o tratamento dos homens feridos ou moribundos", ver RR, p. 1234), o nome *Bair Nestedriu* reaparece. Na cópia limpa H, não há nome élfico para as Casas de Cura no primeiro desses trechos, mas a forma *Bair Nestad* encontra-se no segundo. No mesmo trecho do primeiro texto datilografado, o nome é *Edeb na Nestad*, que foi riscado.

Nesse momento, a história era a de que Gandalf e Pippin galoparam pela Porta Fechada a caminho de Rath Dínen (ver nota 3). Agora, conforme Berithil e Gandalf carregavam o féretro, "atrás deles ia Pippin e, ao lado dele, Scadufax de cabeça baixa"; e, quando voltaram para a Porta (aqui chamada de "Porta do Regente", como em RR; "Porta dos Regentes" na cópia limpa), Gandalf mandou Scadufax de volta para o estábulo, dispensando-o com as mesmas palavras que usou em RR (p. 1229) quando eles chegaram à Porta pela primeira vez.

No ponto da narrativa em que a cúpula da Casa dos Regentes em Rath Dínen rachou e colapsou, e "então, aterrorizados, os serviçais fugiram e seguiram Gandalf", meu pai escreveu um esboço, o qual foi riscado.

Gandalf deve dizer algo sobre a Pedra. Como era mantida na Torre, mas só os *reis* podiam olhar dentro dela.[7] Denethor, em seu pesar quando Faramir voltou, deve ter olhado nela — daí sua loucura e desespero. Pois embora não tenha se dobrado ao Inimigo (como Saruman), teve uma noção do poder esmagador do Senhor Sombrio. A vontade do Senhor, portanto, entrou na Torre, confundiu todos os planos e manteve Gandalf afastado do campo. Tudo isso leva cerca de 1½ hora, até perto das 8 em ponto? Então, ao saírem para os círculos mais altos, ouvem o guincho medonho quando o Nazgûl desaparece. Gandalf prevê algo maligno. Gandalf observa de um lugar elevado? Depois de colocar Faramir nos alojamentos dos enfermos, com Berithil de serviçal e guarda, Gandalf e Pippin descem de volta para os Portões e encontram o cortejo com os corpos de Éowyn e Théoden.[8] Gandalf assume o comando; mas

Pippin vai em busca de Merry; e encontra-o vagando, meio cego. Por fim, Gandalf e Pippin postam-se nas ameias e veem o curso da batalha. Gandalf diz que não precisam dele lá tanto quanto precisam dele com os enfermos. Pippin (e Gandalf?) veem a chegada de Aragorn e da frota. Finalmente os capitães retornam após a vitória no Rubro Pôr do Sol.

Deve haver um *Conselho* no dia seguinte. Algum relato da marcha de Aragorn é introduzido no conselho?

O texto nesse manuscrito (G) continua então até o fim; e quando meu pai registrou as palavras de Gandalf sobre a *palantír* de Minas Tirith, elas tinham essa forma:

"[...] Ai de nós! mas agora percebo como sua vontade foi capaz de penetrar entre nós, no próprio coração desta Cidade.

"Há muito adivinhei que aqui na Torre Branca, assim como em Orthanc, uma das grandes Pedras de Visão fora preservada. Denethor, nos dias de sua sabedoria, jamais pensou em usá-la, nem em desafiar Sauron, conhecendo os limites de seus próprios poderes. Mas, em seu pesar por Faramir, perturbado pelo perigo sem esperança da sua Cidade, deve ter ousado fazer isto: olhar dentro da Pedra. Desejava talvez ver se o auxílio se aproximava; mas os caminhos dos Rohirrim no Norte estavam ocultos; e ele viu primeiro apenas o que estava sendo maquinado no Sul. E então, lentamente, seu olho foi atraído para o leste, para que visse o que queriam que ele visse. E essa visão [*riscado:* real ou falsa] do grande poderio de Mordor, alimentou o desespero que já estava em seu coração, até que se avolumou e engolfou sua mente."

["Isso combina bem com o que eu vi", disse Pippin. "O Senhor saiu do recinto onde jazia Faramir; e foi quando retornou que pensei pela primeira vez que ele estava mudado, velho e alquebrado."

"Foi na própria hora em que Faramir foi levado de volta que muitos viram uma estranha luz no recinto mais alto da Torre", disse Berithil.

"Ai de nós! então supus corretamente", disse Gandalf.] "Assim a vontade de Sauron penetrou na Torre; e assim fui retido aqui. [...]"

O trecho que coloquei entre colchetes foi um acréscimo, mas claramente feito no momento da escrita. No manuscrito limpo de "O Cerco de Gondor", o trecho que descreve como o Príncipe Imrahil trouxe Faramir de volta para a Torre Branca depois de ser resgatado, como Denethor então subiu para o aposento secreto sob o cume da Torre, e a luz que foi vista piscando ali (RR, pp. 1186–87) estava ausente: ver p. 403, nota 17. Foi acrescentado sem dúvida nesse momento. A cópia limpa H mantém a versão do trecho citado acima, mas somente mais tarde ele foi revisado e passou a incluir a suspeita de Gandalf de que Denethor havia olhado muitas vezes na *palantír*, e a corroboração de Berithil, "Mas vimos aquela luz antes, e corria na Cidade o boato de que o Senhor às vezes porfiava em pensamento com seu Inimigo". No manuscrito original de "Minas Tirith", ele disse a Pippin enquanto estavam sentados nas ameias que Denethor tinha fama de conseguir "ler alguma coisa da mente do Inimigo", sentado em seu alto recinto à noite, mas ele não dizia "debatendo-se com ele" e nem "E é por isso que está velho, desgastado antes do tempo" (RR, p. 1113; p. 348, nota 21). Portanto, as palavras de Pippin registradas em RR, "foi só quando retornou que pensei pela primeira vez que ele estava mudado, velho e alquebrado", foram escritas quando meu pai acreditava que tinha sido somente agora, e pela primeira vez, que Denethor se atreveu a olhar na Pedra Vidente de Minas Tirith.

NOTAS

[1] Gandalf diz aqui: "Não é lei na Cidade que os que usam negro e prata devem permanecer na Cidadela, a não ser que seu senhor a deixe?", e Pippin responde: "Ele a deixou". Para um emprego anterior desse trecho em um contexto diferente, ver p. 400 e nota 23.

[2] Ver o manuscrito original do capítulo "Minas Tirith", p. 335: "E Denethor, pelo menos, não o espera de maneira alguma, *pois não sabe que ele existe*". De fato, isso sobreviveu em todos os textos datilografados e só foi alterado para o que se diz em RR na prova do livro: "Porém se ele vier, provavelmente será de alguma maneira que ninguém espera, *nem mesmo Denethor*".

[3] Uma diferença narrativa menor é que, quando Gandalf e Pippin chegaram à Porta Fechada em Scadufax, eles a atravessaram a galope, embora na estrada íngreme e serpenteante "eles só puderam ir a passo lento". Em RR, Gandalf "apeou e mandou Scadufax voltar ao estábulo" (ver p. 448).

[4] Quando escrevia um rascunho em grande velocidade, meu pai transitava entre "thou" [tu] e "you" [você] na mesma fala, mas certamente sua intenção desde o início era a de que, nesta cena, Denethor usaria "thou" para Gandalf, e Gandalf usaria "you". Em uma passagem, a confusão entre "thou" e "you" acabou

permanecendo em RR (na fala de Denethor que começa com "Então continua esperando!", p. 1232). Aqui, na cópia manuscrita passada a limpo meu pai escreveu: "Do I not know that you commanded this halfling here to keep silence?" [Não sei eu que você mandou este Pequeno aqui ficar em silêncio?]; depois, alterou "you commanded" [você mandou] para "thou commandedst" [tu mandaste], mas, presumo que por não gostar dessa forma, alterou a frase para "Do I not know that this halfling was commanded by thee to keep silence?" [Não sei eu que este Pequeno foi ordenado por ti a ficar em silêncio?]. Ao mesmo tempo, acrescentou a frase "That you brought him hither to be a spy within in my very chamber?" [Que você o trouxe para cá para ser espião em meu próprio aposento?], alterando-a imediatamente, e pela mesma razão, para "That he was brought hither [...]" [Que ele foi trazido para cá [...]]. Por alguma razão, as construções com "you" reapareceram no primeiro texto datilografado e assim permaneceram.*

5 "V.6" [Livro V, Capítulo 6] e não "V.7", como em RR, porque "A Passagem da Companhia Cinzenta" e "A Convocação de Rohan" ainda eram um só capítulo, intitulado "Muitas Estradas Rumam ao Leste". A cópia manuscrita limpa (H) também foi numerada "49" e "V.6", com o título "(a) A Pira de Denethor".

6 [No original: "whereas also he owed allegiance"], o significado de *whereas* aqui é "visto que".

7 [No original: "only *kings* supposed to look in it"] Entendo que isso significa — em uma acepção coloquial de "supposed" — "acreditava-se que somente os reis tinham permissão de olhar dentro dela", e não "somente os reis olhavam dentro dela, como se pensava".

8 A história agora era a de que Éowyn ainda estava viva: p. 436.

*No texto em inglês, o uso inconsistente dos pronomes nesse ponto só foi uniformizado na edição de 2004. Na tradução em português, contudo, o pronome usualmente empregado pelos personagens já é o *tu* (ver a "Nota sobre a Tradução" em *A Sociedade do Anel*, p. 10) e, por isso, a distinção da qual Christopher fala não impacta o texto brasileiro nessa cena. Sobre a estranheza de Tolkien quanto a formas como "thou commandedst" (além de outras informações sobre esses pronomes) ver *A Batalha de Maldon e O Regresso de Beorhtnoth*, p. 133: "Não as usamos naturalmente e podemos cometer erros ao usá-las, ou achar algumas tão estranhas a ponto de as evitarmos (como *resistedst*)". [N.T.]

11

As Casas de Cura

Na mesma página que meu pai usou para o rascunho original da abertura (A) de "A Pira de Denethor" (p. 441), ele também escreveu um breve trecho de outro lugar na narrativa, que começa com: "'Bem, Meriadoc, aonde está indo?' Ele olhou para cima e ali estava Gandalf". Estou certo de que essa era a abertura de um novo capítulo; e, visto que o trecho vem em primeiro lugar na página — a abertura de "A Pira de Denethor" vem depois — parece-me provável que meu pai por um momento pensou em continuar dessa maneira a narrativa depois de "A Batalha dos Campos de Pelennor". Mas, seja lá o que for, ele subsequentemente escreveu em outra página (identificada com "a") uma nova abertura ("Nos olhos de Merry havia uma névoa de lágrimas e de exaustão quando se aproximaram dos Portões arruinados de Minas Tirith"), anexando-a à primeira abertura (agora identificada com "b") que já existia. A primeira parte ("a") do breve texto compósito já é muitíssimo parecida com a abertura em RR; a segunda parte, "b", escrita antes, difere do texto em RR pois é Gandalf, e não Pippin, quem encontra Merry vagando nas ruas da Cidade:

"Bem, Meriadoc, aonde está indo?"

Ele olhou para cima, e a névoa diante dos seus olhos clareou um pouco,[1] e ali estava Gandalf. Estava em uma rua estreita e vazia, e não havia mais ninguém ali. Passou a mão sobre os olhos. "Onde está o rei?", indagou ele, "e Éowyn e…", tropeçou e sentou-se no degrau de uma porta e recomeçou a chorar.

"Foram para a Cidadela", disse Gandalf. "Você deve ter adormecido andando e errado alguma esquina. Está exausto, e não vou fazer nenhuma pergunta ainda, exceto esta: está com dor ou ferido?"

"Não", respondeu Merry, "bem, não, acho que não. Mas não consigo usar meu braço direito desde que o golpeei. A espada se consumiu em fogo como madeira."

Gandalf parecia sério. "Bem, precisa vir comigo. Vou carregá-lo. Você não está bem para caminhar. Não deviam tê-lo deixado. Mas também não sabiam de você, ou teriam lhe demonstrado mais honra. Mas quando souber mais coisas, vai perdoá-los: muitas coisas pavorosas aconteceram nesta Cidade."

"Perdoá-los? Por quê?", perguntou Merry. "Só queria uma cama, se houver uma disponível."

"Isso você terá", disse Gandalf, "mas talvez precise de mais". Ele parecia sério e aflito. "Eis aqui outro em minhas mãos", suspirou. "Depois que a guerra chega, o infortúnio e a desesperança muitas vezes parecem ser tarefa do curador."

> Nesse ponto a parte "b" termina e é seguida por "Quando a sombra obscura se retirou do Portão, Gandalf ainda estava sentado imóvel" que, como descrito acima, é a abertura de "A Pira de Denethor".
>
> Meu pai então escreveu um esboço, obviamente antes de a história ter avançado.

Pippin encontra Merry vagando, meio cego e alheado — (como na cena escrita antes: mas *não* bem-humorado). Merry também é levado para a casa dos enfermos (Faramir, Éowyn, Merry).

[O Rei Théoden é deitado em um féretro no Salão da Torre, coberto de ouro. Seu corpo é embalsamado à maneira de Gondor. Muito depois, quando os Rohirrim o levaram de volta a Rohan e depositaram-no nos morros, contou-se que dormia ali em paz, inalterado, trajado com o tecido de ouro de Gondor, exceto que seu cabelo e sua barba ainda cresciam, mas eram dourados, e um rio de ouro às vezes fluía do Túmulo de Théoden. E também se ouvia uma voz clamando

À carga, à carga, Cavaleiros de Théoden
Feros despertam feitos. À frente, Eorlingas!

quando o perigo ameaçava.][2]

Os Capitães então retornam. Mas Aragorn coloca seu pavilhão no campo diante do portão e não entra sem permissão, e manda mensagem para dentro pedindo permissão para entrar e falar com o Regente. Dizem-lhe que o Regente morreu por suas próprias mãos, e que o Senhor Faramir está mortalmente enfermo. Então, deixa de lado todos os emblemas de Elendil e entra como homem comum. Aragorn encontra Pippin e Gandalf, e pergunta por Merry. Dão-lhe notícias de Éowyn. Grande júbilo de Éomer.

Por toda aquela noite Aragorn cuida dos enfermos, pois os Reis de Gondor tinham tanto uma arte quanto um poder de cura, e por esse [? último] ficou claro que o verdadeiro rei havia retornado. Faramir abre os olhos, vê Aragorn e o amor surge entre eles. Merry também se recupera.

Conselho dos Senhores. Gandalf alerta que é verdade o que disse Denethor: não haveria vitória cabal contra o Inimigo pelas armas. Combatemos da melhor maneira que pudemos porque precisávamos; e está ordenado neste mundo que a resistência ao mal deve ser empreendida sem esperança final. Mas quando pegamos em armas *para atacar*, estamos usando o poder que é preeminentemente encontrado no Anel, e seria lógico fazer o que Denethor desejava nesse caso: usar o Anel. Deveras, assim haveríamos [? agora] de obter vitória sobre Sauron e sobrepujá-lo, provavelmente. Mas só para colocar outro no lugar. De modo que, no fim, o resultado seria igualmente maligno, ainda que diferente, ou possivelmente pior do que se Sauron recuperasse o Anel. Portanto eu . . . . .[3] recuperação, de modo que por uma longa era a vitória fosse diferente.

Mas ainda devemos usar o poder que temos. E não podemos nos demorar. Sauron deve ser mantido ocupado e pensar que temos o Anel.

Outra página de notas esboçadas, feitas muito rudimentarmente a lápis, provavelmente seguiu-se a essa.

Longa estadia de repouso em Minas Tirith e a chegada de Finduilas?[4] [*escrito acima:* e Galadriel].

Todos os hobbits vão para casa via Rohan: funeral de Théoden, e depois pelo Desfiladeiro e subindo para oeste das Montanhas Nevoentas até Valfenda e depois para casa.

Sim, disse Sam, ao fechar o Livro. Isso tudo aconteceu há muito tempo.

Aragorn só se dispõe a entrar como senhor do Forod, e não como rei.[5]

Os Senhores entram a cavalo, e veem Théoden sendo velado publicamente. Onde está Gandalf? Ele chega tarde [*ou* mais tarde] e conta da queda de Théoden,[6] e as palavras de Yoreth.

Vão para as Casas de Cura e Aragorn pede *athelas*. Cura os enfermos. Yoreth diz que ele deve ser rei. Depois da ceia, ele cura muitos enfermos.

Conselho no dia seguinte. Advertências de Gandalf. Merry desperta sentindo-se quase bem. Enquanto o Conselho [? acontece], Gimli, Legolas e Pippin falam. Eles . . . . . e ouvem falar do amor de Éowyn por Aragorn no Fano-da-Colina. E da grande cavalgada a Pelargir.

Os senhores cavalgam para o leste: 1000 Rohirrim, Dol Amroth e [? assim por diante]. E uma primeira tropa para deter Morgul. Cavalgam na sombra da emboscada. Perigo.

Um rascunho completo ("**A**") do capítulo seguiu-se, escrito rápida, mas legivelmente, à tinta. Na primeira parte do capítulo, há passagens marcadamente distintas da história que veio depois. O manuscrito A foi seguido por uma cópia passada a limpo, "**B**", para a qual algumas páginas foram extraídas de A, incluindo a página de abertura que contém o número e o título: "Cap. 50 As Casas de Cura", e o número foi subsequentemente alterado para "49 (b)".[7]

A primeira divergência de A em relação a RR vem nas palavras de Gandalf quando se deparou com Pippin e Merry no calçamento da rua principal que subia para a Cidadela (RR, p. 1239):

"Ele devia ter sido trazido a esta Cidade com honras", disse ele. "A sabedoria de Elrond foi maior que a minha. Pois se tivesse sido do meu jeito, nem você e nem ele, Pippin, teriam partido; e então teriam sido muito mais dolorosos os males deste dia. Faramir e Éowyn estariam mortos, e o Capitão Negro, à solta para arruinar toda a esperança."

Isso foi repetido na cópia limpa B e nos textos datilografados seguintes (com a omissão da frase final: "Faramir e Éowyn estariam mortos [...]"): a alteração para "Retribuiu bem a minha confiança; pois, se Elrond não tivesse cedido a mim, nenhum de vocês teria partido" só foi feita quando o livro já estava na fase de prova. Isso é decididamente estranho: pois a forma como a Escolha da Comitiva se dá em *A Sociedade do Anel* (pp. 393–94) — em que a inclusão de Merry e Pippin se deve ao apelo de Gandalf *contra* Elrond — já tinha surgido muito antes, na segunda versão de "O Anel vai para o Sul" (VII. 199). Antes disso, é verdade, Gandalf também se opusera à inclusão deles ("a decisão de Elrond é sábia", ele dizia então, VII. 141–42), mas somente aqui, e outra vez em "O Último Debate" (p. 487), há qualquer sugestão de que foi Elrond quem advogou pela inclusão deles em oposição a Gandalf.

No trecho que se segue, depois do relato acerca da "medicina de Gondor" e da enfermidade desconhecida chamada "Sombra Negra" que provinha dos Nazgûl, o texto de A é muito mais conciso do que o de RR (p. 1240):

E os que eram assim acometidos caíam lentamente em um sonho cada vez mais profundo, e da febre passavam a uma frialdade mortal e assim faleciam. Mas Faramir ardia com uma febre que não amainava.

E uma anciã, Yoreth [...]

Portanto, não há referência aqui à passagem da manhã, e ao dia se esvaindo no poente, enquanto "Gandalf ainda esperava, observava e não partia"; e depois de Yoreth proferir as palavras da antiga sabedoria, que "As mãos do rei são mãos de curador", o texto A diverge completamente da história posterior.

"Mithrandir é sábio e hábil", disse outra. "Mas pelo menos nesse assunto ele não é rei", disse a anciã. "Fez muito por nós, mas sua habilidade jaz, antes, no ensino dos homens, para que façam o que podem ou devem."

Mas Gandalf, vendo que tudo o que podia ser feito por ora já fora feito, levantou-se e partiu e, chamando Scadufax, foi-se a galope.

Mas Pippin e Berithil viram-se de pouca utilidade juntos enquanto os enfermos ainda estavam em perigo e enquanto os recados indispensáveis eram levados pelos meninos, Bergil e seus amigos, que haviam sido salvos da ruína de Rath a Chelerdain e mandados ali para cima. Então, foram até o telhado da casa, que ficava acima da ameia do muro, e olharam longe. A batalha agora devastava os campos; mas estava longe dos muros, e todo o inimigo agora fora afastado da Cidade; e eles não conseguiam distinguir o que se sucedia: nada a não ser poeira e fumaça ao longe, no rumo sul, e um clamor distante de trompa e trombeta. Mas assim ocorreu que Pippin, dotado da visão longínqua de seu povo, foi o primeiro a divisar a chegada da frota.

"Olha, olha, Berithil!', exclamou. "O Senhor não estava de todo dementado. Viu algo de verdade. Há navios no Rio."

"Sim", respondeu Berithil. "Mas não do tipo que ele falou. Conheço a . . . . [8] desses navios e suas velas. Vêm de Umbar e os portos dos Corsários. Ouve!"

E em toda a volta deles os homens gritavam em desalento: "Os Corsários de Umbar!"

"Podes dizer o que quiseres, e eles também", disse Pippin, "mas isto direi por meu senhor que está morto: acreditarei nele. Aí vem Aragorn. Mas como, e por que desse modo, não posso imaginar. Aí vem o herdeiro de Elendil!", gritou; mas ninguém, nem mesmo Berithil, deu atenção à sua vozinha.

Contudo, provou-se verdade. E, no fim, a Cidade soube. E todos os homens encheram-se de pasmo. E assim a esperança cresceu conforme o dia avançou para o meio-dia e minguou e, afinal, chegou no rubro pôr do sol. E os vigias, ao olharem, viram todos os campos diante deles tingidos como se fosse de sangue, e o céu acima deles estava vermelho-sangue, e por fim, antes de o vermelho se consumir num anoitecer de cinzas, os capitães cavalgaram vitoriosos por sobre os campos da Pelennor para a Cidade.

Agora, Aragorn, Éomer e Imrahil se avizinharam da Cidade com seus capitães e cavaleiros; e, quando chegaram diante dos Portões, Aragorn disse: "Contemplai o pôr do sol em fogo [...]"

> As palavras de Aragorn então prosseguem como em RR, p. 1241, assim como sua conversa seguinte com Éomer; mas, com a intervenção de Imrahil, o texto original diverge outra vez:

E o Príncipe Imrahil comentou: "Sábias são vossas palavras, senhor, se alguém aparentado da casa dos Regentes puder arriscar um conselho. Mas eu não desejaria que ficásseis à porta como um mendigo."

"Então não ficarei", riu-se Aragorn. "[*acrescentado:* Entrarei como um mendigo.] O estandarte há de ser enrolado, e os símbolos não serão mais exibidos". E pediu que Halbarad [> Elladan][9] enrolasse o estandarte, e tirou a coroa e estrelas[10] e os deu aos cuidados dos filhos de Elrond. E entrou na Cidade a pé, trajado apenas numa capa cinzenta sobre a cota de malha, e não trazia outro símbolo senão a pedra verde de Galadriel, e disse: "Venho apenas como Aragorn, Senhor dos Caminheiros de Forod".[11]

E assim os grandes capitães da vitória passaram pela cidade e pelo tumulto da gente, e subiram à Cidadela, e chegaram ao Salão da Torre procurando pelo Regente.

A descrição do velório público de Théoden é como em RR (p. 1242), mas depois a história do seu pós-vida no morro em Edoras é introduzida e expandida a partir do esboço da p. 453; cito-o aqui como está na cópia limpa B, onde o texto é praticamente igual ao de A, exceto pelas palavras que se ouviam do morro.[12]

E assim, dizia-se em canção, ele permaneceu para sempre enquanto durou o reino de Rohan. Porque quando depois os Rohirrim levaram seu corpo embora para a Marca e depositaram-no nos morros de seus pais, ali, trajado com o tecido de ouro de Gondor, ele dormiu em paz, inalterado, exceto que seu cabelo ainda crescia e tornou-se prateado, e às vezes um rio de prata fluía do Túmulo de Théoden. E aquele era um sinal de prosperidade; mas, se o perigo ameaçasse, então por vezes os homens ouviam uma voz no morro, clamando no antigo idioma da Marca:

> Arísath nú Rídend míne!
> Théodnes thegnas thindath on orde!
> Féond oferswithath! Forth Eorlingas!

Seguem-se as perguntas de Imrahil e Éomer no Salão da Torre, com as quais eles descobrem que "o Regente está nas Casas de Cura" (achando que a referência era a Denethor), e Éomer descobre que Éowyn ainda estava viva, como em RR, mas quando ele sai do salão, "os outros o seguiram" (em RR, "e o Príncipe o seguiu"), pois Aragorn está presente.

E, quando saíram, já viera o entardecer com muitas estrelas. E conforme a luz minguava, Gandalf voltou sozinho do Leste subindo a estrada de Osgiliath, cintilando no crepúsculo. E ele foi também às Casas de Cura, e encontrou os Senhores diante das portas. E o saudaram e disseram: "Buscamos o Regente, e disseram que ele está nesta casa. [...]"

No trecho seguinte há diferenças em relação a RR, pois Aragorn não aparece nesse momento como "o homem encapuzado" que vem com Gandalf sem ser reconhecido até dar um passo para a luz. Portanto, Imrahil diz: "Não há de ser o senhor Aragorn?", e Aragorn responde: "Não, há de ser o Senhor de Dol Amroth até que Faramir desperte. Mas é meu conselho que Mithrandir nos governe a todos nos dias que se seguem e em nossas relações com o Inimigo". Gandalf então fala como em RR que a única esperança que há para os enfermos está com Aragorn, e cita as palavras de Yoreth.

Quando Aragorn encontra Berithil e Pippin à porta, Pippin diz: "Troteiro! Que esplêndido. Vê, Berithil, que Denethor estava certo, afinal". A última frase foi riscada e substituída pelas palavras de Pippin em RR (p. 1243): "Sabe, imaginei que fosse você nas naus negras. Mas todos estavam gritando *corsários* e não me escutavam. Como fez isso?". E quando Imrahil diz a Éomer "Mas talvez com algum outro nome ele usará a coroa", Aragorn, entreouvindo-o, responde: "Deveras, pois no alto idioma d'outrora sou Elessar, Pedra-Élfica, o renovador".[13] Então, erguendo a pedra verde de Galadriel, ele diz: "Mas Troteiro há de ser o nome de minha casa, se algum dia for estabelecida; contudo, talvez no mesmo alto idioma não soará tão mal, e serei *tarakil*[14] e todos os herdeiros de meu corpo."

No trecho a seguir, a primeira porção que coloquei entre colchetes está assim posta no manuscrito, com uma interrogação ao lado, muito embora tenha sido aproveitada em RR; a segunda porção entre colchetes tem uma linha em volta no manuscrito, com um sinal de exclusão e uma interrogação ao lado. Na cópia passada a limpo, a primeira porção está novamente entre colchetes e a segunda não aparece.

E assim eles entraram. [E enquanto se dirigiam às salas onde eram cuidados os doentes, Gandalf contou dos feitos de Éowyn e Meriadoc. "Pois", disse ele, "por muito tempo estive ao lado deles, e primeiro falavam muito no sono, sonhando, antes de imergirem em uma treva ainda mais funda. Também tenho o dom de ver muitas coisas ao longe.] [E quando chegou um ...[15] grito dos campos, eu estava perto dos muros e observei. E quando o fiz, a sina há muito predita veio a passar, muito embora de uma maneira que me estivera oculta. Não é a sina do Senhor dos Nazgûl cair pela mão de um homem, e nessa sina ele depositou sua confiança. Mas foi derrubado por uma mulher, e com o auxílio de um pequeno;[16] e ouvi o esvanecer do seu último grito levado embora pelo vento."]

Ver-se-á que havia diferenças importantes na estrutura da história entre a narrativa em A e a versão em RR. Em primeiro lugar, a visão distante do campo de batalha que Pippin e Berithil têm do telhado das Casas de Cura é contada em narrativa direta e, assim, a chegada da frota negra subindo o Anduin é repetida de "A Batalha dos Campos de Pelennor". Como Pippin e Berithil estavam presentes na Casa dos Regentes em Rath Dínen, ouviram Denethor acusando Gandalf de tramar para depô-lo: "Mas conheço tua mente e as tramas dela. Não vejo as frotas subindo agora mesmo o Anduin? Então, com a mão esquerda usar-me-ias como escudo contra Mordor e, com a direita, trarias esse Caminheiro do Norte para tomar meu lugar" (p. 446). Denethor ficou sabendo disso pela *palantír*. A ideia de que Denethor sabia que Aragorn comandava os navios dos Corsários foi alterada no rascunho G de "A Pira de Denethor" (p. 447) e, na cópia limpa daquele capítulo, já conforme foi escrita inicialmente, o conhecimento que tem de Aragorn deriva, assim como em RR, das conversas com Pippin: a visão da frota negra torna-se para ele uma prova incontestável da futilidade de oferecer resistência a Mordor. Portanto, o presente texto deve ter precedido a cópia limpa de "A Pira de Denethor".

Na versão da história em A, Pippin tinha motivo para afirmar que Aragorn estava chegando com a frota ("Vê, Berithil, que Denethor estava certo, afinal", p. 459) e para gritar "Aí vem o herdeiro de Elendil!" enquanto todos gritavam "Os Corsários de Umbar!" (p. 457); em RR, não há nenhuma razão para ele dizer a Aragorn "Sabe, imaginei que fosse você nas naus negras", nada a não ser um estranho pressentimento.

Em segundo lugar, Gandalf deixa as Casas de Cura bem antes do pôr do sol e desaparece em Scadufax. Aragorn não se recusa a entrar em Minas Tirith com Éomer e Imrahil; e, portanto, ele está presente na porta das Casas de Cura quando Gandalf retorna sozinho, "subindo a estrada de Osgiliath" no crepúsculo (p. 458). Nada se diz de sua missão (mas creio ser possível saber do que se trata pela versão B dessa porção da história, citada um pouco adiante). Na história alterada, ele não sai das Casas de Cura até o pôr do sol, e sua missão era trazer Aragorn para dentro: essa é uma decisão súbita inspirada pelas palavras de Yoreth. Na versão A, ele não parece dar qualquer importância em particular para as palavras dela, e parte ao ver "que tudo o que podia ser feito por ora já fora feito"; mas, ao retornar, ele diz como em RR que "apenas pela vinda [de Aragorn] tenho esperança por aqueles que jazem ali dentro", citando as palavras de Yoreth.

Um breve e notável texto evidentemente pertence a essa fase do desenvolvimento da história, como se vê pelo fato de que Aragorn entrou na cidade sem Gandalf, que estava procurando por ele. Esse texto se encontra em um retalho isolado de papel, escrito na pior letra de meu pai, que ele em parte elucidou a lápis (com algumas interrogações) e alterou um pouco, não tanto na sua pior letra.

"Cavalgastes com os Rohirrim?", perguntou Gandalf.

"Em verdade, não", disse Legolas. "Uma estranha jornada empreendemos com Aragorn pelas Sendas dos Mortos, e chegamos até aqui, por fim, em naus que tomamos de nossos inimigos. Não é com frequência que se tem a oportunidade de te trazer notícias, Gandalf!"

"Não é frequente", disse Gandalf com gravidade. "Mas são muitas as minhas preocupações nestes dias, e meu coração está triste. Estou ficando exausto, por fim, filho de Glóin, à medida que este grande assunto se aproxima da fronteira final de sua sina. Ai de nós, ai! Como nosso Inimigo concebe o mal a partir do nosso bem. Pois o Senhor da Cidade matou-se em desespero ao ver a aproximação da frota negra. Pois a vinda da frota e da espada de Elendil assegurou a vitória, mas desferiu o último golpe de desespero no Senhor da Cidade. Mas [? vamos], preciso ainda labutar. Contai-me, onde está Aragorn? Está nessas tendas?"

"Não, subiu para a Cidade", disse Legolas, "encapuzado de cinza e em segredo."

"Então preciso ir", disse Gandalf.

"Mas primeiro dize-nos uma coisa em troca", falou Gimli. "Onde estão aqueles nossos jovens amigos que nos custaram tanta aflição? É de se esperar que não tenham sido [? derrotados] e que ainda vivam."

"Um deles jaz gravemente enfermo na Cidade, depois de um grande feito", disse Gandalf, "e o outro está postado ao lado dele."

"Então podemos ir contigo?", perguntou Gimli.

"Podeis, deveras!", respondeu Gandalf.

Esse encontro nos campos da Pelennor se perdeu, e em nenhum outro lugar há registro do encontro de Gandalf com Legolas e Gimli depois de se separarem em Dol Baran.

Conforme a cópia limpa B foi escrita inicialmente, a partida de Gandalf mais cedo das Casas de Cura e a cena em que Berithil e Pippin veem a frota negra do telhado foram mantidas;[17] mas há duas diferenças significativas. Depois das palavras de Yoreth, agora se diz: "Mas Gandalf, *ouvindo esse dito* e vendo que tudo o que podia ser feito *pela medicina de Gondor* já fora feito, levantou-se e partiu"; e a conversa de Berithil e Pippin foi então alterada:

"Olha, olha, Berithil!", exclamou. "O Senhor não tinha apenas visões de loucura. Aí vêm subindo o Rio os navios de que ele falou. O que são?"

"Ai de nós!", respondeu Berithil. "Agora quase consigo perdoar seu desespero. Conheço a feição desses navios e suas velas, pois é dever de todos os vigias. Vêm de Umbar e o Porto dos Corsários! Ouve!"

E em toda a volta deles os homens agora gritavam em desalento: "Os Corsários de Umbar!"

Pippin afligiu-se. Parecia-lhe amargo que, depois do júbilo das trompas na alvorada, a esperança haveria de ser outra vez destruída. "Queria saber aonde Gandalf foi", pensou. E então outra pergunta surgiu em sua mente. "Aragorn: onde ele está? Deveria ter vindo com os Rohirrim, mas parece que não veio."

"Berithil", falou, "pergunto: será que poderia haver algum engano? E se for mesmo Aragorn com a Espada Partida chegando bem na hora?"

"Se for, está chegando nas naus de nossos inimigos", respondeu Berithil.

Ao que parece, o pensamento de Pippin "Queria saber aonde Gandalf foi" — que leva à pergunta "Aragorn: onde ele está?" — se tomado em conjunto com a afirmação mais explícita sobre a partida de Gandalf, dá a certeza de que ele partiu, como acontece na história posterior, para procurar Aragorn e (visto que "as mãos do rei são mãos de curador") trazê-lo com urgência até as Casas de Cura.[18] Mas não se explica por que Gandalf não voltou até o crepúsculo, depois de Aragorn já ter entrado na cidade.

Nesse ponto, meu pai riscou do manuscrito B tudo o que vinha após a frase "depois passavam ao silêncio e à frialdade mortal e assim faleciam" (RR, p. 1240; ver p. 456) e substituiu pelo texto que está em RR, segundo o qual Gandalf deixa as Casas de Cura após o pôr do sol, e seu pensamento e propósito estão agora perfeitamente claros: "Que os homens se lembrem por muito tempo de tuas palavras, Yoreth; pois nelas há esperança. Quem sabe um rei tenha de fato voltado a Gondor; ou não ouviste as estranhas notícias que vieram à Cidade?". Até o ponto que alcançamos em A

("Também tenho o dom de ver muitas coisas ao longe", p. 459), a cópia limpa B (excetuando-se o trecho sobre o Túmulo de Théoden em Edoras, já citado, e alguns pontos mencionados nas notas) contém o texto de RR.

A parte final do capítulo em A foi escrita com notável fluência — ou, pelo menos, o texto que está no rascunho original[19] mal foi alterado depois. A única divergência importante em relação a RR encontra-se no trecho em que Aragorn, Éomer e Gandalf conversam ao lado do leito de Éowyn; pois embora as palavras de RR em si (pp. 1248–49) estejam presentes, a fala que se tornou de Gandalf era atribuída a Aragorn. Ele começa: "Meu amigo, tinhas cavalos e feitos d'armas [...]" e continua até "[...] uma cabana para entravar uma criatura selvagem?" (ponto de RR em que a fala de Gandalf termina), e depois prossegue (sem a frase "Então Éomer ficou em silêncio e olhou para a irmã, como se ponderasse de novo todos os dias da vida que haviam passado juntos") a partir do ponto em que ele começa em RR: "Também vi o que vias. E poucos pesares dentre os maus acasos deste mundo [...]". Acima de "comentou Aragorn", no início da fala, meu pai escreveu "Gandalf?", quase certamente enquanto ainda fazia esse manuscrito; e subsequentemente fez a lápis as alterações que levaram esse trecho à forma que tem em RR.

Para além disso há apenas detalhes a mencionar. Na sua fala acerca da *folha-do-rei*, o mestre-das-ervas afirma que se chama *athelas* "no nobre idioma, ou para os que conhecem um pouco do númenóreano...", e "númenóreano" foi alterado depois tanto em A quanto em B para "valinoriano" (e depois para "valinoreano"); e Aragorn responde: "Eu conheço, mas não me importa se disseres agora *asea aranaite* ou *folha-do-rei*, contanto que tenhas um pouco". A forma *aranaite* tornou-se *aranion* no último texto datilografado.

Quando Aragorn deixa Merry (RR, p. 1253), ele diz: "Que o Condado viva para sempre sem perder o vigor e inalterado. Talvez por isso, mais do que por todo o resto, eu espero e trabalho";[20] a última parte, depois de "e inalterado", foi riscada na cópia limpa.[21]

No texto A, o capítulo terminava com as palavras de Gandalf ao Diretor das Casas de Cura: "'São uma raça notável', acrescentou o Diretor, assentindo com a cabeça. 'De fibras muito rijas, julgo eu'. 'É algo mais profundo do que as fibras', disse Gandalf". A conclusão do capítulo em RR foi escrita de modo rudimentar a lápis e assuntos pertencentes a "O Último Debate" (ver nota 19) foram escritos por cima depois, mas é possível ler alguma coisa. Onde a cópia limpa B diz (como em RR) "e, assim, o nome que ele deveria usar, como vaticinado em seu nascimento, foi escolhido para ele por seu próprio povo", o primeiro rascunho diz: "E [? pela manhã], depois de ter dormido um pouco, levantou-se e . . . . . convocou um conselho e os capitães se encontraram em uma câmara na Torre ...". A cópia passada a limpo termina assim como o capítulo em RR, com Aragorn deixando a cidade logo antes do amanhecer e indo até sua tenda; e a lápis, sob as últimas palavras do texto, há esta nota: "Aragorn não se dispõe a entrar na Cidade outra vez. Portanto, Imrahil, Gandalf e Éomer fazem o conselho [nas] tendas com os filhos de Elrond."

NOTAS

[1] *e a névoa diante dos seus olhos clareou um pouco*: isso foi acrescentado depois de a porção "a" do texto ter sido escrita e anexada a "b".

[2] Esse trecho está entre colchetes no manuscrito.

[3] A primeira palavra ilegível aqui quase certamente começa com *res* e termina com *i*, mas da maneira que está não pode ser *resisti*. A segunda palavra poderia ser "a" ou "sua".

[4] Para uma menção anterior a Finduilas, filha de Elrond, ver p. 437.

[5] Ver o primeiro texto narrativo (A) do capítulo, p. 457: "Venho apenas como Aragorn, Senhor dos Caminheiros de Forod".

[6] *e conta da queda de Théoden*: isto é (conforme eu entendo), conta a maneira da queda de Théoden, da qual Gandalf sabia (ver o segundo trecho entre colchetes na p. 459).

[7] O primeiro texto, A, foi paginado continuamente a partir de "A Pira de Denethor", assim como a cópia limpa B. Em algum momento, meu pai escreveu na página de abertura de "As Casas de Cura" (página essa que era comum a ambos os textos) o número "50", ou seja, separando-o de "A Pira de Denethor". Mas o número "49 (b)", seguindo "49 (a)" de "A Pira de Denethor" (ver p. 451, nota 5), novamente os torna subdivisões de um único capítulo que não tem um título geral.

[8] A palavra, com pouca probabilidade, poderia ser "tripulação". O texto B (p. 464), diz "feição".

[9] Halbarad foi mencionado entre os mortos no rascunho original de "A Batalha dos Campos de Pelennor" (p. 438).

[10] *tirou a coroa e estrelas*: a palavra "e" foi riscada, e o que a substituiu está ilegível, mas talvez seja "de" com alguma outra palavra riscada, isto é, "coroa de estrelas". Em B, isso se torna simplesmente "a coroa"; alterado no primeiro texto datilografado para "a coroa do Reino-do-Norte", o que sobreviveu até a fase de provas, quando foi alterado para "a Estrela do Reino-do-Norte". Ver "A Batalha

dos Campos de Pelennor", p. 438, em que "cingindo o elmo havia uma régia coroa" foi alterado na prova para "e em sua testa estava a Estrela de Elendil".

[11] Ver RR, p. 1243 (em um ponto diferente da narrativa): "sou apenas o Capitão dos Dúnedain de Arnor". Na cópia manuscrita passada a limpo, no mesmo ponto da narrativa de RR, Aragorn diz: "sou apenas o Capitão dos Caminheiros de Forod".

[12] No primeiro texto, A, os versos estão em inglês moderno, nas mesmas palavras do esboço na p. 453. Tanto em A quanto em B, o trecho foi colocado entre colchetes.

[13] O texto B permaneceu praticamente igual: "Deveras, pois no alto idioma de outrora sou Elessar, a Pedra-Élfica, e o Renovador", e assim está na Primeira Edição do SdA. Na Segunda Edição, *Envinyatar* foi acrescentado antes de "o Renovador".

[14] *tarakil*: não há certeza quanto à quarta letra (*a*), mas ela é muito provável, especialmente em face da grafia em B, onde o texto permaneceu igual ao de A, mas com o nome *Tarakon*. Isso foi alterado para *Tarantar*, que sobreviveu no primeiro texto datilografado, onde foi alterado para *Telkontar* (> *Telcontar* na prova do livro).

[15] A palavra começa com *gr(a)*, mas certamente não é *grande*. Possivelmente, a intenção era escrever *grande*, mas as últimas letras, que se parecem com *to*, se devem à palavra seguinte, *grito*.

[16] Sobre a sina do Senhor dos Nazgûl, ver pp. 396–7, 435.

[17] Nessa versão, conta-se o seguinte sobre Bergil e seus amigos (ver p. 456): "Quando os raios de fogo caíram na Cidade, eles foram mandados [para] o círculo superior; mas a bela casa na Rua dos Lampioneiros fora destruída".

[18] Ver o esboço na p. 454: "Onde está Gandalf? Ele chega tarde e conta da queda de Théoden, *e as palavras de Yoreth*".

[19] Uma parte da conclusão do capítulo, a partir de "'[Merry] Jaz aqui perto nesta casa, e preciso ter com ele', informou Gandalf" até "Pois não dormi em uma cama como esta desde que parti do Fano-da-Colina, nem comi desde a escuridão antes do amanhecer" (RR, pp. 1251–52) de fato sobrevive em um texto preliminar a lápis, subsequentemente obliterado por um texto a tinta que faz parte da história de "O Último Debate". Esse rascunho, na maior parte lido por Taum Santoski, não tem grandes diferenças em relação à versão mais bem-acabada em A.

[20] Ver as palavras de Aragorn para Halbarad no Abismo de Helm, p. 363.

[21] Reúno aqui alguns outros detalhes. Em vez de "quer Aragorn tivesse de fato *algum poder esquecido de Ocinte*" (RR, p. 1250), o texto A, e inicialmente o B, dizia "arte ou feitiçaria". O nome *Imloth Melui* na recordação de Yoreth de sua juventude (RR, p. 1247) aparece assim desde o início; e, como em RR (p. 1252) Aragorn diz a Merry que o mestre-das-ervas lhe contará que o tabaco é chamado "*erva-do-homem-do-oeste* pelo vulgo, e *galenas* pelos nobres", mas no rascunho a lápis que sobreviveu dessa parte do capítulo (nota 19) há "erva-de-fumo" e "doce *galenas*". Sobre o nome *galenas*, ver p. 55.

12

O Último Debate

Em algum momento antes de começar a trabalhar neste capítulo, meu pai escreveu um esboço intitulado "A marcha de Aragorn e a derrota dos Haradrim". Ele deve ter precedido "A Batalha dos Campos de Pelennor", visto que o nome *Haramon* aparece, e não *Emyn Arnen* (ver p. 437 e nota 11);[1] quase certamente estava associado ao esboço "A História Prevista a Partir do Forannest" (p. 425 e seguintes), mas obviamente fica melhor se incluído neste ponto. No alto da página, meu pai depois escreveu uma nota a lápis perguntando-se se seria uma boa ideia fazer com que "uma parte disso seja contada por um homem do Vale do Morthond", mas nada resultou disso. Alterações a lápis feitas ao texto estão indicadas.

Aragorn toma as "Sendas dos Mortos" na manhã de 8 de março, passa os túneis das montanhas. (Essa história terá de ser contada em resumo depois, provavelmente no banquete da vitória em Minas Tirith — por Gimli e/ou Legolas.) Veem o esqueleto de Bealdor, filho de Brego, em armadura.[2] Mas não encontram nenhum mal, exceto a escuridão e uma sensação de pavor. Os túneis transformam-se nas cavernas que saem do Morthond. É crepúsculo [> tarde] de 8 de março quando Aragorn e sua companhia saem para os planaltos na ponta do Vale do Morthond; e cavalgam até a Pedra de Erech.[3] Era uma pedra negra, segundo a lenda trazida de Númenor, erguida para assinalar o lugar em que Isildur e Anárion se encontraram com o último rei dos homens obscuros das Montanhas, que jurou fidelidade aos filhos de Elendil, jurando auxiliá-los e à sua parentela para sempre, "mesmo que a Morte nos leve". A pedra ficava encerrada em uma parede circular, agora arruinada, e ao lado dela os Gondorianos haviam erigido uma torre antigamente, e lá ficava guardada uma das *palantíri*. Homem nenhum se aproximava da torre. Pelos vales circula rumores de terror, pois o

"Rei dos Mortos" retornou — e eis que, atrás dos *homens viventes*, é vista uma grande hoste de homens-da-sombra, alguns cavalgando, alguns caminhando, mas todos movendo-se como o vento.

Aragorn vai até Erech à meia-noite, toca trompas (e trompas de sombra indistintas ecoam-no) e desfralda o estandarte. A estrela nele brilha na escuridão. Ele encontra a *palantír* (imaculada) enterrada em uma cripta. Parte de Erech na manhã [*acrescentado:* escura] de 9 de março [*acrescentado:* às 5h]. Pois [*leia-se* De ?] Erech aos Vaus do Lameduin (digamos Linhir?) são 175 milhas em linha reta [*c.* 281 km], cerca de 200 [*c.* 322 km] pela estrada.[4] Grande terror e espanto precede sua marcha. Em Linhir no Lameduin, os homens de Lebennin e Lamedon estão defendendo a passagem do rio contra Haradwaith. Aragorn chega a Linhir no anoitecer de 10 de março, depois de dois dias e noite[s] forçado a cavalgar com a hoste de sombra atrás na treva crescente de Mordor. Todos fogem diante dele. Aragorn cruza o Lameduin para Lebennin na manhã de 11 de março e apressa-se para Pelargir [*acrescentado:* 100 milhas [*c.* 161 km]].[5]

A partir desse ponto, o esboço — que fica muito mal-acabado — foi riscado e substituído imediatamente por um novo texto no verso da folha. No alto dessa página está a breve passagem a seguir a respeito de Frodo e Sam, que provavelmente já estava ali (mas foi certamente escrita na mesma época que o esboço sobre a jornada de Aragorn):

Resgate de Frodo. Frodo jaz nu na Torre, mas Sam descobre que, por algum acaso, a capa-élfica de Lórien está caída no canto. Quando eles se disfarçam, jogam as capas cinzentas por cima e ficam praticamente invisíveis — em Mordor, as capas dos Elfos tornam-se um manto escuro de sombra.

Então, retornando ao esboço, segue-se:

Aragorn atravessa para Lebennin em 11 de março (manhã) e cavalga com toda velocidade para Pelargir — a Hoste de Sombra vem atrás. Os Haradrim fogem diante dele desesperados. Alguns, ouvindo a tempo as notícias da sua chegada, zarpam nas naus e fogem descendo o Anduin, mas a maioria delas está desguarnecida.

Cedo no dia 12, Aragorn chega até a frota, rechaçando todos diante deles. Muitas das naus estão repletas de cativos, e parcialmente manejadas (especialmente os remos) por cativos obtidos em incursões em Gondor, ou escravos descendentes de cativos obtidos muito tempo antes. Eles se revoltam. Assim, Aragorn captura muitas naus e as guarnece, mas muitas são incendiadas. Trabalha arduamente, pois sabe que a sina de Minas Tirith estará próxima, caso não chegue a tempo. Naquela noite, a Hoste de Sombra some e volta para os vales montanheses, e finalmente desaparece nas Sendas dos Mortos e nunca mais é vista.[6]

Parte às 6 da manhã em 13 de março, remando. Na planície meridional de Lebennin, o Anduin é muito largo (5–7 milhas [*c.* 8–11 km]) e vagaroso. Portanto, com muitos remos eles percorrem cerca de 4 milhas por hora [*c.* 6 km/h] e às 6 da manhã do dia 14 percorreram 100 milhas [*c.* 161 km]. São 125 milhas [*c.* 201 km] de Pelargir ao ponto onde o Anduin faz uma curva para oeste, dando a volta nos pés de Haramon, uma grande colina em Ithilien do Sul e volta-se para a Pelennor, de modo que ali o Ramas-Coren está a apenas 15 [> 5] milhas [*c.* 24 > 8 km] da Cidade,[7] e fica bem em cima da margem. Logo antes desse ponto, o rio corre quase no eixo Norte-Sul (ligeiramente NO) e aponta direto para Minas Tirith, de modo que os vigias conseguem enxergar essa extensão — cerca de 10 milhas [*c.* 16 km] de comprimento.[8]

Na manhã do dia 15 [*escrito acima:* 14], um vento se ergue [*acrescentado:* de madrugada] e vem refrescando do SO. A nuvem e a treva começam a recuar. Eles içam velas e agora vão com [*riscado:* mais] velocidade. Por volta das 9 da manhã, são vistos por vigias de Minas Tirith, que ficam desalentados. Assim que Aragorn vislumbra a cidade e o inimigo, desfralda seu estandarte (a Coroa Branca com as estrelas de Sol e Lua de cada lado: o emblema de Elendil).[9] Um raio de sol vindo do SE o ilumina e ele brilha como fogo branco na distância. Aragorn desembarca e rechaça o inimigo.

Especialmente notável aqui é a repetição da ideia que apareceu em "Muitas Estradas Rumam ao Leste" (p. 357 etc.): havia uma *palantír* em Erech (naquele capítulo, Aragorn parecia dizer que a Pedra de Erech era ela mesma a *palantír*, p. 368, nota 10). Essa Pedra substituiu a de Aglarond (pp. 97–9), de modo que ainda havia cinco *palantíri* no Sul.

Quando meu pai veio a escrever o capítulo, sua intenção — realizada — era a de que nele fosse relatado não apenas o debate entre os comandantes que se seguiu à Batalha dos Campos de Pelennor, mas também a história da jornada da Companhia Cinzenta, contada por Gimli e Legolas a Merry e Pippin — e que o capítulo então levasse a história até a chegada da Hoste do Oeste diante do Morannon. O manuscrito, ou conjunto de manuscritos, tinha originalmente o título "A Negociação no Portão Negro".[10] Foi um trabalho enorme chegar ao arranjo final, exigindo rascunho em cima de rascunho em cima de rascunho, com uma reutilização complicadíssima de páginas existentes, ou de partes delas, à medida que ele experimentava diferentes soluções para o problema estrutural. É mais do que provável que, quando essa grande quantidade de manuscritos e textos datilografados saiu de suas mãos, ela já estava em uma desordem medonha, e o subsequente ordenamento em entidades de texto completamente artificiais fez parecer que, em "O Último Debate", a minha tentativa de discernir a real sequência da escrita de *O Senhor dos Anéis* finalmente iria por água abaixo. Mas provou-se o contrário e, como nenhum elemento importante parece ter se perdido do complexo de textos, a sequência do desenvolvimento emerge aqui, por fim, de maneira tão clara quanto em algumas partes bem menos difíceis da narrativa. Mas, é claro, descrever cada trilha textual em detalhes exigiria muito mais espaço do que posso dispor.

Ao que parece, antes de meu pai começar o rascunho coerente do capítulo — na realidade, enquanto ainda estava escrevendo "As Casas de Cura" — ele escreveu uma versão das falas na abertura do debate que surgiu em sua mente e não podia ser adiada.[11] Como uma boa parte disso não aparece em RR, coloco essa versão na íntegra.

"Meus senhores", disse Gandalf. "'Vai embora e luta! Vaidade! Poderás triunfar nos campos da Pelennor por um dia. Mas contra o Poder que ora se levanta não há vitória'. Assim disse o Regente desta Cidade antes de morrer. E embora eu não vos traga conselhos de desespero, ponderai a verdade nisso. O povo do Oeste está diminuído; em toda a parte as terras jazem vazias. E já faz muito tempo que vosso mando recuou e deixou por si sós os povos selvagens, e eles não vos conhecem; e virão em busca de novas terras para habitar. Ora, se fosse uma simples questão de guerra entre Homens, como foi por muitas eras, eu diria: Agora sois pouquíssimos para marchar para o Leste, quer em ira, quer em amizade, quer para subjugar, quer para ensinar. Ainda assim, podeis aconselhar-vos juntos, e fazer tais fronteiras e tais fortes e fortalezas que poderiam ser defendidos, e conter a [? selvagem] maré que se avoluma. Mas vossa guerra não é somente contra os números, e espadas e lanças, e povos indomados. Tendes um Inimigo de grande poder e malícia, e ele cresce, e é ele quem enche de ódio todos os corações dos povos selvagens, e dirige e governa esse ódio, de modo que deixaram de ser como ondas que podem arrebentar às vezes nas vossas ameias, a serem resistidas com bravura e vencidas com previdência. Estão se erguendo numa grande maré para vos engolfar. O que fareis depois? Buscar sobrepujar vosso Inimigo."

"Tarde demais haveríamos de começar essa tarefa!", disse o Príncipe Imrahil. "[Se Minas Morgul tivesse sido destruída em eras passadas, e a vigia sobre o Portão Negro, mantidaNós dormimos e tão logo ele entrou outra vez na Terra Inominável] Nós dormimos, e ao despertar descobrimos que ele já havia crescido para além de nossa medida. E para destruí-lo devemos primeiro sobrepujar todos os aliados que ele reuniu."

"É verdade", disse Gandalf. "E a quantidade deles é enorme, como Denethor viu, deveras. Essa guerra, portanto, é sem esperança final, quer vos senteis aqui para suportardes um cerco após o outro, quer partais em marcha para serdes sobrepujados além do Rio. A prudência vos aconselharia a esperar o assalto em lugares fortificados, pois assim pelo menos o tempo até o fim será prolongado um pouco.

"Mas agora, no meio de todos esses conselhos de guerra, chega o Anel. Eis um objeto que poderia comandar a vitória mesmo em nosso presente apuro."

"Só ouvi rumor disso", falou Imrahil. "Não se diz que o Um Anel de Sauron outrora voltou à luz, e que, se ele o reconquistar, ficará tão poderoso quanto era nos Anos Sombrios?"

"Assim se diz, e com razão", respondeu Gandalf. "Mas ele ficará mais poderoso do que outrora, e mais seguro. Pois não resta nenhuma terra além do Mar de onde poderia vir auxílio; [e aqueles que habitam além do próprio Oeste não se moverão, pois entregaram as Grandes Terras aos cuidados dos Homens.]"[12]

"Mas se encontrássemos o Anel e o utilizássemos, como ele nos daria a vitória?", perguntou Imrahil.

"Não o faria em um dia apenas", respondeu Gandalf. "Mas se caísse nas mãos de alguém de poder [? ou] realeza, como por exemplo o Senhor Aragorn, ou o Regente desta Cidade, ou Elrond de Imladrist,[13] ou mesmo eu, então, sendo Senhor-do-Anel, cresceria sempre em poder e em desejo por poder; e todas as mentes ele intimidaria ou dominaria, de modo que cumpririam cegamente sua vontade. E não poderia ser morto. E mais: os segredos mais profundos da mente e do coração de Sauron tornar-se-iam claros a ele, de maneira que o Senhor Sombrio seria incapaz de fazer algo imprevisto. O Senhor-do-Anel sugaria dele o próprio poder e pensamento, de modo que todos abandonariam sua lealdade a ele e seguiriam o Senhor-do-Anel, e serviriam a ele e o adorariam como a um Deus. E assim Sauron seria sobrepujado completamente e esvanecer-se-ia em esquecimento; mas eis que ainda haveria Sauron . . . . . mas do outro lado, [um tirano que não toleraria qualquer liberdade, que não se esquivaria de nenhum feito maligno para manter seu controle e para expandi-lo]."

"E pior", disse Aragorn. "Pois tudo o que resta do antigo poder e sabedoria do Oeste ele também faria com que fosse rompido e corrompido."

"Então qual é a serventia desse Anel?", perguntou Imrahil.

"A vitória", disse [Gandalf >] Húrin, Guardião das Chaves.[14] "Pelo menos nós venceríamos a guerra, e não esse repugnante senhor de Mordor."

"Assim diriam muitos bravos cavaleiros da Marca ou do Reino", disse Imrahil. "Decerto, contudo, mais sabedoria se demanda de senhores em conselho. A vitória por si só não tem valor. A menos que Gondor resista por algum bem, então que não resista de maneira alguma; e se Mordor não resistir por algum mal que nós não toleraremos em Mordor ou fora dela, então que triunfe."

"E há de triunfar, seja lá o que falemos ou façamos, ou assim parece", disse Húrin. "Mas, depois de tantas palavras, ainda não ouvi qual é o nosso presente propósito. Certamente é uma simples escolha entre ficar aqui e marchar avante. E se aqueles que são mais sábios ou veem mais longe do que eu disserem que não há mais esperança em aguardar aqui, então, da minha parte, sou a favor de marchar avante, e de aceitar a sina com mãos abertas. Assim poderemos no mínimo constringi-la antes que ela nos agarre."

"E pelo menos nisso eu aprovo as palavras de Húrin", disse Gandalf. "Pois todo o meu discurso encaminhava-se justamente para esse aconselhamento. Essa não é uma guerra cuja vitória não pode ser obtida pelas armas.[15] Rejeitei o uso do Anel, pois isso faria da vitória a mesma coisa que uma derrota. Coloquei (agindo como um tolo, segundo Denethor) o Anel em um grande risco de que nosso Inimigo o recupere, e assim nos derrote completamente; pois retê-lo seria arriscar a certeza de que, antes de as últimas aflições caírem sobre nós, um dentre nós o tomaria e, por fim, causaria um mal no mínimo igualmente grande. E, ainda assim, entramos em guerra. Pois devemos resistir enquanto temos forças — e esperança. Mas agora nossa salvação, se é que alguma pode ser obtida, não está em nossos feitos d'armas, mas pode ser auxiliada por eles. Não pela prudência, como eu disse, das guerras menores dos Homens. Mas pela impetuosidade, até mesmo pela precipitação que, em outro caso, seria tolice. Pois nossa esperança — mesmo diminuindo a cada dia — ainda está no fato de que Sauron não recuperou o Anel, e enquanto isso continuar, ele terá dúvida e medo de que nós o tenhamos. Quanto maior for nossa precipitação, tanto maior será o seu medo, e tanto mais seu olho e seu pensamento se voltarão para nós, e não para outro lugar onde jaz o seu verdadeiro perigo. Portanto, digo que devemos dar continuidade a esta vitória assim que pudermos, e nos mover para o Leste com toda a força que temos."

"No entanto, ainda deve haver prudência", disse Imrahil. "Quase não há homens ou cavalos vivos entre nós que não estejam exaustos, mesmo os que não estão enfermos ou feridos. E sabemos que há um exército ainda não enfrentado em nosso flanco norte. Não podemos desnudar completamente a cidade, ou ela arderá atrás de nós.

"É verdade, eu não aconselharia isso", disse Gandalf. "Deveras, pelo meu plano, a força que levarmos para o Leste não precisa ser bastante grande para um ataque sério contra Mordor, contanto que seja bastante grande para provocar o combate."

Voltando a atenção agora para o manuscrito primário do capítulo, ele por si só é um complexo enorme de materiais rejeitados e mantidos, mas não é possível separá-lo satisfatoriamente em "camadas" distintas e o tratarei como se fosse uma entidade única, fazendo referência a ele como "o manuscrito".

A abertura chega quase palavra por palavra à versão em RR, pp. 1255–56, a partir de "Veio a manhã após o dia da batalha" até a observação de Gimli para Legolas: "Sempre é assim com as coisas que os Homens começam: há uma geada na primavera, ou uma seca no verão, e eles descumprem a promessa". Um serviçal de Imrahil então os levou até as Casas de Cura, onde encontraram Merry e Pippin no jardim, "e o encontro daqueles amigos foi alegre". A narrativa então se move diretamente para o debate: assim como em RR (p. 1263), Imrahil e Éomer desceram da cidade para as tendas de Aragorn, e ali conferenciaram com Gandalf, Aragorn, Elrohir e Elladan. "Fizeram de Gandalf seu chefe e rogaram-lhe que dissesse primeiro o que tinha em mente"; e, como em RR, ele começa citando as palavras de Denethor antes de morrer, pedindo que os ouvintes ponderassem a verdade delas. Mas agora ele continua assim, acompanhando e condensando o trecho no rascunho recém-incluído:

"Os povos do Oeste estão diminuídos; e já faz muito tempo que vosso mando recuou e deixou por si sós os povos selvagens; e eles não vos conhecem, e nem o amor nem o temor os conterão por muito tempo. E tendes um Inimigo de grande poder e malícia que enche de ódio todos os seus corações e governa e dirige esse ódio, de modo que não são mais como ondas que podem arrebentar às vezes nos vossos muros, para então serem rechaçadas uma a uma: eles estão unidos, e erguendo-se como uma grande maré para vos engolfar.

"As Pedras Videntes não mentem e nem mesmo o Senhor de Barad-dûr pode fazê-las mentir [...]"

O restante da fala de Gandalf, com as intervenções de Imrahil,[16] Aragorn e Éomer, foi atingida por uma série de rascunhos que não precisam ser discutidos minuciosamente, exceto por uma versão da resposta de Gandalf a Éomer (RR, p. 1265). Ali, depois de dizer que o Senhor Sombrio, sem saber se eles estão com o Anel, esperaria por sinais de contenda que certamente surgiriam entre eles, Gandalf prossegue:

"Ora, é por vós sabido que coloquei o Anel em perigo. Descobrimos por Faramir que ele chegou às próprias fímbrias de Mordor antes de este ataque começar, talvez no primeiro dia da treva. E, meus senhores, foi pelo caminho de Morgul. Deveras frágil é a esperança de que o portador possa ter escapado dos perigos daquele caminho, dos horrores que ali aguardam; menor ainda é a esperança de que, mesmo que passe por eles e chegue à Terra Negra, consiga atravessá-la sem ser notado. Seis dias se passaram, e a toda hora vejo os sinais com grande pavor em meu coração."

"Que sinais são esses que procuras, um inimigo ... tu ao nosso ..." perguntou Imrahil.

"A escuridão", disse Gandalf. "Esse é meu pavor. E a escuridão começou e, portanto, durante um tempo senti um desespero mais profundo do que o de Denethor. Mas a escuridão a ser temida não é a mesma pela qual passamos: não precisaria de nuvens no ar; começaria em nossos corações, sentindo de longe o poder do Senhor-do-Anel, e cresceria até que — à luz do sol ou da lua, ou sob o céu, ou sob nossos tetos — tudo nos pareceria escuro. Essa escuridão não passou de um artifício para nos fazer desesperar, e conseguiu, como tais engodos fazem, ... nosso inimigo. O sinal seguinte é a contenda entre os senhores."

Um rascunho seguinte chega no argumento de Gandalf da maneira que aparece em RR, mas aqui ele acrescenta aos sinais que Sauron observaria: "Talvez também tenha visto na Pedra a morte de Denethor e, como julga tudo a sós, bem pode crer que esse é um primeiro sinal de contenda entre seus principais adversários". No mesmo texto, depois de dizer "a todo custo temos de afastar seu olho do verdadeiro perigo", ele acrescenta: "Um único regimento de orques postado em volta de Orodruin poderia selar nossa ruína" (em uma versão subsequente: "Um simples punhado de orques vigiando Orodruin selaria nossa ruína").

No fim do debate, depois das palavras de Aragorn (RR, p. 1268) "nenhum portão resistirá a nosso Inimigo se os homens o desertarem", um rascunho inicial contém uma versão que não foi adiante:

Então, mesmo enquanto debatiam, um cavaleiro veio à procura de Éomer. "Senhor", falou, "chegou notícia de Anórien, das estradas do norte. Théoden Rei, quando cavalgamos até aqui, deixou homens a vigiar os movimentos do inimigo em Amon Dîn. Eles mandam dizer que houve guerra lá longe, no Descampado, e de lá chegam estranhas notícias. Pois uns dizem [que as próprias matas] que seres selvagens das matas abateram-se sobre os orques e os empurraram para o Rio e para as corredeiras de Sarn Gebir. Mas o exército que estava na estrada ouviu essas notícias, e também sobre nossa vitória aqui, e está temeroso, e agora mesmo está voltando às pressas.

"Há!", exclamou Éomer. "Se ousarem nos atacar, arrepender-se-ão. Se tentarem atravessar fugindo, serão golpeados. Precisamos cortar esse dedo da Mão Negra antes que seja recolhido."

A quantidade dos que haveriam de partir de Minas Tirith foi concebida de modo diferente, pois "a mor parte deles iria a cavalo em prol da celeridade" (em contraste com RR: "a mor parte dessa força deveria ir a pé, por causa das terras malignas em que penetrariam"): Éomer liderando três mil dos Rohirrim, Aragorn, quinhentos a cavalo e mil e quinhentos a pé, e Imrahil conduziria mil a cavalo e mil e quinhentos a pé; e não há sugestão de que qualquer força dos Rohirrim seria enviada para "emboscar a Estrada do Oeste contra o inimigo que estava em Anórien" (RR, p. 1268). O manuscrito, contudo, foi subsequentemente corrigido, introduzindo o número de convocados conforme RR, com três mil dos Rohirrim deixados para trás.

Depois das palavras "E sacou Branding e a ergueu, reluzindo ao sol" (que é onde "O Último Debate" termina em RR), o capítulo original então continua com uma transição de volta para Legolas e Gimli: "Enquanto os grandes capitães assim debatiam e dispunham seus planos, Legolas e Gimli alegravam-se na bela manhã, lá em cima, nos ventosos círculos de Minas Tirith". Segue-se a visão de Legolas das gaivotas voando Anduin acima e a emoção que despertam nele, descritas praticamente nas mesmas palavras de RR; mas a conversa seguinte é completamente diferente. Nesse estágio, não havia nenhum relato sobre as Sendas dos Mortos; no esboço do começo deste capítulo (p. 466), meu pai sugeria que a história seria contada "no banquete da vitória em Minas Tirith" e mencionava que, nos túneis sob as montanhas, a companhia viu o "esqueleto de Bealdor, filho de Brego, em armadura", mas que, além da escuridão e da sensação de pavor, não encontraram nenhum mal.

Inicialmente há tanto um rascunho quanto uma versão mais bem-acabada, e incluo aqui essa última, visto que acompanha o rascunho de perto.

"[...] Não hei de ter paz outra vez na Terra-média!"

"Não digas isso!", pediu Gimli. "Ainda há coisas incontáveis para serem vistas aí e grandes obras a serem realizadas. Mas se todo o Belo Povo, que também é sábio, partir para os Portos, será um mundo mais enfadonho para os que estão fadados a ficar."

"Já é um tanto enfadonho", disse Merry sentado na beirada da muralha balançando as pernas. "Pelo menos para os hobbits, confinados em uma cidade de pedra e atribulados com guerras, enquanto seus visitantes assentem e conversam sobre sua estranha jornada e não falam dela a mais ninguém. Eu vos vi pela última vez no Forte-da-Trombeta, e então pensei que íeis ao Fano-da-Colina,[17] mas eis que chegastes em naus, vindo do Sul. Como fizestes isso?"

"Sim, contai-nos", disse Pippin. "Testei Aragorn, mas ele estava cheio de problemas e só sorriu."

"Seria uma longa história, se contada por inteiro", disse Legolas, "e há memórias daquela estrada que não desejo recordar. Nunca mais hei de me aventurar nas Sendas dos Mortos, nem por qualquer amizade; e, não fosse minha promessa a Gimli, juraria nunca mais entrar nas Montanhas Brancas outra vez."

"Bem, da minha parte", falou Gimli, "[o espanto foi mais forte do que o medo >] o medo passou, e apenas o espanto permanece; mas não se pode negar que é uma estrada pavorosa."[18]

"O que são as Sendas dos Mortos?", perguntou Pippin. "Nunca ouvi esse nome antes."

"É uma trilha pelas Montanhas", começou Gimli.

"Sim, vi a porta a certa distância", interrompeu Merry. "Fica ali no alto do Fano-da-Colina, nas montanhas atrás da cidade e do paço de Théoden em Edoras. Há uma longa fileira de pedras antigas que atravessa um alto campo montês e leva a uma massa negra sinistra, a Dwimorberg, como a chamam, e há uma caverna e uma grande abertura aos pés dela, que ninguém ousa adentrar. Acho que os Rohirrim creem que ali dentro habitam Mortos, ou suas sombras, vindos de um passado muito anterior à chegada deles àquela terra."

"Assim nos contaram", disse Legolas, "e proibiram-nos de entrar; mas não conseguiram desviar Aragorn de lá. Estava num humor austero. E aquela bela senhora que agora jaz nas Casas aqui embaixo, Éowyn, chorou à sua partida. No fim, deveras, ao ver aquilo tudo, jogou os braços em torno dele, implorando-lhe que não tomasse aquela estrada, e quando ele ficou ali parado, rígido como pedra, ela se humilhou e caiu de joelhos no chão. Foi uma visão dolorosa."

"Mas não penses que ele não se comoveu", disse Gimli. "Em verdade, creio que o próprio Aragorn estava tão profundamente entristecido que passou por todos os perigos após isso como um homem capaz de sentir pouca coisa mais. Ele a ergueu e beijou-lhe a mão, e então, sem uma palavra, partimos,[19] antes de o sol subir acima das cristas negras da montanha. Não sei como colocar isto em palavras, mas mesmo ao passarmos a última grande pedra fincada, um pavor me acometeu, não sabia dizer do quê, e meu sangue parecia estar gelando. Arrastei meus pés como se fossem de chumbo ao atravessar a soleira daquela porta sombria; e mal tínhamos entrado quando uma cegueira como a própria noite nos acometeu.

"Pareceria loucura tentar levar os cavalos por tal estrada, mas Aragorn disse que deveríamos tentar, pois cada hora perdida era perigosa. Tivemos de desmontar e conduzi-los, mas não creio que teriam ido longe se não fosse por Legolas. Cantou uma canção que correu suave na escuridão, e embora transpirassem e tremessem, não refugaram no caminho. Estou falando dos nossos cavalos que os Rohirrim nos deram;[20] os cavalos dos Caminheiros, ao que parece, eram-lhe tão leais que nada os refrearia se seus mestres estivessem ao seu lado.

"Havíamos trazido algumas tochas, e Elladan [> Aragorn] foi à frente, carregando uma delas, e Elrohir [> Elladan], com outra, foi na retaguarda. Morcegos sobrevoavam, e [> Não vimos nada, mas,] se nos detínhamos, parecia haver um sussurro infindo de vozes em toda a volta que às vezes elevava-se em palavras, mas não em nenhuma língua que eu tenha ouvido antes. Nada nos atacou, e ainda assim o temor crescia continuamente em nós à medida que avançávamos. Principalmente porque sabíamos — não sei como, mas sabíamos — que não poderíamos retroceder: que toda a negra estrada atrás de nós estava apinhada de seres que nos seguiam, mas que não podiam ser vistos.

"Assim foi por algumas horas, e então nos deparamos com uma visão que não consigo esquecer. O caminho — pois isso é o que era, e não apenas uma trilha na caverna — era largo, na medida em que conseguíamos julgar, e embora estivesse completamente escuro, o ar era limpo. Mas então nos deparamos de repente com um grande espaço vazio que o caminho atravessava. O pavor era tão grande em mim que mal conseguia andar. Longe, à esquerda, algo reluziu na treva à medida que a tocha de Aragorn passou. [...]

Ver-se-á que, quando meu pai transformou essa história das Sendas dos Mortos contada por Gimli, colocando-a muito antes no livro (ao passo que, em "O Último Debate", ele simplesmente menciona que Legolas a contou para Merry e Pippin: "Então contou rapidamente da estrada assombrada sob as montanhas", RR, p. 1258), ele manteve a experiência de Gimli como aquela usada para descrever a travessia pelos túneis.

Gimli descreveu o esqueleto trajado de cota de malha agarrando-se à porta praticamente nas mesmas palavras encontradas em "A Passagem da Companhia Cinzenta" (RR, pp. 1142–43), com o acréscimo de que no elmo e no cabo da espada havia "runas-do--norte". Mas aqui Aragorn dá nome ao guerreiro morto:

"'Aqui jaz Baldor, filho de Brego', disse ele, 'primeiro herdeiro daquele Paço Dourado ao qual nunca retornou. Ele deveria agora estar repousando sob as flores de Sempre-em-mente[21] no Terceiro Morro da Marca; mas agora há nove morros e sete verdes de relva, e por todos os longos anos ele jazeu aqui junto à porta que não conseguiu abrir. Mas até onde a porta levava, e por que ele queria passar, ninguém jamais há de saber.'"

Nesse estágio da evolução do livro, Théoden havia dito no Fano-da-Colina como Baldor, filho de Brego, passara pela Porta Escura e nunca retornou (p. 374; ver "A Convocação de Rohan" em RR, p. 1155). Mas, com o deslocamento da história das Sendas dos Mortos do presente capítulo para "A Passagem da Companhia Cinzenta", a descoberta do esqueleto de Baldor acabou posicionada *antes* das palavras de Théoden a seu respeito no Fano-da-Colina; e suponho que tenha sido por isso que meu pai alterou o trecho. Certamente não foi por ter concluído que Aragorn não sabia quem ele era: no trecho correspondente de RR, está claro que ele sabia sim, mesmo não mencionando seu nome; pois Aragorn sabia que jazera ali no escuro "por todos os longos anos", à medida que os morros dos Reis da Marca eram erguidos um a um.

Agora há nove morros e sete em Edoras.[22] No rascunho original desse trecho, o texto é interrompido nas palavras de Aragorn "Aqui jaz Baldor, filho de Brego" por uma lista muito rudimentar dos Reis da Marca, disposta em duas colunas, assim:

1	Eorl	10	[Bealdor > Folca>] Fréalaf, filho de Éowyn (filho da irmã do rei)
2	Brego (Bealdor)		
3	Aldor	11	[Brego >] Háma
4	Fréa	12	Walda
5	Fréawine	13	Folca
6	Goldwine	14	Folcwine
7	Déor	15	Fengel
8	Gram	16	Thengel
9	Helm	17	Théoden

Os nomes "Folca" e "Folcwine" substituíram formas rejeitadas que não consigo interpretar. Ver-se-á que são esses os nomes encontrados no Apêndice A (II, *A Casa de Eorl*) em *O Senhor dos Anéis*, com a única exceção do décimo primeiro rei, Háma: no SdA, o décimo primeiro rei era Brytta; esse nome já apareceu em textos antigos como sendo pai de Brego, VII. 512, 524, mas aqui está ausente. Abaixo há uma longa série de nomes em inglês antigo, muitos dos quais aparecem na lista de reis acima, junto de outros, como *Beorn*, *Brytta*, *Hæleth*, *Léod*, *Oretta*, *Sigeric*, *Sincwine* etc. É possível que essa série de nomes tenha sido escrita primeiro, mesmo que apareça em segundo, e que os nomes dos reis na lista numerada tenham sido selecionados a partir dela. De qualquer modo, é forte a impressão de que foi exatamente neste ponto que surgiram a Primeira Linhagem e a Segunda Linhagem dos Reis da Marca, e seus nomes.[23]

Ao lado dos nomes dos reis há datas escritas. Minha impressão — sem ter de fato examinado a página original — é de que apenas as de Fengel, Thengel e Théoden são da época em que o manuscrito e a lista de reis foram feitos, mas pelo menos essas datas com certeza são. São elas:

Fengel	nascimento 1268, morte 1353
Thengel	nascimento 1298, morte 1373
Théoden	nascimento 1328, morte 141[?8]

O último dígito na data da morte de Théoden infelizmente está obscuro, mas certamente não é 9. As datas dos reis no SdA são 2870–2953, 2905–2980 e 2948–3019, que no Registro do Condado se tornam 1270–1353, 1305–1380 e 1348–1419. Está claro que, nesse estágio da escrita de *O Senhor dos Anéis*, meu pai estava trabalhando com uma cronologia essencialmente similar à do SdA no que diz respeito a Rohan — mas os números dos anos em si estão dados de acordo com o Registro do Condado.[24]

Gimli não registra nenhuma das palavras de Aragorn para os Mortos que os seguiam:

"E assim nos viramos e deixamos o morto intocado, e saímos do salão que era seu túmulo, e apressamo-nos, pois atrás de nós agora o medo parecia caminhar cada vez mais perto. E justo quando sentíamos que não poderíamos mais suportar, e que ou encontrávamos um fim e um escape, ou nos virávamos e corríamos alucinados ao encontro do temor seguinte, nossa última tocha crepitou e se apagou.

"Da hora, ou horas seguintes, pouco me lembro, exceto um horror cego e tateante que nos impelia por trás, e um alarde que vinha de trás como a sombra do ruído de infinitos pés, tão horrível quanto os próprios fantasmas dos homens. E seguimos aos tropeços até que alguns de nós estavam engatinhando no chão como animais.

"De repente, ouvi o tilintar de água [...]"

Levando em conta, é claro, a diferença no modo de narração (por exemplo, "Legolas, então, virando-se para falar comigo, olhou para trás, e ainda consigo me lembrar do brilho nos seus luminosos olhos diante de meu rosto", compare com RR, p. 1144), a história da saída da Companhia das cavernas e a descida pelo Vale do Morthond foi pouco alterada depois. Legolas assume a narrativa com:

"Os Mortos nos seguiam", disse Legolas. "Uma grande hoste cinzenta eu via, fluindo atrás de nós como uma maré sombria: havia vultos de homens e cavalos, e estandartes cinzentos como farrapos de nuvens, e lanças como moitas invernais em noite noventa. 'Os Mortos nos seguem', eu disse. 'Sim, os Mortos cavalgam atrás', disse Elladan. 'Cavalgai!'"

Ao que-parece, Gimli então retoma a história com "E assim, saímos por fim da ravina, tão subitamente como se tivéssemos emergido de uma fresta em um muro", pois ele se refere a si mesmo como "Gimli da Montanha" na descrição da cavalgada até Erech.

A resposta de Elladan à pergunta de Gimli em RR — "Em que lugar da Terra-média estamos nós?" — não aparece; aqui é Gimli quem descreve o curso do Morthond (com a explicação de que "assim me disseram depois"). Ele diz que o rio "finalmente flui para o mar, passando Barad Amroth,[25] onde vive o Príncipe Imrahil"; e não faz referência, como Elladan faz em RR, à significação do nome *Raiz Negra*. A cavalgada até Erech é descrita assim:

"Ouvi sinos soando de medo lá embaixo, e todas as pessoas fugiam diante de nossos rostos; mas, estando apressados, cavalgamos céleres como se estivéssemos em uma perseguição, até nossas montarias estarem tropeçando de exaustão, e [*riscado:* pelo menos eu] até mesmo Gimli da Montanha estava esgotado. E assim, logo antes da meia-noite — e estava quase tão negro quanto dentro das cavernas, pois, embora não soubéssemos ainda, a treva de Mordor estava assomando sobre nós — logo antes da meia-noite viemos ter à Colina de Erech."

Sobre a Treva vinda de Mordor assomando no céu conforme a Companhia seguia para Erech, ver a Nota sobre a Cronologia ao fim deste capítulo.

Neste ponto, o texto se transforma no rascunho primário e continua:

"E o que é isso?", perguntou Merry.

"Devia perguntar a Aragorn", disse Gimli, "ou aos irmãos: eles conhecem, como é de se esperar, todo o saber da Gondor de outrora. É uma pedra negra, dizem, que segundo os contos antigos foi trazida[26] em eras passadas de Númenor antes de sua queda, quando os navios vinham às praias ocidentais do mundo. E foi posta no alto de uma colina. E sobre ela o Rei dos Homens [*riscado:* Obscuros] das Montanhas haviam jurado [> certa vez juraram] fidelidade ao Oeste; mas depois, os Homens [? das Sombras] caíram outra vez sob o domínio de Sauron. Isildur foi à Pedra de Erech, quando tinha reunido força para resistir ao poder de Mordor, e convocou os Homens das Montanhas a virem em seu auxílio, e eles não o fizeram.

"Então Isildur disse ao rei daquele dia: 'Tu hás de ser o último. Mas se o Oeste demonstrar ser mais poderoso que teu Mestre sombrio, eu imponho esta maldição a ti e a teu povo: jamais repousar enquanto vosso juramento não for cumprido. Pois esta guerra durará por muitas eras, e havereis de ser convocados mais uma vez antes do fim'. E eles fugiram diante da ira de Isildur, e não ousaram sair à guerra do lado de Sauron. E esconderam-se em lugares secretos nas montanhas e de raro mostraram-se de novo, mas lentamente morreram e minguaram nas colinas áridas.

Esse relato de Gimli a Merry e Pippin em Minas Tirith é o precursor da história de Aragorn a Legolas e Gimli no Forte-da-Trombeta (RR, p. 1136). Creio que pode muito bem ter sido neste ponto que a história do juramento a Isildur sendo quebrado pelos Homens das Montanhas surgiu, e que nesse momento as palavras de Aragorn no Forte-da-Trombeta foram expandidas para incluí-la.

Gimli prossegue:

"Mas depois, nos dias do poder mais tardio de Gondor, os homens erigiram uma parede circular em torno da Pedra de Erech, e construíram ao lado dela, no cimo de uma colina, uma torre alta e escura, e lá estava guardada a sétima *Palantír*, agora perdida.[27] A torre está arruinada e a parede circular, rompida, e toda a terra em volta está vazia, e ninguém se dispõe a morar perto da Colina de Erech, porque dizem que às vezes os Homens-da-Sombra se reúnem ali, apinhados ao redor da parede arruinada, sussurrando. E ainda que agora seu idioma esteja esquecido há muito tempo, conta-se que gritam "Nós viemos!" e desejam cumprir o juramento quebrado e descansar. Mas o terror dos Mortos jaz naquela colina e em toda a terra no entorno.

"Ali, no negrume antes da tempestade, chegamos. E por fim paramos. E Elladan soprou sua trompa de prata, e Elrohir desfraldou o estandarte que no Forte-da-Trombeta ele portara, ainda enrolado em cinza [*depois* > preto];[28] e, apesar da treva, as estrelas cintilavam nele conforme se enfunava em um vento como o hálito de fantasmas que desceu das montanhas. Não conseguíamos ver nada além das sete estrelas de Elendil e, no entanto, estávamos conscientes de uma grande hoste reunida ao nosso redor na colina, e do som de trompas em resposta, como se o eco delas subisse de fundas cavernas longínquas.

"Mas Aragorn postou-se junto ao estandarte e gritou em alta voz. 'A hora enfim chegou, e o juramento há de ser cumprido.

Vou a Pelargir, e vós haveis de ir atrás de mim. E quando toda esta terra estiver limpa, retornai, e estai em paz! Pois eu sou Elessar, herdeiro de Isildur de Gondor.'

"Então fez-se um silêncio, e nenhum sussurro ou farfalhar ouvimos conforme a noite se esvaiu. Ficamos no abrigo da parede circular arruinada, e alguns dormiram; embora sentíssemos o pavor dos Mortos que nos circundavam.

> Nesse ponto, uma versão revisada começa, e eu a acompanho, pois é muitíssimo parecida com o rascunho inicial (ver, contudo, notas 33, 34 e 35).

"Seguiu-se então a jornada mais exaustiva que já conheci, mais exaustiva do que nossa caçada aos orques pela ampla Rohan a pé; três dias e noites, e o começo de outro dia com poucas paradas ou descanso.[29] Nenhum outro homem mortal poderia tê-la suportado e lutado ao fim, salvo apenas os Dúnedain, esses Caminheiros do Norte. São resistentes como anãos, juro, mas ninguém de minha gente acreditaria em mim. Quase desejei ser um elfo e não precisar dormir, ou conseguir estar dormindo e acordado ao mesmo tempo, como Legolas parece conseguir.

"Nunca estive naquela terra antes, e não conseguiria lhes contar muito de nossa estrada, mesmo que quisessem escutar. Mas são, segundo meus cálculos, umas 60 léguas a voo de pássaro de Erech, por sobre a Garganta de Tarlang[30] adentrando Lamedon, e assim, cruzando o Kiril e o Ringlo, até Linhir ao lado das águas do Gilrain, onde há vaus que levam até Lebennin. E de Linhir são cem milhas, se for em uma passada, até Pelargir no Anduin.[31]

"A manhã seguinte não teve aurora, como vocês bem se lembram, mas deve ter sido antes de o sol se erguer acima dos vapores de Mordor que partimos outra vez,[32] e para o leste fomos cavalgando ao encontro da treva que se avolumava; e sempre perto, atrás de nós, vinha a Hoste de Sombra, alguns cavalgando, alguns caminhando, porém todos se movendo silenciosamente e com a mesma grande velocidade e, quando alcançaram nossos cavalos, embora nós os pressionássemos ao máximo, a Hoste de Sombra passou largamente em nossa volta, de cada um dos lados, e alguns ultrapassaram.

"O terror e o espanto corriam alados diante de nós, e tudo o que restava do povo de Lamedon se escondeu, ou fugiu para as matas e colinas.[33] Assim chegamos a Linhir no cair da noite do segundo dia a partir de Erech. Ali os homens de Lamedon disputavam a travessia do Gilrain contra uma grande força dos Haradrim e seus aliados, os Marinheiros de Umbar, que haviam subido da foz do Gilrain até bem longe nas águas do Anduin com uma hoste de navios e agora estavam assolando Lebennin e a costa de Belfalas. Mas tanto defensores quanto invasores fugiram quando nos aproximamos. E assim atravessamos para Lebennin sem oposição, e ali repousamos, e disso estávamos horrivelmente necessitados.

"No dia seguinte, fizemos nosso maior esforço, pois Aragorn estava pressionado com um grande medo de que tudo o que tinha feito se mostrasse demasiado tardio. 'Eu contava com dois dias a mais, pelo menos', disse ele; 'mas os que desafiam Sauron sempre ficarão aquém de suas estimativas. Agora Minas Tirith já está cercada, e receio que cairá antes que cheguemos em seu auxílio.'

"Assim nos erguemos antes de a noite ter passado, e fomos tão rápido quanto nossos intrépidos cavalos podiam suportar por sobre as planícies de Lebennin; e atrás de nós e ao nosso redor a hoste dos Mortos fluía como uma maré cinzenta.

"Grande rumor de desalento ia diante de nós. Não sei quem deu asas aos contos, mas, como descobrimos depois tanto entre amigos quanto inimigos, as notícias correram desenfreadas: 'Isildur voltou dos mortos. Os mortos vieram à guerra, mas estão brandindo espadas viventes. [O Senhor do Anel se ergueu!]'[34] E todos os inimigos que ouviam essas coisas fugiam da melhor forma que conseguiam de volta para o Anduin, pois tinham muitas naus ali, e grande força; e nós os caçávamos até saírem da terra: todo aquele dia e a noite seguinte, com poucas e breves paradas, cavalgamos. E assim chegamos afinal, amargamente, ao Grande Rio outra vez, e soubemos que estava perto antes de lá chegarmos, pois havia sal no ar. As fozes do Anduin ainda estavam deveras longe a sul e oeste de onde estávamos, mas o Anduin, mesmo em Pelargir, é tão grande e largo que quase parece um mar que flui vagarosamente, e há incontáveis aves em suas margens.

"Passou um dia, calculei, sob o sol velado/oculto — o quarto dia desde que saímos do Fano-da-Colina — até alcançarmos essas margens, e vimos as frotas de Umbar. E então, por fim, tivemos de lutar. Mas o medo era nossa arma mais poderosa. Muitos dos que ficaram sabendo da nossa chegada já haviam embarcado e zarpado, e escaparam pelo Anduin até o Mar. Mas os inimigos, cuja principal tarefa era assolar Gondor Meridional e evitar que a ajuda rumasse para o norte, para a Cidade, estavam dispersos demais para que todos conseguissem escapar assim. E, enquanto marchavam, suas naus foram deixadas com pouca guarda. Mas ali entre eles havia capitães enviados por Mordor, e chefes-órquicos, e eles não se desesperaram com tanta facilidade, e esforçaram-se para manter seus homens na defesa. E os Haradrim são deveras uma gente empedernida, e não se intimidam facilmente com sombra ou lâmina. Mas a resistência deles não durou muito. Pois agora, vendo que de fato chegáramos em seu auxílio, muitos dos homens mais valentes daquela terra se juntaram a Aragorn. E nos navios os escravos se rebelaram. Pois os Corsários de Umbar tinham em suas naus muitos prisioneiros recém-capturados, e os remadores eram todos escravos, muitos capturados em Gondor em incursões menores, ou descendentes infelizes de escravos capturados em anos idos. Antes de o quinto dia terminar, havíamos capturado quase toda a frota, salvo algumas naus às quais seus capitães haviam ateado fogo; e todo o inimigo que não foi morto ou afogado fugiu pelas [? fronteiras] para o deserto que jaz a norte de Harad.[35]

Aqui a versão revisada termina, no pé de uma página, e meu pai riscou toda a página (que começa em "Assim nos erguemos antes de a noite ter passado", p. 484) e escreveu uma nota a lápis:

> Não há luta, as Sombras [? fluem para dentro] das naus e todos os homens saltam sobre a borda, exceto os cativos acorrentados. Mas os Caminheiros foram a cada uma das naus e consolaram os cativos.

Ele então reescreveu a página — o que foi obviamente feito de imediato — começando com as mesmas palavras:

"Assim nos erguemos antes de a noite ter passado, e fomos tão rápido quanto nossos intrépidos cavalos podiam suportar por sobre as verdes planícies de Lebennin, escura sob a sombra de Mordor; e em toda a nossa volta a Hoste dos Mortos fluía como uma maré cinzenta. O rumor de nossa chegada ainda ia diante de nós, e todos os homens ficaram desalentados, e nem inimigo nem amigo esperava por nossa aproximação. Pois a escuridão pesava nos aliados de Mordor, visto que não eram orques e nem gente criada na Terra Negra, e os que conseguiam fugiam de volta para o Anduin, onde tinham reunido muitas naus. Assim nós os caçamos até que saíssem de Gondor por todo o dia e pela noite seguinte, parando raramente, e sem dormir, até chegarmos afinal, amargamente, ao Grande Rio."

"Eu o soube", disse Legolas, "muito antes de o alcançarmos, pois havia sal no ar. E meu coração se inquietou, pois pensei que me avizinhava do Mar, mas, de fato, as Fozes do Anduin estavam bem longe ao sul. [...]"

Essa foi apenas a segunda vez que Legolas falou desde que a história de Gimli a respeito da jornada começou. Ele agora fala da amplidão do Anduin, como Gimli havia feito (p. 485);[36] e, seguindo a nota no fim da versão anterior dessa parte da história, ele continua:

"[...] Mas o medo era a única arma de que precisávamos, pois a hoste cinzenta subiu em cada uma das naus, quer estivessem atracadas, quer ancoradas na maré, e todos os homens dentro delas fugiram, ou saltaram sobre a borda, exceto os escravos que estavam acorrentados nos remos, ou os cativos subjugados."

Legolas descreve como um dos Caminheiros foi a cada uma das grandes naus para consolar os cativos, mandando que pusessem de lado o medo e fossem livres (RR, p. 1260).

"E quando toda a frota estava em nossas mãos, Aragorn embarcou no navio que tomou para si e fez soar muitas trombetas, e a Hoste de Sombra se retirou para as margens, e ali eles se postaram num grande agrupamento em silêncio, e havia um brilho rubro na treva, pois alguns dos inimigos atearam fogo às suas naus antes de as abandonarem."

As palavras de Aragorn para os Mortos ("Agora considerarei a vossa jura cumprida por inteiro") são parecidas com as de RR (p. 1261).[37] Diferentemente de RR, não é o Rei dos Mortos, mas "um alto vulto de sombra" que se adianta e quebra a lança.

O restante da história é bem parecido com RR, embora seja aqui contada por Legolas: o restante da Companhia, naquela noite, descansando "enquanto outros labutavam", a libertação dos cativos das naus, a chegada dos Homens de Lebennin (mas sem menção a Angbor de Lamedon), a subida vagarosa a remo pelo Anduin (mas foi "na quinta manhã, isto é, no dia de anteontem" que a frota partiu de Pelargir: ver a Nota sobre a Cronologia no fim do capítulo), o temor de Aragorn de que chegarão tarde demais ("pois são quarenta léguas de duas de Pelargir até os cais sob a muralha da Pelennor"), e o fulgor vermelho no norte, sinal de que Minas Tirith estava em chamas. O discurso de Legolas termina — assim como o de Gimli em RR — com "Foi uma grande hora, e um grande dia, não importa o que vier depois", ao que Gimli responde: "Sim, não importa o que vier depois. Mas, apesar de toda a nossa vitória, os rostos de Gandalf e Aragorn parecem sérios. Pergunto-me que conselhos estão trocando nas tendas lá embaixo. De minha parte, queria que tudo já estivesse bem terminado. Mas, não importa o que ainda reste a ser feito, espero ter um papel nisso, pela honra do povo da Montanha Solitária". A isso foi acrescentado depois: "'E eu pelo povo da Floresta', disse Legolas". Então se segue:

O desejo dele [> deles] foi concedido. Dois dias depois, o exército do Oeste que deveria marchar adiante estava todo reunido na Pelennor. A hoste de orques e lestenses havia recuado de Anórien e, assolados e dispersados pelos Rohirrim, fugiram com pouco combate rumo a Cair Andros [...]

Esse é o início de "O Portão Negro se Abre" em RR, mas com uma diferença importante em relação à história subsequente: pois aqui Pippin, assim como Merry, foi deixado para trás.

[...] para pesar deles, os hobbits não estavam naquela cavalgada.

"Merry não está apto a tal jornada ainda", disse Aragorn, "mesmo que conseguisse cavalgar num corcel veloz. E você, Peregrin, aliviará a tristeza dele se ficar junto. Até agora vocês estiveram quites um com o outro, tanto quanto suas sortes o possibilitaram — e, deveras, se não fizer mais nada até o fim dos seus dias, já fez por merecer honras, e justificou a sabedoria de Elrond.[38] E, em verdade, agora estamos todos no mesmo perigo. Pois apesar de ser nosso papel encontrar um fim amargo diante do portão de Mordor, se o fizermos, também terá a chance ou a necessidade de empreender uma última resistência, aqui ou em qualquer outro lugar onde a maré negra o alcançar. Adeus!"

E assim, abatidos, Merry e Pippin ficaram parados diante dos portões arruinados de Minas Tirith com o jovem Bergil assistindo à convocação do grande exército. Bergil estava desanimado e pesaroso no coração, pois ordenaram que seu pai marchasse liderando uma companhia dos homens de Imrahil. Pois, tendo quebrado seus votos, não podia mais permanecer na guarda da Cidadela até seu caso ser julgado.[39]

As trompas soaram e a hoste começou a se mover. [Na frente cavalgavam Aragorn, e Gandalf, e os filhos de Elrond com o estandarte e os cavaleiros de Dol Amroth. Depois vinha Éomer com os Cavaleiros [? escolhidos], e atrás deles vinham aqueles de seus homens que estavam a pé, e homens de Lebennin e, por fim, as grandes companhias de Minas Tirith lideradas por Imrahil.][40] E muito depois de terem saído da visão, descendo pela grande estrada para o Passadiço, os três estavam parados ali, até que o último reluzir do sol matinal nas lanças e nos elmos rebrilhou e se perdeu.

Nesse ponto, meu pai decidiu que Pippin na verdade foi com a hoste até o Portão Negro, e recomeçou nas palavras "O desejo dele [> deles] foi concedido" após o fim do "Conto de Gimli e Legolas", e continuando, como antes, com "Dois dias depois, o exército do Oeste que deveria marchar adiante estava todo reunido na Pelennor". O texto então continuava — tanto em um rascunho inicial quanto em uma cópia passada a limpo — até o fim da história posteriormente chamada de "O Portão Negro se Abre", com paginação progressiva desde o encontro de Gimli e Legolas com Imrahil antes de eles irem para as Casas de Cura. Portanto, fica claro que toda a última parte do Livro V estava em uma forma completa (ainda que não finalizada) e coerente antes de qualquer reorganização estrutural da narrativa acontecer. A estrutura era esta:

Gimli e Legolas encontram Imrahil e vão para as Casas de Cura.
O Último Debate.
O Conto de Gimli e Legolas no jardim das Casas de Cura.
A jornada até o Morannon e a Negociação.

O estágio seguinte foi a decisão de reorganizar a narrativa de modo que o "Conto de Gimli" ficasse independente — e, portanto, precedesse o Debate. Com essa finalidade meu pai escreveu uma conclusão experimental para "O Conto de Gimli e Legolas":

E assim terminou o conto de Legolas e Gimli a respeito da cavalgada de Aragorn pelas Sendas dos Mortos, que longamente, em dias posteriores, foi recordada e cantada em Gondor, e contou-se que nunca mais os Homens-da-Sombra foram vistos por homens mortais em montanha ou vale, [e a estrada do Fano-da-Colina ficou livre para todos os que quisessem tomar aquele caminho. No entanto, poucos o faziam, pois a memória do medo ainda morava ali; e ninguém jamais se atreveu a abrir a porta de Baldor. *Riscado imediatamente:* Um túmulo lhe fizeram naquele lugar escuro, e foi erguido de tal forma que ninguém conseguia chegar àquela porta.]

O trecho que coloquei entre colchetes foi substituído, provavelmente de pronto, pelo seguinte:

mas a pedra de Erech ficou para sempre só, e naquela colina ave nenhuma pousava, nem fera se alimentava; e a memória do medo ainda morava nas trilhas escuras que saíam do Fano-da-Colina, e poucos se dispunham a tomar aquela estrada; e ninguém jamais se atreveu a abrir a porta de Baldor.

Ao mesmo tempo, as palavras "O desejo deles foi concedido" (após o fim de "O Conto de Gimli e Legolas" e o começo da história da marcha de Minas Tirith) foram circuladas, com a instrução de que deveriam ser omitidas se esse "arremate" ao "Conto" fosse acrescentado; e uma nota foi escrita no manuscrito, ao lado da abertura do debate (p. 473): "Talvez seja melhor retirar o debate (encurtá-lo) e colocá-lo no início do capítulo da Negociação". Portanto, foi tomada a decisão de dividir o capítulo, no formato que estava (intitulado "A Negociação no Portão Negro", p. 469), em dois: o primeiro se chamaria "As Sendas dos Mortos" e consistiria unicamente do conto narrado a Merry e Pippin no jardim das Casas de Cura, e o segundo chamado "Negociação no Portão", começando com o debate na tenda de Aragorn.

Relativamente pouco ajuste do material existente foi necessário para se chegar a isso. A partir do ponto na narrativa em que Gimli e

Legolas encontraram Merry e Pippin ("e o encontro daqueles amigos foi alegre"), meu pai simplesmente abriu mão da transição para o debate (ver p. 473) e continuou com a conversa no jardim das Casas de Cura (ver p. 476 e RR, p. 1257): "Por algum tempo passearam e conversaram, comprazendo-se por breve espaço na paz e no descanso na bela manhã, no alto dos círculos da Cidade soprados pelo vento". A conversa que leva ao "Conto" foi um pouco alterada. Em contraste com a versão anterior, não mais se apresenta Merry como se ele não soubesse da passagem de Aragorn sob as montanhas (visto que ele deveria saber; ver p. 476 e nota 17). Depois das palavras de Pippin, "Vamos, Legolas! Tu e Gimli já mencionastes vossa estranha jornada com Troteiro uma dúzia de vezes nesta manhã. Mas não me contastes nada a respeito", segue-se este diálogo:

"Sei alguma coisa da história e consigo adivinhar mais alguma coisa", disse Merry. "Pois ouvi que viestes em naus do Sul. Assim, sei que de alguma forma conseguistes atravessar, embora no Fano-da-Colina as pessoas estivessem temerosas, e Éowyn, assim pensei, estivera chorando. Vamos! A sol está brilhando e podemos suportar isso. Contai-nos das Sendas dos Mortos!"

"O sol pode estar brilhando", disse Gimli, "e, no entanto, há memórias daquela estrada que não desejo relembrar. Se soubesse o que tinha pela frente, creio que nem por qualquer amizade eu teria trilhado aquelas sendas."

"De minha parte", disse Legolas, "não temo os Mortos; mas detesto a escuridão sob a terra, distante da esperança do céu. Foi uma jornada pavorosa!"

"Os Mortos?", indagou Pippin. "As Sendas dos Mortos? Nunca ouvi falar delas. Não queres nos contar um pouco mais?"

"É o nome da estrada que atravessa as montanhas", disse Merry. "Vi o Portão, como o chamam, à distância quando estive no Fano-da-Colina [...]"

Merry então continua como na versão anterior, e Legolas e Gimli prosseguem descrevendo a partida e a aflição de Éowyn (ver p. 477 e nota 19):

"[...] Acho que os homens da Marca creem que ali dentro habitam as sombras de Mortos vindos de um passado muito anterior à chegada deles àquela terra."

"Assim nos contaram", disse Legolas. "E a senhora que agora jaz nas Casas aqui embaixo, Éowyn, implorou a Aragorn que não entrasse lá; mas não foi possível dissuadi-lo. Estava com pressa e num humor austero."

"E no fim, quando ela viu que ele iria", disse Gimli, "implorou para ir conosco! Deveras, ajoelhou-se diante dele. Mas é uma senhora altiva. Muito me perguntei o que isso tudo significava, e entristeci-me; pois ela era jovem, e muito atribulada. Mas ele a ergueu e beijou-lhe a mão e, sem mais palavras, partimos. Mas vi que ele também estava muito pesaroso."

O restante da versão mais antiga foi em grande parte repetido: isto é, as páginas originais foram preservadas, a paginação foi alterada e alguns trechos, reescritos. Legolas agora desempenha um papel maior na narração, descrevendo a cavalgada até Erech (ver pp. 480–1), e nesse ponto Gimli entra novamente: "'Sim, deveras, e nunca hei de me esquecer!'", disse Gimli, retomando a narrativa. 'Pois o terror dos Mortos jaz naquela colina e em toda a terra no entorno'"; ele continua de modo bem parecido com RR, pp. 1145–46, mas não diz que Isildur colocou a Pedra de Erech quando aportou ("Parecia que tinha caído do céu, mas foi trazida do Oeste, disseram-nos"), e ele ainda repete a história (p. 482) de que, quando os Homens-da-Sombra se apinhavam ao redor da pedra, "às vezes ouvia-se um grito na nossa fala:[41] 'Nós viemos!'". A torre, a parede circular na Colina de Erech e a *palantír* desaparecem agora.

Para o segundo dos novos capítulos, meu pai escreveu uma nova abertura, começando (ver p. 473) com "Nesse meio-tempo, Imrahil mandou que chamassem Éomer e desceu com ele, e chegaram às tendas de Aragorn [...]". A isso ele acrescentou as páginas que já existiam do manuscrito contando o curso do debate que terminava com "Então sacou Branding e a ergueu, reluzindo ao sol" (p. 475), e depois o manuscrito da história da jornada ao Morannon e da Negociação. Na nova abertura, escreveu a lápis o título "Negociação no Portão" e o número "51", de modo que "As Sendas dos Mortos" era "50" (ver nota 10). Agora a estrutura era a seguinte (ver p. 488):

As Sendas dos Mortos: Gimli e Legolas vão às Casas de Cura, e Merry e Pippin ouvem a história da jornada da Companhia Cinzenta do Fano-da-Colina até a Batalha dos Campos de Pelennor.

Negociação no Portão: "O Último Debate", que termina com Aragorn sacando a espada de Elendil; a jornada ao Morannon e a negociação com o Lugar-Tenente de Barad-dûr.

Foi provavelmente nesse momento que meu pai fez um texto datilografado dos dois capítulos, e o texto diverge muito pouco em relação ao material manuscrito conforme estava agora reorganizado;[42] mas ele os tratou como subdivisões de um só capítulo, sem um título único que as abrangesse, e com o intrigante número "49" (ver nota 10): (i) "As Sendas dos Mortos" e (ii) "Negociação no Portão".

A história subsequente do capítulo é excessivamente complicada do ponto de vista textual, mas tratarei dela com brevidade. O primeiro texto datilografado foi muitíssimo revisado, e duas seções grandes dele foram reescritas em um manuscrito separado. O efeito de tudo isso foi trazer a narrativa mais para perto, em muitos pontos, dos textos em RR, e muito da parte que vem antes precisou então de pouco mais do que alterações gramaticais para transformar a história de Gimli na narrativa direta do autor em "A Passagem da Companhia Cinzenta".[43]

Na cavalgada de Erech, passando pela Garganta de Tarlang até Lamedon, a cidade deserta de Calembel na margem do Ciril (assim grafado, com C) aparece,[44] assim como o sol vermelho-sangue se pondo atrás de Pinnath Gelin (RR, p. 1146): a cronologia final entrou agora (ver a Nota no fim deste capítulo). Angbor de Lamedon foi então mencionado, mas o novo texto difere de RR (p. 1259) neste ponto:

"Então Aragorn disse a Angbor, capitão deles, o único que ficou para encontrá-lo: 'Vê! Não sou o Rei dos Mortos, mas o Herdeiro de Isildur, e ainda viverei por um tempo. Segue-me, se desejas ver o fim desta escuridão e a queda de Mordor.'

"E Angbor respondeu: 'Reunirei todos os homens que puder, e seguir-vos-emos rapidamente'. Deveras intrépido era seu coração, e entristeço-me por ter tombado ao meu lado conforme abríamos caminho para fora do Harlond.

Em RR (p. 1261), Angbor de Lamedon chegou a Pelargir, mas não subiu o Anduin na frota negra; é mencionado pela última vez por Aragorn em sua tenda (RR, p. 1267), quando se diz que estava cavalgando à frente de quatro mil homens de Pelargir através de Lossarnach, e logo haveria de chegar em Minas Tirith.

Às palavras de Legolas sobre o Mar (p. 486) é acrescentada sua segunda referência às gaivotas (RR, p. 1260): "Ai de mim pelo choro das gaivotas! A Senhora não me disse que tomasse cuidado com elas? Pois não se as pode esquecer". Ele estava pensando na mensagem de Galadriel para ele, proferida por Gandalf em Fangorn (DT, p. 741):

Legolas Verdefolha, no bosque a contento
Em júbilo viveste. Ao Mar fica atento!
Se ouves da gaivota o grito na costa,
Do bosque o teu coração se desgosta.[A]

Para a mensagem original de Galadriel a Legolas e sua aplicação, ver p. 36.

Há um trecho interessante que vem imediatamente depois nessa versão revisada. Na versão da p. 485, houve contenda na margem, pois "ali entre eles havia capitães enviados por Mordor, e chefes-órquicos, e eles não se desesperaram com tanta facilidade, e esforçaram-se para manter seus homens na defesa. E os Haradrim são deveras uma gente empedernida, e não se intimidam facilmente com sombra ou lâmina". Isso foi rejeitado, seguindo uma nota de que, na verdade, não houve luta em Pelargir: "*Mas o medo era a única arma de que precisávamos*, pois a hoste cinzenta subiu em cada uma das naus [...] e todos os homens dentro delas fugiram, ou saltaram sobre a borda" (p. 486). Agora, meu pai voltou a essa decisão.

"Eu, de minha parte, logo as esqueci [as gaivotas]", disse Gimli. "Pois finalmente chegamos a uma batalha. Os Haradrim foram impelidos então ao desespero, e não conseguiam mais fugir. Ali em Pelargir ficavam as frotas de Umbar, cinquenta grandes naus e muitas embarcações menores sem conta. Uns poucos dos nossos inimigos alcançaram as naus e zarparam, procurando escapar Rio abaixo ou alcançar as margens opostas; e a algumas eles atearam fogo. Mas chegamos rápido demais até eles para que muitos nos escapulissem assim. Reuniram-se a nós alguns do povo mais rijo de Lebennin e do Ethir, mas não éramos tantos quando os corsários se viraram para nos encarar; e, vendo nossa fraqueza, seus corações se reanimaram e eles nos atacaram de volta. Houve trabalho feroz ali no crepúsculo junto às águas cinzentas, pois a Hoste de Sombra se deteve e hesitou, relutantes no fim, ao que parecia, em fazer guerra a Sauron. Então Aragorn fez soar uma trompa e gritou, dizendo que, caso quebrassem seu juramento uma segunda vez

Aqui meu pai parou e reescreveu o trecho, que ficou essencialmente igual a RR, onde ainda se diz que a Hoste de Sombra "até o fim se refreara", mas sem sugestão explícita de que relutaram em cumprir o juramento; e, para os vivos, não houve necessidade de "trabalho feroz no crepúsculo junto às águas cinzentas".

Nessa época, meu pai também escreveu uma versão experimental "com a entrada pela Porta contada no fim do Capítulo 2 do Livro V" — ou seja, no fim de "Muitas Estradas Rumam ao Leste". Ela começa assim: "Mas Aragorn e sua companhia cavalgaram através do alto campo montês sobre o qual ficava o refúgio dos Rohirrim; e as trilhas foram dispostas entre fileiras de pedras fincadas, grises pelos anos incontáveis. A luz ainda estava acinzentada, pois o sol ainda não subira acima das cristas negras da Montanha Assombrada [...]". Deve-se presumir que a história da chegada da Companhia Cinzenta ao Fano-da-Colina, e a despedida de Aragorn e Éowyn, foram nesse momento acrescentadas a "Muitas Estradas Rumam ao Leste" (ver nota 19). O texto termina assim: "[...] foi acometido por uma cegueira tateante, o mesmo Gimli, filho de Glóin, o Anão, que caminhara em muitos lugares profundos sob a terra. Assim a Companhia Cinzenta desafiou a porta proibida e desapareceu da terra dos homens viventes."

Embora isso demonstre que meu pai estava aventando a possibilidade de remover parte da história contada nas Casas de Cura e reescrevê-la como narrativa direta no lugar que lhe cabia cronologicamente, o texto datilografado seguinte é um texto do "Conto de Gimli e Legolas" completo, incorporando toda a revisão até aquele momento, e terminando com as palavras "e ninguém jamais ousou remover os ossos de Baldor" (ver p. 489).

Seguiu-se um manuscrito mal-acabado em que a primeira parte do "Conto" foi escrito na forma narrativa direta para ficar cronologicamente ajustada no capítulo anterior, o que encurtou bastante o material no fim do Livro V. Um outro texto datilografado tem a estrutura de "O Último Debate" em RR, com a história da passagem pelas Sendas dos Mortos removida e apenas mencionada como já tendo sido contada, embora aqui ainda seja Gimli quem a contava:

"Ai de mim! eu só me importava comigo mesmo", disse Gimli, "e não desejo recordar aquela jornada". Silenciou; mas Pippin e Merry estavam tão ansiosos por notícias que ele cedeu, por fim, e contou-lhes em palavras hesitantes acerca da passagem pavorosa das montanhas que levou à negra Pedra de Erech. Mas quando chegou ao Dia sem Amanhecer, parou. "Estou exausto só de recordar aquela exaustão e o horror do Escuro", disse ele.

"Então eu continuarei", disse Legolas.[45]

A estrutura da narrativa em RR foi, por fim, atingida, com o debate na tenda de Aragorn seguindo-se no mesmo capítulo ao fim da história que Merry e Pippin ouviram nas Casas de Cura.[46] Não vejo nenhuma maneira de determinar em que estágio todo esse trabalho posterior foi feito.

NOTAS

1 Sobre Haramon, ver p. 425 e nota 3. A expressão "Colinas de Haramon" (plural) no esboço "A História Prevista a Partir do Forannest" está clara, em contraste com a "grande colina" mencionada no presente texto.

2 Sobre Bealdor (Baldor) filho de Brego, ver p. 374, e sobre a grafia do nome, p. 380, nota 11.

3 Uma nota a lápis na margem diz: "25 milhas [*c.* 40 km]. Fano-da-Colina > Erech 55" [*c.* 88,5 km]. Presumo que "25 milhas" se refere à distância da saída das Sendas dos Mortos até a Pedra de Erech. Sobre a distância do Fano-da-Colina a Erech, ver p. 353, nota 2.

4 Com "(digamos Linhir?)", suponho que meu pai quis dizer que, como a estrada até Pelargir atravessava o Lameduin (posterior Gilrain) em Linhir, "Linhir" serviria tanto quanto "Vaus do Lameduin". Linhir também aparece em "A História Prevista a Partir do Forannest" (p. 427); está assinalada no Segundo Mapa (ver p. 495) a certa distância acima da ponta do estuário do Lameduin, sendo a distância em linha reta dali até Erech, nesse mapa, de 36 mm, ou 180 milhas [*c.* 289 km].

5 De Linhir a Pelargir em linha reta são 2 cm ou 100 milhas [*c.* 161 km] no Segundo Mapa.

6 A porção rejeitada do esboço diz nesse ponto: "Os Haradwaith tentam fugir. Alguns levam navios de volta Anduin abaixo. Mas Aragorn sobrepuja-os e

captura a maior parte das naus. Algumas são incendiadas, mas muitas, manejadas por escravos e cativos, são capturadas". (Segue-se o trecho sobre os cativos gondorianos). "Aragorn embarca com homens de Gondor Meridional; a Hoste de Sombra se dispersa, perseguindo os Haradwaith pelos vales".

[7] Ver "A Batalha dos Campos de Pelennor", p. 437: "lá para o sul, o rio fazia uma curva em torno da projeção das colinas das Emyn Arnen no baixo de Ithilien, e o Anduin então virava-se para dentro, rumo à Pelennor, de modo que o muro externo fora ali erguido bem na margem, e no ponto mais próximo ele não estava a mais do que [cinco >] quatro milhas dos Portões". Em "A História Prevista a Partir do Forannest" (p. 430, nota 3), a Muralha da Pelennor nesse ponto está a dez milhas da Cidade.

[8] No Segundo Mapa, são 125 milhas (o valor dado no texto) subindo o rio de Pelargir até o ângulo na curva do Anduin (ver nota 7) e, portanto, a distância de dez milhas em linha reta "logo antes desse ponto", visível de Minas Tirith, está abaixo dessa curva. Na continuação do trecho de "A Batalha dos Campos de Pelennor" citado na nota 7 (ver p. 437), o comprimento do "braço de Arnen" é de "três léguas" [*c.* 14,5 km]; contudo, no Segundo Mapa, que serviu de base para ambos os trechos, ele é substancialmente mais longo. Em RR (p. 1222), "o Anduin, desde a curva em Harlond, corria de modo que da Cidade era possível enxergar ao longo dele por algumas léguas".

[9] Ver "A História Prevista a Partir do Forannest" (p. 425): "Então, conforme assoma o desespero final e os Rohirrim recuam, o vento [oeste >] sul faz a nuvem recuar, e o sol do meio-dia brilha através. Aragorn desfralda seu grande estandarte no alto do navio. A coroa e as estrelas de Sol e Lua reluzem".

[10] A página de abertura do manuscrito tem os números "41", "50", "50(b)" e "49", todos os quais foram riscados, exceto o último. "41" é obviamente um erro (seria "51"?), visto que é impossível o capítulo ter esse número; mas também é difícil imaginar por que seria "49" (ver p. 455 e nota 7).

[11] Esse rascunho do debate vem imediatamente após uma frase abandonada de "As Casas de Cura", desta forma:

> Gandalf e Pippin foram então ao quarto de Merry e ali viram Aragorn parado
>
> "Meus senhores", disse Gandalf. [...]

O texto que se segue está escrito à tinta por cima de um rascunho a lápis de "As Casas de Cura".

[12] Essa frase está entre colchetes no original, assim como a que está um pouco adiante ("um tirano que não toleraria qualquer liberdade [...]")

[13] *Imladrist*: ver p. 170, nota 14, e p. 201, nota 5.

[14] Meu pai riscou "Gandalf" imediatamente. Ele então escreveu "Guardião das Chaves", mas colocou um pontilhado para o nome, acrescentando "Húrin" antes de avançar muito. Portanto, poderia dar a impressão de que foi aqui que o nome surgiu, mas como "Húrin" aparece no primeiro manuscrito de

"A Batalha dos Campos de Pelennor" (p. 436), parece claro que meu pai simplesmente havia se esquecido por um momento o nome que tinha escolhido para ele.

[15] Gandalf não poderia ter dito isso. Ou o primeiro *não* deve ser removido, ou o segundo.

[16] Em um rascunho desse trecho, Imrahil chama Dol Amroth de *Castelo Amroth*; isso se repetiu em um rascunho seguinte, onde foi alterado para *Barad Amroth* (e, por fim, *Barad* > *Dol*).

[17] É claro que Merry sabia que Aragorn tinha ido ao Fano-da-Colina (ver RR, p. 1153; o texto final de "A Convocação de Rohan" nesse momento estava bastante acabado, p. 378). Ver p. 490.

[18] Essa passagem contrasta fortemente com RR, em que é Gimli quem não deseja falar das Sendas dos Mortos e Legolas diz "não senti o horror, e não temi as sombras dos Homens, que considerei impotentes e frágeis". Ver p. 490.

[19] Creio que a despedida de Aragorn e Éowyn não teria sido descrita de modo tão completo aqui por Legolas e Gimli se a história da chegada da Companhia Cinzenta ao Fano-da-Colina já existisse no capítulo anterior (RR, pp. 1136–40); ver p. 366.

[20] *nossos cavalos que os Rohirrim nos deram*: "cavalos", porque o de Aragorn ainda era Hasufel (pp. 358, 363–4); quando Roheryn — seu próprio cavalo trazido do Norte pelos Caminheiros — foi introduzido, apenas Arod, que levava Legolas e Gimli, era de Rohan, e somente ele é mencionado no trecho correspondente de RR ("A Passagem da Companhia Cinzenta", pp. 1140–41).

[21] Nos primeiros rascunhos de "O Rei do Paço Dourado", a relva nos morros dos reis em Edoras foi inicialmente descrita como "branca com flores balançantes como pequenos galantos", e as flores tornaram-se subsequentemente *nifredil* (VII. 521–22). Em RR ("A Passagem da Companhia Cinzenta", p. 1143), Aragorn chama as flores de *simbelmynë*, mas ver "O Rei do Paço Dourado" (DT, p. 747), em que Gandalf diz: "Chamam-se Sempre-em-mente, *simbelmynë* nesta terra de Homens, pois florescem em todas as estações do ano e crescem onde repousam os homens mortos".

[22] No primeiro manuscrito de "O Rei do Paço Dourado", Legolas dizia acerca dos túmulos em Edoras: "Sete montes vejo, e faz sete longas vidas de homens que foi construído o paço dourado" (ver VII. 521 e 528, nota 4). Isso foi alterado naquele manuscrito para o texto em DT (p. 747): "'Sete morros à esquerda e nove à direita', observou Aragorn. 'Faz muitas longas vidas de homens que foi construído o paço dourado'".

[23] Se for o caso, evidentemente foi nesse momento que o primeiro manuscrito de "O Rei do Paço Dourado" foi emendado e passou a dizer "Sete morros à esquerda e nove à direita" (ver nota 22).

[24] As datas dos reis antes dos três últimos foram alteradas e bagunçadas de tal maneira devido à escritos por cima que não consigo formar nenhuma ideia clara

de qual teria sido a intenção de meu pai: contudo, pelo menos está claro que o padrão delas corresponde ao do SdA — se ajustadas para o Registro do Condado.

[25] *Barad Amroth*: ver nota 16. Posteriormente, *Barad* foi alterado para *Dol*.

[26] Conforme escrito inicialmente, mas imediatamente rejeitado, o texto continuava assim a partir deste ponto: "[...] trazida de Númenor, e ainda marca o lugar onde Isildur encontrou o último rei dos Homens Obscuros das Montanhas, quando ele estabeleceu as fronteiras de Gondor. E ali fizeram um juramento, pois Isildur e Elendil e seus filhos [*sic*] tinham o dom das línguas, assim como muitos dos Númenóreanos, e as línguas dos homens . . . . . [? das terras selvagens] eram-lhe conhecidas, pois"

[27] A parede circular e a torre na Colina de Erech, onde a *palantír* estava guardada, são mencionadas no esboço da p. 466; conta-se ali que Aragorn de fato encontrou a *palantír* de Erech em uma cripta na torre.

[28] É estranho que seja Elrohir quem desfraldou o estandarte (e que o tenha portado no Forte-da-Trombeta), pois desde a primeira menção ao estandarte (p. 359) foi Halbarad, o Caminheiro — assim como em RR — quem o portava (e estava enrolado em um pano preto). Em RR (p. 1146), não foi possível ver nenhum emblema devido à escuridão.

[29] Sobre essa e as referências subsequentes aos dias da jornada, ver a Nota sobre a Cronologia no fim destas Notas.

[30] A Garganta de Tarlang aparece no Segundo Mapa, embora não esteja nomeada. Sobre a geografia dessas regiões, ver p. 508 e seguintes.

[31] Sessenta léguas [*c.* 289 km] em linha reta de Erech a Linhir e cem milhas [*c.* 161 km] está de acordo com RR (p. 1258): "noventa léguas e três" [*c.* 450 km] de Erech a Pelargir.

[32] *partimos outra vez*: isto é, de Erech. — É aproximadamente neste ponto que termina a porção da história de Gimli transferida para "A Passagem da Companhia Cinzenta", e a parte que de fato permaneceu em "O Último Debate" começa; há alguma sobreposição em RR (pp. 1145–46, 1258–59).

[33] Nesse ponto há o seguinte no rascunho inicial:

> "[...] Mas, quando passamos pela Garganta de Tarlang, Elladan e dois Caminheiros foram à frente e falaram a qualquer um que conseguiram encontrar disposto a ficar e ouvi-los, e disseram que um grande auxílio estava chegando a eles contra os Nautas-inimigos e os Sulistas, e que não era o Rei dos Mortos, mas o herdeiro dos Reis de Gondor que retornara. Alguns lhes deram ouvidos e acreditaram, e nas travessias do Kiril encontramos alimento e forragem para suprir nossa necessidade, embora homem nenhum tenha ousado ficar ao lado, e dos cavalos descansados que esperávamos não havia nenhum."

[34] Os colchetes estão no original. O rascunho inicial diz aqui:

> "'[...] mas estão brandindo espadas viventes'. E alguns gritavam [*riscado:* embora não soubessem o que significava]: 'O Senhor dos Anéis se ergueu'."

Na margem dessa página, no texto rascunhado, meu pai subsequentemente escreveu o seguinte trecho notável:

> "Deveras, toda a gente de Lebennin chama Aragorn assim."
>
> "Por que será?", comentou Merry. "Suponho que seja algum artifício para atrair os olhos de Mordor naquela direção, para Aragorn, e afastá-los de Frodo"; e ele olhou para o leste e estremeceu. "Crês que todo esse grande labor e essas façanhas terão sido em vão e tardias no fim?", perguntou.
>
> "Não sei", disse Gimli. "Mas de uma coisa eu sei, por nenhum artifício estratégico Aragorn espalharia uma história falsa. Então, ou é verdade que ele tem um anel, ou é uma história falsa inventada por alguém. Mas Elrohir e Elladan chamaram-no por esse nome. Então deve ser verdade. Mas o que significa, não sabemos."

Não há nada nessa página do rascunho e, de fato, em nenhum lugar no manuscrito, a que isso possa se referir além do grito "O Senhor dos Anéis se ergueu". Só consegui encontrar um retalho que parece ter alguma relação com isso. Debaixo de um texto à tinta em um trecho de rascunho rudimentar (mencionado na nota 39) do início da história da marcha de Minas Tirith, há umas linhas escritas furiosamente depressa a lápis, e parcialmente legível:

> Galadriel deve dar seu anel para Aragorn (. . . . . para se casar com Finduilas?). Daí sua súbita ascensão ao poder . . . . [? não vai funcionar. Deixará] Lórien sem defesa, e também o Senhor do Anel ficará demasiadamente . . .

Isso levanta mais questões do que responde; mas é impossível não estar relacionado à estranha sugestão de que, em Lebennin, Aragorn era chamado de "O Senhor do(s) Anel(éis)". Não sei se há alguma importância no fato de que, no primeiro rascunho, o plural em *dos Anéis* não foi escrito consecutivamente, mas, sim, acrescentado em seguida, talvez imediatamente. Isso, contudo, apenas nos faz perguntar — caso Aragorn fosse chamado de "O Senhor do Anel" devido à crença de que tinha um Anel — por que meu pai alterou isso para "O Senhor dos Anéis"? A única sugestão, um tanto desesperada, que posso oferecer é que ele tinha a intenção de enfatizar a confusão na mente das pessoas que gritavam isso (ver "embora não soubessem o que significava" no rascunho).

[35] O rascunho inicial diz aqui: "e todos do inimigo que não foram mortos ou afogados estavam fugindo por sobre o Poros para o deserto de Lothland". Esse nome não está perfeitamente claro, mas considero-o certo, tendo em vista a ocorrência de Lothlann no Primeiro Mapa (VII. 364, 368); a forma *Lothland* encontra-se no *Quenta Silmarillion* (V. 315, 338). No Segundo Mapa (p. 510), a região ao sul de Mordor está nomeada, mas o lápis está agora tão esmaecido que é difícil ter certeza acerca do nome: a interpretação mais provável é "Deserto de Lostladen" (ver as *Etimologias*, V. 448, radical LUS).

[36] Nessa segunda versão, Legolas diz que o dia em que chegaram a Pelargir era "o quinto de nossa jornada", ao passo que, na versão anterior (p. 485), era "o quarto dia desde que saímos do Fano-da-Colina"; mas creio que essas expressões significam a mesma coisa (ver a Nota sobre a Cronologia abaixo).

[37] O rascunho primário original chega até este ponto:

> "E quando tudo estava conquistado, Aragorn fez soar uma hoste de trombetas do navio que tomou para si, e eis que a hoste de Sombra achegou-se à margem, e todos os outros fugiram. Mas Aragorn dispôs uma fileira de tochas ao longo da margem, e estas eles não ultrapassaram, e ele falou aos Mortos: 'Ora, considerarei a jura cumprida', falou, 'quando cada um dos forasteiros de Harad ou de Umbar tiver sido expulso desta terra a oeste do Anduin. Quando isso estiver feito, voltai e não importuneis nunca mais os vales — mas ide, e ficai em sossego.'"

Compare isso com a porção rejeitada do esboço no começo deste capítulo (nota 6 acima): "a Hoste de Sombra se dispersa, *perseguindo os Haradwaith pelos vales*".

[38] *e justificou a sabedoria de Elrond*: ver p. 456.

[39] Em um rascunho rudimentar desse trecho, Aragorn diz a Berithil: "Ainda não é meu papel julgar-te, Mestre Berithil. Se eu retornar, fá-lo-ei com justiça. Mas, por ora, hás de deixar a guarda da Cidadela e ir à guerra".

[40] Os colchetes estão no original.

[41] *na nossa fala* foi corrigido para *na antiga fala de Númenor*, e depois revertido para *na nossa fala*.

[42] Agora, Legolas não tem papel algum na narração até alcançarem Pelargir.

[43] A história nessa versão é explicitamente atribuída a Gimli: no início, em resposta à pergunta de Pippin "Não queres nos contar um pouco mais?", ele diz: "Bem, se precisa ouvir a história, vou contá-la brevemente". Assim como no texto datilografado sem revisão (nota 42), Legolas nada diz até que ele interrompe Gimli na menção ao Grande Rio ("Eu o soube muito antes de o alcançarmos", p. 486); mas, por meio de uma alteração nessa versão revisada, ele quebra o silêncio às palavras de Gimli "fomos tão rápido quanto nossos intrépidos cavalos podiam suportar por sobre as planícies de Lebennin":

> "Lebennin!", exclamou Legolas. Todo o tempo estivera calado, olhando para o sul enquanto Gimli falava; mas agora pôs-se a cantar: *Como prata correm os rios do Celos ao Erui* [...]

O texto da canção está, já de início, igual à versão final. Em RR, é Legolas quem conta a história toda até esse ponto, e Gimli a continua.

[44] O lugar onde se atravessava o Kiril foi chamado de *Caerost na margem do Kiril* no Segundo Mapa (p. 513).

[45] No verso da última página desse texto datilografado há a seguinte passagem notável, sobre a qual não consigo jogar nenhuma luz. Foi feita com uma

refinada escrita caligráfica, junto com outros pedacinhos de frases na mesma escrita, típica das "garatujas" que meu pai tinha por hábito fazer desse modo (ver VII. 444):

> Então falou Elessar: Muitos, Guthrond, sustentariam que tua insolência merecia do teu rei punição em vez de resposta; mas, como proferiste mentiras aos ouvidos de todos com evidente malícia, primeiro exporei a falsidade delas, de modo que todos aqui possam conhecer quem és de verdade, e quem sempre foste. Depois, talvez te seja dada uma chance para que te arrependas e vires as costas ao teu antigo mal.

[46] O título que meu pai escolheu inicialmente para o capítulo quando a estrutura final foi atingida era "Notícias e Conselho": as "notícias" de Gimli e Legolas e o "conselho" de Gandalf no debate dos senhores.

Nota sobre a Cronologia

No esboço "A marcha de Aragorn e a derrota dos Haradrim" (pp. 466–8), as datas da jornada de Aragorn são as seguintes:

Março

8	(manhã)	Entra nas Sendas dos Mortos
	(meia-noite)	Chega em Erech
9	(início da manhã)	Parte de Erech sob a Treva de Mordor
10	(anoitecer)	Chega a Linhir
11	(manhã)	Atravessa o Rio Lameduin e adentra Lebennin
12	(início da manhã)	Chega a Pelargir
13	(início da manhã)	Parte rio acima a partir de Pelargir
14	(início da manhã)	100 milhas [c. 161 km] rio acima
15	(início da manhã)	O vento se ergue e as velas são içadas nas naus; por volta de 9 da manhã, a frota é vista a partir de Minas Tirith.

A última parte dessa cronologia parece obviamente insatisfatória, pois a frota subiu 100 milhas pelo Anduin no início da manhã de 14 de março e, no entanto, nada se diz da continuação da jornada no dia 14: o último trecho é vencido com velas na manhã do dia 15. Ao lado dessa data (p. 468) meu pai escreveu "14"; e no esboço "A História Prevista a Partir do Forannest" (p. 360) a investida dos

Rohirrim no dia 15 foi igualmente alterada para 14 — que era a data em "O Cerco de Gondor", p. 405.

Compare a data em que Aragorn entrou nas Sendas dos Mortos com pp. 367 e 369, notas 9 e 18 (6 de fevereiro = 8 de março). O Dia sem Amanhecer ainda é 9 de março (ver p. 405).

No manuscrito de "O Conto de Gimli e Legolas", essa cronologia foi preservada — sendo 14 de março a data da Batalha dos Campos de Pelennor. Assim, Gimli diz que a Companhia chegou a Erech "logo antes da meia-noite — e estava quase tão negro quanto dentro das cavernas, pois, embora não soubéssemos ainda, a treva de Mordor estava assomando sobre nós" (p. 481) e novamente (p. 483): "A manhã seguinte não teve aurora" (na margem do manuscrito, o número 9 está escrito aqui). "No cair da noite do segundo dia a partir de Erech" eles chegaram a Linhir (e aqui o número 10 está escrito na margem). Eles se levantaram "antes de a noite ter passado" (ou seja, antes do amanhecer de 11 de março) e cavalgaram através de Lebennin "todo aquele dia e a noite seguinte"; e Gimli diz que "passou um dia, calculei, sob o sol oculto — o quarto dia desde que saímos do Fano-da-Colina" (p. 484) quando eles chegaram às margens do Anduin em Pelargir, ou seja, na manhã do dia 12 de março. "Antes de o quinto dia terminar, havíamos capturado quase toda a frota", o que, como se verá em instantes, significa "o quinto dia da jornada", ou seja, 12 de março.

A primeira versão dos eventos em Pelargir termina aqui; na segunda versão, Legolas diz (nota 36) que o dia em que chegaram a Pelargir era "o quinto de nossa jornada" (12 de março), que eles descansaram naquela noite "enquanto outros labutavam" — mas também que a frota zarpou pelo Anduin "na quinta manhã, isto é, no dia de anteontem" (13 de março). Isso mostra claramente que Legolas estava fazendo uma distinção entre "o quinto dia de nossa jornada" (12 de março) e "a quinta manhã desde que saímos do Fano-da-Colina" (13 de março) — assim como em RR (p. 1262), "o sexto [dia] depois de nossa partida do Fano-da-Colina" é o sétimo dia da jornada como um todo. Como agora era o dia após a Batalha dos Campos de Pelennor, e a frota saiu de Pelargir "no dia de anteontem", a batalha se deu em 14 de março.

A diferença desta cronologia em relação à do SdA é, portanto, a seguinte:

A jornada de Aragorn

Dia	*Março*	*A presente cronologia*	*Cronologia do SdA*
1	8	Chega em Erech à meia-noite	O mesmo
2	9	O Dia sem Amanhecer	
3	10	Chega a Linhir	O Dia sem Amanhecer
4	11		Chega a Linhir
5	12	Chega a Pelargir	
6	13	Deixa Pelargir	Chega a Pelargir
7	14	Batalha dos Campos de Pelennor	Deixa Pelargir
8	15		Batalha dos Campos de Pelennor

Na cronologia do texto manuscrito, a jornada de Aragorn do Fano-da-Colina até Pelargir levou quatro dias e noites, chegando ao Anduin no quinto dia e partindo rio acima na manhã do sexto dia. No SdA, Aragorn levou três dias, e não dois, de Erech a Linhir e, portanto, cinco dias e noites até Pelargir. Assim, no manuscrito (p. 483), Gimli diz que, de Erech, "seguiu-se então a jornada mais exaustiva que já conheci [...] três dias e noites, e o começo de outro dia", ao passo que, quando em RR (p. 1258) Legolas fala da grande cavalgada de Erech a Pelargir, ele diz "Quatro dias e noites e o começo do quinto dia cavalgamos desde a Pedra Negra".

Por fim, enquanto no texto manuscrito a Treva de Mordor assomou no céu durante a noite de 8 de março, e "a manhã seguinte não teve aurora", em RR (p. 1259) "cavalgamos por um dia de luz, e depois veio o dia sem amanhecer" (e, no trecho anterior no fim de "A Passagem da Companhia Cinzenta", RR, p. 1146, no anoitecer do dia em que deixaram Erech ao amanhecer, "o sol se pôs como sangue por trás de Pinnath Gelin, longe atrás deles no Oeste", e "no dia seguinte não houve amanhecer").

13

O Portão Negro se Abre

Como expliquei no último capítulo (p. 488), a história da jornada até o Morannon, a negociação com o Lugar-Tenente de Barad-dûr e o ataque à Hoste do Oeste nos morros de escória diante do Portão foram escritos antes de meu pai fazer qualquer movimento no sentido de dividir e reorganizar a apresentação da narrativa no capítulo único e muito longo que, por fim, acabou sendo distribuído entre "A Passagem da Companhia Cinzenta", "O Último Debate" e "O Portão Negro se Abre".

Para a conclusão do Livro V, ele de fato já havia escrito há algum tempo um esboço bastante completo ("A História Prevista a Partir do Forannest", pp. 426–9) e o seguiu notavelmente de perto quando se pôs a escrever a narrativa. No esboço já estavam presentes a chegada da vanguarda a Minas Morghul e o incêndio às terras no entorno, o silêncio que se seguiu aos apelos para que Sauron viesse, a embaixada da Torre Sombria já preparada, a exibição do colete de mithril de Frodo, a chantagem expondo as condições em troca da libertação de Frodo, os gestos de Gandalf de recusar a negociação e de tomar o colete de mithril e as hostes já a postos para emboscar. As principais diferenças em relação à história final são a chegada dos Ents (com Elfos de Lórien) ao Morannon (com uma declaração explícita do embaixador de Sauron de que os Ents haveriam de ajudar a reconstruir Isengard), a incerteza quanto à presença ou ausência de Merry e Pippin e a figura do embaixador: incertamente identificado como o Rei Mago (o que implica uma visão diferente do desfecho de seu encontro com Éowyn e Merry na Batalha dos Campos de Pelennor), mas certamente um Nazgûl ("Lançando fora as vestes, ele desaparece").

A narrativa existe tanto em rascunho inicial quanto em uma cópia passada a limpo, que sem dúvida são da mesma época, visto que as duas primeiras páginas são comuns a ambos: a partir do ponto em que o primeiro texto fica mais apressado e mais rudimentar, meu pai o substituiu; mas, no primeiro rascunho, a história que se encontra em RR já estava presente em quase todos os pontos. O fato de Aragorn dispensar os covardes (conforme descrito no *Conto dos Anos*) era, contudo, atribuído a Gandalf em ambos os textos, e a causa de sua covardia é mais imediata (ver RR, p. 1274):

[...] e podiam divisar os pântanos e o deserto que se estendiam ao norte e oeste, até as Emyn Muil. E os Nazgûl já arremetiam sobre eles incessantemente, e frequentemente, atrevendo-se a chegar ao alcance de uma flechada, mergulhavam guinchando, e suas vozes cruéis faziam até os mais valentes empalidecerem. Alguns perderam a coragem de tal forma que não conseguiam andar nem cavalgar mais para o norte.

Isso sobreviveu na cópia passada a limpo, onde foi substituído pelo texto de RR (p. 1274), em que os Nazgûl não se aproximam da Hoste do Oeste até o ataque final nos Morros de Escória. No texto rascunhado, conta-se que "uns 500 deixaram a hoste" e partiram para sudoeste, rumo a Cair Andros.

Nada mais se diz no rascunho acerca da história do Lugar--Tenente de Barad-dûr,[1] o Boca de Sauron sem nome, além de "Contam que era um homem vivente que, capturado na juventude, virou serviçal da Torre Sombria e, por causa de sua astúcia, tornou--se cada vez mais favorecido pelo Senhor [...]". Na cópia limpa, isso foi repetido, mas alterado subsequentemente para: "Mas contam que era um renegado, filho de uma casa de homens sábios e nobres em Gondor que, apaixonado pelo saber maligno, tomou o serviço da Torre Sombria e, por causa de sua astúcia [e da fértil crueldade de sua mente] [e servilidade] tornou-se cada vez mais favorecido pelo Senhor [...]" (as frases estão postas entre colchetes no original). Em RR (p. 1277), o Boca de Sauron "provinha da raça dos que se chamam Númenóreanos Negros".[2]

NOTAS

1 Inicialmente escrito "Lugar-tenente de Morgul", mas isso foi muito provavelmente apenas um descuido.

2 Alguns outros pontos menores podem ser mencionados em conjunto. O Passo Morgul (RR, p. 1272) é chamado de "o Passo de Kirith Ungol" na cópia limpa,

e o Passo de Cirith Gorgor (RR, p. 1274) é "o Passo de Gorgoroth" em ambos os textos, alterado para "o Passo de Kirith-Gorgor" na cópia passada a limpo. No rascunho, Damrod de Henneth Annûn reaparece, com Mablung, como líder dos batedores em Ithilien (RR, p. 1274); a hoste consegue ver do acampamento na última noite, as luzes vermelhas nas Torres dos Dentes; e na conclusão da fala de Gandalf ao Boca de Sauron (RR, p. 1280), ele mantém as palavras usadas no esboço original (p. 428): "Vai-te! Mas que o medo te coma o coração: pois se cravares um espinho que seja na carne do teu prisioneiro, arrepender-te-ás por todas as eras".

Nota sobre a Cronologia

No *Conto dos Anos* no SdA, as seguintes datas são fornecidas:

Março	18	A Hoste do Oeste marcha desde Minas Tirith.
	19	A Hoste chega ao Vale Morgul.
	23	A Hoste sai de Ithilien. Aragorn dispensa os covardes.
	24	A Hoste acampa na Desolação do Morannon.
	25	A Hoste é cercada nas Colinas-de-Escória.

Em ambos os textos manuscritos aparecem as mesmas indicações de data, e nas mesmas palavras, de RR, exceto em um ponto. A Hoste aqui saiu de Minas Tirith em 17 de março (data que foi escrita na margem) e, como isso se deu dois dias após "o Último Debate", que aconteceu um dia depois da batalha, a data da Batalha dos Campos de Pelennor foi aqui 14 de março, e não 15 (ver p. 502). Contudo, nas presentes versões a diferença de um dia na data da partida de Minas Tirith logo se perdeu, por esta razão: no ponto de RR (p. 1271) em que o primeiro dia de marcha terminou cinco milhas depois de Osgiliath, mas "os cavaleiros seguiram em frente e antes do entardecer chegaram à Encruzilhada" (ou seja, 18 de março), conta-se aqui que "*No dia seguinte* os cavaleiros seguiram em frente e antes do entardecer chegaram à Encruzilhada" (ou seja, 18 de março); e foi novamente "no dia seguinte" que "veio a hoste principal" (com a data "19" na margem). Portanto, onde se diz em RR (p. 1273) "No dia seguinte, o terceiro desde que tinham partido de Minas Tirith, o exército começou sua marcha para o norte ao longo da estrada", esse é aqui "o quarto" dia, com a data "20" escrita na margem.

		A presente versão	*O Retorno do Rei*
Março	17	Marcha começa e termina em Osgiliath	
	18	Cavaleiros chegam à Encruzilhada antes do entardecer	Marcha começa e termina perto de Osgiliath, mas os cavaleiros prosseguem e chegam à Encruzilhada antes do entardecer.
	19	Hoste principal chega à Encruzilhada	
	20	A hoste começa a marcha para o norte	

Por fim, pode-se notar que, onde em RR (p. 1275) "a lua crescente [tinha] quatro noites de idade", aqui eles estavam "a apenas três dias desde a lua cheia" na noite anterior ao dia em que o Anel foi destruído.

14

O Segundo Mapa

Seja lá quando esse mapa foi feito da primeira vez, ele certamente era o mapa de trabalho usado por meu pai durante a escrita do Livro V de *O Senhor dos Anéis*.[1] O primeiro estágio de sua elaboração foi com tinta preta, mas também se usou tinta preta depois e, como ele não foi inicialmente desenhado ou escrito com a mesma meticulosidade dos estágios mais antigos do Primeiro Mapa, mal é possível distinguir as camadas de acréscimos por esse método. Tinta vermelha também foi usada para algumas alterações e, no estágio final de sua vida útil, correções e acréscimos foram feitos de maneira muito rudimentar com tinta azul (e também giz azul e lápis).

Depois de tanto uso, muitos anos atrás, a folha de papel única na qual foi feito está agora frouxa, rasgada, amassada, manchada e borrada, e alguns elementos posteriores a lápis mal podem ser vistos. Está traçado com quadrados de 2 cm de lado (= 100 milhas [*c.* 161 km]), identificados com letras e números de acordo com o Primeiro Mapa. Na minha reelaboração, dividi o mapa em uma porção ocidental e uma porção oriental, repetindo em ambos a fileira vertical de quadrados (14).

A tentativa de reelaborá-lo apresentou dificuldades. Em alguns lugares, tamanha é a rede de linhas finas entrecruzadas e concorrentes (as "curvas de nível" são muito subjetivas) que os olhos se confundem, e a reelaboração precisou ser feita com auxílio de uma lente; mesmo assim, eu certamente não reproduzi cada uma das linhas com fidelidade. Aqui e ali é difícil discernir quais são de fato as marcações, ou interpretar o que representam. Na região ao sul das Montanhas Brancas, o mapa está tão extremamente abarrotado, e há tantas alterações e acréscimos de nomes feitos em momentos diferentes que — como um dos objetivos primários desta reelaboração é esclarecê-lo — achei melhor omitir vários nomes e explicar as alterações na explicação seguinte ao mapa; e, pela mesma razão, mostrei o novo curso do Anduin em Minas Tirith, mas não as novas localizações de Barad-dûr e do Monte da Perdição. Portanto, a reelaboração é assumidamente inconsistente naquilo que é mostrado e no que não é, mas creio que isso é inevitável; e as observações a seguir são parte essencial de sua apresentação.

Refiro-me ao mapa de Rohan, Gondor e Mordor publicado em *O Senhor dos Anéis* como "o mapa grande do SdA".

O relato sobre os Rios de Gondor escrito nesse mapa foi incluído no volume VII (p. 367), mas, como ao reduzir o mapa para o tamanho da página impressa a letra ficou extremamente pequena, repito-o aqui:

Rios de Gondor
Anduin
Do Leste
Ithilduin ou *Duin Morghul*
Poros Fronteira
Do Oeste
Ereg Primeiro
Sirith
Lameduin (de Lamedon) com afluentes,
Serni (L.) e *Kelos* (O.)
(Os 5 rios de Lebennin)
Ringlo, *Kiril*, *Morthond* e *Calenhir*, todos os quais correm para o Porto de Cobas
Lhefneg Quinto
Na contagem, apenas as fozes são contadas: *Ereg* 1, *Sirith* 2, *Lameduin* 3, *Morthond* 4, *Lhefneg* 5, *Isen* 6, *Gwathlo* 7

O *Ereg* (posteriormente *Erui*) tem agora essencialmente seu lugar e curso finais; o *Sirith* também, mas sem qualquer afluente ocidental (no mapa grande do SdA, *Kelos*) — as linhas nesse vale, no mapa, são um labirinto denso e eu as simplifiquei ao redesenhá-las, mas fica claro que há um rio único. Parece que *Lossarnach* era uma região muito maior do que nos mapas do SdA, mas isso talvez se deva à escrita de um nome comprido em um espaço pequeno.

O *Lameduin*, ainda que esteja escrito claramente, com o *-n* final, na lista de rios (assim como no texto na p. 467 e seguintes) está escrito de modo igualmente claro *Lamedui* no próprio mapa,

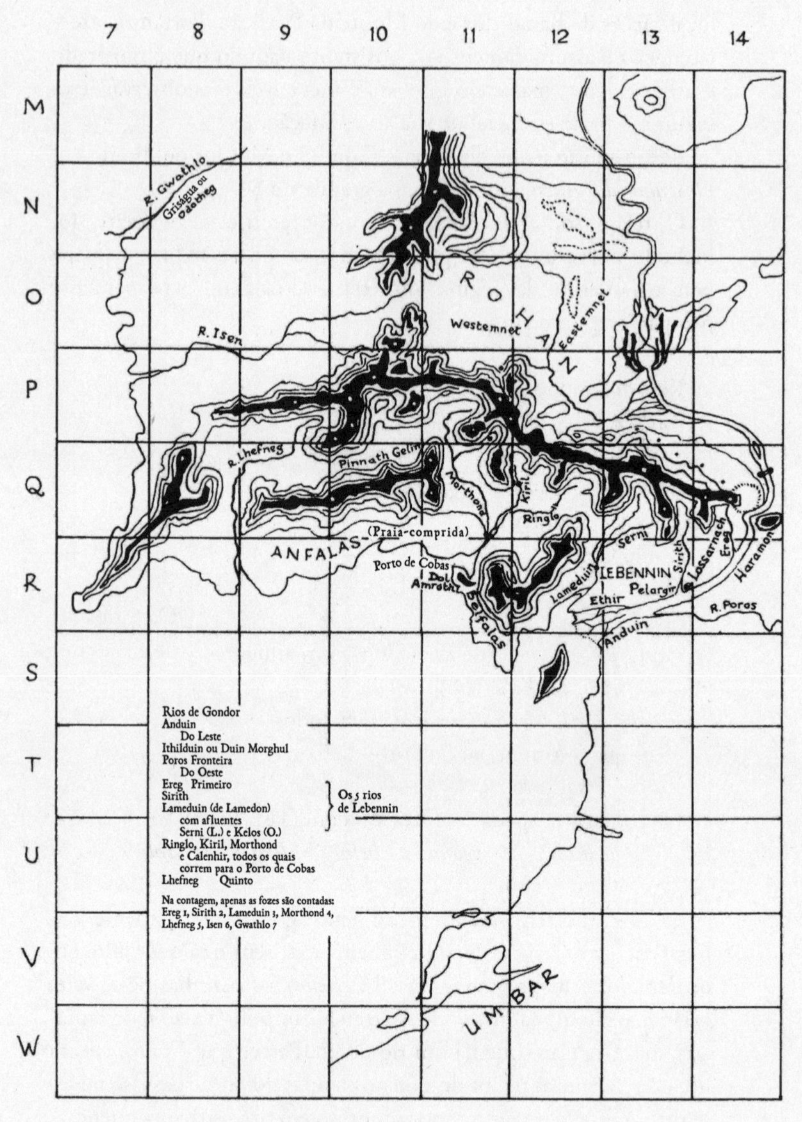

O Segundo Mapa (Oeste)

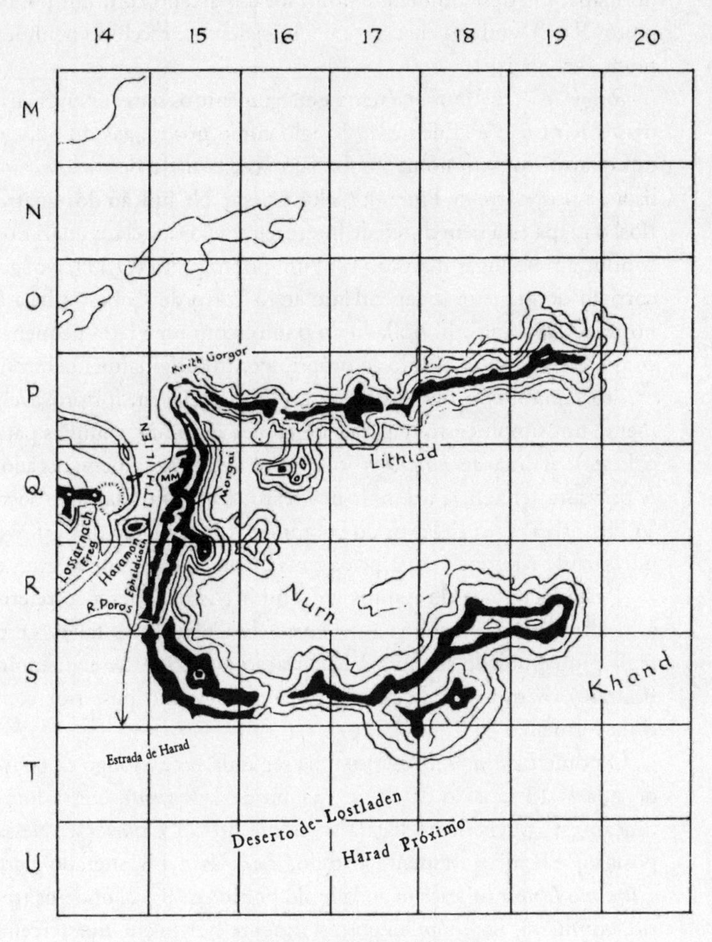

O Segundo Mapa (Leste)

e quem sabe fosse melhor ter sido representado assim. Também fica claro que há três afluentes assinalados, mas apenas dois, *Serni* e *Kelos*, aparecem na lista (e não há lugar para outro em "os cinco rios de Lebennin"); apenas o nome do mais oriental, *Serni*, aparece no mapa. Os três confluem em um local marcado com um ponto preto (R 12), embora ele não tenha inicialmente recebido nenhum nome (ver abaixo).

Ringlo, *Kiril* e *Morthond* têm essencialmente os seus cursos finais; mas o Kiril não é afluente do Ringlo como nos mapas do SdA, e um quarto rio, sem nome no mapa, mas chamado de *Calenhir* na lista de rios, corre de Pinnath Gelin a oeste. Na junção dos quatro rios, o mapa está bem difícil de interpretar: não fica claro quais rios confluíram no lugar marcado com um ponto preto (Q 11), e quais corriam de maneira independente até o Porto de Cobas, a baía a norte de Dol Amroth. Ao lado do ponto (com uma letra pequena, como se estivesse associado ao próprio ponto) originalmente estava escrito *Lamedon*, o que foi riscado, e que, creio eu, foi provavelmente um simples erro (em face de *Lameduin*, muitas milhas para o Leste). Acima de *Lamedon* foi escrito *Linhir*, também riscado. A primeira referência a Linhir nos textos é encontrada no esboço "A História Prevista a Partir do Forannest" (p. 427), em que a Treva que saía de Mordor é vista pelos Ents como "um grande negrume [...] estendendo-se de Rauros até Linhir": isso poderia se referir à localização anterior acima do Porto de Cobas, mas talvez com mais probabilidade se refira à localização posterior, no Lameduin (Gilrain). A travessia do Ringlo foi um acréscimo posterior com tinta vermelha.

O nome *Lamedon* foi escrito uma segunda vez ao longo da coordenada R 13 (abaixo de *Serni* e acima de *Lebennin*), e essa localização está obviamente ligada ao nome do rio *Lameduin*. Nessa posição, ele foi novamente riscado, *Lameduin* foi alterado para *Gilrain* e *Linhir* foi escrito ao lado do ponto em R 12, onde os três rios confluem. *Lamedon* foi posteriormente escrito em uma terceira localização, a final (mas ver nota 2), no alto de Q 12, através dos cursos superiores do Kiril e do Ringlo.

O surgimento de uma nova geografia pode ser rastreado nos textos. No esboço "A marcha de Aragorn e a derrota dos Haradrim" (ver p. 467 e nota 4) ocorre o seguinte:

> Erech aos Vaus do Lameduin (digamos Linhir?) são 175 milhas em linha reta [*c.* 281 km], cerca de 200 [*c.* 322 km] pela estrada. [...] Em Linhir no Lameduin, os homens de Lebennin e Lamedon estão defendendo a passagem do rio contra Haradwaith.

Quando isso foi escrito, Lamedon ainda ficava a norte de Ethir Anduin, uma região setentrional de Lebennin, e "os homens de Lebennin e Lamedon" recuaram para oeste, para a margem do rio que estavam tentando defender. Mas, já nos rascunhos originais da história da cavalgada da Companhia Cinzenta em "O Último Debate" (ver pp. 483–4), eles passaram "por sobre a Garganta de Tarlang adentrando Lamedon", Lameduin tornou-se o Gilrain e (assim como em RR, p. 1259) eram os homens de Lamedon que disputavam os vaus do Gilrain contra os Haradrim.[2]

O ponto próximo ao canto inferior direito de P 11 assinala *Erech* (nomeado no original); o ponto foi um acréscimo, assim como o rio que desce de Erech para se juntar ao curso do Morthond originalmente marcado nas coordenadas P–Q 11. Ao ponto no rio Kiril (Q 12), que é um acréscimo posterior, está anexado um nome a lápis, *Caerost na margem do Kiril*; esse foi o precursor de *Calembel*, onde se atravessava o Kiril (RR, p. 1146). Nem *Caerost* e nem *Calembel* se encontram no manuscrito original de "O Último Debate" (ver p. 492). O outro ponto em Q 12, a leste da travessia do Ringlo, está assinalado a lápis com o nome *Tarnost*, que, até onde eu sei, não aparece em nenhum outro lugar.

O nome Belfalas foi um acréscimo tardio (ver p. 348, nota 22); e uma nota acrescentada num estágio inicial do mapa indica que *Pinnath Gelin* deveria se tornar "Colinas Verdes inferiores".

O nome *Odotheg*, "Sétimo", para o Gwathlo ou Griságua foi alterado a lápis para *Odothui*; sobre esse nome, ver VII. 366 e 368. A última letra do *Lhefneg* também foi alterada: muito provavelmente, ele foi inicialmente escrito *Lhefned*, e depois imediatamente alterado para *Lhefneg*, que é a grafia do nome na lista de rios escrita no mapa.

A norte das Montanhas Brancas, uma fileira de pontos nas coordenadas P 13, Q 13–14 representa as colinas dos faróis; sobre isso, ver p. 420, nota 3.

Movendo-nos para o leste, para Q 14, é possível discernir o curso original do Anduin no mapa, correndo em linha reta abaixo da confluência do Ereg até onde o rio se curva para noroeste, abaixo de Osgiliath. O grande ângulo no Anduin aqui e as colinas de Haramon que o acarretaram são uma sobreposição posterior com tinta azul, sendo que *Haramon* foi depois riscado e *Emyn Arnen* o substituiu (com algum nome completamente ilegível antes dele). No texto original do capítulo "Minas Tirith" (p. 332) não havia menção a esse elemento. Ele aparece (mas sem as colinas nas quais o rio dá a volta) no mapinha desenhado em uma página acrescentada ao manuscrito de "A Cavalgada dos Rohirrim" (p. 419); e aparece pela primeira vez nos textos no esboço "A História Prevista a Partir do Forannest" (ver p. 425 e nota 3): "a muralha [da Pelennor] está bem acima do rio que dá a volta nas Colinas de Haramon". O nome *Emyn Arnen* aparece no rascunho de "A Batalha dos Campos de Pelennor" (p. 437). Tenho pouquíssima dúvida de que foi na verdade o desenvolvimento da história da batalha que fez surgir o grande ângulo no Anduin em volta das colinas de Haramon/Emyn Arnen; pois dessa forma a frota negra poderia chegar exatamente embaixo da muralha da Pelennor, e a vitória diante do iminente desastre poderia ser assegurada pela chegada — excessivamente dramática e completamente inesperada — de Aragorn com os Caminheiros e os filhos de Elrond, e todos os homens dos feudos meridionais poderiam se reunir outra vez.

Osgiliath agora está a nordeste de Minas Tirith (ver pp. 321–2, 419). Uma nota no mapa diz que "Minas Morgul deve estar um tanto mais ao norte" (ver a planta reproduzida na p. 219 e o mapa "O oeste da Terra-média no fim da Terceira Era" em SdA).

Dentro dos limites de Mordor, uma alteração maior foi feita no último estágio de uso desse mapa. A grande península de planalto (Q 16) que se projeta para o sul das Montanhas de Cinza, onde ficava Barad-dûr, foi riscada, e Barad-dûr foi deslocada para noroeste (na coordenada P 16). Era aqui que ficava Orodruin quando o mapa foi desenhado pela primeira vez.[3] Orodruin foi deslocada para perto do canto inferior direito da coordenada P 15. Nesse caso, preservei a localização original de Barad-dûr ao redesenhar, pois as alterações foram feitas de modo muito rudimentar. Outros acréscimos desse período consistem no contorno mal-acabado do Mar de Nurnen, nos nomes *Lithlad*, *Morgai* e *Nurn*, e também *Gorgoroth* para o vale atrás do Morannon. *Gorgoroth* foi riscado e, no seu lugar, o nome *Narch Udûn*[4] foi escrito a lápis.

NOTAS

[1] O fato de que a rota da jornada de Frodo das Emin Muil até o Morannon (não mostrada na minha reelaboração) está assinalada muito cuidadosamente e provavelmente pertence à primeira "camada" não demonstra que o mapa remonta à escrita do Livro IV. Até porque parece improvável que meu pai teria feito o mapa que redesenhei na p. 322 se o Segundo Mapa já existisse.

[2] Um nome a lápis que mal está visível e que quase certamente é *Lamedon* pode ser visto através das coordenadas Q 11–12 (começando embaixo do *r* de *Morthond* até o leste da travessia do Ringlo), o que sugere que Lamedon inicialmente foi uma região maior.

[3] Quando Barad-dûr foi deslocada para o lugar de Orodruin, as marcações originais foram obliteradas.

[4] Os nomes *Estrada de Harad*, *Harad Próximo* (e uma seta indicando a direção do *Extremo Harad*), *Deserto de Lostladen* (ver p. 499, nota 35), *Khand* (ver p. 437) e *Umbar* foram rabiscados a lápis ou giz azul.

Índice Remissivo

Neste livro, as variáveis são tantas que a organização do índice — se tiver de ser mais do que uma simples lista de formas — torna-se, em alguma medida, uma questão de escolhas; pois, por um lado, houve muita alteração e substituição entre os nomes em si e, por outro, a sua aplicação mudou conforme a narrativa e a geografia se alteravam. Por exemplo, a *Pedra de Erech* era originalmente uma *palantír*, mas, quando se tornou a pedra trazida de Númenor, a *palantír* (ou *Pedra*) de Erech continuou existindo por um tempo; *Kirith Ungol* e *Minas Morghul* (*Morgul*) foram várias vezes substituídos um pelo outro; e o Senhor de Westfolde foi sucessivamente *Trumbold*, *Heorulf* (*Herulf*), *Nothelm*, *Heorulf*, *Erkenwald*, *Erkenbrand*, ao passo que o *Westfolde* era, originalmente, o *Marco-ocidental* e o *Westfolde* original era uma região a oeste das Montanhas Nevoentas. De toda forma, espero que minha tentativa se mostre precisa e útil apesar de todas as inconsistências na apresentação.

Com nomes muito recorrentes, lancei mão do artifício empregado em *O Retorno da Sombra* e *A Traição de Isengard*, em que a palavra *passim* significa que, em uma longa série de referências, apenas uma página aqui e ali por acaso não contém o nome em questão. Nomes que ocorrem nos mapas e nas páginas reproduzidas dos manuscritos originais não estão indexados e apenas excepcionalmente foram indexados nomes nos títulos de capítulos. No verbete *Inglês antigo* estão coligidos somente exemplos especiais e não, é claro, a profusão de nomes de Rohan que de fato estão em inglês antigo.

Artemísia Aldeia na Quarta Sul [*Mugworth*] 52, 61sobrenome em Bri [*Mugwort*] 61.
Arvedui "Último Rei" de Arthedain. 369
Árvore Branca de *Gondor* A árvore morta em Minas Tirith. 329, 335; como emblema e nas Rimas do Saber, 84, 319, 335, 386, 430
Árvores Falantes 64, 67, 73; árvores com vozes 73. Ver *Galbedirs, Lamorni, Ornómi.*
Arwen 360, 365, 437; *Senhora de Valfenda* 365. Ver *Finduilas* (2).
Asgil-Golamir Senhor de Anfalas. 342. (Substituído por *Golasgil*).
Atani Edain, "Pais de Homens". 197
athelas Planta curativa. 30, 455, 463. Ver *Folha-do-rei.*
Avallónë Porto em Tol Eressëa. 205
Avari "Os Indesejosos", Elfos que não quiseram se juntar à Grande Marcha desde Kuiviénen. 193. *Os Que Recusam* 192; *Elfos Selvagens* 192

Bair Nestad, Bair Nestedriu Ver *Berin a Nestad.*
Baldor Filho de Brego (segundo Rei da Marca). 374–5, 380, 478, 489, 494–5; *Bealdor* 380, 466, 475, 479, 495
Baldr Deus nórdico (Balder). 436
Balrogs 440. Ver *Gothmog.*
Banquete em Edoras 62, 64, 92–3; *no Fano-da-Colina* 284, 288, 290, 296–7; *o Salão-de-banquetes do Fano-da-Colina* 284, 288, 290–2, 297, 301, 309
Banquete em Minas Tirith 328, 466, 475
Barad Amroth 481, 497–8; *Castelo Amroth* 497. Ver *Dol Amroth.*
Barad-dûr (em muitas ocorrências grafado *Baraddur*) 83, 88, 90, 92–3, 100–1, 145–6, 226, 229, 259, 265, 286, 289, 307, 429, 435, 473, 505 (*Senhor de*), 509, 514–5; *Lugar-Tenente de Barad-dûr* 492, 504. A *palantír* de Barad-dûr 101 (*Pedra-de-Ithil*), 429, 474. Ver *Torre Sombria.*
Barahir (1) Pai de Beren. 189. (2) Mensageiro de Minas Tirith enviado a Théoden. 291, 293. Ver *Hirgon.*
Barangils Homens do Harad, Sulistas. 166
Baranor Pai de Berithil (Beregond). 337, 344
Barathil, Barithil Ver *Berithil.*
Barbárvore 13, 17–8, 39–41, 45, 51, 56, 59, 63–72, 74–5, 85–7, 96, 100, 318, 336, 407–10, 427, 430; Barbárvore em Anórien 406–11, 430
Batalhas Ver *Vaus do Isen, Grande Batalha, Forte-da-Trombeta, Pelennor, Valar.*
Bealdor Ver *Baldor.*
Beleriand 189, 194, 196–7, 354; ver também 223–4, 227 e *Anais de Beleriand.*
Belfalas (com aplicações distintas, ver 349) 43, 58, 280, 283, 286, 302, 332, 342, 349–50, 440, 484, 513
Belo Povo Os Elfos. 476
Benrodir Príncipe de Anárion (?). 302, 305, 318
Beor Pai de Homens. 192, 195
Beowulf 318
Bered Ondrath As Torres no Passadiço. 403. Ver *Passadiço.*
Beregond Homem de Minas Tirith. 330, 337–8, 344, 348, 386, 402. Ver *Berithil.*
Beren (1) Beren Uma-Mão. 189, 194, 224, 227, 263. (2) Homem de Minas Tirith, precursor de Berithil, Beregond. (329), 337–9, 341–2, 348–9.
Bergil Filho de Berithil (Beregond). 342, 350, 456, 465, 488. Ver *Gwinhir.*
Berin a Nestad As Casas de Cura. 448; *Bair Nestad, Bair Nestedriu, Edeb na Nestad* 448
Berithil Homem de Minas Tirith (substituído por *Beregond*). 344–5, 350, 398, 400–403, 441–3, 445, 447–50, 456–7, 459–62, (488), 500. Também *Berethil* 385–6, 401; anteriormente *Barathil, Barithil* 342, 344
Biblioteca Bodleiana 235, 242, 267
Bilbo Bolseiro Ver *Bolseiro.*
Bolsão 62, 118
Bolseiro Usado por Gollum a respeito de Bilbo e Frodo. 135, 139
Bolseiro, Bilbo 62–3, 66, 118–9, 139, 190, 236, 251, 265, 328, 423
Bolseiro, Frodo 30, 62, 66, 98–9, 102, 105–186, *passim*, 188, 189, 190, 196, 199–204, 207–16, 220–42, 245–47, 249–57, 259–60, 262, 264–72, *passim*, 275–6, 280–2, 289, 307, 311–2, 314–5, 319, 321, 323–4, 328–9, 341, 345, 347, 350–1, 382, 387–8, 390, 402, 404–5, 426–30, 467, 499, 504, 515

Dique de Helm (incluindo referências ao *Dique*) 25–6, 30–2, 36, 38, 57–8, 64, 355, 363–4. "Áditos" no Dique 26, 27, 30–1. Ver *Fragalta.*
Dirgon Mensageiro de Minas Tirith enviado a Théoden. 375. Ver *Hirgon.*
Díriel Nome antigo usado em Gondor. 196
Distâncias 24, 42, 53, 59, 87, 99–100, 145, 151, 153, 157, 162, 178, 302, 308, 309, 319, 331–2, 338, 347–8, 352–3, 366, 388, 391, 401–2, 406–7, 412, 417–8, 420–1, 427, 430, 437, 466–9, 483, 486–7, 495, 498
Dol Amroth (incluindo referências a Imrahil como *Príncipe* ou *Senhor de Dol Amroth*) 302, 332, 343, 345, 349, 357, 364, 386, 393, 401, 403, 436, 455, 458, 488, 497, 512; *Amroth* 401, 440. Ver *Barad Amroth.*
Dol Baran Última colina das Montanhas Nevoentas (também *Dolbaran*). 92, 96, 100–2, 145–7, 158, 171, 173, 282, 321, 330, 380–1, 405, 461
Dol Dúghol 150. Ver *Dol Guldur.*
Dol Guldur 150, 423–4
Dor-Anfalas Ver *Anfalas.*
Doriath 224, 227, 353
Dragões 263, 279
Druedain Os Homens Selvagens das Montanhas Brancas. 418. Ver *Homens Selvagens, Woses.*
Dúath Ver *Ephel Dúath.*
Duilas Ver *Targon.*
Duilin Filho de Duinhir do Vale do Morthond. 342, 438
Duin Morghul Riacho que corre do Imlad Morghul, anteriormente chamado *Ithilduin.* 509. Ver *Morgulduin.*
Duinhir Senhor do Vale do Morthond. 342, 438–40
Dúnedain 197, 367–8, 430, 435, 438, 440, 465, 483; *Dúnadan* 360, 367; *Estrela dos Dúnedain* (355), 367. Ver *Reis de Homens.*
Dúnhere Cavaleiro Rohan, chefe dos homens do Vale Harg. 375, 377, 421, 438–9
Dushgoi Nome-órquico de Minas Morghul. 261–3, 272; *Senhor(es) de Dushgoi* 261–2
Dwimorberg 318, 370–74, 439, 476. Ver *Montanha Assombrada.*
Dwimordene Lothlórien. 439
Ealdor O senescal de Edoras. (307, 311, 314), 319. (Substituído por *Galdor*).
Earendel 189 (*o meio-elfo*), 190, 193, 194, 205, 235, 246, 269; *estrela de Earendel* 270, *a estrela vespertina* 255; *Alla* (*Aiya*) *Earendel Elenion Ankalima* 269
Eärnur Último rei da linhagem de Anárion. 187. Ver *Elessar* (1).
Eastemnet 284, 291–2, 371
Eastfolde 307, 311, 314, 378, 438
Ecthelion (1) Um senhor de Gondolin. 347. (2) *Ecthelion I,* Regente de Gondor. 347; *A Torre de Ecthelion* 332, 335–336. (3) *Ecthelion II,* Regente de Gondor, pai de Denethor. 335, 347, 447
Edain 197. Ver *Atani.*
Edeb na Nestad As Casas de Cura. Ver *Berin a Nestad.*
Edoras, Eodoras (referências até 100 são praticamente todas à antiga forma *Eodoras*) 14–7, 20, 24, 29–31, 37, 38, 40–3, 57–8, 63–4, 68, 74, 76–7, 87–9, 93, 99–100, 125–6, 145–7, 172, 174, 178, 220, 275, 278–9, 283, 285–6, 288, 290, 293–4, 296, 298–9, 301–302, 305–9, 311, 314–6, 319, 321, 324–6, 328–9, 345, 347, 353, 355–6, 358, 361, 367, 369, 377–9, 381, 406–7, 411–4, 419, 420, 435, 463, 476. Os Morros de Edoras 453, 458, 478, 497
Eilenach O sexto (ou quinto, ver 408) farol em Anórien. 279, 407–8, 410, 414–7, 419, 420, 422; Floresta de Eilenach 407–8, 420; *Homens Obscuros de Eilenach* 407–8, 410. Forma mais antiga *Elenach* 279
Elbereth (1) Varda. 254, 264. (2) Filho de Dior, Herdeiro de Thingol. 353–4. (3) Filho de Elrond. 353–4, 358, 360. (Substituído por *Elrohir*).
Elboron (1) Filho de Dior, Herdeiro de Thingol. 353–4. (2) Filho de Elrond. 353–4, 358, 360, 365, 438. (Substituído por *Elladan*).
Eldamar 97. Ver *Casadelfos.*
Eldar 197
Eldûn Filho de Dior, Herdeiro de Thingol. 354
Elenach Ver *Eilenach.*
Elenarda (1) "Reino Estelar", região de Ilmen. 203. (2) Aplicado a Rohan,

precedendo o nome *Kalenarda* (ver *Calenard(h)on*). 189, 203
Elendil 27, 33, 35, 182, 328, 426, 498; filhos de 182, 466, 498, *herdeiro(s), casa, raça de* 101, 190, 193–5, 296, 299, 335, 457, 460; *espada de Elendil* 303–4, 359, 461, 492 (ver *Narsil*); *Estrela de Elendil* 438, 465, *sete estrelas de* 482, *emblemas de, símbolos de* 335, 453, 457, 464, 468; o nome 195
Elendilions Descendentes de Elendil. 97
Elessar (1) Último rei da linhagem de Anárion. 187. Ver *Eärnur.* (2) Aragorn. 367, 437, 459, 465, 483, 501. Ver *Pedra-Élfica.*
Elfhelm Cavaleiro de Rohan. 418–9, 422, 434, 438–40; chamado de *o Marechal* 415, 418
Élfico (com referência ao idioma) 51, 61, 67, 70, 193–7, 199, 245, 264, 342, 448; Élfico antigo de *Casadelfos* 195; élfico citado 264, 270, 349, 463. Ver *Alto-élfico, Noldorin, Quenya.* (com outras referências) 70, 163, 169, 184, 193, 199, 203, 205, 225, 231–2, 255, 262, 270, 401
-élfico(a) barco-élfico 181, 199; *lâmina-* 236, 251, 253; *capa(s)-* 114, 467; *senhores-* 358; *corda* 212; *fala-, idioma-* 197; *espada-* 251. Ver *Meio-elfo, Alto-élfico.*
Elfos da companhia de Gildor 78; de Lórien 196, 204, 307, 311, 408, 427, 467, 504. Divisões dos Elfos 192, 204; em relação aos Homens 193; descritos por Sam 198–9; outras referências 97, 120, 133, 137, 160, 187, 189, 193–6, 224, 227, 258, 263, 270, 357, 362, 483. *Elfos das Florestas, Elfos Médios,* ver *Lembi*; *Elfos de Valinor* 192–3; *Elfos Exilados* 192; *Elfos Ocidentais* 196; *Elfos Selvagens* 192. Ver *Altos Elfos, Elfos-da-floresta*; *Eldar, Povo Antigo, Belo Povo.*
Elfos Exilados Ver *Elfos.*
Elfos Médios Ver *Lembi. Homens Médios, Povo Médio,* ver *Homens.*
Elfos Selvagens Os Avari. 192
Elfos-da-floresta 118; *Elfos das Florestas* 192 (ver *Lembi*).
Elias Tobiasson O primeiro a cultivar a erva-de-fumo no Condado. 52. Ver *Corneteiro, Smicova.*
Elladan Filho de Elrond. 365, 438, 457, 473, 477, 480–2, 498, 499. (Substituiu *Elboron* (2)).
Elostirion Osgiliath. 102, 150, 156, 161, 162, 169, 275
Elrohir Filho de Elrond. 354, 360, 365, 438, 473, 477, 482, 498–9. (Substituiu *Elbereth* (3)).
Elrond 177, 183, 191, 193, 201, 205, 251, 265, 270, 327, 353–4, 358, 360, 363, 365, 437, 455–7, 464, 471, 487–8, 500, 514. Ver *Conselho de -, Filhos de -.*
Elros 193, 205
Elrûn Filho de Dior, Herdeiro de Thingol. 354
Elwing 353
Emyn Arnen 332, 349, 419, 430, 437, 440, 466, 496, 514; *o braço de Arnen* (porção do Anduin abaixo do Harlond) 437, (468), 496. Ver *Haramon.*
Emyn Muil 107, 113–4, 116–7, 121–5, 135, 136, 142, 157, 163, 170, 201, 318, 324, 329, 421, 427, 429, 505. Ver *Sarn Gebir* (1).
Encruzilhada Em Ithilien (também *cruzamento das vias*). 148, 154, 162, 165, 207, 212, 214–21, 224, 226, 251, 345, 350–1, 386, 404–5, 506–7; a estátua quebrada 162, 165, 207, 214, 387 (nomes 162)
Enedwaith 320
Ennyn Dûr Os Portões de Mordor (nome do passo). 129, 137–8, 156. Ver *Portão Negro, Portões de Mordor, Morannon.*
Ent(s) 13–7, 39–40, 45, 56, 58–9, 62–80, (83), 85–7, 89, 100, 208, 265, 306–7, 311, 314, 318, 328, 340, 407–10, 416, 426–30, (474), 504, 512; (língua) 67, 72. *entês* 67 (idioma), 73, *meio entesco(a)* 67, 73. *Casa-de-ent* 13; *Entencontro* 14, 18, 123. *Gigantes-árvores* 318
Entágua, Rio 163, 406, 413; *fozes do Entágua* 321
Envinyatar O Renovador (Aragorn). 465
Eodoras Ver *Edoras.*
Eofored Segundo Mestre da Marca (antes de Théodred). 37
Éomearc, Éomeark Ver (*A*) *Marca.*
Éomer 13, 17, 19–22, 25–7, 29–35, 39–40, 43–4, 57, 74, 80, 82–3, 92, 100, 172, 272, 285, 288, 291–3, 295,

(297), 301–4, 306–7, 311, 314–6, 318, 325–6, 328, 352, 355–6, 358, 360–1, 367, 369–70, 372, 374–5, 377, 381, 410, 413, 416, 418, 421–2, 425–7, 430, 435–6, 454, 457–60, 463–4, 473–5, 488, 491; *Rei* Éomer 436

Éomund Pai de Éomer e Éowyn. 318, 431, 435

éored Corpo de cavalaria em Rohan. 25, 417, 419, 422

Eorl, o Jovem 35, 38, 45, 190, 291–3, 479; *Casa de Eorl* (o Paço Dourado) 98, 159, 284, 380, 479, (emblema) 380

Eorlingas Povo de Eorl, os Rohirrim. 20, 191, 283, 290, 297, 374, 412, 431, 453, 458

Éothain Cavaleiro de Rohan. (1) Escudeiro de Éomer. 318, 422. (2) em outras aplicações 297, 318, 415, 417, 422

Éowyn (1) Irmã de Helm e mãe de Fréalaf, décimo Rei da Marca. 479. (2) Irmã de Éomer. 89, 92, 100, 284, 290–2, 295–8, 306–7, 311, 314, 316–9, 328, 366, 369, 371–2, 374, 376–80, 409, 421–2, 425–6, 430–3, 435–6, 439–40, 448, 451–5, 458–9, 463, 476, 479, 490–1, 494, 497, 504

Ephel Dúath 150, 213, 214, 218, (sobre *Ephel*, ver 168). Nomes antigos *Dúath* 130, 150; *Hebel Dúath* 150, 160, 163, 218. Ver *Montanhas de Sombra.*

Epílogo 307. Ver *livro de Sam* em *Gamgi, Sam.*

Erebor A Montanha Solitária. 423; *A Demanda de Erebor* 423–4

Erech (incluindo muitas referências à *Pedra* e à *Colina de Erech*) 320, 343, 353, 357, 359, 362–4, 366, 368, 466–8, 480–4, 489, 491–2, 495, 498, 501–3, 513; *Torre de Erech* 368, 466, 482, 491, 498. A *palantír* de Erech 357, 359, 362–4, 368, 466, 468, 482, 491, 498

Ered Lithui 157. Ver *Montanhas de Cinza.*

Ered Nimrais As Montanhas Brancas. 126, 332, 343; nomes antigos *Hebel Uilos, -Orolos,* 167; *Hebel Nimrath* 191, 204, *Ered -* 168; *Ered Nimras* 204, *Ephel -* 168; *Ephel Nimrais* 168; *Eredfain* 343. Ver *Montanhas Brancas.*

Eredfain Ver *Ered Nimrais.*

Ereg, Rio Ver *Erui.*

Erelas O quarto (ou terceiro, ver 408) farol em Anórien. 279, 413–14

Eressëa 205; *Tol Eressëa* 204, 206. Ver *Ilha Solitária.*

Erkenbrand Senhor de Westfolde. 21, 23, 37–8, 40, 57–8, 299. Substituiu *Erkenwald* 38, 43, 57, 69, 77. Ver *Trumbold, Heorulf, Nothelm.*

Ernil a Pheriannath "Príncipe dos Pequenos", Peregrin Tûk. 342

Errante Cinzento Gandalf. 187. *Peregrino Cinzento* 187; *Tolo Cinzento* 446. Ver *Mithrandir.*

Erui, Rio Em Gondor. 500, 509. Forma antiga *Ereg* 509, 514

Erva-de-fumo (incluindo referências ao tabaco) 52–6, 62, 63, 66, 76–7, 92–3, 198, 205, 465. Usada por magos 52–6, mas não por orques 66. Ver *galenas, erva-do-homem-do-oeste.*

erva-do-homem-do-oeste Erva-de-fumo. 465

Escuridão, Treva (de Mordor), *Grande Treva* (e outras referências, como *sombra de Mordor*) 220, 311, 314–5, 324, 327, 341, 350, 351, 366, 381, 382, 404, 427, 481, 485, 501, 503, 512

Espada Partida, A 462

Espectro(s)-do-Anel 139, 146, 226, 429–30. Ver *Espectros.*

Espectros 131, 429–30; *Vale dos Espectros* 218; *Estrada-dos-Espectros* 237, 268. Ver *Espectros-do-Anel*

Espelho de Galadriel Ver *Galadriel.*

Estrada de Pedra Ver *Monólitos, Estrada de.*

Estradas Do Abismo de Helm 42, 59. De Isengard 46, 58, 60, 73, 87–8, 99. De Edoras a Minas Tirith 303, 377, 403, 411, 416 ("estrada dos homens-dos-cavalos"), 419–20, 440, 474–5; velha estrada de carroças em Anórien 416–7. De Minas Tirith para Gondor Meridional 338; através da Pelennor até o Passadiço 419, 458, 460, 488 (e ver *Passadiço*). De Osgiliath a Minas Morghul (*Estrada de Morgul, Estrada de Osgiliath*) 165, 212–6, 220, 233, 347, 350, 388; *Estrada-dos-espectros* sobre o passo acima de Minas Morghul 237, 268 Estradas ao Portão Negro 151, 157; estrada do sul que atravessa Ithilien 148, 151, 153, 157–8, 160–1, 165, 170, 185, 214, 427, 506, *Estrada de Harad* 515

Estrela dos Dúnedain (355), 367; *estrela(s) de Elendil* 438, 465; *do Reino-do-Norte*

Fornobel Ver *Fornost.*
Fornold Nome de Gandalf no Sul. 187–8. (Substituiu *Forlong* (1), substituído por *Incânus*).
Fornost Cidade nas Colinas do Norte, Norforte dos Reis. 97, 99, 188, 369. A *palantír* de Fornost 76–8. Nome antigo *Fornobel* 97, 188
Forod O Norte. *Senhor dos Caminheiros de Forod*, Aragorn, 454, 457, 464–5
Forte de Heorulf Nome original do Forte-da-Trombeta. 21–3, 30; *Forte de Herulf* 21, 37; *Promontório de Heorulf* (mais precisamente a rocha sobre a qual a fortaleza ficava) 22, 37. Ver *Portão de Helm.*
Forte do Fano-da-Colina Ver *Fano-da-Colina.*
Forte-da-Trombeta (incluindo referências à *Batalha do Forte-da-Trombeta* e aos *Portões*, ao *Forte*, à *Torre*) (45) 16–8, 32–3, 35–6, 40, 57–9, 63, 69, 77, 89, 91–3, 122–6, 146, 308, 330, 352, 358, 365–9, 482, 498. A *palantír* do Forte-da-Trombeta 92. Ver *Portão de Helm, Forte de Heorulf.*
Fragalta Nome antigo do Dique de Helm. 25–6, 37; forma em inglês antigo *Stanscylf* 25, 37
Frána Língua-de-Cobra. 72. Ver *Gríma.*
Frasco de Galadriel Ver *Galadriel.*
Fréa Quarto Rei da Marca. 479
Fréalaf Décimo Rei da Marca. 479 (ver Éowyn (1)). 479
Fréawine Quinto Rei da Marca. 479
Frodo Bolseiro Ver *Bolseiro.*
Fronteira Norte (de Gondor) 203
Frota negra (incluindo todas as referências à frota após sua captura) 352, 425, 437, 443, 446–7, 460–1, 492, 514; ver também *Harad, Sulistas.*
fuilas Ver *galenas.*

Galadriel 36, 181, 195, 198–9, 204–5, 223, 225, 229, 234, 240, 246, 249–51, 253–4, 259, 265, 266, 270, 307, 319, 327, 352 (outras referências em *Frasco* etc. adiante); *A Senhora, A Senhora Branca, A Senhora de Lórien, A Senhora da Floresta Dourada* 184, 192, 195, 199, 246, 493
O Frasco (*cristal-de-estrela, o cristal*) *de Galadriel* 235–6, 240, 242, 246–7, 250, 254–5, 267; *o Espelho* 229, 266, (315, 319); *a pedra verde* 457, 459; o Anel de Galadriel 499
Galbedirs "Árvores Falantes", 64, 67, 77. Ver *Lamorni, Ornómi.*
Galdor O senescal de Edoras. 314, 319. (Substituiu *Ealdor*).
galenas erva-de-fumo. 465; *verde galenas* 55 (com outros nomes *fuilas, marlas, romloth*). Ver *erva-do-homem-do-oeste.*
Gamgi (sobrenome) 150–51. Ver *Bonfilho.*
Gamgi, Andy Tio de Sam (inicialmente chamado de *Obadias Gamgi*). 117
Gamgi, Feitor 109, 117, 150; Ham, Hamfast 150
Gamgi, Sam 66, 77, 98–9, 101–2, 105–29 *passim*, 133–5, 137–9, 141–2, 148, 150–3, 155–8, 160, 163–7, 169–72, 177, 179, 181–90, 193–5, 198–201, 203, 205, 207–8, 212–6, 220–68, *passim*, 270, 272, 276, 282, 307, 324, 328, 341, 345, 347, 350–1, 387–8, 402, 404, 454, 467; chamado *Samwise* 150, 155, 170, 193, 199, 222–3, 253–4, 256, 263–4, 367. O livro de Sam 265, 307, 328, 454; seu *Lamento para Frodo* 225, 230
Gamling Cavaleiro de Rohan. 35, 38, 40, 58, 307, 311, 314; *Gamling, o Guardião do Marco-ocidental* 35
Gandalf, 14–8, 20, 22–3, 29–31, 36, 39–5, 51, 53–60, 62–72, 74–6, 78–102 *passim*, 118–9, 145, 147, 154–5, 158–9, 168–9, 171–5, 178, 185–8, 203, 220, 258, 264–5, 272, 275–82, 284, 290, 294, 296, 298, 303–9, 311–2, 314–6, 321, 323, 327–32, 335–8, 343–5, 347–8, 350–2, 358, 368, 379–81, 383–90, 392–6, 398–9, 401–5, 423, 424–30 *passim*, 434, 441–50, 452–6, 458–65, 469–74, 487, 488, 493, 496–7, 501, 504–6. Referências a ele vestido de branco ou reluzindo 275, 315, 327, 458; *o Cavaleiro Branco*, 45, 275, 387, 402. Seus outros nomes 187; e ver *Mithrandir.*
Garathon Ver *Targon.*
Garganta de Tarlang Passo entre as Montanhas Brancas e um espigão externo, a oeste de Kiril. 483, 492, 498, 513

Guthrond Ver 501.
Guthwin Ver *Guthláf.*
Gwaihir 429. Ver Águia(*s*).
Gwathlo, Rio 509, 513. Ver *Riságua, Odothui.*
Gwinhir Menino de Minas Tirith, precursor de Bergil. 339–41, 349. Nome antigo *Ramloth* 349

Hador (*o de Cabelos Dourados*) Pai de Homens. 192, 195, 204; *povo, gente de Hador* 205
Halbarad (1) Scadufax. 317. (2) Mensageiro de Minas Tirith enviado a Théoden (sobrinho de Denethor). 284, 291, 293. Ver *Hirgon.* (3) Caminheiro do Norte.
Haleth Pai de Homens. 192, 195
Halifirien (1) Ver *Firien.* (2) O primeiro farol em Anórien. 279, 308, 312, 314, 406, 408, 411, 413, 422. Ver *Mindor Uilas.*
Háma (1) Décimo primeiro Rei da Marca. 479. (Substituído por *Brytta.*) (2) Cavaleiro de Rohan. 16–7, 20, 36, 58, 284, 316, 418. Ver *Hamelow.*
Hamelow O Morro de Háma. 58; *Hamanlow* 58
Harad O Sul. 165–6, 174, 272, 278, 291, 307, 328, 380, 432, 440, 485, 500, 515; = o povo de Harad 328, 380; navios de Harad 272, 278, 307 *Extremo Harad* 437, 440, 515; *Harad Próximo* 440, 515; *Estrada de Harad* 515
Harad Próximo Ver *Harad.*
Haradhoth, Haradoth Povo de Harad. 431
Haradrim Povo de Harad. 305, 380, 466–7, 484–5, 493, 501, 512–3
Haradwaith Povo de Harad. 76, 190, 275, 304–5, 369, 467, 495–6, 500, 513
Haramon, Colina(*s*) *de* Nome antigo das *Emyn Arnen.* 425, 430, 440, 466, 468, 495, 514
Harding Cavaleiro de Rohan. 438–9
Harlond Cais na margem oeste do Anduin em Minas Tirith. 332, 349, 437, (487), 492, 496. Nome antigo *Lonnath-Ernin* 349, 437
Harnen, Rio 284, 317
Harns = *Haradwaith, Haradrim* (?). 303–5
Hasufel Cavalo de Aragorn vindo de Rohan. 358, 363–4, 497
Hebel Dúath Ver *Ephel Dúath*
Hebel Nimrath, - Orolos, - Uilos, ver *Ered Nimrais.*
Helm Nono Rei da Marca. 15, 17, 479
Henneth Annûn 144, 171–2, 174–5, 189, 200, 203, 212, 215–7, 220–1, 323–4, 347, 350–1, 382, 388, 394–5, 401, 402, 404–5, 506; nomes élficos rejeitados 200. *Lagoa de Annûn* 220. Ver *Janela do Poente.*
Heorulf Precursor de Erkenbrand. 20–3, 29–30, 32, 37–8; *Herulf* 20–1, 23, 29–30, 37–8; chamado de *Guardião-do-Marco* 22. Ver *Trumbold, Nothelm.*
Herubrand Cavaleiro de Rohan. 439
Herufare Cavaleiro de Rohan. 439–40; forma posterior *Herefara* 440
Herugrim Espada de Théoden. 27
Herulf Ver *Heorulf, Ravina de Heorulf, Forte de Heorulf*
Hirgon Mensageiro de Minas Tirith enviado a Théoden. 375–6, 378, 380, 418. Para nomes antigos ver *Barahir* (2), *Dirgon, Halbarad* (2); e ver *Mensageiro*(*s*) *de Minas Tirith.*
Hirluin, o Alvo Senhor de Pinnath Gelin. 343, 438
Hobbit, O 270; referindo-se a *O Senhor dos Anéis* 98
Hobbits (referências gerais) 52, 55–6, 85, 96, 151, 156, 184, 191, 195, 199, 289, 337, 339–40, 363, 457; o nome 52, 61; *varas-hobbit* 110, 121. Ver *Meio-alto, Pequeno*(*s*), *Holbytla.*
Holbytla Hobbit. 52, 61, 412; *Holbytlan* (plural) 52; *Holbylta(n)* 52, 61
Homens As divisões dos Homens 192 (*os Altos, Homens da Luz; Homens Médios, Povo Médio; Homem*(*ns*) *da*(*s*) *Sombra*(*s*), *Homens da Escuridão*); fala dos Homens 35, 189, 192, 195–7 (*fala-humana* 195, 196); Homens e Elfos 193–4; e Sauron 62, 193; *Domínio dos Homens* 265 (Grandes Terras entregues aos cuidados dos Homens 470); outras referências 62, 97, 133, 137, 164, 198, 224, 265, 469, 472–3. Ver *Pais de Homens, Três Casas, Homens Tisnados, Homens Selvagens.*
Homens das Montanhas Os Mortos do Fano-da-Colina. 365, 481–2; *Homens Obscuros das Montanhas* 481, 498; seu Rei 466, 481, 498

Homens Obscuros das Montanhas Ver *Homens das Montanhas.*
Homens Obscuros de Eilenach Ver *Eilenach.*
Homens Selvagens 189, 192 (na distinção feita por Faramir). Homens dos vales ocidentais das Montanhas Nevoentas (ver *Westfolde* (1)) 20–1, 29, 31–32, 35, *(selvagens) homens-das-colinas* 19, 33–4; os Druedain de Anórien 408–10, 415–8; do Leste 129, 291–2, 403; do Sul 403; *povos selvagens* 469–70, 473
Homens-da-floresta de Trevamata Ver *Trevamata.*
Homens-Hocker, Homens-Hoker Nome antigo dos Homens-Púkel. 295, 297, 311
Homens-Púkel 294, 311, 314–5, 317, 375, 378, 416, 422; grafado *Homens-Pookel* 294–5, 297. Ver *Homens-Hocker.*
Horn Cavaleiro de Rohan. 439
Hoste de Sombra Os Mortos do Fano-da-Colina. 328, 369, 467–8, 483, 486, 494, 496, 500; *a hoste cinzenta* 486, 493; *Homens-da-Sombra* 482, 489, 491, *Sombras dos Homens* 497, *Sombras* 476, 485
Huor Irmão de Húrin Thalion. 189
Huorns 17–8, 45, 57, 59, 62, 73–4, 76, 88–9, 409; *floresta Huorn, Floresta de Huorns* 89, 354; outras referências 14, 28–9, 31, 36, 39–42, 63, 65, 68, 77, 474–5. Ver *Galbedirs, Lamorni, Ornómi.*
Húrin (1) *Húrin Thalion.* 189, 349. (2) Húrin, o Alto, o *Guardião das Chaves* de Minas Tirith. 436, 471, 496; *Guardião da Cidade* 436

Idade Média Equivalente à Segunda e Terceira Era (ver os *Dias Médios* VII. 182). 265
Ilha Solitária 205. Ver Eressëa.
Ilmen A região das estrelas. 203. Ver *Elenarda.*
Imlad Morghul O vale de Morghul. 213, 269. Ver *Minas Morghul.*
Imlad Morthond O vale do Morthond. 342. Ver *Raiz Negra, Morthond.*
Imlad-Ringlo O vale do Ringlo. 342. Ver *Ringlo.*
Imladrist Valfenda. 170, 471, 496
Imloth Melui Em Gondor. 465
Imrahil Príncipe de Dol Amroth. 332, 349, 394, 401, 403, 436, 441, 450, 457–60, 464, 470–5, 481, 488, 491, 497; e ver *Dol Amroth.*
Incânus Nome de Gandalf no Sul. 187. Ver *Forlong* (1), *Fornold*
Inglês 37, 151, 156, 158, 319; ver *Inglês antigo.*
Inglês antigo 37, 58, 61–2, 156, 294, 317, 348, 380, 421–2, 439, 479
Ingold Homem de Minas Tirith. 280, 330–1, 403. (Substituiu *Cranthir*).
Inimigo, O 28, 32, 35, 119, 133, 193, 276, 291, 303, 306, 315, 328, 348, 388, 391–3, 415, 425–7, 432, 440, 454, 459, 468, 475, 485
Inominado, O Sauron. 188
Inram, o Alto Homem de Gondor, do vale do Morthond (?). 302, 305
Irensaga "Serraferro", montanha na extremidade do Vale Harg. 370, 372. Ver *Iscamba.*
Iscamba Um nome da montanha *Serraferro.* 380
Isen, Rio (incluindo referências ao *rio*) 14–5, 19, 21, 24, 38, 42–4, 46, 56, 58, 60, 64, 67, 69, 73–, 99, 100, 276, 428, 509; e ver *Vaus do Isen.*
Isengard (incluindo referências ao *Anel, Círculo,* e *Portões* de Isengard) 13–9, 29, 35–6, 39–42, 46–7, 53, 55–71, 73–7, 80, 82, 87–90, 92–3, 95, 99–102, 114, 123, 133–4, 144–5, 147,155, 158, 173, 224, 275, 282–3, 285, 291–2, 296, 298, 316, 318, 324, 326, 340, 353, 358, 369, 381–2, 428, 504. Portão Norte de Isengard 57, 61–2, 63, 75–6
Isengardenses 23, 67
Isengrim Primeiro, 62
Isildur 35, 151, 177, 182–3, 185, 186, 188, 194–5, 202–3, 362, 365, 368, 442, 466, 481–2, 484, 491–2, 498, *filhos de* - 442; *espada de Isildur* 359, 368; o nome 194–5
Ithil A Lua. 209
Ithilduin Nome antigo de Duin Morghul. 509
Ithilien 162, 164–7, 171–4, 178, 180, 201, 206, 220, 231, 272, 302–4, 307, 311, 314–5, 323, 329, 331, 341, 347, 350–1, 390, 392, 468, 506; *o baixo de Ithilien* 437, 496; *Ithilien do Sul* 468

Janela do Poente Henneth Annûn. 200. *Janela do Oeste* 200, 210, 323; - *para o Oeste* 162

Kalenarda, Kalinarda Ver *Calenard(h)on.*
Kelos, Rio Em Gondor. 509, 512; *Celos* 500
Khand Terra a sudeste de Mordor. 437, 440, 515. Ver *Variags.*
Khazâd Nome dos Anãos no seu próprio idioma. 34
Khuzdul A língua dos Anãos. 34
Kirdan Ver *Cirdan.*
Kiril, Rio Em Gondor. 483, 500, 509, 512–3; *Ciril* 492; *travessias do Kiril* 498 (ver *Caerost, Calembel* (2)).
Kirith Gorgor O grande passo para Mordor, "o Passo Horrendo", "o Passo Assombrado" (149). 149–50, 156, 321, 426–7, 429; *Cirith Gorgor* 149, 506
Kirith Naglath "Fenda dos Dentes" nome proposto para o Morannon. 168. Ver *Naglath Morn.*
Kirith Ungol (1) Sentido original, o nome do passo para Mordor. 127–30, 136, 141, 148, 224, 266, 276; torres-de-guarda de ~ 130; traduzido como *Fenda da Aranha* 127, 224. (2) Fenda perto do passo principal. 130. (3) Passo sob Minas Morghul. 138, 152. (4) Sentido final, o passo elevado sobre o Vale Morghul (incluindo referências às escadarias, à fenda, ao passo etc.). 123, 148, 152–4, 158, 167, 207, 209–10, 220–2, 226–7, 231–8, 240–2, 245, 256, 264, 267, 269, 271, 302, 304, 307, 388, 390, 426–7, 505; *topo de Ungol* (nome-órquico) 261. Sobre o túnel (a toca de Laracna) ver *Laracna. A Torre de Kirith Ungol* 138, 154, 222, 224, 227, 237, 242, 245, (251), 256–61, 264–66, 271–2, 467; *Ungol* (nome-órquico) 261

Lagoa de Annûn 220
Lamedon 342, 467, 483–4, 487, 492, 509, 515. Para alterações na aplicação do nome, ver 512–3.
Lameduin, Rio Em Gondor (posteriormente *Gilrain*). 467, 495, 501, 509; *Vaus do Lameduin* 467, 495, 513; *Lamedui* 509
Lamorni "Árvores Falantes". 67, 77. Ver *Galbedirs, Ornómi.*
Lampioneiros, Rua dos Em Minas Tirith. 342, 465. Ver *Rath a Chelerdain.*
Laracna (139), 222 (o nome *La-racna*), 245, 251, 257, 259, 261–3, 270–2. Nome antigo *Ungoliant(e)* 238–43, 249, 254, 256, 267–8. *A Grande Aranha* 232, 241, 268, *a Aranha* 223, (238), 247, 250, 252–3, 259, 264, 270. *A Toca de Laracna* (incluindo todas as referências ao túnel sob Kirith Ungol) 222, 223, 234, 235, 242, 244, 245, 252, 264, 267, 268. Ver *Aranhas; Torech Ungol.*
Lebennin 275, 283, 291, 302, 305–6, 314–5, 329, 332, 338, 342, 345, 348–9, 391, 440, 467–8, 483–5, 487–8, 493, 499–502, 509, 512–3; *cinco torrentes de Lebennin* 302, 305, 349, 512. Ver *Terra dos Sete Rios.*
lebethron Árvore de Gondor. 218. Nomes antigos *melinon, lebendron, lebethras* 213
Legolas 313–6, 25–8, 34, 36, 38, 40–2, 54, 57, 76–7, 85–6, 92, 100, 171–2, 178, 275, 285, 289, 292, 295–6, 298, 317, 325, 327, 329–30, 354–6, 358, 361–3, 367–9, 371, 380, 427, 437, 455, 461, 466, 469, 473, 475–8, 480, 482–3, 486–91, 493–5, 497, 500–503; *Verdefolha* 36, 493
lembas 107, 128, 169; *pão-de-viagem*, pão élfico 160, 163, 169
Lembi Elfos da Grande Jornada que nunca foram a Valinor. 193. *Os Que se Demoram* 193. Também chamados *Elfos Médios, Elfos das Florestas,* 192
Lestenses 292, 403, 487
Lewis, C.S. 127, 131, 167, 176, 207, 209, 223
Lhammas, O 205
Lhefneg, Rio Em Gondor. 509, 513. (Posteriormente *Lefnui*).
Limclaro, Rio 371
Língua negra 34
Língua-de-Cobra 14, 18, 20, 22, 41, 72, 76, 78, 82–4, 96, 99, 101, 421, 439. Ver *Frána, Gríma.*
Linhir Cidade em Gondor no rio Lameduin (Gilrain). 427, 430, 467, 483–4, 495, 498, 501–3, 512–3
Lithlad "Planície de Cinzas", no norte de Mordor. 156, 514
Livro dos Contos Perdidos 440
Longas Listas 85, 96; *Longos Rolos* 96
Lonnath-Ernin Ver *Harlond.*
Lórien 102, 110, 117, 120–1, 127, 129, 137–8, 141, 153–4, 181–2, 195–6, 202, 206, 224, 260, 270, 307, 311,

Peregrin Tûk, Pippin Ver *Tûk.*
Petroterra Gondor. 438
Petum da Corneta Nome de uma erva-de-fumo. 62
Picorrijo Montanha na ponta do Vale Harg. 290, 308–9, 319, 358, 366, 370, 372–3; *Colo do Picorrijo* 294–5, 309. Nome antigo *Fano-da-Colina*, q.v.
Pictures by J.R.R. Tolkien 30, 61, 235, 300, 369
Pilares dos Reis 161–2. Ver *Argonath, Pedras Reis.*
Pinnath Gelin Colinas a norte de Anfalas. 343, 492, 503, 512–13; não nomeadas 438
Planície da Batalha 106, (133), 136, (137). Ver *Dagorlad.*
Poçalvo Aldeia do Condado, perto de Tuqueburgo. 339
Poderes, Os Os Valar. 192
Ponte do Brandevin 367
Poros, Rio "Fronteira". 499, 509
Porta de Ferro, A Entrada subterrânea para a Torre de Kirith Ungol. 272
Porta Escura, A Na Dwimorberg, que levava às Sendas dos Mortos. (Incluindo referências à *Porta*) 371, 374, 378, 380, 476–8, 494. Ver *Mortos do Fano-da-Colina.*
Porta Fechada, A Que levava às tumbas em Minas Tirith. (337–8), 403, 441, 448, 450; *Porta do Regente* (*dos Regentes*) 448. Ver *Penn Fornen.*
Portador-do-Anel, O 66, 128, 226, 276, 396; *o portador* 390.
Portão de Helm, Portão-de-Helm (1) A Fortaleza do Abismo de Helm (substituído pelo *Forte-da-Trombeta*). 22, 23, 25, 30, 32. (2) Sentido posterior, a entrada ao Abismo de Helm. 22. Ver *Forte de Heorulf.*
Portão dos Mortos 371, 491. Ver *Porta Escura, Mortos do Fano-da-Colina.*
Portão Negro, Portões Negros (incluindo referências ao *Portão*). O Morannon; originalmente, nome do passo para Mordor (ver 149–50). 138–9, 144–5, 150–1, 154–6, 159, 169, 209, 231, 265, 323, 328, 391, 428–30, 470, 488, 504; Portão Norte 257; *Negociação no Portão* (*Negro*) 469, 489, 491, 492. Ver *Ennyn Dûr, Portões de Mordor, Morannon.*
Portão Norte O Portão Negro (nome-órquico). 257
Portão(ões) *de Mordor* Originalmente, o nome do passo para dentro de Mordor (ver 113). 127, 129–30, 136–8, 488; *Portões da Terra da Sombra* (título do capítulo) 148–9. Ver *Portão Negro, Ennyn Dûr, Morannon.*
Porto de Cobas Baía a norte de Dol Amroth. 509, 512
Portos Cinzentos 99, 265; *os Portos* 476. Ver *Mithlond.*
Portos de Umbar Ver *Umbar.*
Povo Antigo Elfos. 194, 205
Povo de Durin 423
Povo Pequeno Hobbits. 203, 363
Praia-comprida 342, 349, Ver *Anfalas.*
Precioso, O O Anel. 120, 131, 133, 137, 226, 256; *precioso* usado por Gollum para si mesmo 120, 133–4, 139, 234, 241
Primeira Era 197, 440
Propriedades rurais Ver *Pelennor.*
Puck 317

Quarta Oeste 339
Quarta Sul 52–3, 76
Que se Demoram, Os 193. Ver *Lembi.*
Quendiano 194 (*Quendiano alto élfico*).
Quenta Silmarillion 192, 210, 499
Quenya 34, 170, 197. Ver *Alto idioma.*

Raiz Negra, Rio 291, 317, 481; Vale da Raiz Negra 293, 303, 342. Ver *Morthond.*
Ramas Coren Nome antigo de *Rammas Echor*. 343, 385, 401, 403. Outros nomes *Corramas* 403; *Rammas Ephel* 343; e ver *Pelennor* (1).
Ramloth Ver *Gwinhir.*
Rammas Echor A muralha em torno da Pelennor. 331, 347, 349, 420, 439; *o Rammas* 403, 407, 418, 420
Rammas Ephel Ver *Ramas Coren.*
Rath a Chelerdain "A Rua dos Lampioneiros" (q.v.) em Minas Tirith. 456; *Rath a Chalardain* 342; *Rath Celerdain* 342
Rath Dínen "A Rua Silente" em Minas Tirith. 343, 400, 403, 442, 448, 460
Rauros 142, 177, 179, 181, 320, 321, 427, 512
Ravina de Heorulf Nome original do Abismo de Helm. 21–4, 37; *Ravina*

Terra-do-Sul Harad. 284
Terra-dos-Buques 40, 51
Terra-média 62, 203, 205, 209, 263, 475, 481, 514
Terras Áridas Diante do Morannon. 170–1
Terras Estrangeiras Os feudos de Gondor. 341–2, 437, 440
Terras do Norte 438
Thalion (1) Nome de Húrin de Dor-lómin. 349. (2) Homem de Minas Tirith, pai de Gwinhir. (339), 340, 349
Tharkûn Nome de Gandalf entre os Anãos ("Homem-do-Cajado", *Contos Inacabados*, p. 526). 188. Forma antiga *Sharkûn* 187–8
Thengel Décimo sexto Rei da Marca, pai de Théoden. 421, 432, 439, 479. *Thengling*, filho de Thengel, 438
Théoden (incluindo muitas referências ao *Rei*) 14–46 *passim*, 52–68 *passim*, 72–6, 81, 86–94, 98–100, 116–7, 122–3, 126, 145–6, 158, 171–2, 178, 190, 220–1, 266, 277, 282–319 *passim*, 324–30, 345, 352, 354–82 *passim*, 406–26 *passim*, 431–6, 439, 448, 452–55, 458, 465, 474–5, 477–9. A lenda do Túmulo de Théoden 453, 458, 462
A Guarda do Rei 20, 27, 375–6, 379, 406, 408, 411–2, 419, 422, 440, *cavaleiros* 418, 435–6, *Homens da casa do rei* 422
Théodred Filho de Théoden; Segundo Marechal da Marca. 19, 37, 77
Theostercloh Ver *Ravina de Heorulf.*
Thingol Rei de Doriath. 353
Thorin (*Escudo-de-carvalho*) 423
Thorongil Nome de Aragorn em Gondor. 367
Thráin, filho de Thrór 423–4
Thrihyrne Os três picos acima do Abismo de Helm. 24, 36. Ver *Tindtorras.*
Thrór 423; o mapa de Thrór 423
Tindtorras Nome antigo de *Thrihyrne.* 19–21, 22, 24, 36, 117
Tisnados, Homens Tisnados Homens do Sul. 156, 166–7, 176, 291, 302–4. Ver *Sulistas.*
Tocanova Aldeia na Quarta Oeste. 61
Tol Eressëa Ver *Eressëa.*
Tol Varad Ver *Cair Andros.*
Tolfalas Ilha na Baía de Belfalas. 320
Tom Bombadil 121, 253, 265
Topo-do-Vento 30
Tor-dilluin, Monte Nome original do Mindolluin. 98, 101
Torech Ungol "A Cova da Aranha", a Toca de Laracna. 245; nome antigo *Terch Ungol* 245
Torre Branca (*de Minas Tirith*) (incluindo referências à *Torre*) 170, 306, 308, 311, 312, 314–5, 329, 336, 343, 347, 396, 398, 401, 403, 443, 445, 449–50, e ver *Denethor*, *Ecthelion* (2). *O Salão da Torre*, ver *Minas Tirith.*
Torre de Guarda Minas Tirith. 168–9, 187, 386
Torre Sombria 88, 91, 93, 98, 145, 151, 256, 321, 392, (426), 504, 505; *a primeira Torre Sombria* 156
Torres dos Dentes Ver *Dentes de Mordor.*
Três Anéis dos Elfos 120
Três Casas dos Homens 192, 195–8, 205; *dos Amigos-dos-Elfos* 197
Trevamata 36, 150, 192; com referência às aranhas 224, 228, 263; *a Floresta* 487; *Homens-da-floresta de Trevamata* 296, 299, 303
Trols 44–5; 270 (em *O Hobbit*); *meio-trols do Extremo Harad* 437
Tronquesperto Ent. 40, 45, 65, 72. Ver *Bregalad.*
Troteiro 54, 66, 123, 295, 459, 490
Trumbold Precursor de Erkenbrand. 20, 37. (Substituído por *Heorulf*).
Tûk, Isengrim Primeiro 54, 62; no SdA, *Isengrim II*, 62
Tûk, Paladin Pai de Peregrin. 40, 57, 383, 396, 398
Tûk, Peregrin (também *Pippin*) 13–4, 17–8, 40–1, 52, 56–7, 65–7, 70–2, 75–6, 78, 84–7, 92–6, 98, 100–2, 145–6, 158–9, 171–2, 174–5, 275, 277–80, 289, 295–6, 298, 305–6, 309, 311–2, 314–6, 321, 323–58, *passim*, 364, 381, 383–8, 390, 392, 395–8, 400–5, 428, 434, 441–62, 469, *passim*, 473, 476, 478, 482, 487–91, 495–6, 500, 504. Sua idade 338–40, 348–50; sua espada 66, 77, 331, 348, 350; seu broche de Lothlórien 66
Tûk(s) 62, 71
Tuor 189
Tuqueburgo Local principal da Terra-dos-Tûks. 40, 339

Poemas Originais

Prefácio

[A] p. 9: *There was a merry passenger,*
a messenger, an errander;
he took a tiny porringer
and oranges for provender.

PARTE UM: A Queda de Saruman

2. O Abismo de Helm

[A] p. 36: *Greenleaf, Greenleaf, bearer of the elven-bow,*
Far beyond Mirkwood many trees on earth grow.
Thy last shaft when thou hast shot, under strange trees shalt thou go!

PARTE DOIS: O Anel Vai para o Leste

2. A Travessia dos Pântanos

[A] p. 135: *The cold hard lands*
To feet and hands
they are unkind.
There wind is shrill,
The stones are chill;

Our heart is set
On water wet
in some deep pool.
O how we wish
To taste of fish

5. Faramir

[A] p. 201: *This sign shall there be then*
that Doom is near at hand:
The Halfhigh shall you see then
with Isildur's bane in hand.

PARTE TRÊS: Minas Tirith

4. Muitas Estradas Rumam ao Leste (1)

[A] p. 357:

Out of the mountain shall they come their tryst keeping;
at the Stone of Erech their horn shall blow,
when hope is dead and the kings are sleeping
and darkness lies on the world below:
Three lords shall come from the three kindreds
from the North at need by the paths of the dead
elflord, dwarflord, and lord forwandréd,
and one shall wear a crown on head.

[B] p. 359:

Out of the mountain shall they come their tryst keeping;
At the Stone of Erech their horns shall blow

[C] p. 362:

The days are numbered; the kings are sleeping.
It is darkling time, the shadows grow.
Out of the Mountain they come, their tryst keeping;
at the Stone of Erech horns they blow.
Three lords I see from the three kindreds:
halls forgotten in the hills they tread,
Elflord, Dwarflord, Man forwandréd,
from the North they come by the Paths of the Dead!

[D] p. 364:

It is darkling time, the shadow grows.
Out of the Mountain he comes, his tryst keeping;
At the Stone of Erech his horn he blows.

[E] p. 366:

When the land is dark where the kings sleep
And long the Shadow in the East is grown,
The oathbreakers their tryst shall keep,
At the Stone of Erech shall a horn be blown:
The forgotten people shall their oath fulfill.
Who shall summon them, whose be the horn?
For none may come there against their will.
The heir of him to whom the oath was sworn;
Out of the North shall he come, dark ways shall he tread;
He shall come to Erech by the Paths of the Dead.

[F] p. 368:

Near is the hour When the Lost should come forth,
And the Grey Company ride from the North.
But dark is the path appointed for thee:
The Dead watch the road that leads to the Sea.

[G] p. 369:

The Shadow falls; the kings are sleeping.
It is darkling time, all lights are low.

9. A Batalha dos Campos de Pelennor

[A] pp. 438–9:

We heard in the hills the horns ringing,
of swords shining in the South kingdom:
steeds went striding to the Stoningland
a wind in the morning, war at sunrise.
There Théoden fell, Thengling mighty,
life and lordship long had he wielded
hoar king and high, Harding and Grimbold,
Dúnhere and [Elfhelm >] Marculf, Déorwin, the marshal.
Hirluin the fair to the hills by the sea,
nor Forlong the great to the flowering vales
ever of Arnach in his own country
returned in triumph, nor the tall bowman
doughty Duinhir to the dark waters,
meres of Morthond under mountain-shadows.
Death in the morning and at day's ending
lords took and lowly. Long now they sleep
under grass in Gondor by the Great River.
Red it ran then. Red was the sunset,
the hills under heaven high snowmantled
bloodred burning. Blood dyed the earth
in the Field of Mundberg in the far country.

[B] p. 439:

Harding and Guthwin,
Dúnhere and Marculf, Déorwin and Grimbold,
Herufare and Herubrand, Horn and Fastred,
fought and fell there in a far country;
in the mounds of Mundberg under mould they lie
with their league-fellows, lords of Condor.

12. O Último Debate

[A] p. 493:

Legolas Greenleaf long under tree
In joy thou hast lived. Beware of the Sea!
If thou hearest the cry of the gull on the shore,
Thy heart shall then rest in the forest no more.

Este livro foi impresso em 2024, pela Ipsis, para a HarperCollins Brasil.
A fonte usada no miolo é Garamond corpo 10. O papel do miolo é
pólen bold 70 g/m² e o da capa é couchê 150 g/m².

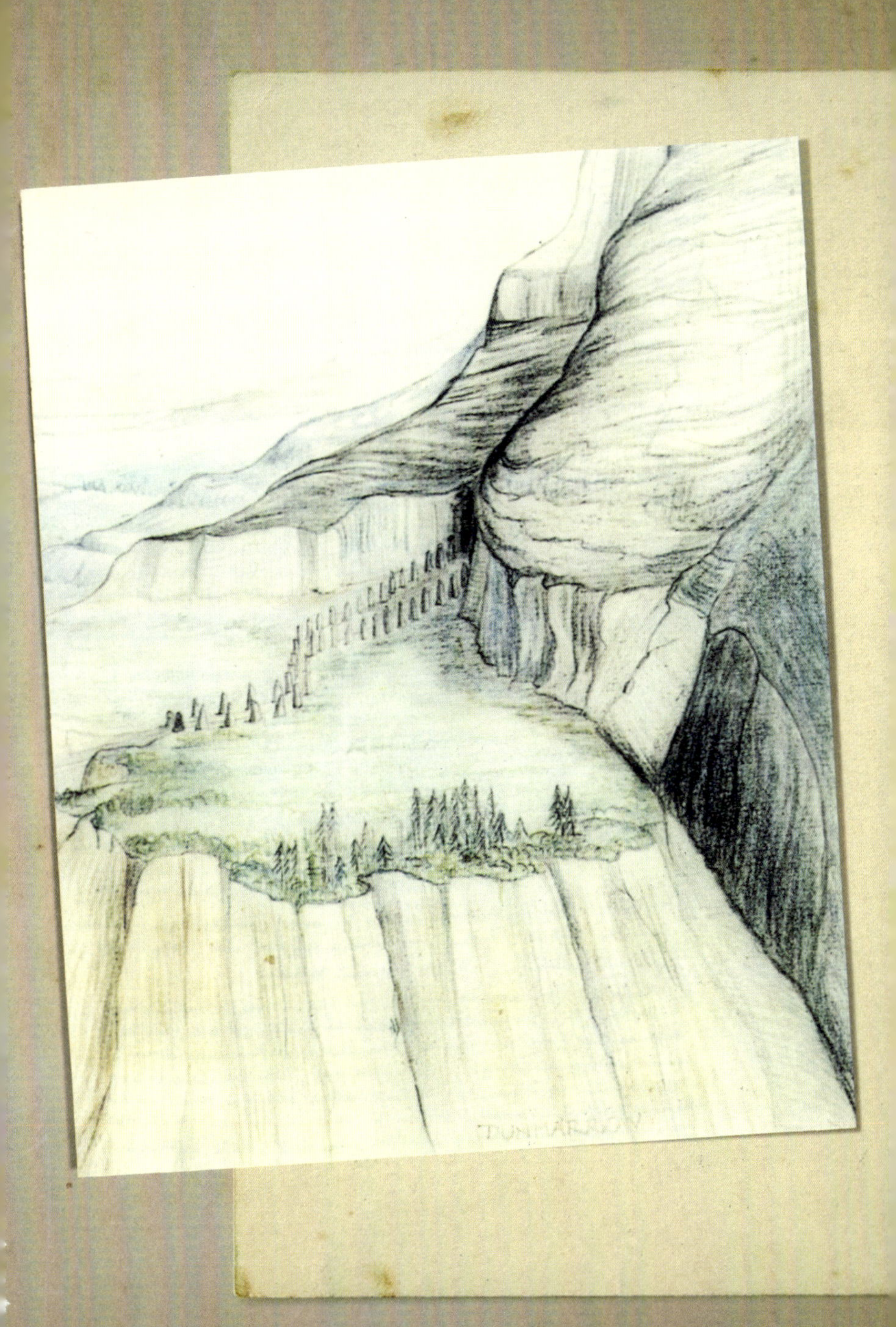

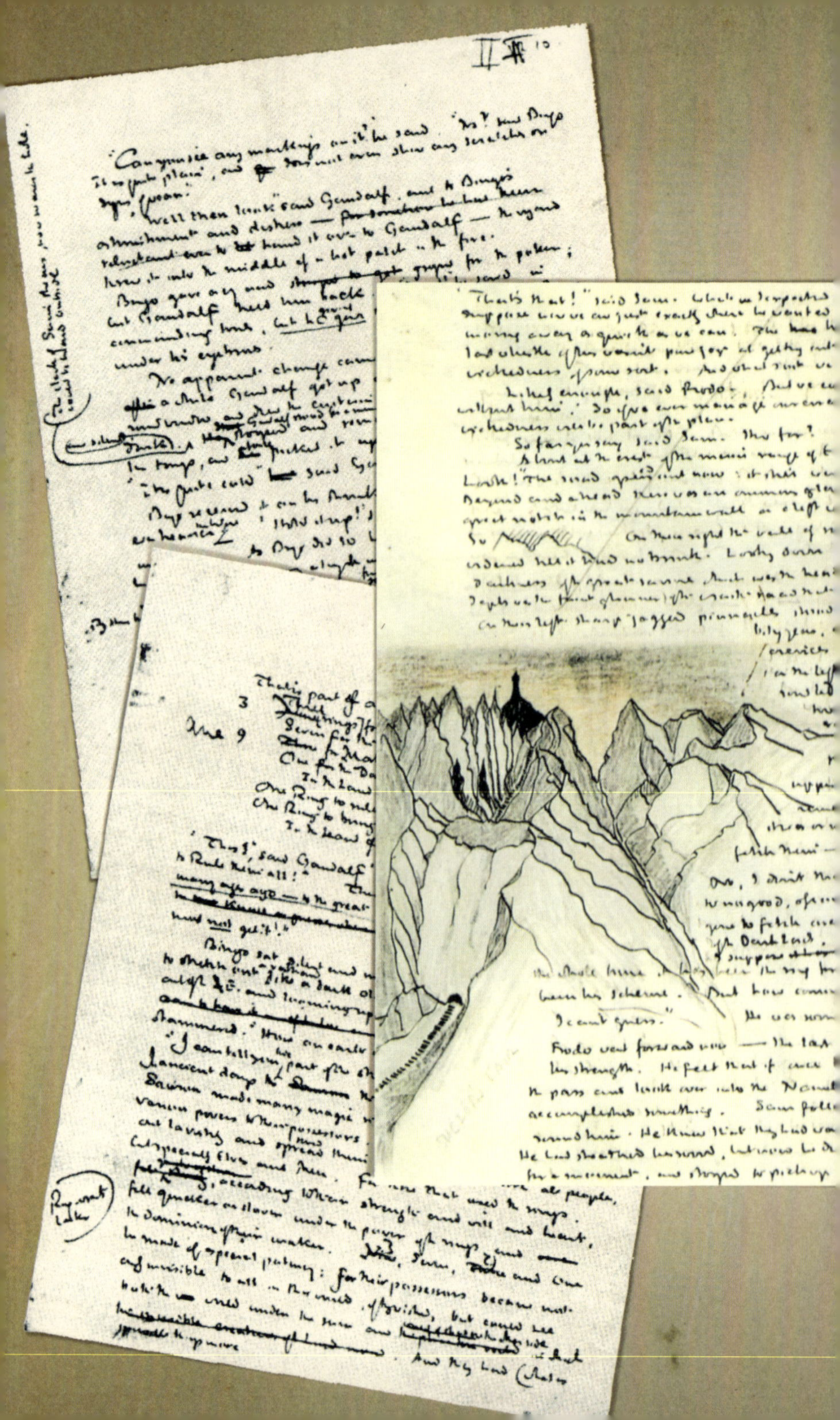